ANGLIČTINA PRE SAMOUKOV

LUDMILA KOLLMANNOVÁ
LIBUŠE BUBENÍKOVÁ
ALENA KOPECKÁ

SLOVENSKÉ PEDAGOGICKÉ NAKLADATEĽSTVO
BRATISLAVA 1990

Lektorovali: PhDr. Miroslav Jindra, CSc., PhDr. Jaroslav Peprník, CSc., Margot Leigh Milnerová, PhDr. Erna Haraksimová

Štvrté vydanie

ISBN 80-08-01039-8

PREDHOVOR

Učebnica angličtiny pre samoukov je novokoncipovanou učebnicou, ktorá zohľadňuje nové poňatie osvojovania si angličtiny ako cudzieho jazyka. Zameriava sa najmä na nácvik rečových zručností, ktoré si má samouk osvojiť prostredníctvom jazykových, jazykovo-rečových a komunikatívnych cvičení. Tomuto poňatiu sú podriadené dialogizované východiskové texty, vysvetlivky o výslovnosti, intonácii a prízvuku, výber slovnej zásoby a výklad gramatického aparátu.

Učebnica podáva v tridsiatich lekciách základy hovorovej angličtiny, anglickej gramatiky a výslovnosti. Je určená samoukom-začiatočníkom, a preto je písaná prístupnou formou, aby sa každý, kto sa chce venovať angličtine vo voľnom čase, mohol z nej učiť sám, bez učiteľovej pomoci.

Učebnica je zameraná predovšetkým konverzačne, t. j. na praktické potreby. Jej cieľom je oboznámiť používateľa s bežnými výrazmi a zvratmi hovorového jazyka, ktoré možno použiť v rozličných situáciách bežného denného styku s cudzincami u nás alebo v cudzom prostredí, a naučiť ho porozumieť jednoduchý anglický text.

Štruktúra lekcie:

a) *Text.* Témy článkov sú volené tak, aby zodpovedali bežným hovorovým situáciám. Text býva zväčša vo forme dialógu, ktorý môže slúžiť ako vzor pre vlastnú konverzáciu. Články sú písané hovorovou angličtinou a obsahujú rad frazeologických väzieb, ktoré vychádzajú z danej situácie a zo slovnej zásoby článku, ako i príklady na gramatické javy preberané v príslušnej lekcii. Výslovnosť vlastných mien z lekcie je uvedená pod textom.

b) *Slovná zásoba.* Neznáme výrazy lekcie sú pre lepšiu orientáciu zaradené abecedne. Výslovnosť je vždy uvedená v hranatých zátvorkách.

c) *Dôležité väzby.* Tu sú zhrnuté frazeologické väzby, spoločenské zvraty a predložkové spojenia príslušnej lekcie, rozšírené o ďalšie príklady.

d) *Výslovnosť a pravopis.* V tejto časti nájdete vysvetlenie týkajúce sa výslovnosti, intonácie, prízvuku ap., ktoré sú vždy spojené s precvičovaním príslušných javov.

e) *Gramatika.* Gramatické vysvetlenia sa podávajú tak, aby boli zrozumiteľné i tým, ktorí nemajú teoretické vedomosti o slovenskej gramatike.

f) *Cvičenia.* Pri každom cvičení je návod a vzor. Prekladové cvičenia sú vypracované v Kľúči. Aj niektoré ťažšie cvičenia, najmä z prvých lekcií, nájdete vypracované v Kľúči.

K učebnici je pripojený Kľúč. V jeho prvej časti nájdete prepis výslovnosti textov 2.–5. lekcie, slovenské preklady textov prvých ôsmich lekcií, ďalej vypracované niektoré ťažšie cvičenia a všetky preklady do angličtiny. K niektorým lekciám sú pripojené poznámky k textu, ktoré vysvetľujú rozličné zaujímavosti a zvláštnosti anglického života a prostredia.

V druhej časti Kľúča (v Dodatku) nájdete prehľad časov a slovesných tvarov, najdôležitejších nepravidelných slovies, zámen a pravidiel anglického slovosledu, poznámku o významovom rozdieli niektorých podobných slovenských a anglických slov, prehľad britskej a americkej meny, mier a váh, nápisy, abecedný slovník anglicko-slovenský a slovník výslovnosti vlastných mien.

AKO PRACOVAŤ S UČEBNICOU

a) Texty článkov čítajte vždy nahlas. Zvyknite si hneď spočiatku na to, aby ste si mohli lepšie kontrolovať správnu výslovnosť. Na kontrolu výslovnosti prvých článkov vám poslúži prepis výslovnosti v Kľúči. Každú vetu opakujte niekoľkokrát nahlas. Ak nie ste si celkom istí, či niektoré slovo správne vyslovujete, hneď si skontrolujte jeho výslovnosť v abecednom slovníku príslušnej lekcie alebo v slovníku v Kľúči. Len tak sa vyhnete nebezpečenstvu, že si osvojíte nesprávnu výslovnosť, ktorému je každý samouk prirodzene vystavený.

Odporúčame naučiť sa dialógy v prvej polovici učebnice naspamäť.

Pri prekladaní článkov do slovenčiny sa neusilujte o doslovný preklad. Články obsahujú rad hovorových zvratov a väzieb typických pre angličtinu, ktoré nemožno doslovne prekladať do slovenčiny. Na kontrolu správneho prekladu vám poslúži v prvých ôsmich lekciách Kľúč. V ďalších lekciách nájdete preklady hovorových fráz v časti Dôležité väzby alebo priamo v slovníku príslušnej lekcie.

Po prečítaní článku si nezabudnite prečítať v Kľúči poznámky k textu, ktoré vás upozornia na niektoré zvláštnosti a zaujímavosti anglického života a prostredia.

Po prebratí celej lekcie spolu s cvičeniami sa vráťte k úvodnému článku lekcie a pokúste sa vyrozprávať jeho obsah. Pritom postupujte podľa otázok k textu. Neskôr môžete porozprávať obsah článku s obmenami, napríklad v prvej osobe.

b) Slovná zásoba príslušnej lekcie je uvedená pod textom v abecednom poriadku. Výslovnosť vlastných mien sa uvádza osobitne pod textom. Pri každom slovíčku je v hranatej zátvorke uvedená jeho výslovnosť. Výslovnosti treba v angličtine venovať zvýšenú pozornosť, preto si najprv starostlivo preštudujte poznámky o anglickej výslovnosti na str. 11. Slovíčka si zapisujte do zošita i s prepisom výslovnosti, lebo písaná podoba slova sa spravidla líši od vyslovovanej. Slovíčka píšte do zošita väčšieho formátu a stránky rozdeľte na tri časti: do prvej píšte anglické slovo, do druhej prepis výslovnosti a do tretej slovenský význam. Slovíčka sa učte zásadne nahlas. Nestačí slovíčka len mechanicky odriekať, oveľa účinnejšie je usilovať sa na každé slovo utvoriť slovné spojenie (new – a new book) alebo stručnú vetu. Nezanedbávajte pravopis. Učte sa slovíčka vždy s ceruzkou v ruke a ťažšie slová si niekoľkokrát napíšte na osobitný papier, aby ste si ich pravopis lepšie zapamätali. Ak si chcete skontrolovať, ako ste si osvojili znalosť slovnej zásoby príslušnej lekcie, skúste nasledujúci postup: zakryte anglické slovíčka a prekladajte slovenské slovíčka do angličtiny. Potom si skontrolujte správnosť a postup opakujte. Slovíčka, ktoré sa vám aj druhý raz ľahko v pamäti vybavia, označte a už ich neopakujte. Ostatné slovíčka opakujte tak dlho, kým si ich všetky nezapamätáte.

c) Dôležité väzby sú zaradené za slovníkom. Sú tu uvedené spoločenské frázy, hovorové zvraty a väzby, ktoré sú typické pre angličtinu, a preto ich ani nemožno prekladať doslovne, ale treba vystihnúť obsah podobnou slovenskou frázou. Sem sme zaradili aj predložkové väzby, ktoré sa taktiež často líšia od slovenských. Odporúčame, aby ste si tieto väzby odpisovali do osobitného zošita a naučili sa ich podľa možnosti naspamäť. Ich nácviku venujeme vždy jedno z prekladových cvičení (Povedzte po anglicky) na konci lekcie. Usilujte sa používať tieto väzby čo najčastejšie, lebo sú charakteristické pre angličtinu. Nepokúšajte sa prekladať slovenské spoločenské frázy doslovne do angličtiny; mohli by ste sa dopustiť omylov alebo i spoločenských priestupkov.

d) V nasledujúcej časti Výslovnosť a pravopis sa vysvetľujú javy týkajúce sa výslovnosti, vrátane intonácie a prízvuku. Vysvetlenie je vždy spojené s praktickým nácvikom. Najprv starostlivo preštudujte návod a potom hovorte všetky cvičenia niekoľkokrát nahlas. Usilujte sa vždy o prirodzené tempo reči, vetu niekoľkokrát nahlas opakujte, nebojte sa zdôrazňovať prízvučné slabiky. Je to pre angličtinu typické.

Dbajte predovšetkým na správnu výslovnosť tých anglických hlások, ktoré v slovenčine nejestvujú [w, θ, ð], na dvojhlásku [əu], ale i na samohlásku [æ], ktorú poznáte ako naše ä.

Ak sa nácvik výslovnosti týka nového gramatického javu, preštudujte najprv príslušnú látku v časti Gramatika.

e) Gramatická látka sa najsamprv ilustruje na niekoľkých typických príkladoch; potom nasleduje vysvetlenie pravidla, ktoré doplňujú ďalšie príklady. Príklady na gramatické javy preberané v lekcii nájdete aj v úvodnom článku lekcie. Keď sa pri čítaní článku stretnete s novou gramatickou látkou, preštudujte príslušnú časť gramatiky. Príklady z učebnice si môžete zapisovať do zošita a nahlas opakovať, aby ste si látku lepšie zapamätali. Ak chcete hovoriť správne po anglicky a bez hrubých gramatických chýb, nestačí si zapamätať príslušné pravidlo. Musíte ho vedieť aj prakticky používať v najrozličnejších situáciách. Na to je potrebné prebrať cvičenia, ktoré nasledujú za gramatickým vysvetlením.

f) K cvičeniam pristupujte až po preštudovaní gramatiky. Pri každom cvičení je uvedený vzor. Väčšina cvičení je zameraná len na jeden gramatický jav, takže sú ľahké a vedú k zautomatizovaniu tohto javu. Preto odporúčame opakovať každé cvičenie niekoľkokrát nahlas. Iný typ cvičení uvádza v niekoľkých stĺpcoch rad slovíčok, pomocou ktorých máte tvoriť vety. Usilujte sa vždy utvoriť čo najviac takých viet a hovorte ich nahlas. Pred každým cvičením tohto typu si zopakujte gramatickú látku príslušnej lekcie, lebo slová z jednotlivých stĺpcov nemožno ľubovoľne kombinovať.

Len výnimočne sa niektorý gramatický jav precvičuje prekladom zo slovenčiny do angličtiny. Prekladové cvičenia sú dvojaké. Prvé sú na zopakovanie a ústne precvičenie hovorových zvratov a spoločenských fráz z lekcie. V druhých, obyčajne vo forme súvislého rozprávania, ide o obmenu úvodného textu lekcie. Je to vlastne kontrola toho, do akej miery ste zvládli slovnú zásobu a gramatickú látku lekcie. Odporúčame písomne vypracovať tento druhý typ prekladového cvičenia. Pri prekladaní zo slovenčiny do angličtiny nikdy neprekladajte doslovne. Pamätajte na to, že angličtina má pevný slovosled a dbajte na všetky pravidlá, zhrnuté v Kľúči na str. 50. Odporúčame začínať anglickú vetu podmetom. V Kľúči nájdete vypracované všetky preklady a niektoré ťažšie cvičenia.

Ku každej lekcii je pripojené konverzačné cvičenie. Ide vždy o niekoľko cvičení, ktoré vás majú postupne viesť k samostatnému ústnemu prejavu. Postupujte podľa návodu a uvedeného vzoru. Opäť zdôrazňujeme, aby ste pri samostatnom vyjadrovaní dbali na zásady anglického slovosledu a na pravidlá o používaní člena u podstatných mien. Vyjadrujte sa krátkymi vetami a ustavične si kontrolujte správnu výslovnosť.

A napokon vám želáme veľa usilovnosti, vytrvalosti a úspechu pri učení.

ÚVODNÉ POZNÁMKY K ANGLICKEJ VÝSLOVNOSTI

Anglická výslovnosť nie je pre nás Slovákov jednoduchá. Oveľa ľahšie si osvojíme slovnú zásobu a gramatiku, ktorá v porovnaní so slovenskou gramatikou je značne jednoduchšia, avšak najväčšie ťažkosti nám robí práve výslovnosť. Ak sa spýtame rodeného Angličana, ktoré chyby v našej angličtine mu najviac prekážajú, odpovie nám, že mu oveľa väčšmi sťažuje porozumenie príliš pomalé tempo reči, nesprávne prízvuky a zlá intonácia než gramatické chyby. To preto, že anglická výslovnosť sa značne líši od slovenskej. Rozdiely sa týkajú rytmu, prízvuku a tempa reči, intonácie i zvukovej podoby tých hlások, ktoré sa v slovenčine vôbec nevyskytujú, alebo sa vyslovujú iným spôsobom.

Ak počujete hovoriť Angličana, všimnete si predovšetkým rýchle tempo reči a rytmické striedanie prízvučných a neprízvučných slabík. Slovný prízvuk je v angličtine oveľa dôraznejší než v slovenčine a ovplyvňuje predovšetkým výslovnosť samohlások; napr. *a* v prízvučnej slabike vyslovíme ako *ä* alebo *ei*, v neprízvučnej slabike ako nedbanlivé *e* alebo *i*. Treba si teda zapamätať, ktorá slabika má prízvuk. Slovný prízvuk v slovenčine dávame vždy na prvú slabiku. V angličtine môže byť prízvuk na prvej alebo na druhej slabike; v dlhších slovách môžu byť i dva prízvuky, hlavný (so silnejším dôrazom) a vedľajší (so slabším dôrazom).

Ďalší rozdiel je v intonácii. Intonáciou rozumieme zvyšovanie a klesanie tónu hlasu v priebehu vyslovovanej vety, čím sa v angličtine zdôrazňujú dôležité slová vo vete, ako podstatné mená, prídavné mená, významové slovesá alebo príslovky.

So všetkými týmito javmi vás budeme postupne oboznamovať, a takisto aj s výslovnosťou hlások odlišných od slovenčiny.

Keďže sa v angličtine väčšina slov inak píše a inak vyslovuje, musíte sa každé slovíčko naučiť vlastne dvakrát: ako sa píše a ako sa vyslovuje. Prepis výslovnosti píšeme vždy do hranatých zátvoriek, aby sa odlíšila písaná podoba od vyslovovanej. Prízvuk sa označuje kolmou čiarkou umiestenou vždy pred prízvučnou slabikou. Hlavný prízvuk má čiarku umiestenú hore, napr. *about* [əˈbaut] = o, vedľajší prízvuk má čiarku umiestenú dole, napr. *pronunciation* [prəˌnansiˈeišn] = výslovnosť. Ak je hlavný prízvuk na prvej slabike, teda ako v slovenčine, napr. *busy* [bizi] = rušný, zaneprázdnený, neoznačujeme ho.

Dĺžka samohlások sa označuje dvojbodkou, napr. *he* [hi:] = on. Ďalej si zapamätajte, že angličtina nemá mäkké slabiky di, ti, ni, li, de, te, ne, le, preto [i] a [e] vo fonetickom prepise výslovnosti nemäkčia predchádzajúce d, t, n, l; napr. *Dick* [dik] čítame „dyk". S osobitnými znakmi používanými pri prepise výslovnosti sa budete postupne oboznamovať v jednotlivých lekciách. Pripojujeme prehľad znakov prepisu výslovnosti samohlások, dvojhlások a niektorých spoluhlások odlišných od slovenčiny:

[i:]	he	[hi:]	[ei]	name	[neim]
[i]	it	[it]	[ai]	like	[laik]
[e]	yes	[jes]	[oi]	boy	[boi]
[æ]	hat	[hæt]	[əu]	no	[nəu]
[a:]	ask	[a:sk]	[au]	now	[nau]
[o]	not	[not]	[iə]	here	[hiə]
[o:]	more	[mo:]	[eə]	there	[ðeə]
[u]	put	[put]	[uə]	poor	[puə]
[u:]	too	[tu:]	[ŋ]	bank	[bæŋk]
[a]	up	[ap]	[θ]	thin	[θin]
[ə:]	her	[hə:]	[ð]	this	[ðis]
[ə]	about	[əˈbaut]	[w]	we	[wi:]

Zapamätajte si ďalej, že v angličtine sa slová viažu (My‿name‿is‿Mary.) Tieto slová čítame dovedna ako jedno slovo, napr. *is it old?* čítame [izitəuld]?. V prepise výslovnosti je toto viazanie označené oblúčikom: [iz‿it‿əuld]?

Napokon by sme vás chceli ešte upozorniť na dvojakú výslovnosť niektorých anglických slov, tzv. plnú a oslabenú. Pri niektorých slovách máte v slovníku uvedené dva tvary ich výslovnosti, napr. *and* [ænd, ənd]. Prvý tvar je plný a použijeme ho len vtedy, ak je na slove dôraz. Druhý tvar, oslabený, použijeme uprostred vety, ak nie je na slove dôraz. Celý rad krátkych gramatických slov, ako sú zámená, pomocné slovesá, predložky, spojky ap. majú dvojakú výslovnosť: dôrazovú (plnú) a neprízvučnú (oslabenú). U pomocných slovies máme aj tvary plné, napr. *have* [hæv], aj tvary oslabené *have* [həv] a stiahnuté *'ve* [v]. Použitie oslabených, prípadne stiahnutých tvarov záleží predovšetkým na tempe reči. Čím rýchlejšie sa hovorí, tým viac a častejšie sa používajú oslabené a stiahnuté tvary.

Anglická abeceda

Anglická abeceda má 26 písmen, ktorých názvy sa musíte naučiť správne po anglicky vyslovovať. Keďže v angličtine sa pravopis často líši od výslovnosti, veľmi často treba slová hláskovať (anglicky *spell*). Tak isto je potrebné hláskovanie pri čítaní skratiek, chemických vzorcov ap.

a	[ei]	h	[eič]	o	[əu]	v	[vi:]
b	[bi:]	i	[ai]	p	[pi:]	w	[dablju:]
c	[si:]	j	[džei]	q	[kju:]	x	[eks]
d	[di:]	k	[kei]	r	[a:]	y	[wai]
e	[i:]	l	[el]	s	[es]	z	[zed]
f	[ef]	m	[em]	t	[ti:]		
g	[dži:]	n	[en]	u	[ju:]		

Pozor: c [si:] – s [es]   a [ei] – e [i:] – i [ai]
j [džei] – g [dži:]
q [kju:] – k [kei]

WHO ARE YOU?
[hu:‿a: ju:]*

A: Good morning. My name is Peter Black. I am your
[gud mo:niŋ. mai neim ‿iz pi:tə blæk. ai‿əm jo:r
English teacher. Are you Mr Nový?
‿iŋgliš ti:čə. a: ju: mistə nový?]

B: Yes, I am. Are you from London, Mr Black?
[jes, ai‿æm. a: ju: frəm landən, mistə blæk?]

A: No, I am not. I am from Oxford. And you? Are you
[nəu, ai‿əm not. ai‿əm frəm ‿oksfəd. ænd ju:? a: ju:
from Bratislava?
frəm bræt'isla:və?]

B: Yes, I am. I am a Slovak student.
[jes, ai‿æm. ai‿əm‿ə sləuvæk stju:dənt.]

A: Well, are you ready?
[wel, a: ju: redi?]

B: Yes, I am.
[jes, ai‿æm.]

WHAT IS IT?
[wot‿ iz‿ it?]

What is it?
[wot‿iz‿it?

It is a book.
it‿iz‿ə buk.

* Prepis výslovnosti ďalších lekcií nájdete v Kľúči.

Yes, it's a book. Is it old? Yes, it is. It's an old book.
jes, its‿ə buk. iz‿it‿əuld? jes, it‿iz. its‿ən‿əuld buk.]

Is it a hat? Yes, it is. It's a hat.
[iz‿it‿ə hæt? jes, it‿iz. its‿ə hæt.

Is it new? Oh no, it isn't. It's old. It's an old hat.
iz‿it nju:? əu nəu, it iznt. its‿əuld. its‿ən‿əuld hæt.]

What is it? It is an apple.
[wot‿ iz‿it? it‿iz ən‿æpl.

Yes, it's an apple.
jes, its‿ən‿æpl.

Is it good? Yes, it is. It's a very good apple.
iz‿it gud? jes, it‿iz. its‿ə veri gud‿æpl.]

Is it an orange? Yes, it is.
[iz‿it ən‿orindž? jes, it‿iz.

Yes, it's an orange. It's a big orange.
jes, its‿ən‿orindž. its‿ə big‿orindž.]

HOW ARE YOU?
[hau ‿a: ju:?]

B: Hello, Anne. How are you?
[hə'ləu, æn. hau‿a: ju:?]

A: I'm well.
[aim wel.]

B: Is John at home?
[iz džon‿ət həum?]

A: No, he isn't. He's in his office, but Mike is at home.
[nəu, hi:‿iznt. hi:z‿ in hiz‿ofis, bət maik‿ iz‿ət həum.]

B: How is he?
[hau‿iz hi:?]

A: He isn't well, he's ill.
[hi:‿iznt wel, hi:z‿il.]

B: Oh, I am sorry. And how is Miss Black? Is she in London?
[əu, ai‿əm sori. ənd hau ‿iz mis blæk? iz ši: ‿in landən?]

A: Yes, she is. She is very busy at school now.
[jes, ši:‿ iz. ši:‿ iz veri bizi‿ ət sku:l nau.]

Výslovnosť vlastných mien: **Anne** [æn] Anna; **Black** [blæk]; **John** [džon] Ján; **Mike** [maik] Mišo; **Miss Black** [mis blæk]; **London** [landən] Londýn; **Oxford** [oksfəd] *univerzitné mesto v Anglicku;* **Peter** [pi:tə] Peter; **Bratislava** [bræti'sla:və]; **Prague** [pra:g] Praha.

---

a, an [ə, ən] *tvary neurčitého člena (pozri gramatiku)*
and [ænd, ənd] a
apple [æpl] jablko
at [æt, ət] pri, u, v(o)
be [bi:] byť
big [big] veľký
black [blæk] čierny
busy [bizi] rušný, zaneprázdnený
  I am busy mám veľa práce, som zaneprázdnený
but [bat, bət] ale
Czech [ček] Čech, čeština; český; česky
English [iŋgliš] Angličan, angličtina; anglický; anglicky
from [from, frəm] z, od
good [gud] dobrý
he [hi:] on
  he is [iz] (on) je
hello [hə'ləu] servus, ahoj
hat [hæt] klobúk
his [hiz] jeho *(privl. zámeno)*
home [həum] domov
  at home doma
how [hau] ako
I [ai] *(vždy s veľkým písmenom)* ja
  I am [æm, əm] som
ill [il] chorý
in [in] v
it [it] to, ono
lesson [lesn] lekcia, hodina *(vyučovacia)*
morning [mo:niŋ] ráno
Miss [mis] *(vždy s menom)* slečna
Mr [mistə] *(vždy s menom)* pán
my [mai] môj
name [neim] meno
new [nju:] nový
no [nəu] nie
not [not] *zápor slovesa*
now [nau] teraz
office [ofis] kancelária, úrad
oh [əu] ó!, ale! *(citoslovce údivu)*
old [əuld] starý
one [wan] jeden
orange [orindž] pomaranč
ready [redi] pripravený, hotový
school [sku:l] škola
she [ši:] ona
Slovak [sləuvæk] *(vždy s veľkým písmenom)* Slovák, slovenčina; slovenský; slovensky
sorry [sori]
  I am sorry je mi ľúto, ľutujem
student [stju:dnt] študent, študentka
teacher [ti:čə] učiteľ, učiteľka

very [veri] veľmi
well [wel] dobre; zdravý; nuž, no, ale
what [wot] čo, aký, čím
who [hu:] kto
yes [jes] áno
you [ju:, ju] ty, vy
you are [a:] (ty) si, (vy) ste
your [jo:] tvoj, váš

DÔLEŽITÉ VÄZBY

I am Slovak (Czech).	Som Slovák (Čech).
Are you English?	Ste Angličan (Angličanka)?
Mr Black is my English teacher.	Pán Black je mojím učiteľom angličtiny.
What are you?	Čím ste?
I am a student.	Som študent.
What is your name?	Ako sa voláte?
My name is...	Volám sa...
He's at home.	Je doma.
She's at school.	Je v škole.
He's in London.	Je v Londýne.
She's in Bratislava (Prague).	Je v Bratislave (Prahe).
I'm very busy.	Mám veľa práce.
I'm sorry.	Ľutujem.
Sorry.	Prepáčte.

VÝSLOVNOSŤ A PRAVOPIS

Znak prepisu výslovnosti	Pokyny k výslovnosti
[ə]	Túto samohlásku vyslovíme vtedy, keď hovoríme izolovane spoluhlásky abecedy, napr. *f, z, h,* [fə], [zə], [hə]. V angličtine sa obmedzuje iba na neprízvučné slabiky. Vyskytuje sa často na konci slova, napr. pri slovách zakončených na **-er** [-ə], kde koncové *-r* už nevyslovíme. Peter – He is Peter. – He is Peter Miller. Toto neprízvučné [ə] vyslovíme aj v slovách **a, an** [neurčitý člen):

Znak prepisu výslov-nosti	Pokyny k výslovnosti
	a book – a new book – It's a new book. an orange – It's an orange. – Is it an orange? a teacher – a Slovak teacher – Mr Nový is a Slovak teacher.
[æ]	Táto samohláska je naše [ä]. Otvorte ústa tak, ako keby ste chceli vysloviť [a], ale povedzte [e]: Anne – Is she Anne? – Are you Anne? am – I am. – Yes, I am. a hat – a black hat – It's a black hat. an apple – a good apple – It's a good apple.
[əu]	Prvá časť tejto dvojhlásky je dosť uzavretá, výslovnosťou sa približuje k [ə]. no – oh no – Oh no, it's old. – It's an old book. home – at home – He's at home. – No, he isn't at home.
[ŋ]	Nosové n vyslovujeme aj v slovenčine namiesto *n* pred *k* a *g*, napr. v slovách *zvonku, cengať* [zvoŋku, ceŋgať]. V angličtine sa vyskytuje [ŋ] v skupine **ng** a **nk.** Ak je *-ng* na konci slova, koncové *-g* už nevyslovíme, napr. v slove *pudding* [pudiŋ] puding. morning – good morning – Good morning, Miss Young [jaŋ]. bank – Is it a bank? – It's a bank. English – an English bank – It's an English bank. pudding – an English pudding – It's an English pudding.

Znak prepisu výslov- nosti	Pokyny k výslovnosti
[w]	Dvojité [w] vyslovíme tak, že zaokrúhlime pery, t. j. stiahneme kútiky úst k sebe, ako keby sme chceli vysloviť *u,* ale vyslovíme hneď nasledujúcu samohlásku, napr. *u→el = well:* well – He's well. – Are you well? what – What is it? – What are you? – What is he? one – lesson one – It's lesson one. – one book – one hat
[v]	Jednoduché [v] zodpovedá slovenskému *v,* napr. *very* – veľmi: very – very well – I am very well. – very busy – I am very busy. – very sorry – I am very sorry.
[š]	Hlásku [š] píšeme v angličtine ako *sh,* napr. she [ši:], English [iŋgliš].
[č]	Hlásku [č] píšeme ako **ch,** napr. teacher [ti:čə].

Poznámky: 1. V slovách *I* (ja), *English, Czech* a *Slovak* píšeme vždy veľké písmená.
2. Pozor na výslovnosť slov *Czech* a *school,* kde *ch* výnimočne vyslovujeme ako [k], teda [ček, sku:l].

GRAMATIKA

1. Prítomný čas slovesa *be* **(jednotné číslo)**

I AM – YOU ARE – HE IS

Osobné zámená *(I, you, he)* nesmieme v anglickej vete nikdy vynechať. Zámeno *I* píšeme vždy s veľkým písmenom.

Plné tvary			Stiahnuté tvary*
1.	**I am** [ai‿ˈæm]	(ja) som	**I'm Peter.** [aim ˈpi:tə]
2.	**you are** [ju:‿a:]	(ty) si	**You're John.** [juə ˈdžon]
3.	**he is** [hi:‿iz]	(on) je	**He's Mike.** [hi:z maik]
	she is [ši:‿iz]	(ona) je	**She's Anne.** [ši:z ˈæn]
	it is [it‿iz]	(ono) je, to je	**It's Bratislava.** [its brætiˈsla:və]

2. Otázka a zápor slovesa *be* (jednotné číslo)

AM I? – I AM NOT

Otázku tvoríme zámenou podmetu a slovesa *(you are – are you?)* a zápor pripojením slovíčka *not* za sloveso.

* Pozri úvodné poznámky, str. 13.

Plné tvary		Záporné stiahnuté tvary
1. **Am I ill?**	Yes, you are. **No, you are not.**	**No, you aren't.** [a:nt]
2. **Are you well?**	Yes, I am [æm]. **No, I am not.**	**No, I'm not.** [aim not]
3. **Is he ready?**	Yes, he is. **No, he is not.**	**No, he isn't.** [iznt]
Is she busy?	Yes, she is. **No, she is not.**	**No, she isn't.**
Is it new?	Yes, it is. **No, it is not.**	**No, it isn't.**

V kladných stručných odpovediach typu: *Yes, I am* vždy používame plné tvary. V záporných stručných odpovediach použijeme v hovore stiahnuté tvary.

3. Neurčitý člen

A BOOK – AN APPLE

Pred každým podstatným menom musí byť v angličtine **člen.** Výnimku tvoria vlastné mená osôb, miest a krajín, napr. *John, Mr Black, Miss Miller, London, England* a niektoré predložkové väzby, ako *at home, at school.*

He is a	teacher.	It is an apple.
He is a good	teacher.	He is an English teacher.
It is a	book.	It is an office.
It is a new	book.	It is an orange.

Sú dva členy, určitý a neurčitý. S určitým členom sa oboznámite v druhej lekcii.

Neurčitý člen má dva tvary: **a, an** [ə, ən].

Tvar **a** používame pred vyslovovanou spoluhláskou: *a book, a student.*

Tvar **an** používame pred vyslovovanou samohláskou: *an apple, an office.*

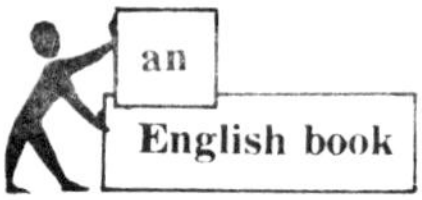

4. Prídavné mená

He is old.	– She is old.	– It is old.
Je starý.	– Je stará.	– Je to staré.

Prídavné mená v angličtine nepriberajú nijaké koncovky. Ak prídavné meno stojí pred podstatným menom, presunie sa člen pred prídavné meno:

It's a new hat.	It's an old hat.
It's a good book.	It's an English book.
It's a Slovak name.	It's an English name.

5. Rod podstatných mien v angličtine

John – **he**	Anne – **she**	London – **it**

Mr Black	is a teacher.	Miss Black	is a student.
HE	is a teacher.	SHE	is a student.

London	is old.
IT	is old.

Angličtina má tzv. prirodzený rod. Mužské osoby sú teda rodu mužského *(he)*, ženské osoby sú rodu ženského *(she)* a všetko ostatné, t. j. veci, pojmy, vlastnosti, zvieratá sú rodu stredného *(it)*.

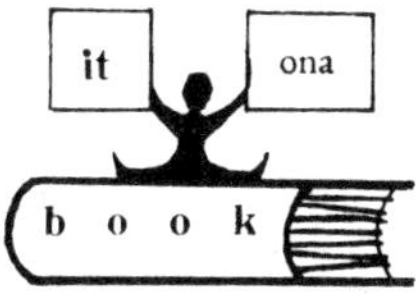

Niektoré podstatné mená označujúce osoby môžu byť rodu mužského i ženského:

John is a student.	Ján je študent.
Anne is a student.	Anna je študentka.
He is a teacher.	Je učiteľ.
She is a teacher.	Je učiteľka.

CVIČENIA

1. Hovorte vety podľa vzoru:

a) *I'm Peter, I'm not Mike. — I'm busy, I'm not ready.*

I'm		Peter		I'm not		ready
You're		ill		You aren't		Mike
		busy				well

b) *He isn't Mr Black, he's Mr Miller.*

He	isn't	Mr Black		He's	at home
She	isn't	at school		She's	Mr Miller
		from London			Miss Young
		in Prague			from Bratislava
		Miss Black			in London

2. Odpovedzte podľa vzoru:

Is it a book? — Yes, it's a book.

1. Is it a hat? 2. Is it new? 3. Is it from Prague? 4. Is it a Slovak book? 5. Is it good? 6. Is it old?

3. Tvorte čo najviac viet podľa vzoru:

It's an apple. It isn't a big apple.

It's	a	apple	It isn't	a	big apple
	an	hat		an	new hat
		orange			good orange
		office			English office
		school			old school

4. Odpovedzte podľa vzoru:

I'm from London, and you? – I'm from Bratislava.

1. I'm from Oxford, and you? 2. I'm a teacher, and he? 3. I'm well, and you? 4. I'm Mr Black, and you? 5. I'm English, and you? 6. I'm John, and you? 7. I'm an English student, and you?

5. Doplňte záporné stiahnuté tvary (aren't, isn't) podľa vzoru:

I'm Slovak, but he... – I'm Slovak, but he isn't.

1. I'm well, but you... 2. I'm busy, but John... 3. I'm sorry, but you... 4. I'm at home, but she... 5. I'm from Brno, but Mr Nový... 6. I'm a teacher, but Mr Black... 7. I'm Slovak, but Miss Miller... 8. I'm ready, but you...

6. Utvorte čo najviac otázok podľa vzoru:

Is it a good book?

Is	it	a	Slovak	book	
Are	Anne	an	English	hat	
	John		good	name	?
	you		old	student	
	Mr Black		new	teacher	

7. Odpovedzte stručne podľa vzoru:

Are you well? – **Yes, I am** [ai‿æm]. – **No, I'm not.**

1. Are you a student? 2. Are you Slovak? 3. Are you from

London? 4. Are you at home? 5. Are you Mr Miller? 6. Are you very busy? 7. Are you ready? 8. Are you ill? 9. Are you a teacher?

8. Vyjadrite svoj súhlas *(podstatné meno nahraďte zámenom* **he** *alebo* **she***):*

John is ill. – **Yes, he's ill.**

1. Anne is sorry. 2. Mr Black is in Prague. 3. Miss Black is a teacher. 4. Mike is a student. 5. Miss Young is from London. 6. Mr Nový is ready. 7. Peter Young is at home. 8. John is at school.

9. Odpovedzte stručne "Yes, he (she, it) is. – No, he (she, it) isn't":

1. Is Mike from Oxford? 2. Is John at home? 3. Is Mr Nový in London? 4. Is it a good book? 5. Is Miss Black an English student? 6. Is "Ján" a Slovak name? 7. Is John well? 8. Is Miss Young very busy? 9. Is Peter from Bratislava? 10. Is Anne ready? 11. Is it a new hat? 12. Are you sorry?

10. Povedzte po anglicky:

1. Dobré ráno, pán Miller. 2. Ako sa máte? 3. Ste zdravý? 4. Ako sa má Anna? 5. Je zdravá? 6. Áno, je. 7. Je teraz v Oxforde a má veľa práce v škole. 8. Je Ján doma? 9. Ľutujem, nie je. 10. Je v kancelárii.

11. Odpovedzte podľa textu a podľa skutočnosti:

a) 1. Who is Peter Black? 2. Is he from London? 3. Who is Mr Nový? 4. Is he from Bratislava?

b) 1. Is Anne at home? 2. How is she? 3. Is John at home? 4. Is Mike in his office? 5. How is he? Is he well? 6. Who is Miss Black? 7. Is she at home now? 8. Is she very busy at school?

c) 1. What is your name? 2. Are you Slovak? 3. Are you from Bratislava? 4. Are you a teacher? 5. Are you a student? 6. Who is your English teacher? 7. How are you? 8. Are you very busy?

12. Preložte:

Kto ste?

Som slovenský študent. Menujem sa Peter Nový. Som z Bratislavy. Mojím učiteľom angličtiny je pán Miller.

Slečna Anna Youngová je anglická študentka z Londýna. Je teraz v Bratislave.

Konverzačné cvičenia

a) Hovorte, čo vidíte na obrázkoch, podľa vzoru:

It's a book.
It's a new book.
It's ... (good, big...)

b) Hovorte, čo viete o pánu Blackovi, o Tomovi a o Anne.

Mr Black is... (národnosť)
He's a... (zamestnanie)
He's an English (a new, a good, ...) ...
He's from... (mesto)

What is Mr Black?
Mr Black is...

What is Tom?
Tom is...

What is Anne?
Anne is...

MY ROOM

This is my room. It's very nice. The window is large. This is my desk. That is a bookcase. It's a new bookcase. This small table is old. These chairs are old too, but those two armchairs are not old. They are new. What's this? This is a new picture. And what's that? That's a lamp.

The desk and the bookcase are brown, the table and the chairs are green. The armchairs are red. What colour is the carpet? It is dark blue. It's very thick. What colour are those thin curtains? They are white.

HELLO, BOYS!

These three boys are my friends. They're Peter Brown, Fred Miller and Harry Smith. Peter and Harry are students, Fred is a clerk in a factory.

"Hello, boys! How are you?"

"Hello, Bob! We're fine, thanks. And how are you?"

"I'm all right."

Výslovnosť vlastných mien: **Bob** [bob]; **Brown** [braun]; **Fred** [fred]; **Harry** [hæri]; **Smith** [smiθ].

all right [o:l rait] dobre
  I am all right som v poriadku
aren't [a:nt] *stiahnutý tvar záporu slovesa* **to be**
armchair [a:mčeə] kreslo
blue [blu:] modrý
bookcase [bukkeis] knižnica *(nábytok)*
boy [boi] chlapec
brown [braun] hnedý
carpet [ka:pit] koberec
chair [čeə] stolička
clerk [kla:k] úradník, úradníčka
colour [kalə] farba
curtain [kə:tin] záclona
dark [da:k] tmavý
dark blue tmavomodrý
desk [desk] písací stôl
factory [fæktəri] továreň
fine [fain] pekný; pekne, dobre
  I'm fine mám sa dobre
friend [frend] priateľ, priateľka
green [gri:n] zelený
lamp [læmp] lampa
large [la:dž] veľký *(plochou)*
nice [nais] pekný
picture [pikčə] obraz
red [red] červený
room [rum] izba, miestnosť
small [smo:l] malý
table [teibl] stôl
thanks [θæŋks] *hovorove* vďaka
thank you [θæŋk] ďakujem
that–those [ðæt–ðəuz] (tam)ten, onen – (tam)tí, (tam)tie
  that's [ðæts] = **that is** to je
the [ðə, ði] *určitý člen*
they [ðei] oni, ony
they're [ðeiə] = **they are** (oni, ony) sú
thick [θik] tučný, silný
thin [θin] chudý, tenký
this – these [ðis – ði:z] tento – títo, tieto
three [θri:] tri
too [tu:] *(na konci vety)* tiež, aj
two [tu:] dva
we [wi:] my
we're [wiə] (my) sme
what [wot] aký, ktorý
what's [wots] = **what is**
white [wait] biely
window [windəu] okno
you're [juə] (ty) si, (vy) ste

DÔLEŽITÉ VÄZBY

This is John and that's Peter.	To je Ján a to je Peter.
How's your friend?	Ako sa má váš priateľ?
He's well, thank you.	Má sa dobre, ďakujem. Je zdravý.
How are you, Peter?	Ako sa máš, Peter?
I'm fine, thanks.	Ďakujem, mám sa dobre.
I'm all right.	Som v poriadku.
It's all right.	Je to v poriadku.
What colour is it?	Akú to má farbu?

VÝSLOVNOSŤ A PRAVOPIS

1. **Výslovnosť** [ð, θ, r]

Znak prepisu výslovnosti	Pokyny k výslovnosti
[ð]	**Znelé th** vyslovíte tak, že vložíte hrot jazyka medzi zuby a usilujete sa vysloviť zvuk [z]: the [ðə] – the book, the hat, the desk, the room the [ði] – the apple, the orange, the armchair, the office they [ðei] – they are – They are busy. – They are well. that [ðæt] – that book, that student, that teacher, that school, that picture.
[θ]	**Neznelé th** vyslovíte tak, že vložíte hrot jazyka medzi zuby a usilujete sa vysloviť zvuk [s]: thick – a thick carpet – It's a thick carpet. – It's thick. thin – a thin book – It's a thin book. – It's very thin. three – three books – three thick books – three thin books Smith – Mr Smith – Miss Smith – Mr and Miss Smith thank you – Thank you, Mr Smith. – Thanks, Peter.
[r]	**Anglické** [r] je menej ostré než slovenské [r]; jazyk je pri jeho výslovnosti pokojný. Pamätajte si, že [r] vyslovíme len vtedy, ak za ním nasleduje **samohláska:** brown – a brown desk – Miss Brown green – a green table – It's green.

Znak prepisu výslovnosti	Pokyny k výslovnosti
	Fred – Fred Brown – Fred Brown is my friend. orange – an orange – a good orange sorry – I'm sorry – I'm sorry, Miss Brown. very – very nice – It's very nice. Ak nasleduje **spoluhláska,** [r] sa **nevyslovuje:** morning – good morning large – a large window clerk – Anne is a clerk. curtain – the new white curtains Oxford – John is in Oxford. **Koncové** [r] sa **nevyslovuje,** ak sa ďalšie slovo začína spoluhláskou: Peter – Miller – Peter Miller are – they are – They are students. picture – a nice picture

2. Viazanie

Ak sa končí slovo na *-r(e)* a ak sa nasledujúce slovo začína samohláskou, dochádza obyčajne k viazaniu a *r* na konci slova sa vysloví spolu s nasledujúcou samohláskou:

teacher – That teacher is Miss Miller.
[ti:čə] – [ðæt ti:čər‿iz mis milə]

are – They are all right. – They are at school.
[a:] – [ðei a:r‿o:l rait] – [ðei a:r‿ət sku:l]

picture – This picture is nice.
[pikčə] – [ðis pikčər‿iz nais]

colour – What colour is it?
[kalə] – [wot kalər‿iz it?]

chair – This chair is old.
[čeə] – [ðis čeər‿iz əuld]

armchair – That armchair is new.
[a:mčeə] – [ðæt a:mčeər‿iz nju:]

3. Znelá výslovnosť koncových spoluhlások

V angličtine vyslovujeme znelé spoluhlásky [b, d, g, dž, v, z] na konci slova vždy znele.

Tento jav si podrobnejšie precvičíme v ďalších lekciách. Usilujte sa teraz starostlivo vysloviť tieto doteraz prebraté slová:

*Bo***b** – *Fre***d**, *frien***d**, *goo***d**, *ol***d**, *re***d**, *Oxfor***d** – *Pra***g***ue*, *bi***g** – *oran***ge**, *lar***ge** – *i***s**, *tho***s***e*, *boy***s**, *friend***s**, *room***s**, *colour***s**, *picture***s**.

GRAMATIKA

1. Prítomný čas slovesa *be*

WE ARE – THEY ARE

Plné tvary			Stiahnuté tvary			
1.	**I**	**am**	1.	**I'm**	[aim]	**sorry.**
2.	**you**	**are**	2.	**You're**	[juə]	**busy.**
3.	**he**	**is**	3.	**He's**	[hi:z]	**ready.**
	she	**is**		**She's**	[ši:z]	**ready.**
	it	**is**		**It's**	[its]	**ready.**
1.	**we**	**are**	1.	**We're**	[wiə]	**sorry.**
2.	**you**	**are**	2.	**You're**	[juə]	**busy.**
3.	**they**	**are**	3.	**They're**	[ðeə]	**ready.**

Všimnite si zhodné tvary pre 2. osobu jednotného i množného čísla: **you** *are* – (ty) si i (vy) ste.*

---

* Poznámka: V angličtine nie je rozdiel medzi tykaním a vykaním, lebo 2. osoba jednotného i množného čísla má rovnaký tvar. Na vyjadrenie

2. Otázka a zápor množného čísla prítomného času slovesa *be*

ARE WE? WE ARE NOT

Otázka	Zápor	
	Plné tvary	Stiahnuté tvary
Are we sorry? Are you busy? Are they ready?	we are not you are not they are not	we aren't [a:nt] you aren't they aren't

3. Určitý člen

THE BOOK

Určitý člen má tvar **the,** ktorý vyslovujeme:

a) [ðə] pred slovom, ktoré sa začína vyslovovanou **spoluhláskou,** napr.

the **b**ook [ðə **b**uk]

b) [ði] pred slovom, ktoré sa začína vyslovovanou **samohláskou,** napr.

---

dôvernejšieho priateľského vzťahu (zodpovedajúcemu nášmu tykaniu) používajú Angličania oslovenie krstným menom: *How are you,* **John?** Ako sa máš, Jano? a *How are you,* **Mr Black?** Ako sa máte, pán Black?

the [apple] [[ði] æpl]

It is A table.	–	THE table is small.
It is AN apple.	–	THE apple is red.

Člen **neurčitý** sa používa, ak hovoríme o osobe alebo veci **prvýkrát.** Člen **určitý** použijeme vtedy, ak sa už hovorilo o osobe alebo veci, teda ak ide o **istú, určitú** osobu alebo vec. (Porovnaj slovenské „ten, tá, to".)

John is	**a** student.
Anne is	**a** teacher.

Zapamätajte si, že podstatné meno v doplnku po slovese *be* má člen neurčitý.

Ale:	John is Slovak.	Ján je Slovák.
	Anne is English.	Anna je Angličanka.
	(Ide o určenie národnosti.)	

4. Množné číslo podstatných a prídavných mien

A BOOK – BOOKS

Jednotné číslo			Množné číslo		
1. a) a		book			books
an		apple			apples
b) one		box	two		boxes
c) the		factory	the		factories
2. the	English	lesson	the	English	lessons

1. Množné číslo **podstatných mien** tvoríme tak, že k tvaru jednotného čísla pridáme koncovku

a) **-s**, ktorú čítame ako

[s] po vyslovovanom [p, t, k, f, θ], napr.: book [buk] – books [buks]

[z] po ostatných hláskach okrem vyslovovaného [s, z, š, ž, č, dž], napr.: apple [æpl] – aples [æplz]

[iz] po vyslovovanom [s, z, š, ž, č, dž], napr.: orange [orindž] – oranges [orindžiz]

b) **-es**, ktorú čítame ako [iz], ak sa v jednotnom čísle končí podstatné meno na -s, -z, -x, -ch, napr.:
box [boks] škatuľa – boxes [boksiz]
bus [bas] autobus – buses [basiz]

c) U podstatných mien zakončených na spoluhlásku + -*y* sa toto -*y* v množnom čísle mení na **-ie,** napr.:
factory [fæktəri] – factories [fæktəriz]

Ale: b**o**y [b**o**i] – boys [boi**z**] (pred *y* je samohláska!)

Pozor!

A BOOK	–	BOOKS
AN APPLE	–	APPLES

Člen neurčitý v množnom čísle nie je.

THE BOOK	–	THE BOOKS
THE APPLE	–	THE APPLES

Člen určitý má rovnaký tvar v jednotnom i množnom čísle.

2. Množné číslo **prídavných mien** sa rovná tvaru jednotného čísla.

John is a	GOOD	student.
John and Bob are	GOOD	students.

The window is	LARGE.
The windows are	LARGE.

5. Ukazovacie zámená

THIS – THAT

THIS BOX	is red.	THAT BOX	is blue.
THESE BOXES	are red.	THOSE BOXES	are blue.
[ði:z]		[ðəuz]	

Ukazovacie zámená **this** (tento) a **that** (tamten, onen) majú v množnom čísle tvary **these** a **those.** *This* označuje bližšiu osobu alebo vec, *that* označuje osoby alebo predmety vzdialenejšie.

Pozor! Ak použijeme *this* a *that* pred podstatným menom, vynecháme člen.

This a *that* môžeme použiť aj samostatne vo význame *toto, tamto.*

THIS IS	a Slovak book.	THAT IS THAT'S	an English book.
THESE ARE	Slovak books.	THOSE ARE	Slovak books.

CVIČENIA

1. Tvorte čo najviac možných viet podľa vzoru:

We aren't English, we're Slovak.

We aren't They aren't	Fred and Harry Slovak at school students from Prague	We're They're	John and Bob English at home teachers from Bratislava

2. Odpovedzte na otázku kladne i záporne podľa vzoru:

Are you John and Mike?
Yes, we are. No, we aren't.

1. Are you Bob and Fred? 2. Are you English? 3. Are you students? 4. Are they from Oxford? 5. Are you friends? 6. Are they all right? 7. Are you teachers?

3. Reagujte podľa vzoru:

I'm a student, and you? – **We're students too.**

1. I'm Slovak, and you? 2. I'm from Bratislava, and you? 3. I'm a teacher, and you? 4. I'm very busy, and you? 5. I'm very well, and you? 6. I'm fine, and you?

4. Doplňte zápornú odpoveď podľa vzoru:

Peter is at school, but Harry and Bob?
Oh no, they aren't at school.

1. Peter is at home, but Harry and Bob? 2. Peter is a clerk, but Harry and Bob? 3. Peter is in the office now, but Harry and Bob? 4. Peter is in the factory, but Harry and Bob? 5. Peter is busy, but Harry and Bob? 6. Peter is ready, but Harry and Bob?

5. Dajte tieto vety do množného čísla:

The room is small. – **The rooms are small.**

1. The window is large. 2. The desk is black. 3. The bookcase is small. 4. The table is old. 5. The chair is green. 6. The armchair is red. 7. The lamp is nice. 8. The picture is nice. 9. The carpet is blue. 10. The curtain is white.

6. Hovorte to isté o Johnovi a Fredovi:

John is a small boy. John and Fred...
John and Fred are small boys.

1. John is a big boy. John and Fred... 2. John is a Slovak student. John and Fred... 3. John is a good clerk. John and Fred... 4. John is an English teacher. John and Fred... 5. John is my friend. John and Fred...

7. Spýtajte sa danou otázkou a odpovedzte na ňu:

What's this?	*And what's that?*
a red apple	*a green apple*
This is a red apple.	**That's a green apple.**
What's this?	And what's that?
1. a brown hat	1. a black hat
2. a white box	2. a blue box
3. a green chair	3. a red chair
4. a new factory	4. an old factory

8. Reagujte podľa vzoru:

a) *This box is old.* – **Yes, these boxes are old.**
b) *This box is old.* – **Yes, but those boxes aren't old.**

1. This window is small. 2. This armchair is new. 3. This picture is nice. 4. This room is large. 5. This carpet is thick. 6. This lamp is nice. 7. This bookcase is small. 8. This book is good.

9. Povedzte po anglicky:

1. Kto sú tí chlapci? 2. To je Ján a to je Bob. 3. Sú to moji priatelia. 4. Tamto je Fred Brown. 5. Aj on je mojím priateľom. 6. Ahoj, Fred! 7. Ako sa máte, pán Young? 8. Ďakujem, mám sa dobre. 9. Ako sa má pán Miller? 10. Má sa dobre.

10. Odpovedzte podľa textu i podľa skutočnosti:

a) Is this room nice? 2. Is it large? 3. What is new and what is old in the room? 4. What colour is the desk? the bookcase? the small table? the carpet? 5. What colour are the chairs? the armchairs? the curtains?

b) Who are these three boys? 2. What are Peter and Harry? 3. What is Fred? 4. How are the boys? 5. And how is Bob?

c) 1. Is your room large? 2. Is it nice? 3. How are you? 4. Are you all right? 5. Are you well?

11. Preložte:

Moja izba

Moja izba je pekná. Okno je veľké a záclony sú biele. Toto je moja knižnica. Toto sú slovenské knihy. Tamtie knihy sú anglické. Tamto je môj starý písací stôl. Tento malý stôl je tiež starý, ale tieto červené kreslá sú nové. Aj lampa je nová. Koberec je tmavozelený. Tamtie dva obrazy sú veľmi staré.

Konverzačné cvičenia

WHAT'S THIS AND WHAT'S THAT?

a) Vymenujte predmety na obrázkoch podľa vzoru:
This is an armchair and that's a chair.

b) Opíšte tieto predmety podľa vzoru a vhodne vystriedajte doteraz prebraté prídavné mená (farby, veľkosť ap.).
This armchair is new (red...) and that chair is old (brown...).

WHO'S THAT?

1

A: Is that your brother?
B: No, this isn't my brother, this is my friend.
A: What's his name?
B: His name is Patrick, and that is his girlfriend.
A: What's her name?
B: Her name's Joan Baker.
A: Has she a sister?
B: No, she hasn't. This is her mother and this is her father.
A: Good evening, Mrs Baker. Good evening, Mr Baker.
C: Good evening. Is this your car?
A: No, we haven't a blue car. Our car's over there. We have a red car.
C: And where are the Browns?
A: They are in their car.

2

Mother: Kate, bring the road map, please, and put it in my bag.
Kate: Where is it?

Mother: It's on the table. – Joan, take your warm coat. It's cold outside.
Joan: Mum, where's my pullover?
Mother: It's here and your bag's over there. – Tom!
Tom: Yes, Mum?
Mother: Open the door and take this bag.
Tom: Is this your bag?
Mother: Yes, put it inside, please. – So, we're ready. Pat, get in first.
Tom: Come on, Kate, we're late.

Výslovnosť vlastných mien: **Baker** [beikə]; **the Browns** [braunz] Brownovci; **Joan** [džəun] Jana; **Kate** [keit] Katka; **Pat** [pæt]; **Patrick** [pætrik]; **Tom** [tom].

---

bag [bæg] taška, kapsa
bring [briŋ] priniesť, priviesť
brother [braðə] brat
car [ka:] auto
coat [kəut] kabát
cold [kəuld] studený
  it's cold je zima
  I am cold je mi zima
come [kam] prísť, ísť
  come on [on] tak poď
door [do:] dvere
evening [i:vniŋ] večer
  in the evening večer (*kedy?*)
father [fa:ðə] otec
first [fə:st] prvý; najprv
girl [gə:l] dievča
girlfriend priateľka
get [get] dostať, dostať sa
  get in nastúpiť
have – has [hæv, həv – hæz, həz] mať
her [hə:, hə] *(platí len pre osoby)* jej
here [hiə] tu
his [hiz] *(platí len pre osoby)* jeho
inside [ˈinˈsaid] vnútri, donútra
late [leit] neskorý; neskoro
  I am late oneskoril som sa, prichádzam neskoro, meškám
map [mæp] mapa
mother [maðə] matka
Mrs [misiz] *(vždy s menom)* pani
Mum [mam] mama, mamička
on [on] na
open [əupn] otvoriť; otvorený
our [auə] náš
outside [ˈautˈsaid] vonku, von
over [əuvə] nad, ponad
over there tam
please [pli:z] prosím
pullover [puləuvə] pulóver
put [put] položiť, klásť, dať niečo niekam
road [rəud] cesta, hradská
road map automapa
shut [šat] zatvoriť; zatvorený
sister [sistə] sestra
so [səu] tak
take [teik] brať, vziať
their [ðeə] ich
there [ðeə] tam
warm [wo:m] teplý; teplo
where [weə] kde, kam

DÔLEŽITÉ VÄZBY

What is his name?	Ako sa volá?
His name is Peter.	Volá sa Peter.
The Browns have a new car.	Brownovci majú nové auto.
Come in the evening.	Príď večer.
Bring it in the morning.	Prines to ráno.
It's cold.	Je zima.
I'm cold.	Je mi zima.
Is it warm outside?	Je vonku teplo?
Are you warm?	Je ti teplo?
Take your coat.	Vezmi si kabát.
Come on, Kate.	Tak poď, Katka!
I'm late.	Idem neskoro.
I'm sorry I'm late.	Prepáčte, že idem neskoro.

VÝSLOVNOSŤ A PRAVOPIS

1. Výslovnosť [ə:]

Znak prepisu výslovnosti	Pokyny k výslovnosti
[ə:]	Z prvej lekcie poznáte výslovnosť krátkeho [ə]. Dlhé [ə:] je podobná dlhá hláska. Vyskytuje sa predovšetkým v slabikách prízvučných: first – my first lesson – my first English book a girl – a small girl – She's a small girl. curtain – a white curtain

2. Výslovnosť dvojhlások

Znak prepisu výslovnosti	Pokyny k výslovnosti
	Anglické dvojhlásky sa vyslovujú ináč než slovenské. V slovenčine vznikne dvojhláska tak, že vyslovíme za sebou dve samohlásky o + u = ou. V anglických dvojhláskach nie sú obe tieto zložky takto zreteľne oddelené od seba. **Prvá** zložka dvojhlásky sa vysloví oveľa výraznejšie než druhá. Druhá časť dvojhlások [ai, ei, oi] sa vysloví veľmi nedbanlivo ako otvorené [i] (nikdy nie ako [j]!):
[ai]	my friend – my hat – my book – This is my book. nice – a nice box – It's a nice box. fine – It's fine – It's very fine.
[ei]	the table – on the table – It's on the table. Jane – My name is Jane. – I'm Jane. take – Take this bag. – Kate, take this bag.
[oi]	a boy – He's a boy. – He's a nice boy.
[au]	how – How are you? – How is he? brown – It's brown. – It's a brown box. now – Is it now? – Yes, it's now.
[iə]	Prvá časť tejto dvojhlásky sa musí vysloviť veľmi krátko, ako krátke i: here – Come here – It's here. – Is it here?
[əu]	the window – Open the window. – Those windows? – Yes, those windows. hello – Oh hello. – Hello, Joan. – Oh hello, Joan.

Znak prepisu výslovnosti	Pokyny k výslovnosti
	the road – the road map – Where's the road map? no – oh no – Oh no, he's at home.
[eə]	Prvú časť tejto dvojhlásky vyslovíme ako krátke otvorené e: a chair – a new chair – It's a new chair. there – It's there. It's over there. The new chair's over there. their map – It's their map. – Bring their map.

3. Prídych u spoluhlások [p, t, k]:

Ak po *p, t, k* nasleduje samohláska, vyslovujeme tieto spoluhlásky v prízvučných slabikách s prídychom, t. j. so slabým neznelým „h", napr. *Peter* [pʰi:tə]. Tento prídych sa nevyskytuje v skupine *sp, st, sk*, napr. *sport* [spo:t]. Prídych v prepise nevyznačujeme.

[p] Peter – I'm Peter Brown.
Pat – She's Pat. – She's Pat Baker.
put – Put it there. – Put it on the desk.

[t] Tom – Where's Tom? – Tom is here.
two – two books – two pullovers

[k] come – Come here. – Come here and take it.
Kate – She's Kate. – Kate, come here please.
coat – your coat – Take your coat.

4. Starostlivo rozlišujte výslovnosť „v" a „w":

very well – He's very well. – very warm – It's very warm.

we have – We have a boy.
white – a white pullover – I have a white pullover.
warm – warm pullovers – We have warm pullovers.

5. Precvičujte výslovnosť znelého a neznelého „th“:

[ð] brother – my brother – my brother John
father – my father – This is my father.
mother – father and mother – This is my father. – That is my mother.
their car – Their car's over there.

[θ] three – three bags – thank you – three thin books – three thick pullovers – thank you, Mr Smith.

6. Výslovnosť stiahnutého tvaru „is“ = 's [z, s]:

[z] Tom's well. – Peter's ill. – Joan's ready. – John's here. – My name's Mike. – My name's Patrick. – My name's Tom. – Where's the book? – Where's the map? – Where's the chair? – Who's there? – Who's outside? – Who's inside?

[s] What's inside? – What's there? – What's this? – What's that? – That's fine. – That's nice. – That's good. – That's all right. – Mike's here. – Mike's in the car. – Mike's at home. – The book's on the table. – The book's here.

GRAMATIKA

1. Prítomný čas slovesa „have“

I HAVE – WE HAVE

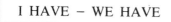

Plné tvary			Oslabené tvary			
1. **I**	**have**	[hæv]	**I**	**have**	[həv]	**a brother.**
2. **you**	**have**	[hæv]	**You**	**have**	[həv]	**a sister.**
3. **he**	**has**	[hæz]	**He**	**has**	[həz]	**a boy.**
she	**has**	[hæz]	**She**	**has**	[həz]	**a girl.**
it	**has**	[hæz]	**It**	**has**	[həz]	**a large window.**
1. **we**	**have**	[hæv]	**We**	**have**	[həv]	**a blue car.**
2. **you**	**have**	[hæv]	**You**	**have**	[həv]	**a red car.**
3. **they**	**have**	[hæv]	**They**	**have**	[həv]	**a new car.**

Oslabené tvary [həv, həz] stoja vždy len uprostred vety.

2. Otázka a zápor slovesa „have"

HAVE YOU? – I HAVE NOT

zámenou podmetu a prísudku *(you have – have you?)*. Zápor tvoríme pridaním **not** za sloveso *(I have not)*. Záporné stiahnuté tvary: *haven't, hasn't* [hævnt, hæznt]

Otázka		Zápor	
have I?	**have we?**	**I have not**	**we have not**
have you?	**have you?**	**you have not**	**you have not**
has he?	**have they?**	**he has not**	**they have not**

Otázka		Záporné stiahnuté tvary	
Have I	**a good friend?**	**No, you**	**haven't** [hævnt]
Have you	**a brother?**	**No, I**	**haven't.**
Has he	**a sister?**	**No, he**	**hasn't** [hæznt].
Has she	**a car?**	**No, she**	**hasn't.**
Has it	**a large window?**	**No, it**	**hasn't.**
Have we	**good friends?**	**No, we**	**haven't.**
Have they	**a boy?**	**No, they**	**haven't.**

I have a car. = I have got [got] a car. Mám auto.
Have you a car? = Have you got a car? Máte auto?
I have not a car. = I haven't got a car. Nemám auto.

V hovorovej angličtine sa veľmi často pripája tvar „*got*" k slovesu *to have.*

I have got sa sťahuje na *I've got* [aiv got].
He has got = he's got [hi:z got]

3. Privlastňovacie zámená

MY – YOUR – HIS – HER – ITS – OUR – THEIR

Ak je pred podstatným menom privlastňovacie zámeno, nepoužívame člen.

I	am	Peter.	**MY** [mai]	name	is	Peter.
YOU	are	John.	**YOUR** [jo:]	name	is	John.
HE	is	Mike.	**HIS** [hiz]	name	is	Mike.
SHE	is	Joan.	**HER** [hə:]	name	is	Joan.
IT	is	a factory.	**ITS** [its]	name	is	Tesla.
WE	are	Patrick and Bob.	**Our** [auə]	names	are	Patrick and Bob.
YOU	are	Frend and Harry.	**YOUR** [jo:]	names	are	Fred and Harry.
THEY	are	Anne and Pat.	**THEIR** [ðeə]	names	are	Anne and Pat.

Zapamätajte si, že zámeno *its* sa vzťahuje len na neživotné podstatné mená: *the carpet →its colour, the office →its window.*

Keďže angličtina nemá privlastňovacie zámeno „svoj", musíme vtedy, ak privlastňujeme niečo podmetu, použiť privlastňovacie zámeno, ktoré sa vzťahuje na príslušný podmet. Porovnajte:

Ja	mám	svoju ▼	knihu	tu.
I	have	**MY**	book	here.
Ty	máš	svoju ▼	knihu	na stole.
YOU	have	**YOUR**	book	on the table.
On	má	svoju ▼	knihu	na písacom stole.
HE	has	**HIS**	book	on the desk.
Ona	má	svoju ▼	knihu	v knižnici.
SHE	has	**HER**	book	in the bookcase.
My	máme	svoje ▼	knihy	tu.
WE	have	**OUR**	books	here.
Vy	máte	svoje ▼	knihy	tam.
YOU	have	**YOUR**	books	there.
Oni	majú	svoje ▼	knihy	v škole.
THEY	have	**THEIR**	books	at school.
Chlapci	majú	svoje ▼	knihy	doma.
The boys	have	**THEIR**	books	at home.

4. Neurčitok a rozkazovací spôsob

to COME COME HERE.

Neurčitok anglických slovies charakterizuje neprízvučná častica *to*, napr. *to have* [tə hæv] – mať. Toto *to* zodpovedá slovenskej prípone *-ť*.

Rozkazovací spôsob 2. osoby jednotného a množného čísla na rozdiel od neurčitku n e m á časticu *to*. Za rozkazovacou vetou sa v angličtine nedáva výkričník.

Neurčitok		Rozkazovací spôsob	
to come [tə kam]	prísť	**Come here.**	Poď sem! Poďte sem!
to open	otvoriť	**Open the window.**	Otvor okno! Otvorte okno!
to take	vziať	**Take your coat.**	Vezmi si kabát! Vezmite si kabát!
to be [tə bi:]	byť	**Be at home.**	Buď doma! Buďte doma!

CVIČENIA

1. Tvorte čo najviac viet podľa vzoru:

I'm late. – We're late.

I'm We're	late cold warm all right ready	It's They're	here there over there in my bag on the desk

2. Rozkážte Jánovi, čo má robiť, podľa vzoru:

John, open the window, please.

a)

Open	the window	please	Bring it	here
Shut	the door		Come	inside
	the box			outside
	the car			home

b)

Take	this coat	and put it	on my desk
	that bag		on the chair
	this book		inside

3. Hovorte to isté o Pat podľa vzoru:

I have a brother. – **Pat has a brother too.**

1. I have a sister. 2. I have a small girl. 3. We have a boy. 4. I have two brothers. 5. We have three rooms. 6. They have new armchairs. 7. I have a new hat. 8. We have a new car.

4. Utvorte čo najviac viet podľa vzoru:

Joan has a new bag.

You	have	a	new bag
Mr Brown	has	an	old car
I			nice coat
Joan			English friend

5. Hovorte v zápore podľa vzoru:

We have a car, but they... – **We have a car, but they haven't.**

1. Joan has a sister, but I... 2. We have friends in London, but they... 3. You have a warm coat, but I... 4. Tom has a brother, but she... 5. John and Peter have thick pullovers, but we... 6. I have a large room, but Mike...

6. Obmieňajte vety s použitím privlastňovacích zámen podľa vzoru:

I have a brother. – **This is my brother.**

1. I have a sister. – This is... 2. I have a new car. 3. She has a friend. 4. You have a map. 5. They have a girl. 6. Tom has

a desk. 7. Joan has a pullover. 8. We have a new bookcase. 9. Mr Black has a factory. 10. The Browns have an old car.

7. Doplňte vhodné privlastňovacie zámeno vzťahujúce sa na podmet podľa vzoru:

Anne and – friend. – **Anne and her friend.**

1. I and – brother. 2. Joan and – sister. 3. Peter and – mother. 4. The factory and – clerks. 5. We and – boys. 6. The teacher and – students. 7. You and – English friends. 8. John and – father. 9. Mr and Mrs Baker and – friends. 10. Miss Brown and – students.

8. Utvorte čo najviac otázok podľa vzoru:

Has Mr Baker got friends in Bratislava?

Have	Pat	got	friends in Prague	?
Has	the Browns		two boys	
	John and Peter		large offices	
	Mrs Brown		good maps	
	you		two bags	
	they			

9. Spytujte sa, ako sa volajú, podľa vzoru:

He's Mr Brown. – **What is his name?**

1. She is Miss Smith. 2. I am Peter. 3. He's Mr Baker. 4. They are Patrick and Tom. 5. We are Bob and Harry. 6. I'm Pat. 7. He's John. 8. They are Mr Black and Miss Black.

10. Odpovedzte podľa vzoru:

Have you a brother? – **Yes, I have.** – **No, I haven't.**
Has John got a car? – **Yes, he has.** – **No, he hasn't.**

1. Have you a sister? 2. Has John a brother? 3. Have you got a car? 4. Has John got nice pictures in his room? 5. Have you got friends in Oxford? 6. Has John got a new coat? 7. Have you got a good road map?

11. Odpovedzte podľa vzoru:

Are you a teacher? – **No, I'm not. (Yes, I am.)**

1. Are you a clerk? 2. Is Fred ill? 3. Are you cold? 4. Are they outside? 5. Is Joan at school? 6. Is Miss Baker here? 7. Are John and Peter Slovak students? 8. Are the Browns at home? 9. Are you and your friend all right? 10. Is it a new factory? 11. Is this a good book? 12. Are those offices large?

12. Povedzte po anglicky:

1. Idete neskoro. 2. Prepáčte, že prichádzam neskoro. 3. Ako sa (ona) volá? 4. Volá sa Pat. 5. Vonku je zima. 6. Vnútri je teplo. 7. Je vám teplo? 8. Nie, je mi zima. 9. Vezmite si pulóver. 10. Zatvorte dvere a otvorte okno, prosím.

13. Odpovedzte podľa textu a podľa skutočnosti:

a) Is the boy in the picture your brother? 2. What's his name? 3. Is the girl in the picture his girlfriend? 4. What's her name? 5. Has Joan a sister?

b) 1. Have you a brother? a sister? 2. What's his (her) name? 3. What's your name? 4. Have you an English friend? 5. Has your father a car? 6. What colour is the car? 7. Have you got a good road map? 8. Is it warm outside? 9. Are you cold? 10. Is the window shut or open?

14. Preložte:

Kto je to?

To je môj brat Patrick a to je Katka Brownová. Je to jeho dievča. Toto je jej otec a matka. Pán Baker je úradníkom, pani Bakerová je učiteľkou.

Toto je Katka a to je jej sestra Anna. Anna má aj chlapca (a boyfriend). Volá sa Tom Black. Tom má dvoch bratov. On i jeho bratia sú študenti.

Konverzačné cvičenia

Povedzte niekoľko viet o každom obrázku podľa návodu:

I have a new coat.
This is my new coat.
My coat's blue.
It is very warm.

Tom has...
This is...
His...
It's very...

We have...
This is...
Our...
It's...

WHAT ARE THEY DOING?

1.

It is Sunday. Mrs Baker is in the kitchen. She is cooking. She is standing at the table and she is making a cake.

What is Susan doing? She is putting the plates on the table. Little Lucy is helping her. She is bringing the glasses. She is carrying them very carefully.

Mr Baker is working in the garden. He is watering the flowers. Peter is helping him.

It is five o'clock. Mr Baker is in the living room. He is reading his newspaper. Mrs Baker is knitting a pullover. Peter is learning his lessons. Susan and Lucy are playing.

2.

Mrs Smith:	What are you doing, Tom?
Tom:	I'm learning French words.
Mrs Smith:	What's Kate doing? Is she working, too?
Tom:	Oh no, she's playing. Susan's learning her lessons with me.

3.

Mr Baker:	Where's the newspaper? Are you reading it?
Mrs Baker:	I'm not reading. Lucy and I are making the tea. Come and help us.

4.

Mrs Smith:	Where's Mrs Baker?
John:	She's sitting here and she's knitting a pullover. Lucy is here, too. She's looking at the pictures in her new book.

Výslovnosť vlastných mien: **Baker** [beikə]; **Lucy** [lu:si] Lucia; **Susan** [su:zn] Zuzana.

---

cake [keik] koláč, torta
carefully [keəfli] opatrne
carry [kæri] niesť
clock [klok] hodiny *(nástenné)*
  five o'clock [ə'klok] päť hodín *(čas. údaj)*
cook [kuk] variť
cup [kap] šálka
do [du:] robiť
dress [dres] šaty *(dámske)*; obliekať sa
five [faiv] päť
flower [flauə] kvetina
four [fo:] štyri

French [frenč] francúzsky; francúzština
garden [ga:dn] záhrada
glass [gla:s] sklo, pohár
help [help] pomoc; pomôcť
her [hə:, hə] *predmetový pád zámena* **she**
him [him] *predmetový pád zámena* **he**
kitchen [kičin] kuchyňa
knit [nit] *(tt)* pliesť
learn [lə:n] učiť sa
  I'm learning my lessons učím sa = pripravujem sa na vyučovanie
little [litl] malý
live [liv] žiť, bývať
living room [liviŋ rum] obývačka
look at [luk] dívať sa na
make [meik] robiť
me [mi:] *predmetový pád zámena* **I**
newspaper [ˈnju:sˌpeipə] noviny
paper [peipə] papier, noviny
plate [pleit] tanier
play [plei] hrať (sa)
read [ri:d] čítať
sit [sit] *(tt)* sedieť
stand [stænd] stáť
Sunday [sandi, sandei] nedeľa
tea [ti:] čaj
them [ðem, ðəm] *predmetový pád zámena* **they**
us [as] *predmetový pád zámena* **we**
water [wo:tə] voda; polievať
with [wið] s, so
word [wə:d] slovo, slovíčko
work [wə:k] práca; pracovať

DÔLEŽITÉ VÄZBY

I'm making a new dress.	Šijem si nové šaty.
Make (the) tea, please.	Uvar(te) čaj, prosím.
I'm doing some [sam] **work.**	Robím nejakú prácu.
Do it, please.	Urob(te) to, prosím.
He's learning English.	Učí sa po anglicky.
He's learning his English lesson.	Učí sa angličtinu (teraz, v tejto chvíli).
He's reading a newspaper.	Číta noviny *(jedny).*
Come and help me.	Poď(te) mi pomôcť.
Come at five (o'clock).	Príď(te) o piatej (hodine).
He's working in the garden.	Pracuje v záhrade.

VÝSLOVNOSŤ A PRAVOPIS

Otvorená a zatvorená slabika

V lekciách, ktoré ste doteraz prebrali, ste si všimli, že tie isté samohlásky sa nečítajú vždy rovnako, napr. písané e čítame [i:] v slove **he** a [e] v slove **help**. Výslovnosť samohlások najčastejšie ovplyvňuje ich postavenie v slove; v prízvučných slabikách, v ktorých sa píše iba jedna samohláska, výslovnosť často ovplyvňuje príslušná zatvorená alebo otvorená slabika. Otvorená slabika sa končí samohláskou: **no, my, ma**/ke, **stu**/dent. Zatvorená slabika sa končí spoluhláskou: h**at**, h**im**, c**ar**/ry, **Sun**/day.

Prestudujte si výslovnosť samohlások v tejto tabuľke:

Otvorená slabika					Zatvorená slabika	
cake	[keik]		a		stand	[stænd]
plate	[pleit]				black	[blæk]
name	[neim]	[ei]		[æ]	hat	[hæt]
she	[ši:]		e		help	[help]
we	[wi:]				red	[red]
Peter	[pi:tə]	[i:]		[e]	lesson	[lesn]
white	[wait]		i, y		it	[it]
nice	[nais]				knit	[nit]
my	[mai]	[ai]		[i]	picture	[pikčə]
no	[nəu]		o		not	[not]
over	[əuvə]				clock	[klok]
home	[həum]	[əu]		[o]	Tom	[tom]
Susan	[su:zn]		u		cup	[kap]
Lucy	[lu:si]				us	[as]
student	[stju:dnt]	[u:, ju:]		[a]	Sunday	[sandi]

Precvičujte výslovnosť samohlások v otvorených a zatvorených slabikách:

The cakes are on the plate. – That hat is black. – We play with Peter. – Wendy has a red dress. – My dress is white. – It is in the kitchen. – Oh no, he is not at home. – Bob, John and Tom are here. – Susan is a student.

Poznámka: Toto pravidlo o otvorenej a zatvorenej slabike má síce širokú platnosť, ale i časté výnimky. Napríklad *come* [kam], *glass* [gla:s] a mnoho iných.

GRAMATIKA

1. Priebehový prítomný čas

I AM READING

I	**am**	**reading**	**a book.**	(Práve)	čítam knihu.
You	**are**	**playing**	**with Tom.**		sa hráš s Tomom.
He	**is**	**working**	**at home.**		pracuje doma.
She	**is**	**knitting**	**a pullover.**		pletie sveter.
It	**is**	**standing**	**here.**		stojí tu.
We	**are**	**helping**	**him.**		mu pomáhame.
You	**are**	**learning**	**it.**		sa to učíte.
They	**are**	**coming**	**home.**		prichádzajú domov.

Priebehový prítomný čas vyjadruje neskončený **dej,** ktorý práve v **prítomnosti prebieha.**

Priebehový prítomný čas sa tvorí z prítomného času slovesa **to be** + prítomného príčastia významového slovesa.

Prítomné príčastie sa tvorí z neurčitku slovesa (bez *to*) pridaním prípony **-ing** [iŋ]:

read	+ -ing	→ reading
play	+ -ing	→ playing
help	+ -ing	→ helping

Ak je sloveso zakončené na nemé, t. j. nevyslovované -*e*, pred príponou sa toto -e vynecháva:

come	+ -ing	→ coming
live	+ -ing	→ living
take	+ -ing	→ taking

Ak je pred koncovou spoluhláskou krátka prízvučná samohláska, zdvojuje sa táto koncová spoluhláska pred príponou *-ing:*

sit	+ -t	+ -ing	→ sitting
put	+ -t	+ -ing	→ putting

2. Plné a stiahnuté tvary priebehového prítomného času

I AM READING
I'M READING

V hovorovej angličtine sa v priebehovom prítomnom čase používajú zväčša stiahnuté tvary slovesa *to be:*

Príklady:

I am reading.	I'm [aim] reading.
You are playing.	You're [juə] playing.
He is working.	He's [hi:z] working.
She is cooking.	She's [ši:z] cooking.
It is coming.	It's [its] coming.
We are dressing.	We're [wiə] dressing.
They are learning it.	They're [ðeə] learning it.

3. Otázka a zápor priebehového prítomného času

ARE YOU READING? – I'M NOT READING

Otázka v priebehovom prítomnom čase sa tvorí zámenou podmetu s pomocným slovesom:

He is playing.

Is he playing?

Zápor sa tvorí pridaním zápornej častice not za pomocné

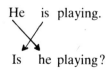

sloveso. V hovorovej angličtine sa používajú stiahnuté záporné tvary:

He is	helping.
He is not	helping.
He isn't	helping.

Príklady:

Am I	knitting?	–	I'm		[aim]	not knitting.
Are you	working?	–	You	aren't	[a:nt]	working.
Is he	coming?	–	He	isn't	[iznt]	coming.
Is she	playing?	–	She	isn't	[iznt]	playing.
Is it	standing?	–	It	isn't	[iznt]	standing.
Are we	learning?	–	We	aren't	[a:nt]	learning.
Are they	reading?	–	They	aren't	[a:nt]	reading.

4. Osobné zámená v predmetovom páde

HELP KATE.
HELP HER.

Osobné zámená v predmetovom páde sa používajú na vyjadrenie predmetu a dávajú sa za sloveso. Naučte sa ich tvary:

1. pád	Predmetový pád	1. pád	Predmetový pád
I	– **me** [mi:]	**we**	– **us** [as]
you	– **you** [ju:]	**you**	– **you**
he	– **him** [him]	**they**	– **them** [ðem]
she	– **her** [hə:]		
it	– **it** [it]		

Po predložkách sa v angličtine používa vždy predmetový pád, napr. *with me, to him.*

Príklady:

Help me.	Pomôž(te) mi.
Help him.	Pomôž(te) mu.

We're helping her.	Pomáhame jej.
Read it.	Prečítaj(te) to.
Come with us.	Poď(te) s nami.
We are working with them.	Pracujeme s nimi.

CVIČENIA

1. Odpovedzte na otázky podľa vzoru:

Is he working? – **Oh yes, he's working.**
Are you working? (I...) – **Oh yes, I'm working.**

1. Are you looking at the pictures? (I...) 2. Is she helping Lucy? 3. Is he coming with us? 4. Are you learning English? (I...) 5. Are they making the tea? 6. Are you and Tom reading the newspaper? (we...) 7. Is she playing with them? 8. Is he working in the garden?

2. Odpovedzte na otázky podľa vzoru:

What is Miss Brown doing? Knitting a pullover? – **She's knitting a pullover.**

1. What is Peter doing? Learning French words? 2. What is Wendy doing? Playing with Tom? 3. What is Mr Baker doing? Watering the flowers? 4. What is Mrs Baker doing? Making the tea? 5. What are Susan and Lucy doing? Working in the kitchen? 6. What are you doing? Reading an English book? 7. What is Bob doing? Helping Kate? 8. What are they doing? Making cakes?

3. Hovorte to isté o Petrovi podľa vzoru:

I have a new coat. – **Peter has a new coat too.**

1. We have a good road map. 2. They have a nice car. 3. I have a friend in London. 4. We have a large garden. 5. I have a new desk. 6. They have two big bags.

4. Spytujte sa, kto čo robí, podľa vzoru:

Kate is reading. – **What is she reading?**

1. Miss Baker is knitting. 2. John is doing it. 3. We are

playing. 4. Kate is cooking. 5. The boy is reading. 6. They are carrying books. (What books...) 7. She's bringing newspapers. (What newspapers...) 8. We're learning it.

5. Odpovedzte záporne na otázky podľa vzoru:

Are you working? – **Oh no, I'm not working.**

1. Is Mary doing her lessons? 2. Is John playing with little Tom? 3. Are you making tea? 4. Are your friends working here? 5. Is she coming with John? 6. Is Kate helping in the garden? 7. Are the boys looking at the books? 8. Is Wendy dressing?

6. Odpovedzte na otázky s použitím podmetu „Susan" a osobného zámena ako predmetu, podľa vzoru:

Who is making the cake? – **Susan is making it.**

1. Who is reading the paper? 2. Who is playing with little Lucy? 3. Who is looking at the map? 4. Who is playing with Bob and Lucy? 5. Who is helping Mr Black? 6. Who is working with Mrs Baker? 7. Who is working with Peter and John? 8. Who is bringing the glasses? 9. Who is helping you?

7. Tvorte rozkazovacie vety spojením slovesa a zámena podľa vzoru:

Help (we). – **Help us.**

1. Look at (I). 2. Work with (he). 3. Help (she). 4. Come with (we). 5. Play with (they). 6. Read (it). 7. Learn the lesson with (she). 8. Bring (they). 9. Take (it).

8. Povedzte po anglicky:

1. Čo to robíš, Lucia? 2. Šijem si nové šaty. 3. Uvar čaj, prosím ťa. 4. Mamička pečie koláč a Zuzana jej pomáha. 5. Tom robí akúsi prácu v záhrade. 6. Pat pracuje s ním. 7. Dívate sa na nich? 8. Poďte mi pomôcť. 9. Urobte to, prosím vás. 10. Peter sa učí francúzštinu.

9. Odpovedzte podľa textu a podľa skutočnosti:

a) 1. Where is Mrs Baker? 2. What is she doing? 3. Where is she standing? 4. What is she making? 5. What is Susan doing? 6. What is little Lucy doing? 7. What is she bringing? 8. How is she carrying the glasses? 9. Where is Mr Baker working? 10. What is he doing? 11. Who's helping him?

b) 1. What are you doing now? 2. Are you learning English? 3. What is your brother (sister, father, friend) doing now?

10. Preložte:

Čo robia Brownovci?

Je nedeľa ráno. Pani Brownová varí v kuchyni. Pán Brown nie je doma. Malý Peter sa hrá s Luciou v záhrade.

Je jedna hodina. Pán Brown prichádza domov. Lucia pomáha v kuchyni matke. Tom číta noviny.

Sú tri hodiny. Pán Brown sedí vo svojom aute. Díva sa na svoju novú automapu. Pani Brownová prichádza s Petrom a Luciou.

Konverzačné cvičenia

Na obrázkoch vidíte dievčatko Katku. Povedzte, čo robí.
Look at these pictures. What is Kate doing?

OUR HOUSE

John: You live in a nice place.
Tom: I'm glad you like it. The house is small but the garden's quite large.
John: Have you many trees there?
Tom: Not many, really.
John: But you have a lot of lovely flowers.
Tom: Oh yes, Jane likes them very much. She works in the garden every day. I haven't much time, you know. – Oh, she's just coming.
Jane: Hello, John. Come in, please, and take off your coat.
Tom: Well, this is our living room. The dining room's next door. My study, the bedrooms and the bathrooms are upstairs.
Jane: Please, sit down and have some sandwiches. – And here's your tea.
John: Thank you. – Well, how are you all getting on?
Tom: We're very busy all the time.
John: Oh, that's bad.
Tom: But Jane says she likes it.
John: The boys help her, I hope.

Jane: Oh yes. Bob washes the dishes and Fred goes shopping.
John: That's nice. Where are the boys now?
Jane: Bob's at a camera club. He wants to buy a new camera. Fred's upstairs. He's watching television.
Tom: Fred, come down for a minute. John's here.
Fred: Yes, I'm coming.

Výslovnosť vlastných mien: **Jane** [džein] Jana.

---

all [o:l] všetok, všetci, všetky; celý
bad [bæd] zlý
that's bad to je zlé, zle
bathroom [ba:θrum] kúpeľňa
bed [bed] posteľ
bedroom [bedrum] spálňa
buy [bai] kúpiť
camera [kæmərə] fotoaparát
club [klab] klub, krúžok
camera club fotografický krúžok
day [dei] deň
dining room [dainiŋ rum] jedáleň
dish [diš] misa, jedlo, chod
the dishes riady
down [daun] dole, nadol
downstairs [daunˈsteəz] dole *(na prízemí)*, nadol *(na prízemie)*
every [evri] *(s podstatným menom)* každý
get on [get on] dariť sa
glad [glæd] rád
go [gəu] ísť
go shopping [šopiŋ] ísť nakupovať
hope [həup] nádej; dúfať
house [haus] dom
just [džast] práve
know [nəu] vedieť
like [laik] mať rád
I like it páči sa mi to
lot [lot]
a lot of [əv] veľa, mnoho
lovely [lavli] nádherný, krásny, milý
many [meni] mnoho *(pozri gramatiku)*
minute [minit] minúta, chvíľka
much [mač] mnoho *(pozri gramatiku)*
next [nekst] nasledujúci, ďalší
next door vedľa
place [pleis] miesto
quite [kwait] celkom
really [riəli] naozaj, skutočne
sandwich [sænwič] sendvič, angl. obložený chlieb
say [sei] povedať
he says [sez] (on) hovorí
sit down sadnúť si
some [sam, səm] nejaký, niektorý; niekoľko
study [stadi] študovňa, pracovňa; študovať, učiť sa
take off [teik of] vyzliecť si
television [ˈteliˌvižn] televízia
television set [set] televízor
ten [ten] desať
thank [θæŋk] ďakovať
that [ðæt, ðət] že
time [taim] čas
to [tu, tə] do *(smerom kam)*
tree [tri:] strom
up [ap] hore, nahor
upstairs [ˈapˈsteəz] hore *(na poschodí)*, nahor *(na poschodie)*
want [wont] chcieť
wash [woš] umývať (sa); prať
wash the dishes umývať riad
watch [woč] dívať sa na, pozorovať
wish [wiš] priať (si); prianie

DÔLEŽITÉ VÄZBY

I like him very much.	Mám ho veľmi rád.
I'm glad (that) you like our garden.	Som rád, že sa vám páči naša záhrada.
Come* here.	Poď(te) sem.
Come down for a minute.	Poď na chvíľu dole (sem ku mne).
Go there. Go upstairs.	Choď tam. Choď hore.
Go home.	Choď domov.
I'm going to work / to school.	Idem do práce / do školy.
I go to bed at ten.	Chodím spať o desiatej hodine.
She goes shopping every morning.	Chodí každé ráno nakupovať.
He's at home / at work / at school.	Je doma / v práci / v škole.
Have a cake.	Vezmi si koláč (tortu).
Here's your tea.	Tu máte čaj.
That's bad.	To je zlé.

VÝSLOVNOSŤ A PRAVOPIS

1. Vetný prízvuk

Už z úvodných poznámok o výslovnosti ste sa dozvedeli, že slovný prízvuk je v angličtine oveľa dôraznejší než v slovenčine. Aj vetný prízvuk je v angličtine oveľa výraznejší. Vo vete majú **prízvuk** len **dôležité slová,** ako podstatné mená, prídavné mená, slovesá (významové) a príslovky. Bez prízvuku bývajú osobné zámená *(I, you, he...),* spojky *(and, but...),* predložky *(at, in, of, to...),* členy *(a, an, the)* a pomocné slovesá *(to be, to have).*

a) Dôraz na podstatnom mene (označený zvislou malou kolmou čiarkou pred podstatným menom):

That's ˈHarry. – That's ˈJohn. – That's ˈMike. – This is ˈTom. – This is ˈAnne. – This is ˈJoan. – This is a ˈbox. – This is a ˈhouse. – This is a ˈdish.

This is a ˈglass and that's a ˈplate. – This is an ˈapple and that's an ˈorange.

b) Dôraz na prídavnom a podstatnom mene:

It's a ˈbig ˈbox. – It's a ˈSlovak ˈbook. – It's a ˈgood ˈmap.

---

* *Come* znamená ísť smerom k osobe, ktorá vetu hovorí, *go* = ísť smerom od tej osoby.

– It's a ˈsmall ˈroom. – It's a ˈnice ˈcoat. That's an ˈold ˈhouse. – That's an ˈold ˈchair.

c) Dôraz na významovom slovese:

I ˈlike it. – You ˈlike it. – They ˈsay it. – I ˈsay it. – We ˈdo it. – I ˈdo it.

2. Intonácia rozkazovacej vety a vecnej otázky*

Intonáciou rozumieme zvyšovanie alebo klesanie tónu hlasu v priebehu vyslovovanej vety (porovnaj vysoké a nízke tóny v hudbe). V slovenčine výšku hlasu vo vete výrazne nemeníme. Hudobne vyjadrené, celú vetu vyslovíme v jednom tóne, iba na konci oznamovacej vety klesneme hlasom pred bodkou; v otázke naopak, hlas trochu zvýšime.

Intonácia anglických viet je oveľa pestrejšia a výraznejšia. Stúpanie a klesanie výšky hlasu sa v priebehu vety mení podľa prízvuku, rytmu reči a (citového) dôrazu – afektu.

reading a
↗ ↘
I am book.

Znaky na označenie intonácie: šípka smerujúca nahor znamená zvýšenie tónu hlasu ↗, šípka smerujúca nadol znamená zníženie hlasu ↘. Vodorovná čiarka umiestená hore pred slovom znamená nasadenie najvyššieho tónu vo vete:

–Where's the
↘
book?

a) Cvičte intonáciu rozkazovacej vety:

–Come ↘ here. –Take ↘ it. –Do ↘it. –Read ↘ that. –Go ↘ there. –Read ↘ this. –Read this ↘ newspaper. –Bring ↘ it. –Bring the ↘dish. –Come ↘ down. –Come ↘ in. –Bring it ↘ here. –Do it ↘well. –Look at ↘ this. –Look at ↘ that. –Look at that ↘ picture. –Look at these ↘ flowers. –Look at those ↘ trees.

---

* Poznámka: Vecná otázka sa začína opytovacím slovíčkom, ako napr. *who, which, what, why, when, where* ap.

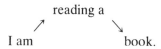

b) Cvičte intonáciu vecnej otázky:

–What's ↘ this? –What's ↘ that? –What's ↘ there?
–Who's ↘ that? –Who's ↘ ill? –Who's ↘ ready?
–Who's ↘ there?
–Where's ↘ Tom? –Where's ↘ Fred? –Where's my ↘ hat?
–Where's his ↘ coat? –Where's my ↘ newspaper?

3. Cvičte výslovnosť koncového „-(e)s" v 3. osobe významových slovies:

a) [-s]	I stop	– he stops	– He stops at his club.
	I put	– he puts	– He puts it on the table.
	I work	– he works	– He works in a factory.
	I walk	– he walks	– He walks to work.
b) [-z]	I come	– he comes	– He comes every day.
	I study	– he studies	– He studies in Prague.
	I read	– she reads	– She reads English books.
	I live	– she lives	– She lives in London.
c) [-iz]	I wish	– he wishes [wišiz]	– He wishes it.
	I dress	– she dresses [dresiz]	– She dresses well.
	I watch	– she watches [wočiz]	– She watches television.

GRAMATIKA

1. Jednoduchý prítomný čas významových* slovies

I COME – HE COMES

Jednoduchý prítomný čas významových slovies sa zhoduje s tvarom neurčitku bez častice *to* vo všetkých osobách okrem 3. osoby jednotného čísla (he, she, it), kde sloveso priberá koncovku **-s** alebo **-es** po sykavkách.

---

* Významové slovesá sú slovesá s plným dejovým významom, napr. písať, kupovať; sú to teda všetky slovesá okrem pomocných slovies *to be, to have* a spôsobových slovies *I can, I may, I must, I need not.*

I	**COME here every day.**	**He**	**COMES every Sunday.**
You	**COME every morning.**	**She**	**COMES in the morning.**
We	**COME every evening.**	**It**	**COMES in the evening.**
They	**COME on Sundays.**		

Pre výslovnosť koncového *-s* platí to isté pravidlo ako v množnom čísle podstatných mien (pozri L 2., str. 34):

[s] **po -p, -t, -k, -f:** *he hopes* [həups], *she works* [wə :ks], *he puts* [puts]

[z] **po ostatných hláskach okrem sykaviek:** *he comes* [kamz], *she plays* [pleiz], *he reads* [ri :dz]

[iz] **po sykavkách pridáme -es a vyslovíme** [iz]: *he wishes* [wišiz], *she watches* [wočiz], *he washes* [wošiz], *she dresses* [dresiz].

Pozor na pravopisnú zmenu pri slovesách zakončených na spoluhlásku + *y*. Pri týchto slovesách sa mení koncové *-y* na mäkké *-i* v 3. osobe jednotného čísla a pridávame k nim *-es*:

to carRY – he carRIES [kæriz] ale: he plays (pred *-y*
to stuDY – he stuDIES [stadiz] je samohláska)

Niektoré nepravidelnosti v 3. osobe jednotného čísla:

to go	[gəu]	**to say**	[sei]	**to do**	[du :]
he goes	[gəuz]	**he says**	[sez]	**he does**	[daz]

2. Rozdiel medzi jednoduchým a priebehovým prítomným časom

NOW	I'm sitting at my desk. I'm reading a book. I'm doing my lessons. I'm learning English.	EVERY DAY	I sit at my desk. I read my paper. I do my lessons. I learn English.

Priebehový prítomný čas vyjadruje **dej, ktorý prebieha práve teraz,** alebo v **terajšom, ešte neskončenom čase. Jednoduchý prítomný čas** vyjadruje **dej, ktorý sa obvykle alebo pravidelne opakuje.**

3. Základný anglický slovosled oznamovacej vety

1.	2.	3.	4.	5.
Podmet (kto?)	Prísudok	Predmet (koho? čo?)	Určenie miesta (kde? kam?)	Určenie času (kedy?)
They	learn	English	at home	every day.
Mr Brown	isn't		here	on Sunday.
Peter	goes		to work	every morning.
I	have	that book	in my bookcase.	
He	hasn't	much work	in his office	now.

Zapamätajte si tieto pravidlá anglického slovosledu:

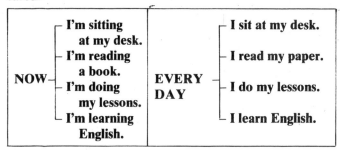

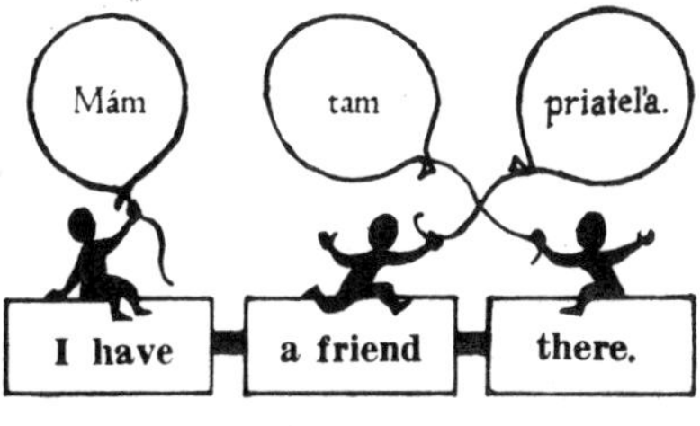

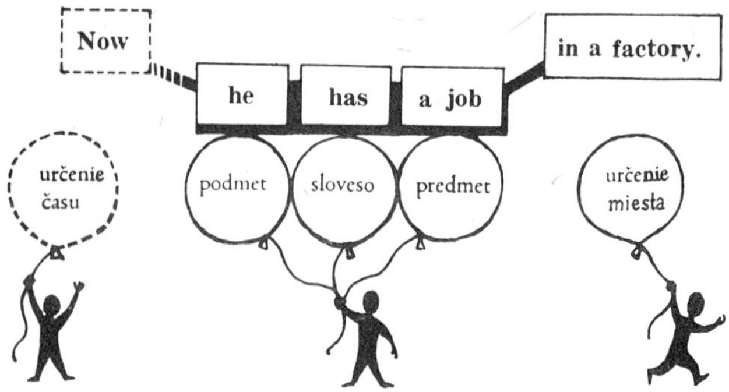

1. V každej anglickej vete musí byť **podmet** vyjadrený alebo **podstatným menom alebo zámenom.** Podmet stojí pred slovesom, spravidla na prvom mieste vo vete.

2. Za podmetom nasleduje **sloveso.** Ak je v zápore, „*not*" stojí hneď za slovesom.

3. Za slovesom stojí **predmet.**

4. **Určenie miesta** stojí až za predmetom.

5. **Určenie času** stojí za určením miesta. Určenie času možno presunúť pred podmet v prípade, ak ho chceme zdôrazniť, napr. *Now I'm very busy.*

Zachovávajte tieto zásady anglického slovosledu, lebo angličtina, na rozdiel od slovenčiny, má **pevný slovosled,** a preto nemožno slová vo vete ľubovoľne premiesťovať tak ako v slovenčine. Dbajte hlavne na to, aby ste nikdy nezačínali vetu predmetom.

Porovnajte:

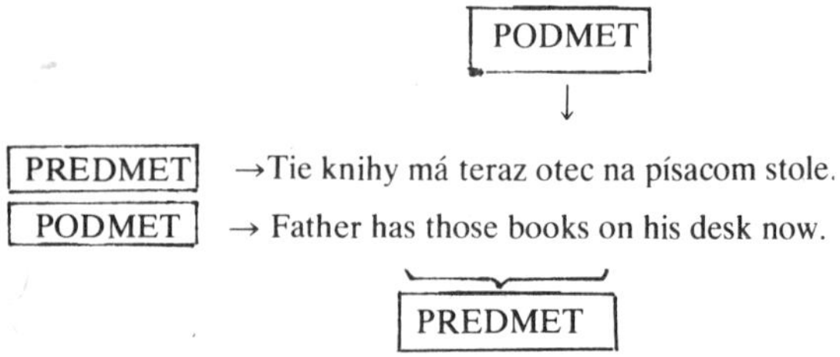

→Tie knihy má teraz otec na písacom stole.

→ Father has those books on his desk now.

Pozor! Predmet má prednosť pred určením miesta.

Porovnajte:

Mám v Londýne dvoch dobrých priateľov.
I have two good friends in London.

4. Vyjadrenie slovenského „mnoho, veľa“

MUCH – MANY – A LOT OF

I haven't much time, but Jane has a lot of time.
I haven't many maps, but John has a lot of maps.

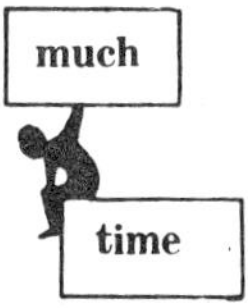

Výraz **„much“** používame s tzv. nepočítateľnými podstatnými menami. Sú to mená, ktoré nemajú množné číslo, ako napr. látkové mená *(tea, water)* a abstraktá *(work, time, help)*.

Výraz **„many“** používame s počítateľnými podstatnými menami. Tieto mená majú jednotné i množné číslo a možno ich počítať, napr. *one book – two books – many books, one picture – two pictures – many pictures.*

Zapamätajte si, že pred výrazmi *much, many* nebýva člen: *much work – many chairs.*

Much, many používame v zápornej vete a aj v otázke, napr.:

Have you many friends there? – No, I haven't many friends there.

Has he much to do? – No, he hasn't much to do.

V kladnej vete dávame prednosť opisnému tvaru **a lot of,** ktorý nahradzuje *much* i *many:*

I have a lot of work every day.
John has a lot of English books.

V otázke používame *a lot of* vtedy, ak čakáme kladnú odpoveď:

Has she a lot of work? – Oh yes, she has.
Has he a lot of pictures? – Yes, he has.

Pozor! V zápore sa *a lot of* nepoužíva.

CVIČENIA

1. Tvorte rozkazovacie vety podľa vzoru:

a) **Look at John. – Look at his pullover.**

Look at	John	Come	in	please
	Kate		upstairs	
	his pullover		outside	
	that camera		downstairs	
	her new dress		here	

b) Vzor: **Have a cake.** Vezmite si koláč.

Have	a cake	Bring	the glasses	please
	an apple		those bags	
	some tea		some water	
	some sandwiches		your camera	

2. Plňte rozkazy a hovorte, čo práve robíte, podľa vzoru:

Help mother. – **I'm helping mother.**

1. Help Jane. 2. Make sandwiches. 3. Put them on the plate. 4. Put the plate on the table. 5. Bring the glasses. 6. Carry them carefully. 7. Shut the window. 8. Bring my bag. 9. Open it.

3. Odpovedzte podľa vzoru:

Where's Joan sitting? In the garden? – **She's sitting in the garden.**

1. Where's father reading? In his study? 2. Where's Sue playing? In the living room? 3. Where's Tom working? In the garden? 4. Where's Lucy going? To school? 5. Where's Kate learning her lessons? In her room? 6. Where's Jane washing her pullover? In the bathroom? 7. Where's John going? To work? 8. Where's the car standing? At the door?

4. Hovorte v zápore s použitím „much" alebo „many" podľa vzoru:

Joan has a lot of friends, but Anne…
Joan has a lot of friends, but Anne hasn't many friends.

1. Joan has a lot of English books, but I… 2. You have a lot of flowers in your garden, but we… 3. They have a lot of work, but he… 4. We have a lot of friends there, but they… 5. You have a lot of time, but I… 6. You have a lot of nice pictures, but we… 7. We have a lot of water here, but they… 8. They have a lot of apples on their trees, but we…

5. Utvorte čo najviac viet z tabuľky podľa vzoru:

Jane has got a lot of nice dresses.

Jane	have got	much	nice dresses
John	has	a lot of	friends in Prague
They	haven't	many	work
I	hasn't		English books
			time

6. Hovorte, že osoby uvedené v zátvorke robia to isté:

Vzor: *You learn English well. (Jane)* – **Jane learns English well too.**

1. You come home at four. (Tom) 2. You study English. (Miss Young) 3. You go there every day. (Mr Brown) 4. You do it very well. (Peter) 5. You work here.(Mr Black) 6. You know Slovak. (Mrs Miller) 7. They watch tele-

vision every evening. (Kate) 8. I say it every day. (She) 9. I like French books. (He) 10. I want to buy a new camera. (My brother) 11. I go shopping every day. (She) 12. I wash the dishes every morning. (Anne)

7. Tvorte vety podľa vzoru:

They live in London. Anne lives in Oxford.

They	live	in London
Mr Brown	work	in Oxford
Tom and Kate	lives	in a factory
Anne	works	in an office

8. Vhodne doplňajte „now“ alebo „every day“ podľa vzoru:

Vzor: *I'm going there* –. **I'm going there now.**
I go there –. **I go there every day.**

1. I'm going to work –. 2. She goes shopping –. 3. What are you doing – ? 4. What do you do – ? 5. They watch television –. 6. Are you watching it – ? 7. Are you reading –? 8. I do it –. 9. She reads newspapers –. 10. Mr Brown goes to his club –.

9. Povedzte, kde kto je, podľa vzoru:

Mr Black is at home now.

Mr Black	is	in	home
Miss Baker	are	at	the garden
John and Anne			work
The Browns			school
Mrs Brown			the factory

10. Dajte výrazy v zátvorkách na správne miesto vo vete podľa vzoru:

I read every day (newspapers).
I read newspapers every day.

1. He comes at five (home). 2. She studies every day (English). 3. We go shopping (every morning). 4. He buys

every day (newspapers). 5. He takes (to school – his books – every day). 6. We have (now – a lot of apples – in our garden). 7. They are watching in the living-room (now – television). 8. I have (in my bookcase – some English books).

11. Povedzte, kto kam chodí každý deň, podľa vzoru:

John goes to work every day.

John	goes to	work	every day
Peter		school	every morning
Miss Baker		the factory	in the evening
Mr Baker		the office	in the morning

12. Hovorte to isté o členoch rodiny podľa vzoru:

I live in Bratislava. My mother…
My mother lives in Bratislava.

1. I work in a factory. My father… 2. I live in Prague. My two sisters… 3. I learn English. My brother… 4. I read English books. My brothers… 5. I like to go shopping. My sister… 6. I work in an office. My father and mother… 7. I watch television in the evening. My mother… 8. I have a small bedroom. My sister… 9. I'm a student. My brother…

13. Povedzte po anglicky:

1. Váš dom sa mi páči. 2. Som rád, že sa vám páči. 3. Matka má rada kvety. 3. Nemám veľa času. 4. Má teraz mnoho práce. 5. Sadnite si, prosím. 6. Tu máte čaj. 7. Vezmite si sendvič. 8. Poďte sem. 9. Choďte tam. 10. Príďte o desiatej.

14. Odpovedzte podľa textu:

1. Has Tom a nice house? 2. Is it a big house? 3. Is the garden large? 4. Has Tom many trees and flowers there? 5. How are Tom and Jane getting on? 6. Where are their boys now? 7. What is Fred doing?

15. Preložte:

Náš dom

Bývame na veľmi peknom mieste. Náš dom nie je veľmi veľký, ale je nový. Máme malú kuchyňu, veľkú obývaciu izbu, dve spálne a kúpeľňu. Kuchyňa a izba sú dole, kúpeľňa a spálne sú hore. Dom má aj záhradu. Moja žena má rada kvety a tak máme v záhrade veľa kvetov.

Konverzačné cvičenia

a) Sprevádzajte pána B. po dome a ukážte mu jednotlivé miestnosti podľa vzoru:

This is our... and that's my...

b) Povedzte, čo kde máte nové, podľa vzoru:

We've got a new carpet in our living room.
Father has got a...in his room.

c) Vymenujte po anglicky predmety, ktoré vidíte na obrázku a povedzte o každom aspoň jednu vetu podľa vzoru:

the armchairs – The armchairs are very nice. They are in the living room.

MY DAILY PROGRAMME

A: Do you get up early?
B: Yes, I get up at six, but I don't like it. When do you get up?
A: At five o'clock.
B: Oh, that's very early. When do you start work?
A: My working hours are from six to two.
B: In our factory we start at seven.
A: When do you get home?
B: At about four. I walk the whole way, but not very quickly. I do some shopping on my way.
A: I get home quite early. But on Wednesdays and Fridays I am very late, as we have courses in the afternoon.
B: When does your wife get home from work?
A: At five. She works from eight to four.
B: Do you work on Saturdays?
A: We don't work on Saturdays. I spend my weekends in the country with my family.
B: I prefer to stay at home on Sundays. I like to read and to study quietly the whole afternoon.
A: I take my boys for a walk in the woods, we walk slowly about and I have time to speak seriously about their work at school.
B: What do you do in the evenings? Do you watch television?
A: Oh, my wife doesn't like television, she prefers to go to the cinema. We go there regularly, usually on Tuesdays. On Mondays we go to see my parents.

(A = John Smith, B = Tom Baker)

about [əˈbaut] o *(speak about)*; asi, okolo *(at about four)*
afternoon [ˈaftəˈnu:n] popoludní
as [æz, əz] pretože; ako
cinema [sinəmə] kino
country [kantri] krajina, vidiek
in the country na vidieku
course [ko:s] kurz
daily [deili] denník; denný; denne
early [ə:li] včasný; zavčasu
eight [eit] osem
end [end] koniec; zakončiť
far [fa:] ďaleký; ďaleko
fast [fa:st] rýchly; rýchlo
Friday [fraidi] piatok
for [fo:, fə] pre, na
get [get] *(tt)* dostať, dostať sa *(kam)*
get up [ap] vstávať
hour [auə] hodina
light [lait] svetlo; svetlý
Monday [mandi] pondelok
on [on] na, v(o) *(on Monday)*
parents [peərənts] rodičia
prefer [priˈfə:] *(rr)* dávať prednosť
programme [prəugræm] program
quick [kwik] rýchly
quickly [kwikli] rýchlo
quiet [kwaiət] pokojný, tichý
quietly [kwaiətli] pokojne, ticho
regular [regjulə] pravidelný
regularly [regjuləli] pravidelne
Saturday [sætədi] sobota
see [si:] vidieť
serious [siəriəs] vážny
seriously [siəriəsli] vážne
seven [sevn] sedem
six [siks] šesť
slow [sləu] pomalý
slowly [sləuli] pomaly
speak [spi:k] hovoriť
spend [spend] tráviť, minúť
start [sta:t] začiatok, štart; začať
stay [stei] pobyt; zostať
theatre [θiətə] divadlo
Thursday [θə:zdi] štvrtok
today [təˈdei] dnes
usual [ju:žuəl] zvyčajný
usually [ju:žuəli] obyčajne
walk [wo:k] prechádzka; ísť pešo
walk about prechádzať sa
way [wei] cesta, spôsob
Wednesday [wenzdi] streda
week [wi:k] týždeň
weekend [ˈwi:kˈend] koniec týždňa, víkend
when [wen] keď; kedy *(v otázke)*
whole [həul] celý
wife [waif], *mn. č.* **wives** (waivz] manželka
(the) woods [wudz] les
working hours [ˈwə:kiŋ auəz] pracovný čas

DÔLEŽITÉ VÄZBY

The working hours are from six to two.	Pracovný čas je od šiestej do druhej.
He goes for a walk every evening.	Každý večer chodí na prechádzku.
I take him for a walk.	Idem s ním na prechádzku.
He walks to his office.	Chodí do úradu pešo.
They go out every Saturday.	Chodia von (t. j. zabaviť sa) každú sobotu.
We go to the cinema.	Chodíme do kina.
We go to the theatre.	Chodíme do divadla.
I go to see my friend.	Chodím navštevovať svojho priateľa.
Come to see me.	Príď ma navštíviť.

VÝSLOVNOSŤ A PRAVOPIS

Intonácia oznamovacej vety

Tak ako rozkazovacia veta a vecná otázka (pozri L 5, str. 68) i **oznamovacia veta** má na konci **klesajúcu** intonáciu:

You're ↘ late.
I'm ↗ reading a ↘ book.

Hovorte nahlas:

I'm ↘ busy. You're ↘ late. She's ↘ here. They're ↘ glad. I'm ↘ there. He's ↘ early. They're ↘ slow. We're ↘ here. It's ↘ good.

He's ↗ reading a ↘ book. We're ↗ waiting ↘ here. She's ↗ knitting a ↘ pullover. I'm ↗ reading a ↘ newspaper. They're ↗ coming ↘ early. You're ↗ walking ↘ slowly. It's ↗ standing ↘ there. He's ↗ playing in the ↘ garden.

GRAMATIKA

1. Zápor významových slovies

I	**do**	**not speak**	**English.**	Nehovorím po anglicky.
He	**does**	**not speak**	**Slovak.**	Nehovorí po slovensky.

Všetky anglické slovesá okrem pomocných slovies *(to be, to have)* a spôsobových *can, may, must* tvoria zápor pomocou slovesa **do** podľa vzoru:

Podmet	+ DO/DOES	+ NOT	+ Neurčitok bez „to“	+ Ostatné časti vety
I	do	not	like	it.
You	do	not	know	her.
He	does [daz]	not	live	here.
She	does	not	speak	English.
It	does	not	start	early.
We	do	not	go	to school.
They	do	not	come	every day.

Pri rozprávaní používame v zápore stiahnuté tvary:

I do not speak English. – I don't [dəunt] speak English.
He does not speak Slovak. – He doesn't [daznt] speak Slovak.

Príklady:

I don't know him.	Nepoznám ho.
You don't know her.	Nepoznáte ju.
They don't live here.	Nebývajú tu.
We don't like this book.	Tá kniha sa nám nepáči.
He doesn't know it.	Nevie to.
John doesn't go there.	Ján tam nechodí.
It doesn't start at six.	Nezačína sa to o šiestej.

Pozor na 3. osobu jednotného čísla:

He **speaks** English, but he does not **speak** Slovak. (V zápore je významové sloveso bez *-s*.)

2. Tvorenie otázky pomocným slovesom „do"

Do	**you**	**speak**	**English?**	Hovoríte po anglicky?
Does	**he**	**speak**	**Slovak?**	Hovorí po slovensky?

Tak ako zápor, i otázku významových slovies tvoríme pomocou pomocného slovesa **do** a neurčitku významového slovesa bez častice *to*:

Do	I	know	him?	Poznám ho?
Do	you	know	her?	Poznáte ju?
DOES	he	speak	English?	Hovorí po anglicky?
DOES	she	go	to school?	Chodí do školy?
DOES	it	start	now?	Začne sa to teraz?

Do	we	know	it?	Poznáme to?
Do	they	watch	television?	Dívajú sa na televíziu?

Pozor na 3. osobu jednotného čísla:

He	speaks	ale:	DOES he	speak?
She	works		DOES she	work?
It	starts		DOES it	start?

Aj sloveso **do** vo význame **robiť** tvorí otázku a zápor s *do:*

		I	do it	every day.	Robím to každý deň.
	DO	you	do it	every day?	Robíte to každý deň?
I	DO	not	do it	every day.	Nerobím to každý deň.

Teraz si zapamätajte slovosled otázky:

Opytovací tvar	+ DO/DOES	+ Podmet	+ Neurčitok bez „to"	+ Ostatné časti vety
When	do	you	do	it?
	Do	they	live	in Prague?
What	does	Pat	like?	
	Does	he	go	to school?

Na otázky typu: *Do you…?* odpovedáme takto:

Do you speak English?	Yes, I do. (Áno, hovorím.)
Do you know him?	No, I don't.
Does Fred like it?	Yes, he does.
Does Ann speak English?	No, she doesn't.

3. Tvorenie prísloviek

HE IS SLOW.	HE WORKS SLOWLY.
Je pomalý.	Pracuje pomaly.

Príslovky tvoríme z prídavných mien príponou *-ly* [li]:

new	–	nový	newly	–	novo
nice	–	pekný	nicely	–	pekne
quick	–	rýchly	quickly	–	rýchlo
slow	–	pomalý	slowly	–	pomaly
careful	–	opatrný	carefu**ll**y	–	opatrne
usual	–	obvyklý	usua**ll**y	–	obvykle

Ak sa prídavné meno končí na spoluhlásku + *y*, mení sa toto *-y* na **-i**:

ready	–	hotový	readily	–	pohotove

Pozor! Prídavné meno **good** tvorí príslovku nepravidelne:

good	–	dobrý	**well**	–	dobre

Poznámka: Niektoré príslovky majú ten istý tvar ako prídavné meno, napr. *daily* = denný i denne, *early* = včasný i včasne, *far* = ďaleký i ďaleko, *fast* = rýchly i rýchlo.

4. Dni v týždni

SUNDAY – ON SUNDAY

Sunday [sandi] nedeľa
Monday [mandi] pondelok
Tuesday [tju:zdi] utorok
Wednesday [wenzdi] streda
Thursday [θə:zdi] štvrtok
Friday [fraidi] piatok
Saturday [sætədi] sobota

Mená dní v týždni sa píšu vždy s veľkým písmenom a nemávajú člen. Pri odpovedi na otázku kedy? sa poja s predložkou **on:** on Sunday – v nedeľu.

on Sunday – on Sundays

Ak sa opakuje dej pravidelne v príslušnom dni v týždni (v nedeľu, t. j. každú nedeľu), názov dňa je v množnom čísle.

Porovnajte:

on Saturday	–	v sobotu, t. j. túto sobotu
on Saturdays	–	v sobotu, t. j. každú sobotu

Príklady:

It's Monday today.	Dnes je pondelok.
We have English on Monday.	V pondelok máme angličtinu (t. j. jeden pondelok).
They have English on Tuesdays.	Oni majú angličtinu v utorok (t. j. každý utorok).

CVIČENIA

1. Uvádzajte záporné tvary slovesa a opaky prídavných mien podľa vzoru:

It's good. – **It isn't bad.**

1. It's bad. 2. He's young. 3. It's an old book. 4. She's old. 5. The room's dark. 6. The garden is small. 7. It's quick. 8. He's slow. 9. She's late. 10. The book is thick. 11. He's ill.

2. Odporujte danému tvrdeniu a použite stiahnuté tvary podľa vzoru:

He's very busy. – **He isn't very busy.**

1. You're speaking English well. (I) 2. He's in the office. 3. She's in the kitchen. 4. We're waiting. 5. It's on the table. 6. They're watching the TV programme. 7. That's his room. 8. We have a large house. 9. Kate has a new dress.

3. Spytujte sa svojho priateľa podľa vzoru:

I like it. – **Do you like it, too?**

1. I learn English. 2. I go shopping. 3. I stay at home.

4. I work in the evening. 5. I get up early. 6. I start at six. 7. I go to the cinema on Sundays. 8. I like this book.

4. Spytujte sa, kedy Ján vstáva, chodí do práce atď., podľa vzoru:

get up – **When does John get up?**

1. go to work, 2. start work, 3. come home, 4. study, 5. watch television, 6. go out, 7. go to the theatre, 8. go for a walk, 9. read the newspapers, 10. do it.

5. Spytujte sa, čo kto robí, podľa vzoru:

John reads a lot. – **What does he read?**

1. Kate knits every day. 2. We watch television. 3. My mother knows it. 4. Mrs Baker likes it. 5. They learn English. 6. She does it every day. 7. The boys like it. 8. Mr Brown reads a lot. 9. I put it there every day.

6. Tvorte rozličné otázky podľa vzoru:

What do you do on Mondays? – **What does Anne (he) do on Mondays?**

What	do	they	go	on Mondays	
Where	does	you	do	at weekends	?
When		Anne	get up	in the morning	
		he	start work		

7. Odpovedzte zápornou vetou podľa vzoru:

Does he like it? – **No, he doesn't** [daznt] **like it.**
Do you like it? – **No, I don't** [dəunt] **like it.**

1. Do you wash the dishes every morning? 2. Do you learn English every day? 3. Does he learn English? 4. Does John speak English well? 5. Does she live in Prague? 6. Do you stay at home on Sundays? 7. Does Miss Baker work there? 8. Do the boys go to school? 9. Does Fred live in London? 10. Do your parents come to see you every Sunday? 11. Does Miss Miller cook well?

8. Odpovedzte stručne na otázky predchádzajúceho cvičenia podľa vzoru:

Does John like it? – **No, he doesn't** [daznt]. – **Yes, he does.**

9. Reagujte zápornými vetami podľa vzoru:

I get up early. (we) – **But we don't get up early.**

1. Mr Smith speaks Slovak well. (Mrs Smith) 2. I work in an office. (my wife) 3. She likes to go to the cinema. (he) 4. They live in the country. (we) 5. Mike goes to school. (little Sue) 6. He knows it. (his friends) 7. They learn English at school. (Peter) 8. They go out every Saturday. (she) 9. Lucy likes to play in the garden. (Tom) 10. You go to see John every Sunday. (Mary)

10. Utvorte vety zo slov v tabuľke podľa vzoru:

I don't work at weekends.

I	don't	work	at weekends
Miss Miller	doesn't	go there	every day
You		watch television	every evening
My parents		go out	on Sundays

11. Spytujte sa a odpovedzte podľa vzoru:

go shopping every day – **Do you go shopping every day?** – **No, I don't.**

1. cook every day 2. wash the dishes every morning 3. walk to your office 4. go for a walk in the evenings 5. stay at home on Sundays 6. see your parents on Mondays 7. read the newspaper every morning 8. start work at six 9. come home at five 10. like to work in the garden

12. Tvorte príslovky a vkladajte ich do viet podľa vzoru:

I walk… (quick) – **I walk quickly.**

1. He works… (slow) 2. John speaks English… (good).

3. Mary learns very... (quick) 4. We go there... (regular). 5. She does it... (careful). 6. Mike does not speak Slovak... (good). 7. She dresses quite... (warm). 8. Peter and little Anne are playing... (quiet). 9. Come... (quick). 10. Speak... (slow), please.

13. Povedzte po anglicky:

1. Rozprávate po anglicky? Áno, rozprávam. 2. Rozpráva vaša žena po anglicky? Nie, nerozpráva. 3. Čo robíte v nedeľu? 4. Chodíme do divadla. 5. Kde bývate? 6. (On) nebýva v Bratislave. 7. Kde pracuje pán Parker? 8. Pracuje v Londýne. 9. Hovorte pomaly, prosím. 10. Príďte nás v nedeľu navštíviť.

14. Odpovedzte podľa textu:

1. Does Tom get up early? When? 2. Does he like it? 3. When does John get up? 4. When does he start work? 5. When does Tom start work? 6. When does he get home? 7. Does he walk home? 8. What does he do on his way home? 9. What does John do on Wednesdays and Fridays in the afternoon? 10. When does his wife come home from work? 11. What are her working hours? 12. Does John work on Saturdays? 13. Where does he spend his weekends? 14. What does John and his boys do on Sundays?

15. Odpovedzte:

1. When do you get up? 2. Do you like to get up early? 3. When do you start work? 4. What are your working hours? 5. When do you get home? 6. Do you do some shopping on your way home? 7. Do you go for a walk in the afternoon? 8. Where and how do you spend your weekends?

Konverzačné cvičenia

Opíšte, čo robia jednotlivé osoby v nedeľu.

Vzor: John (get up early – get up at ten o'clock)
John doesn't get up early on Sundays. He gets up at ten o'clock.

Mr Brown (go to the office – work in the garden)

John (study – watch television)

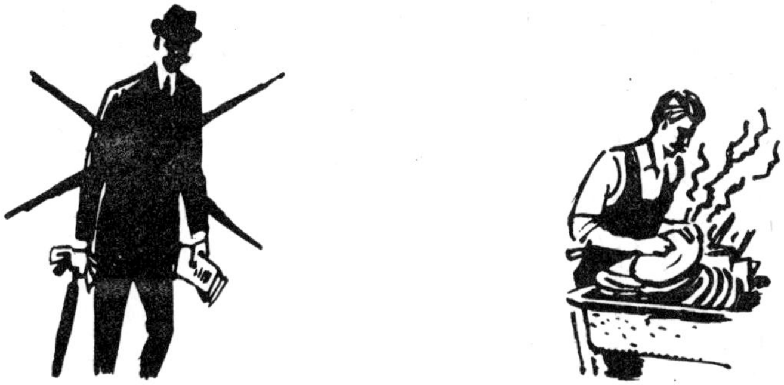

Mr Brown (go out – wash the dishes)

Miss Brown (watch television – go to the theatre)

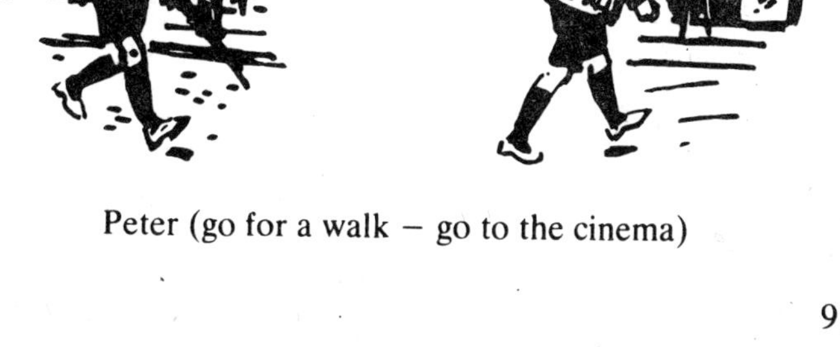

Peter (go for a walk – go to the cinema)

Kate (help Mother – play with Sue)

ASKING THE WAY

A gentleman is addressing a policeman:

Gentleman: Excuse me, constable. Can you tell me the way to the railway station, please?
Policeman: Yes, sir. Go straight ahead along this street as far as the crossing, then turn right.
G: Is it far from here? I mustn't miss my train.
P: You needn't hurry. It's quite near. There's a small park in front of the station. You can't miss your way.
G: Thank you, constable.

IN THE STREET

A: Can I (may I) help you, madam?
B: Oh, thank you. I'm looking for the Park Hotel.

A: What's the address?
B: It's Number 10 Hill Street.
A: That's near Victoria Station. You are going the wrong way, I'm afraid.
B: How can I get there?
A: You can take a bus or go by tube. It's a long way from here. You can't walk so far.
B: Is there a bus stop in this street?
A: No, there isn't, but there's an underground station round the corner. Just cross the street and turn left.
B: Thank you very much.

AT THE CROSSING

A: Stop. Mind the car. – Well, we can cross now.
B: Oh no, we can't. Look at the lights. We must wait.

Výslovnosť vlastných mien: **Hill Street** [hil stri:t]; **Victoria Station** [vikto:riə steišn] *meno stanice v Londýne.*

---

address [əˈdres] adresa; adresovať *(obálku)*, osloviť
afraid [əˈfreid]
I am afraid obávam sa, bohužiaľ
along [əˈloŋ] po, pozdĺž
ask [a:sk] spytovať sa, požadovať
as far as [æzfa:ræz] až do, až na *(miestne)*
bus [bas] autobus
by bus autobusom
by [bai] pri, u, *predložka 7. pádu*
can [kæn, kən]
I can môžem, viem
constable [kanstəbl] *oslovenie strážnika vo Veľkej Británii*
corner [ko:nə] roh

at the corner na rohu
cross [kros] prejsť *(cez ulicu)*
crossing [krosiŋ] križovatka
excuse [iksˈkju:z] prepáčiť
front [frant]
in front of pred *(miestne)*
gentleman [džentlmən] pán
hotel [həuˈtel] hotel
hurry [hari] ponáhľať sa
lady [leidi] pani
left [left] ľavý
light [lait] svetlo; ľahký
long [loŋ] dlhý; dlho
look for hľadať
madam [mædəm] pani *(oslovenie neznámej ženy)*
may [mei]
I may smiem, môžem
mind [maind] dať pozor na
miss [mis] zmeškať, chýbať; prejsť okolo čoho
must [mast, məst]
I must musím
near [niə] blízko
need [ni:d] potrebovať
I need not nemusím
number [nambə], *skr.* **No** číslo, počet
or [o:] alebo
park [pa:k] park; parkovať
policeman [pəˈli:smən] strážnik
railway station [ˈreilwei ˈsteišn] stanica
right [rait] pravý, správny
round [raund] za; okolo; guľatý, okrúhly
round the corner za rohom
sir [sə:, sə] pane *oslovenie staršieho muža (zdvorilé)*
station [steišn] stanica
stop [stop] *(pp)* zastaviť (sa); zastávka
straight ahead [streit‿əˈhed] priamo, rovno
street [stri:t] ulica
tell [tel] povedať (niekomu)
tell the way ukázať cestu
ten [ten] desať
then [ðen] potom, teda
train [trein] vlak
tram [træm] električka
tube [tju:b] podzemná železnica, metro *(hovor.)*
go by tube cestovať podzemnou železnicou, metrom
turn [tə:n] zahnúť, obrátiť sa
underground [andəgraund] podzemná železnica, metro
wait [weit] **for** čakať na
worry [wari] starosť; robiť si starosti
wrong [roŋ] nesprávny, chybný

DÔLEŽITÉ VÄZBY

Is if far?	Je to ďaleko?
Yes, it's a long way from here.	Áno, je to odtiaľto ďaleko.
It's near our hotel.	Je to blízko nášho hotela.
You can take the bus Number 7.	Môžete cestovať autobusom číslo 7.
Go by bus (by tram, by train, by car, by metro).	Choďte autobusom (električkou, vlakom, autom, metrom).
We can go by tube.	Môžeme ísť podzemnou železnicou.
Wait for me at the tram stop.	Počkajte na mňa na zastávke električky.
The bus stop is at the corner.	Autobusová zastávka je na rohu.
It's round the corner.	Je za rohom.
Excuse me, can you tell me the way to Hill Street?	Prepáčte, prosím, môžete mi ukázať cestu na Hill Street?

Walk along this street. — Choďte touto ulicou.
Turn left (right). — Zabočte doľava (doprava).
Go down this street. — Choďte touto ulicou (= *smerom nadol alebo do stredu mesta*).
Go up this street. — Choďte touto ulicou (= *smerom nahor alebo do stredu mesta*).
He's waiting in the street. — Čaká na ulici.
It's on your left (on your right). — Je to naľavo (napravo) (od vás).
Mind the car. — Daj pozor na auto.
You are right. — Máte pravdu.
I'm wrong. — Nemám pravdu. Mýlim sa.

OSOBY A ICH OSLOVENIA

Osoby	Oslovenia osôb a) známych	b) neznámych
pán – a gentleman	Mr Brown	sir
pani – a lady	Mrs Brown	madam
slečna – a young lady	Miss Brown	madam

Príklady:

Can I help you, Mr Brown? — Môžem vám pomôcť, pán Brown?
Can I help you, sir? — Môžem vám pomôcť, pane?
Excuse me, Mrs Brown. — Prepáčte, pani Brownová.
Excuse me, madam. — Prepáčte, pani (slečna).

VÝSLOVNOSŤ A PRAVOPIS

Výslovnosť znelých a neznelých spoluhlások na konci slov

Starostlivo rozlišujte vo výslovnosti koncové znelé spoluhlásky od neznelých (znovu si prečítajte príslušné vysvetlenie v 2. lekcii, str. 32):

[b – p]: Bob – Bob, stop here. – I hope Bob can help.
club – Stop at my club. – I hope you like my club.
[d – t]: old – an old coat – It's an old coat.
bad – That's bad. – Oh Pat, that's very bad.

mind – Mind the light. – Mind the white car.
good – how good of you – How good of you to put it there.
read – Read that. – Sit and read.

[g – k]. big – a big boy – Patrick is a big boy.
Prague – in Prague – Ask in Prague.
bag – my bag – Take my bag. – a black bag – Take the black bag.

[dž – č]: large – a large picture – It's a large picture.
orange – a red orange – Watch that orange.

[v – f]: have – you have – You have a good wife.
five – five rooms – They have five rooms.
live – they live – They live in Cardiff [ka :dif].

[z – s]: his – his place – This is his place.
he's – He's in the house [haus]. – houses [hauziz] – nice houses – These are nice houses. he has – He has a new address. – What's his new address? – She reads. – She sits and reads.
please – Please read this. – Please take this box.

GRAMATIKA

1. Prítomný čas spôsobových slovies „I can“ (môžem, viem), „I must“ (musím) a „I may“ (smiem, môžem)

I CAN COME – I MUST COME – MAY I COME IN?

I	**CAN wait there.** [kən]	**I**	**MUST wait there.** [məst]
You	**CAN wait here.**	**You**	**MUST wait here.**
He	**CAN wait outside.**	**He**	**MUST wait outside.**
She	**CAN wait inside.**	**She**	**MUST wait inside.**
It	**CAN wait.**	**It**	**MUST wait.**
We	**CAN wait upstairs.**	**We**	**MUST wait upstairs.**
They	**CAN wait too.**	**They**	**MUST wait too.**

Tieto tri slovesá majú vo všetkých osobách rovnaký tvar. Keďže nemajú plný význam, sú vždy spojené s neurčitkom významového slovesa, ktorý po týchto slovesách nemá časticu *to*.

Otázka sa tvorí zámenou podmetu a slovesa (porov. *are you? have you?*):

CAN [kæn] { you / he } COME? YES, { I / he } CAN. [kæn]

MUST [mast] { we / they } COME? Yes, { you / they } MUST. [mast]

Zápor:

Plné tvary			Stiahnuté tvary		
I	**cannot** [kænot]	**wait.**	**I**	**can't wait.** [ka:nt]	Nemôžem čakať.
John	**cannot**	**come.**	**He**	**can't come.**	Nemôže prísť.
They	**cannot**	**do it.**	**They**	**can't do it.**	Nemôžu to urobiť.
You	**need not** [ni:d]	**help.**	**You**	**needn't help.** [ni:dnt]	Nemusíš pomáhať.
He	**need not**	**stay.**	**He**	**needn't stay.**	Nemusí zostať.
We	**need not**	**go.**	**We**	**needn't go.**	Nemusíme ísť.
You	**must not** [mast]	**play here.**	**You**	**mustn't play here.** [masnt]	Nesmieš sa tu hrať.
Lucy	**must not**	**take it.**	**She**	**mustn't take it.**	Nesmie si to vziať.
They	**must not**	**stop here.**	**They**	**mustn't stop here.**	Nesmú sa tu zastaviť.

Sloveso *I may* vo význame „smiem“ sa používa len v zdvorilých otázkach, ak žiadame o dovolenie, ako napr.:

MAY – I / we COME IN? Yes, you MAY.
[mei] [mei]

Zápor k **I can** je **I cannot.** Tento tvar je pre všetky osoby rovnaký a píšeme ho dovedna. Zápor k **I must** je **I need not** = nemusím. Aj tento tvar je rovnaký pre všetky osoby: *I (you, he, she, it, we, they) need not.*

Zápor k **I may** = **I may not** len v odpovedi na otázku, napr.:

May I come in? – *No, you may not.*
May he play with it? – *No, he may not.*

Keď chceme ináč vyjadriť zákaz vo vete, použijeme výraz **I** *(you, he, we, they)* **must not** = nesmiem, napr.:

You can come, but he must not.	Môžeš prísť, ale on nesmie.
Lucy can stay, but John mustn't stay here.	Lucy môže zostať, ale Ján tu nesmie zostať.
We mustn't be late.	Nesmieme prísť neskoro.

Zapamätajte si, že spôsobové slovesá *I can, I may, I must, I need not*

a) nepriberajú v 3. osobe jedn. čísla koncovku *-s: he can*
b) neurčitok, ktorý nasleduje, nemá časticu *to: he can do it*
c) otázku a zápor tvoria bez pomocného slovesa *do: can he do it?*
d) nemajú neurčitok (vyjadruje sa opisom, ako to uvidíte neskôr)
e) zápor tvoria nepravidelne:

nemôžem = **I cannot** [kænot] – **I can't** [ka:nt]
nemusím = **I need not** – **I needn't** [ni:dnt]
nesmiem = **I must not** – **I mustn't** [masnt]

Príklady:

Must I go with you? I am ill.
So you needn't go with me.

Must I go with you? I am tired.
So you needn't go with me.

2. Väzba „there is" + podmet

THERE	**IS**	**A**	**BOOK**	**ON THE TABLE.**
THERE	**ARE**	**SOME**	**BOOKS**	**ON THE TABLE.**

Ak je podmetom vety nejaká vec alebo osoba, o ktorej hovoríme, kde (alebo kedy) je, teda v spojení so slovesom *to be*, použijeme väzbu **there is (there are)** je (sú), ktorá stojí vždy na začiatku vety. Slovíčko *there* v tejto väzbe neprekladáme do slovenčiny.

Skrátený tvar **there is** = **there's** [ðeəz].

Príklady:

There is a bag on the chair.	Na stoličke je nejaká taška.
There's a car outside.	Vonku je nejaké auto.
There's a gentleman at the door.	Pri dverách je nejaký pán.
There are some books on the desk.	Na písacom stole sú nejaké knihy.
There are a lot of flowers **there.**	Je **tam** veľa kvetov.

Všimnite si, že v poslednej vete je slovíčko *there* dva razy: raz ako väzba *there are* a raz vo význame „tam".

Väzbu *there is* použijeme aj v otázke a zápore, napr.:

Is there a tram stop in this street?
Is there much work in your office?
Are there many students there?
There isn't much work today.
There aren't many students there.

3. Záporný rozkaz 2. osoby

GO – DON'T GO

Go	**there.**	**Don't go**	**there.**	Nechoď(te) ta(m).
Do	**it.**	**Don't do**	**it.**	Nerob(te) to.
Wait	**for me.**	**Don't wait**	**for me.**	Nečakaj(te) na mňa.

Záporný rozkaz tvoríme pri všetkých slovesách pomocou **do,** teda aj pri slovesách *to be* a *to have:*

Don't be late. Nepríď(te) neskoro!
Don't be afraid. Neobávaj(te) sa.
Don't have a look. Nedívaj(te) sa!

4. Tvorenie slov v angličtine

a) to **read** – čítať — the **reader** – čitateľ
to **teach** – učiť — the **teacher** – učiteľ

Príponou **-er** k slovesám tvoríme podstatné mená, ktoré označujú osoby vykonávajúce činnosť vyjadrenú slovesom.

b) to **work** – pracovať — the **work** – práca
to **help** – pomáhať — the **help** – pomoc

Často môžeme použiť rovnaký tvar pre sloveso i podstatné meno.

c) the **bus** – autobus — the **bus** stop – autobusová zastávka
the **flower** – kvetina — the **flower** garden – kvetinová záhrada
Sunday – nedeľa — **Sunday** newspaper – nedeľné noviny

Podstatné meno sa môže stať v angličtine prídavným menom bez zmeny tvaru, iba tým, že ho položíme pred iné podstatné meno.

CVIČENIA

1. Hovorte vety podľa vzoru:

I'm glad that you can come.
I'm sorry that you can't come.

I'm glad that	you	can	stay with us
I'm sorry	he	can't	come
	they		speak English well
	Joan		help us

2. Odpovedzte podľa vzoru:

We like tea. – And Pat? – **Oh, she likes it too.**

1. I like sandwiches. – And your brother? 2. They speak English well. – And Mr Nový? 3. We know him. – And your mother? 4. I study English. – And Miss Young? 5. We have a large garden. – And Mr Black? 6. We are staying at this hotel. – And Mrs Baker? 7. I can be ready in time. – And he? 8. I take English lessons. – And she?

3. Tvorte otázky podľa vzoru:

What do you do on Saturday?

What	do	Peter	do	on Saturday	?
Where	does	you	work	every day	
		she	read	in the evening	
		they	stay	on Sunday	
			go	in the morning	

4. Povedzte, aby to nerobili:

I can do it now. – **Don't do it now.**

1. I can help Jane. 2. I can stay with them. 3. I can come in the morning. 4. I can open the window. 5. I can go for a walk. 6. I can do my lessons now. 7. I can speak Slovak. 8. I can stop here.

5. Odpovedzte zákazom podľa vzoru:

Can I take it? – **No, you mustn't take it.**

1. Can John watch television now? 2. Can they look at it? 3. Can Peter talk about it? 4. Can Sue go to the cinema? 5. Can I take him there? 6. Can he open it? 7. Can I start now? 8. Can they stand here? 9. Can the boys play with it?

6. Hovorte, čo je na stole, podľa vzoru:

There is a newspaper on the table.

There	is	a	newspaper	on the table
	are	an	plates	
		some	orange	
		four	dishes	
			apple	
			glasses	

7. Spytujte sa, či Ján môže alebo musí robiť to isté, podľa vzoru:

You can stay here. – **Can John stay here too?**

1. You can come at five. 2. You must bring it. 3. You can go with us. 4. You must prepare it. 5. You can sit here. 6. You must help Father. 7. You can have a look at it. 8. You must go to see them.

8. Odpovedzte záporne podľa vzoru:

Must I do it now? – **No, you needn't do it now.**

1. Must I wash the dishes? 2. Must he work in the garden now? 3. Must Joan make the sandwiches now? 4. Must I read it now? 5. Must we stop there? 6. Must I wait for him? 7. Must I shut the windows? 8. Must you have it now? 9. Must they take a bus?

9. Hovorte vety podľa vzoru:

There's [ðeəz] **a gentleman at the door.**

There's	a	gentleman	in the garden
		boy	at the door
		lady	over there
		girl	in front of the house
		young lady	at the bus stop

10. Odpovedzte stručne podľa vzoru:

Is there a tram stop there? – **Yes, there is. (No, there isn't.)**

1. Is there much work in your office now? 2. Are there many offices in your factory? 3. Are there flowers on your desk? 4. Is there a bookcase in your room? 5. Is there a bus stop near your office? 6. Are there many new houses in Prague? 7. Is there a tram stop near your house? 8. Is there a hotel in your street?

11. Doplňte vety zápornými stiahnutými tvarmi podľa vzoru:

I can come, but he... – **I can come, but he can't.**
I must come, but she... – **I must come, but she needn't.**

1. I can stay, but he... 2. I must see him, but she... 3. I can walk there, but she... 4. We must work every day, but he... 5. We can go there by car, but she... 6. They must buy a new camera, but you... 7. You can bring it on Saturday, but they... 8. She must stay at home, but I...

12. Utvorte vhodné slovné spojenia a prekladajte ich do slovenčiny podľa vzoru:

a kitchen table = kuchynský stôl

a)	kitchen	map
	picture	house
	road	table
	garden	book

country	flowers
film	club
b) evening	walk
morning	programme
Sunday	school

13. Povedzte po anglicky:

1. Môžem vám pomôcť, pani? 2. Čím vám môžem poslúžiť, slečna? 3. Mám pravdu, alebo sa mýlim? 4. Nerobte si starosti. 5. Nemôžete zablúdiť. 6. Dajte pozor na auto! 7. Je na tejto ulici zastávka autobusu? 8. Nesmieš to urobiť. 9. Musíte tiež prísť. 10. Nemusíte tam chodiť.

14. Odpovedzte podľa textu:

a) 1. Where is the lady going? 2. What is the address of the Park Hotel? 3. Where is Hill Street? 4. Is it far? 5. How can the lady get there? 6. Where is the underground station?
b) 1. What does the gentleman ask the policeman? 2. What does the policeman say? 3. Is the railway station near? 4. Must the gentleman take a bus to get there?

15. Odpovedzte:

1. How do you get to work? to school? (take a bus, take a tram, go by train, walk). 2. Is your office (factory, school) far from your home? 3. Does it take much time to walk there? 4. Is there a bus stop (a tram stop) in your street? 5. Tell the way from your house to the bus stop (tram stop). 6. How can you get to the railway station from your home? 7. Where is Victoria Station? 8. Is there an underground in Prague? 9. Is there an underground in Bratislava?

Konverzačné cvičenia

a) Odpovedzte na otázky podľa obrázku na str. 106:

1. Where's the bus stop? 2. Where's the railway station? 3. Where's the school? 4. Where's the underground station?

5. Where's the policeman? 6. Where's the Park Hotel? 7. Where's the bookshop? 8. Where are the two buses? 9. Where's the car?

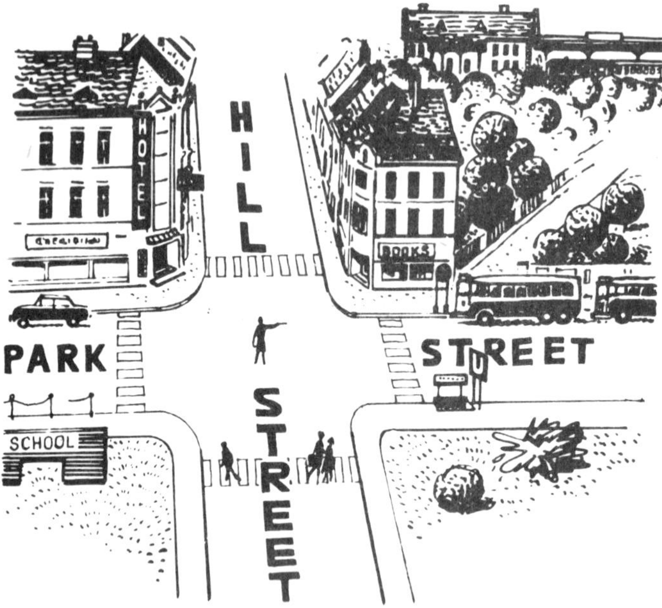

b) Spytujte sa a odpovedzte podľa vzoru:

Excuse me, is there a tram stop in Hill Street? – **No, there isn't.**

Excuse me, is there	a an	tram stop	in Hill Street?
		hotel	in Park Street?
		school	at the corner?
		bookshop	at the crossing?
		underground station	round the corner?
		park	in this street?

c) Vysvetlite, ako sa ide na stanicu, na zastávku autobusu, do hotela, ku škole, na zastávku podzemnej železnice a do parku.

A FRIENDLY TALK

Fred: Hello, Peter.

Peter: Oh, hello, Fred. Nice day, isn't it?

Fred: Lovely weather for this time of year. How are you?

Peter: Quite well, thank you, and you?

Fred: I'm all right. It's a pleasure to see you again. What's the news?

Peter: Well, I have a new job. I work at Lloyd's Bank now.

Fred: You aren't in the same office as Jack Brown, are you?

Peter: Why, yes. Do you know him?

Fred: We sometimes meet on business. By the way, what's Charles doing?

Peter: He's still working in Sharp's factory. But my sister is his wife's best friend. She often goes to see them and she tells me all about Charles's family.

Fred: Charles has two boys, hasn't he?

Peter: Yes, he has. And what about you? You're working in London, aren't you?

Fred: Oh no, I work in Birmingham now, and I usually come to London every week.

Peter: Well, we must organize a meeting of all our old friends. You don't know Frank Peters's new address, do you?

Fred: I'm afraid I don't. I seldom see him now. I must write to John and ask him about it. But that meeting is a good idea. You can arrange it, can't you?

Peter: Of course I can. I hope they can all come. You must bring your wife, too.

Fred: I'm looking forward to it. I am always glad to see my friends.

Výslovnosť vlastných mien: **Birmingham** [bə:miŋəm]; **Charles** [ča:lz] Karol; **Frank** [fræŋk]; **Jack** [džæk]; **Lloyd** [loid]; **Peters** [pi:təz]; **Sharp** [ša:p].

---

always [o:lwəz] vždy
arrange [əˈreindž] zariadiť, usporiadať
ball [bo:l] lopta
bank [bæŋk] banka
best [best] najlepší
business [biznis] obchod
  on business obchodne
for [fo:] pre
friendly [frendli] priateľský; priateľsky
husband [hazbənd] manžel
idea [aiˈdiə] myšlienka, nápad
job [džob] zamestnanie
letter [letə] list
look forward to [fo:wəd] tešiť sa na
meet [mi:t] stretnúť (sa)
meeting [mi:tiŋ] schôdzka, stretnutie
news [nju:z] správa, správy *(len jed. číslo)*
  what is the news? čo je nového?
of [ov, əv] od, z *(predložka na vyjadrenie 2. pádu)*
of course [ko:s] pravdaže
often [ofn] často
organize [o:gənaiz] (z)organizovať
pleasure [pležə] radosť, potešenie
same: the same [seim] rovnaký, ten istý
seldom [seldəm] zriedka
sometimes [samtaimz] niekedy
still [stil] (stále) ešte, doteraz
talk [to:k] rozhovor; zhovárať sa, hovoriť
way [wei] cesta
  by the way mimochodom
weather [weðə] počasie
week [wi:k] týždeň
why [wai] prečo *(v otázke)*; ale
write [rait] písať
year [jə:] rok
  this time of year toto ročné obdobie

DÔLEŽITÉ VÄZBY

Lovely weather, isn't it?	To je (dnes) nádherné počasie, však?
Nice day, isn't it?	To je dnes pekne, však?
Nice weather for this time of year.	Pekné počasie na toto ročné obdobie.
What's new (the news)?	Čo je nového?
This is good news.	To je dobrá správa. To sú dobré správy.
by the way	mimochodom

And what (how) about her husband?	A čo jej manžel?
What about your new job?	Čo tvoje nové zamestnanie?
I am afraid I don't know.	Žiaľ, neviem.
That's a good idea.	To je dobrý nápad.
I have an idea.	Mám nápad.
I'm looking forward to it.	Teším sa na to.
I am glad to see you.	Som rád, že ťa vidím.
It's a pleasure to see you.	To je milé, že vás vidím.

VÝSLOVNOSŤ A PRAVOPIS

Výslovnosť koncového „-s" v privlastňovacom páde

Privlastňovací pád (pozri gramatiku str. 111) sa tvorí pomocou **apostrofu** (') a **s: my friend's.** Toto *s* sa číta ako koncové *-s*, ktoré používame tak pri 3. osobe jednotného čísla prítomného času slovies, ako i pri množnom čísle väčšiny podstatných mien.

Porovnajte výslovnosť tvarov na *-s* alebo *'s* v jednotlivých stĺpcoch:

a) Po **neznelých** spoluhláskach (t. j. po [p, t, k, f, θ]) sa číta **[s]**:

sloveso v 3. osobe	podst. meno v mn. č.	privlastňovací pád
he stops [stops]	maps [mæps]	Mr Sharp's [ša:ps]
he meets [mi:ts]	carpets [ka:pits]	Kate's [keits]
he walks [wo:ks]	weeks [wi:ks]	Jack's [džæks]

b) Po **znelých** spoluhláskach (t. j. po [b, d, g, m, n, l, v, w, ð]) a po **samohláskach** sa číta **[z]**:

he stands [stændz]	friends [frendz]	my friend's [frendz]
he comes [kamz]	names [neimz]	Tom's [tomz]

he turns [tə:nz]	gardens [ga:dnz]	Jack Brown's [braunz]
he sees [si:z]	ideas [ai'diəz]	Mary's [meəriz]

c) Po **sykavkách** (t. j. po [s, z, š, ž, č, dž]) sa číta **[iz]**:

he crosses [krosiz]	buses [basiz]	Miss Jenkins's [dženkinsiz]
he arranges [ə'reindžiz]	oranges [orindžiz]	George's [džo:džiz]

Cvičte výslovnosť koncového „-s" a „'s":

[s] the students' books – his wife's hats – Miss Sharp's talk – Kate's coats – Pat's cakes – the clerk's desk

[z] my teacher's lessons – her husband' ideas – John's brothers – my sister's bags – this lady's friends – Peter's pictures

[iz] Mr Jenkins's offices – Charles's oranges – George's courses – Mrs Peters's sandwiches

GRAMATIKA

1. Vyjadrovanie slovenských pádov v anglických podstatných menách

V angličtine sa podstatné mená neskloňujú. Pády vyjadrujeme alebo postavením vo vete, alebo pomocou predložiek.

1. pád, podmet vety, stojí v oznamovacej vete vždy pred slovesom. **4. pád,** priamy predmet, stojí v oznamovacej vete vždy za slovesom. Napr.:

1. pád +	sloveso +	4. pád	
John	**reads**	**that book.**	Ján číta tú knihu, ale aj: Ján tú knihu číta, tú knihu Ján číta.

5. pád stojí na začiatku alebo na konci rozkazovacej vety. Pred všeobecnými podstatnými menami nie je člen:

Mike, open the window, please.	Miško, prosím, otvor okno.
Come here, young man.	Poďte sem, mladý muž.

2. pád vyjadrujeme pomocou predložky **of** alebo **privlastňovacím pádom** (pozri Gramatiku § 2), alebo pomocou **from** (od, z), **without** (bez) a pod. **3. pád** vyjadrujeme zvyčajne predložkou **to, 6. pád** predložkou **about, 7. pád** predložkou **with** alebo **by.**

Porovnajte:

1. pád:	**Kniha** je na stole.	**The book** *is on the table.*
	Ján píše.	**John** *is writing.*
2. pád:	farba **tejto tašky**	*the colour* **of this bag**
3. pád:	Daj to **Jánovi.**	*Give it* **to John.**
4. pád:	Poznám **Jána.**	*I know* **John.**
	Poznám **tú knihu.**	*I know* **this book.**
5. pád:	**Mišo!**	**Mike!**
6. pád:	Čo viete **o Petrovi?**	*What do you know* **about Peter?**
	(o tejto knihe?)	**(about this book?)**
7. pád:	Pracujem **s Karolom.**	*I work* **with Charles.**
	Choďte **autom.**	*Go* **by car.**

2. Privlastňovací pád

JOHN'S CAR
Jánovo auto

Privlastňovací pád sa tvorí pomocou **apostrofu** (') a **s** za príslušným podstatným menom. Ak sa množné číslo končí na **-s,** pridávame iba apostrof. Pravidlá o výslovnosti koncového **-s** sú na str. 109.

Privlastňovací pád sa používa prevažne pri podstatných menách označujúcich osoby a zodpovedá slovenskému 2. pádu alebo privlastňovaciemu prídavnému menu:

the student's books	knihy študentov
John's mother	Jánova matka
the boy's name	chlapcovo meno

Ak má podstatné meno v privlastňovacom páde člen alebo zámeno, zachováme člen i zámeno. Pri druhom podstatnom mene člen alebo zámeno nie sú. Porovnajte:

My	sister;	her	room
↓			
My	sister's	–	room
The	lady;	a	car
↓			
The	**lady's**	–	car
Lucy;		the	job
Lucy's		–	job

Ak dávame do privlastňovacieho pádu väzbu, ktorá má viacej podstatných a prídavných mien, pridávame 's (alebo iba apostrof) k poslednému podstatnému menu:

my friend John [Brown's] address	– adresa môjho priateľa Johna Browna

3. Vyjadrenie slovenského „však?“, „pravda?“

He's here, **isn't he?**	Je tu, však?
John speaks English, **doesn't he?**	Ján rozpráva po anglicky, pravda?
They **don't** speak Slovak, **do they?**	Nerozprávajú po slovensky, však?

Ak sa dovolávame súhlasu so svojím tvrdením, doplňame anglickú vetu stručnou otázkou, ktorá zodpovedá slovenskému „však“, „pravda“ ap.

Táto stručná otázka má tieto vlastnosti:

a) Na prvom mieste je pomocné sloveso hlavnej vety; ak

nie je vo vete pomocné sloveso, nahradíme významové sloveso pomocným *do/does*. Ak je vo východiskovej vete sloveso zamlčané, v otázke sa sloveso vždy musí použiť:

Nice day, isn't it?

b) Na druhom mieste je podmet hlavnej vety, ale vždy v tvare osobného zámena, napr. ak je v hlavnej vete podmet *John*, nahradíme ho v otázke zámenom *he*, *his mother – she*, *John and Mary – they*, *the weather – it* ap.

c) **Ak je úvodná veta kladná, otázka je v zápore. Ak je úvodná veta záporná, otázka je kladná.** V celom súvetí sa teda vyskytuje jeden zápor a jedno kladné sloveso.

d) Ak je otázka v zápore, používame výlučne iba stiahnuté tvary.

e) Intonácia otázky je klesavá ako v oznamovacej vete.

Príklady:

Mary is your sister, **isn't** she?	– Mary **is not** your sister, **is** she?
Bob **can** do it, **can't** he?	– Bob **can't** do it, **can** he?
We **must** wait, **mustn't** we?	– We **needn't** wait, **need** we?
You **speak** English, **don't** you?	– You **don't speak** English, **do** you?
The boy **lives** here, **doesn't** he?	– The boy **doesn't** live here, **does** he?
Nice weather, **isn't it?**	Je pekne, **však?**
Quite cold, **isn't it?**	Celkom chladno, **pravda?**

4. Postavenie prísloviek

I	**USUALLY stay**	at home on Sundays.
I am	**USUALLY**	at home on Sundays.

Príslovkové určenia miesta a času sa v anglickej vete dávajú na koniec vety, niekedy však aj na začiatok vety, pred podmet. Výnimku tvoria **krátke príslovky času,** ktoré sa dávajú **medzi podmet a významové sloveso:**

I usually **stay at home on Sundays.**
V nedeľu bývam zvyčajne doma.

Ak je vo vete pomocné sloveso (be, have, do, spôsobové *can, may, must, needn't do, does* a i.), dáva sa príslovka až za toto sloveso. Pri zápornom tvare slovesa sa dáva príslovka za záporovú časticu *not:*

I am usually at home on Sundays.
V nedeľu som zvyčajne doma.

He can still come.
Môže ešte prísť.

We do not often see him.
Nevidíme ho často.

Doteraz sme prebrali tieto príslovky času:

usually – obyčajne
always – vždy
often – často
seldom – zriedka
sometimes – niekedy
still – ešte

Poznámka: Tieto príslovky času (okrem *still* – ešte) vyjadrujú dej opakovaný alebo trvalý, preto musí **sloveso** byť vždy **v jednoduchom tvare,** a nie v priebehovom. Iba príslovka **still** označuje prebiehajúci dej, a preto sa spája s **priebehovým tvarom.**

He usually comes at five.	Obyčajne prichádza o piatej.
I always get up at six.	Vstávam vždy o šiestej.
We often go there.	Chodíme tam často.
They sometimes help us.	Niekedy nám pomáhajú.
He is still waiting.	Stále (ešte) čaká.
I am often busy.	Mám často veľa roboty.
He can't always wait for you.	Nemôže na vás vždy čakať.
I don't often go there.	Nechodím tam často.

V otázke dávame príslovku za podmet:

Is **he** *still there?*	Je tam ešte?
Does **he** *often write?*	Píše často?

5. Vynechanie „that“ = že

I think (that) he can come.

That vo význame „že“ sa v angličtine veľmi často vynecháva, ak sa vedľajšia veta začína podmetom:

I am afraid he can't do it.	Obávam sa, že to nemôže urobiť.
I hope you like it.	Dúfam, že sa vám to páči.

CVIČENIA

1. Odpovedzte na otázky podľa vzoru:

Is it your coat? (John) – **No, it's John's coat.**

1. Is it your picture? (Patrick). 2. Is it your room? (Susan). 3. Is this your brother's address? (my sister). 4. Is this your car? (my father). 5. Is it your hat? (Charles). 6. Is this your book? (our teacher). 7. Is it your house? (Mr Brown).

2. Pričleňte správne otázky k vetám:

The weather's lovely,	isn't he?
They are going home,	is it?
Your house isn't large,	doesn't she?
She's cooking,	is she?
Tom's at home,	aren't they?
Pat lives in this street,	isn't it?
Mrs Brown isn't ill,	isn't she?

3. Doplňte vety kladnou krátkou otázkou podľa vzoru:

The students aren't learning English, **are they?**
They don't speak English, **do they?**

1. You don't live here, ... 2. The ladies aren't waiting, ... 3. Your mother doesn't speak English, ... 4. Your husband isn't watching television, ... 5. You haven't got time now, ... 6. His wife doesn't like the idea, ... 7. Your brothers don't come here every day, ... 8. Peter can't speak English well, ... 9. The bus doesn't stop here, ...

4. Dokončite vety krátkou otázkou podľa vzoru:

He is waiting for you, **isn't he?**

1. She's helping you, ... she? 2. The weather is lovely, ... it? 3. Jack Brown lives in Birmingham, ... he? 4. She has a sister,... she? 5. You know it, ... you? 6. They can speak English, ... they? 7. The bank is in this street, ... it? 8. Miss Peters has a new job, ... she? 9. We can cross here, ... we? 10. He works in your office, ... he?

5. Spýtajte sa, prečo a použite osobné zámená v 4. páde podľa vzoru:

I am helping John. – **Why are you helping him?**

1. I am working with Charles. 2. I am looking for the map. 3. I am waiting for Mary and her husband. 4. I am bringing the bags. 5. I am writing to Anne. 6. I am reading this book. 7. I am waiting for your brother. 8. I am studying English.

6. Reagujte na východiskové vety príkazom *Help...*, podľa vzoru:

Mother is washing the dishes. – **Help her, please.**

1. I'm making tea. 2. The girls are knitting. 3. Father's working in the garden. 4. We're watering the flowers. 5. I'm writing my homework. 6. He's bringing some books. 7. We're looking for the maps. 8. The boys are carrying some bags. 9. An old lady is crossing the street. 10. Fred is washing the car.

7. Hovorte, čo zriedkakedy robíte, podľa vzoru:

He's often late. – **I'm seldom late.**

1. She's often in a hurry. 2. They often watch television. 3. She often goes to the theatre. 4. Jack often plays tennis. 5. They usually go out in the evening. 6. He often gets up early. 7. He can often come to see them.

8. Reagujte otázkou podľa vzoru:

Peter helps me. – **Does he often (always, usually, still) help you?**

1. Wendy talks about it. 2. Jack comes to see us. 3. He stays at the Park Hotel. 4. He's very busy. 5. They must go to the bank. 6. I work in the evenings. 7. I come home early. 8. They are here.

9. Prekladajte a dbajte na správny slovosled:

1. Poznáte pána Jenkinsa, pravda? – Áno, často ho stretávam v našej ulici. 2. Mária je úradníčka, však? – Áno, je. 3. Vídate sa často s Jánom? – Áno, niekedy ide so mnou do kina. 4. Chodíte často do Brna, pravda? – Áno, chodím. Bývam vždy v tom istom hoteli. 5. Vstávate včas, však? – Áno, vstávam. 6. Peter môže ísť s nami, pravda? – Pravdaže môže. 7. Pán Brown ešte na mňa čaká, však? – Áno, čaká. Je ešte vo svojej kancelárii.

10. Odpovedzte podľa textu:

1. What's new with Peter? 2. Where does he work now? 3. Who is in the same office with him? 4. Who is Charles? (Petrov priateľ). 5. Where is Charles working? 6. What does Peter say about Charles's family? 7. Where does Fred work? 8. Does he often come to London?

11. Preložte:

Moji priatelia

Mám niekoľko dobrých priateľov. Vždy ich rád vídam. Tom pracuje v tej istej továrni ako ja. S Frankom sa niekedy stretávam obchodne. Petra stretávam často na ceste domov. Hovoríme o svojej práci a o svojich rodinách. Mimochodom, Freda teraz vidím zriedkavo. Má nové zamestnanie a býva ďaleko od nás.

Konverzačné cvičenia

Hovorte, ktorej osobe patria predmety na obrázkoch.

Vzor: This is Mr Brown's newspaper. That's Jack Brown's desk.

Mr Brown

Mrs Brown

Charles

Jack

Wendy

SPORTS AND GAMES

1

ENGLISH GAMES

A: I know that English people are very fond of games. What games do they play?
B: Well, the two great English games are cricket in summer and football, or soccer as we call it, in winter.
A: How many players are there in a cricket team?
B: Don't you know? There are eleven just as in a football team. Only a Rugby team has fifteen players. Rugby is an English ball game, you know. Tennis and golf are also very popular and I mustn't forget hockey, table-tennis, badminton and basketball.
A: And what's your favourite game, Mr Thompson?
B: I play cricket and golf in our club, but I also like to play tennis with my wife.
A: And which of you plays tennis better?
B: I'm quite good at tennis, but my wife plays better. You play tennis too, don't you, Mr Zeman?
A: I play very badly. I prefer swimming in summer and skiing in winter.

2

AN ICE-HOCKEY MATCH ON TV

John: What's on television today?
Tom: There's an ice hockey match this afternoon. Who wants to come and watch it?
Fred: Who's playing who?
Tom: Canada is playing Czechoslovakia.
Fred: Then we must see it. Which team is better at the moment?
Tom: What do you think, John?
John: Well, I think they are both very good. When does the match start?
Tom: At four.

3

AT A FOOTBALL MATCH

George: Three tickets, please. How much is it?
Clerk: Ninety pence.
George *(pays and gets the tickets):* We must hurry up, boys, we're late.
Harry *(addresses a gentleman):* Excuse me, what's the score?
A Gentleman: One nil to Manchester.
Harry: Thank you.
George: I tip Manchester United to win two to one.
Peter: Look at that tall player – he has the ball now. What's his name? Who knows him?
George: Tony Jenkins, he's new in the West Ham team. Oh, a foul!
Peter: Whose foul is it? I can't see well.
Harry: It isn't a foul. What's the matter? Oh, yes, Tony's getting the ball again.
A West Ham Fan: Good! Come on! Shoot! Goal! Goal! Tony's scoring!

Výslovnosť vlastných mien z textu: **Canada** [kænədə] Kanada; **Czechoslovakia** [ˈčekəusləˈvækiə] Československo; **George** [džo:dž] Juraj; **Jenkins** [dženkinz]; **Manchester** [mænčistə] *mesto v Anglicku;* **Manchester United** [juˈnaitid] *meno angl. futbalového klubu;* **Thompson** [tompsən]; **Tony** [təuni]; **West Ham** [west hæm] *meno angl. futbalového klubu.*

again [əˈgen] zasa, opäť
also [o:lsəu] tiež, aj
as [əz] ako
at all [ətˈo:l] *(po zápore)* vôbec (nie)
ball [bo:l] lopta
better [betə] lepší; lepšie
both [bəuθ] oba, obe
call [ko:l] nazývať, volať
coffee [kofi] káva
come on! [kam on] do toho!
eleven [iˈlevn] jedenásť
fan [fæn] fanúšik *(športový)*
favourite [feivərit] obľúbený
fifteen [fifˈti:n] pätnásť
film [film] film
fond [fond]
be fond of mať rád
forget [fəˈget] *(tt)* zabudnúť
game [geim] (športová) hra
great [greit] veľký *(významom)*
how many? [hau meni] *(s mn. č.)* koľko?
how much? [hau mač] *(s jedn. č.)* koľko?
how much is it? koľko to stojí?
hurry up [hari ap] poponáhľať sa
be in a hurry ponáhľať sa
ice [ais] ľad
ice hockey [ais hoki] ľadový hokej
match [mæč] zápas; zápalka
matter [mætə] vec, záležitosť
what's the matter? čo sa deje?
nine [nain] deväť
only [əunli] jediný; len, iba
pay [pei] platiť
pence [pens] penny
people [pi:pl] ľudia
English people Angličania
player [pleiə] hráč
popular [popjulə] obľúbený, populárny
shoot [šu:t] strieľať
sixty [siksti] šesťdesiat
skiing [skiiŋ] lyžovanie
summer [samə] leto; letný
swim [swim] *(mm)* plávať
swimming [swimiŋ] plávanie
tall [to:l] vysoký, veľký *(postavou)*
think [θiŋk] myslieť
ticket [tikit] lístok, vstupenka
TV [ˈti:ˈvi] *(skratka* **television**) televízia
on (the) television v televízii
want [wont] chcieť
which? [wič] kto?, čo?, aký?, ktorý? *(z istého počtu)*
whose? [hu:z] čí?
win [win] *(nn)* zvíťaziť
winter [wintə] zima; zimný

Medzinárodné športové výrazy:

badminton [bædmintən] badminton
basketball [ba:skitbo:l] basketbal
cricket [krikit] kriket
football [futbo:l] futbal
foul [faul] faul, nedovolený zásah *(v športe)*
goal [gəul] gól
golf [golf] golf
hockey [hoki] hokej
nil [nil] nula; nulový
Rugby, rugby [ragbi] ragby
score [sko:] stav *(zápasu)*, výsledok, skóre; dať gól, skórovať

soccer [sokə] (európsky) futbal
sport [spo:t] šport *(jednotlivý)*; sports *(mn. č.)* športy, šport *(ako celok)*, atletické preteky
table tennis [teibl tenis] stolný tenis
team [ti:m] družstvo, mužstvo, tím
tennis [tenis] tenis
tip [tip] *(pp)* tipovať, odhadovať *(víťaza v športe)*
volleyball [volibo:l] volejbal

DÔLEŽITÉ VÄZBY

He is fond of football.	Má rád futbal.
She likes to play tennis.	Rada hrá tenis.
What's on television today?	Čo je dnes na programe v televízii?
I prefer swimming to tennis.	Dávam prednosť plávaniu pred tenisom. Mám radšej plávanie než tenis.
He's good at ice hockey.	Hrá dobre hokej.
Anne is good at English.	Anna je dobrá v angličtine.
I'm very busy at the moment.	Teraz mám práve veľmi veľa práce.
Come on.	Tak (len) poď(te). Do toho!
They're at a football match.	Sú na futb[illegible]vom zápase.
It's one nil (1 : 0) to Manchester.	Je to 1 : 0 pre Manchester.
I tip Canada to win two to one (2 : 1).	Tipujem na víťazstvo Kanady 2 : 1.
Who's playing who?	Kto s kým hrá?
Canada is playing Czechoslovakia.	Kanada hrá proti Československu.
What's the score?	Aký je stav?
What's the matter?	Čo sa deje?
How much is it?	Koľko to stojí?
this morning (afternoon, evening)	dnes ráno (popoludní, večer)

VÝSLOVNOSŤ A PRAVOPIS

Intonácia otázok

V 5. lekcii ste sa oboznámili s intonáciou tzv. vecnej otázky, ktorá má klesajúcu intonáciu.

Všimnite si teraz iný typ intonácie v tzv. **zisťovacej otázke,** t. j. v takej, v ktorej nie je nijaké opytovacie zámeno a ktorá sa začína slovesom. Tu vyslovíme poslednú prízvučnú slabiku tak, že jej začiatok vyslovíme najnižším tónom a jej koniec vyšším tónom (kĺžeme hlasom zdola nahor). Ak za poslednou prízvučnou slabikou nasleduje jedna alebo viac neprízvučných slabík, vyslovíme poslednú prízvučnú slabiku najnižším tónom a nasledujúce neprízvučné slabiky vyšším tónom.

Porovnajte tieto príklady:

– – ↗	– – ↘ .
Is Joan here?	Yes, she's here.
– – ↗	– – ↘
May I come?	Yes, you may.
– – ↗ .	– – ↘
Can I help you?	Yes, you can.
– – ↗ .	– – ↘
Do you know it?	Yes, we do.
– – – ↗	– – ↘
Do you play tennis in summer?	No, I don't.

Cvičte správnu intonáciu otázok a odpovedí:

1. Who's ↘ there? Is Bob ↗ there? Yes, he's ↘ there.
2. Who's coming? Is Pat coming? Yes, she's coming.
3. Where's Fred? Is Fred here? Yes, he's here.
4. What's this? Is this your bag? Yes, it's my bag.
5. Whose hat is it? Is it your hat? No, it's Tom's hat.
6. Why do you like it? Do you like it? Yes, I like it very much.
7. What's Kate doing? Is Kate studying? Yes, she's studying.
8. What are you reading? Are you reading a book? No, I'm writing to John.

GRAMATIKA

1. Opytovacie zámená

a) KTO? KOHO? – **WHO?** / **WHICH OF?**

	WHO? (všeobecne)	WHICH OF? (z urč. počtu osôb)
1. p.	**WHO's there?** Kto je tam?	**WHICH OF the boys is there?** Kto z chlapcov je tam?
4. p.	**WHO do you know there?** Koho tam poznáte?	**WHICH OF the boys do you know?** Koho z chlapcov poznáte?

Zámeno **who** má 3 tvary: **who, whose** [hu:z] = čí a **whom** [hu:m]. Tvar **whom** treba použiť po predložke, napr.: *for whom?* pre koho?

b) ČO? – WHAT? / WHICH?

	WHAT? (všeobecne)	WHICH? (z urč. počtu vecí)
1. p.	**WHAT's on television today?** Čo dnes dávajú v televízii?	**WHICH is better, tea or coffee?** Čo je lepšie, čaj alebo káva?
4. p.	**WHAT do you like?** Čo máte radi?	**WHICH do you like better, tea or coffee?** Čo máte radšej, čaj alebo kávu?

Poznámka: I keď niekedy býva určitá rozkolísanosť v uvedenom pravidle, *which* treba bezpodmienečne použiť vždy, ak nasleduje predložka **of** (kto z vás, ktorý z chlapcov ap.):

Which of you *is Tom Brown?* Kto z vás je Tom Brown?

c) AKÝ? KTORÝ? – WHAT? / WHICH OF?

Ak ide o všeobecnú otázku, používame zámeno **who?** (kto) a **what?** (čo?, aký?, ktorý?). Ak ide o výber z určitého obmedzeného počtu, používame zámeno **which.**

	WHAT? (všeobecne)	**WHICH OF?** (z urč. počtu osôb alebo vecí)
1. p.	**WHAT games are popular in England?** Ktoré hry sú v Anglicku populárne?	**WHICH OF these games is popular here too?** Ktorá z týchto hier je aj tu populárna?
4. p.	**WHAT games do you play?** Ktoré hry hráte?	**WHICH game do you play, tennis or golf?** Ktorú hru hráte, tenis alebo golf? **WHICH OF the two games do you play?** Ktoré z týchto dvoch hier hráte?

d) ČÍ? ČIA? ČIE? – **WHOSE?**

WHOSE HOUSE is it?	Čí je tento dom?
WHOSE BOOK is it?	Čia je táto kniha?
WHOSE CAR is it?	Čie je toto auto?
WHOSE is this HOUSE?	Čí je tento dom?
WHOSE is this BOOK?	Čia je táto kniha?
WHOSE is this CAR?	Čie je toto auto?

2. Vyjadrenie slovenského „koľko"

KOĽKO?	**HOW MUCH SUGAR?**
	HOW MANY APPLES?

HOW MUCH coffee are you buying?	**HOW MANY English books have you in your bookcase?**
Koľko kávy kupujete?	Koľko anglických kníh máte vo svojej knižnici?

Slovenské „koľko" vyjadríme po anglicky **how much,** ak ide o podstatné meno **nepočítateľné** a **how many,** ak ide o podstatné meno **počítateľné.**

3. Otázka bez pomocného „do"

WHO	HELPS John?	**Kto** pomáha Jánovi?
WHICH OF YOU	HELPS John?	**Kto z vás** pomáha Jánovi?
WHOSE boys	HELP John?	**Čí** chlapci pomáhajú Jánovi?
HOW MANY boys	HELP John?	**Koľko** chlapcov pomáha Jánovi?
WHAT	HELPS John?	**Čo** pomáha Jánovi?

Po „who, which, what, whose, how much, how many" – ak sa spytujeme na **podmet** (kto?, čo, aký?, ktorý?, koľko? atď.) – sa v **kladnej otázke** pri významových slovesách **nepoužíva** DO – DOES.

Ak sa však spytujeme na predmet (koho?, čo?, komu?, čomu? atď.), DO – DOES musíme použiť.

Porovnajte tieto otázky:

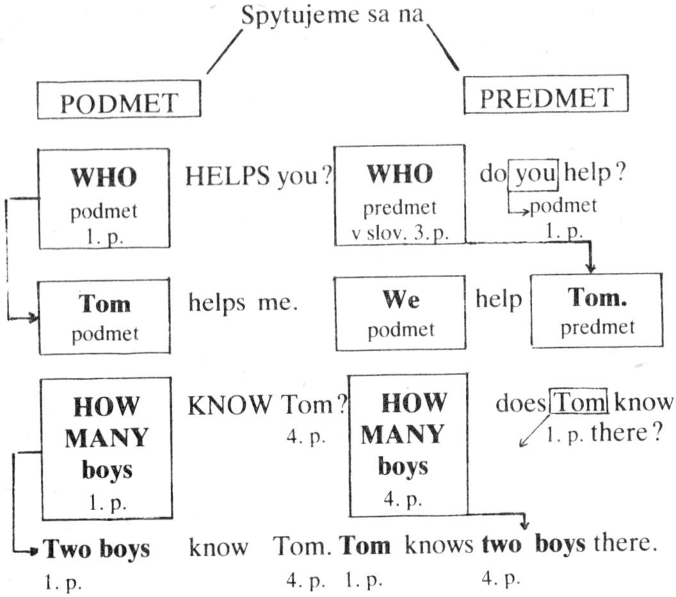

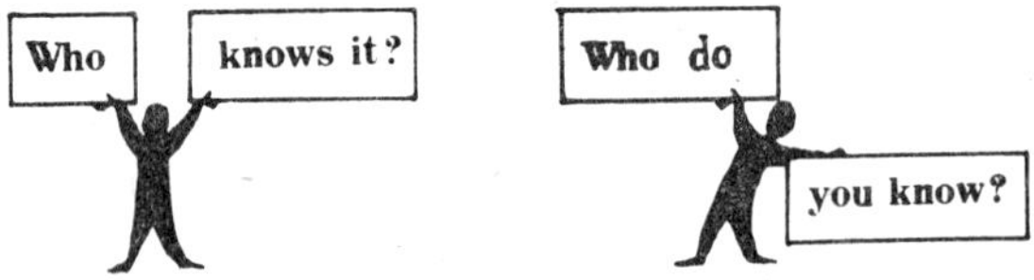

Príklady:

Who speaks English?	Kto rozpráva po anglicky?
Which of you knows his address?	Kto z vás vie jeho adresu?
What stands in the corner?	Čo stojí v rohu?
Which bus stops in front of the station?	Ktorý autobus sa zastavuje pred stanicou?
Whose boys play in the garden?	Čí chlapci sa hrajú v záhrade?
How many students want to stay?	Koľko študentov tu chce (ešte) zostať?

Pozor! V **zápornej** otázke musíme DO – DOES použiť:

Who doesn't speak English?	Kto nerozpráva po anglicky?
Which of you doesn't want to come?	Kto z vás nechce prísť?

4. Číslovky 1–20

1	one	[wan]	11	eleven	[iˈlevn]
2	two	[tu:]	12	twelve	[twelv]
3	three	[θri:]	13	thirteen	[ˈθə:ˈti:n]
4	four	[fo:]	14	fourteen	[ˈfo:ˈti:n]
5	five	[faiv]	15	fifteen	[ˈfifˈti:n]
6	six	[siks]	16	sixteen	[ˈsiksˈti:n]
7	seven	[sevn]	17	seventeen	[ˈsevnˈti:n]
8	eight	[eit]	18	eighteen	[ˈeiˈti:n]
9	nine	[nain]	19	nineteen	[ˈnainˈti:n]
10	ten	[ten]	20	twenty	[twenti]

Poznámka: Číslovky 1–9 už poznáte z doteraz prebratých lekcií. Teraz sa naučte základné tvary čísloviek až do 20. Od 13 do 19 sa pridáva koncovka **-teen.**

Pri počítaní (*thirteen, fourteen, fifteen* atď.) sú dva prízvuky. S podstatným menom je jeden prízvuk, a to na prvej slabike: *fifteen players* [ˈfifti:n]. Ak číslovka stojí na konci vety bez podstatného mena, je prízvuk na *-teen: he's fifteen* [fifˈti:n].

CVIČENIA

1. Spytujte sa, čo kto robí:

Mrs Miller is coming. – **Who's coming?**

1. Tom is working in the garden. 2. Mother is cooking. 3. Lucy is making tea. 4. Miss Brown is sitting there. 5. Fred is watching television. 6. Peter is playing badminton. 7. Bob is reading.

2. Spytujte sa, ktoré z dvoch dievčat to robí:

Pat is coming, but Anne isn't. – **Which of them is coming?**

1. Joan is working in the garden, but Anne isn't. 2. Wendy is cooking, but Anne isn't. 3. Sue is making tea, but Anne

isn't. 4. Pat is sitting there, but Anne isn't. 5. Lucy is watching television, but Anne isn't. 6. Kate is playing badminton, but Anne isn't. 7. Susan is going to the cinema, but Anne isn't.

3. Spýtajte sa, čomu dáva Jack prednosť:

Tea or coffee? – **Which do you prefer, Jack, tea or coffee?**

1. Sandwiches or cakes? 2. Apples or oranges? 3. An English book or an English newspaper? 4. Volleyball or basketball? 5. The cinema or the TV? 6. A football match or a Rugby match? 7. Saturday or Sunday?

4. Spýtajte sa Toma, ktorá z dvoch vecí patrí jemu:

There are two books on the desk. – **Which is your book, Tom?**

1. There are two cups on the table. 2. There are two glasses in the kitchen. 3. There are two rooms upstairs. 4. There are two pullovers on the chair. 5. There are two cars over there. 6. There are two bags in the car.

5. Spýtajte sa Jána, ktorá vec sa mu páči:

I like Slovak films. – **What films do you like, John?**

1. I like English books. 2. We like evening programmes on television. 3. Bob likes tennis matches. 4. She likes light pullovers. 5. Mother likes white flowers.

6. Spytujte sa, čia je tá vec a odpovedzte podľa vzoru:

car – **Whose car is it? – It's Mr Brown's** *(Peter's, Miss Miller's ap.)* **car.**

1. house 2. office 3. study 4. bookcase 5. desk 6. camera 7. bag.

7. Voľte správne medzi „how much“ a „how many“ a utvorte vety:

How much	tea	do you need?
How many	sandwiches	do you want?
	coffee	are you buying?
	glasses	
	sugar	
	water	
	tickets	

8. Spýtajte sa na počet osôb alebo vecí:

I know two boys there.
How many boys do you know?

1. I know three girls in Bratislava. 2. We know four students at that school. 3. Mother knows all the teachers there. 4. Mr Green knows one clerk at this bank. 5. I know two people in your camera club. 6. Jack knows five players in the new team. 7. I know six English games. 8. Mrs White knows two good hotels in Oxford.

9. Spýtajte sa svojich priateľov, ktorý z nich robí to čo vy:

I play golf. – **Which of you plays golf too?**

1. I work at a factory. 2. I get up early. 3. I start work at six. 4. I usually go to work by tram. 5. I walk the whole way to work. 6. I study English in the evening. 7. I read English newspapers. 8. I often spend the weekends in the country.

10. Spytujte sa na hrubo vytlačené slová:

1. I live **in Prague.** (Where...) 2. My address is **Number 15, Charles Street.** (What...). 3. I'm **a clerk.** (What...) 4. I start work **at seven.** (When...) 5. **My wife** starts work at eight. (Who...) 6. **I** get home at three, but **my wife** comes at four. (Which of you... and which of you...) 7. She works

only **six** hours a day. (How many ...). 8. I like **sport.** (What...) 9. My wife prefers games, **tennis and table tennis.** (Which...) 10. This is my **wife's** picture. (Whose...)

11. Odpovedzte:

1. Which do the English people prefer, sports or games? 2. What games do they play? 3. What are the popular English games? 4. How many players are there in a cricket team? In a football team? In a Rugby team? 5. What games are popular in Czechoslovakia? 6. What's your favourite game? 7. What games do you play? 8. Are you a good player? 9. What sports do you know? 10. What Czechoslovak and English football clubs do you know? 11. Do you watch sports matches on television?

12. Povedzte po anglicky:

1. Čo sa deje? 2. Čo je dnes (na programe) v televízii? 3. O šiestej hodine je futbalový zápas. 4. Kto hrá s kým? 5. Manchester United hrá proti Československu. 6. Mám veľmi rád stolný tenis. 7. Karol hrá dobre volejbal. 8. Juraj veľmi dobre lyžuje. 9. Mám radšej plávanie než tenis. 10. Hráte aj golf, pravda?

Konverzačné cvičenia

Odpovedzte podľa obrázkov na otázky podľa vzoru: What's Peter doing? Peter is playing tennis.

1. What's Peter doing?

2. What does Charles like?

3. What's Fred's favourite game?

4. What does Tom like to play?

5. What does Frank like better?

6. Is John good at hockey or at swimming?

7. Is Bob a good cricket player?

8. What game is George playing?

9. What's Patrick's favourite sport?

10. What does Mike prefer?

MEET MY FAMILY

We are quite a large family, so my wife doesn't go out to work. She is very busy with the household and the children. There are four of them, three daughters and a son. Carrie is our youngest child, the baby of the family, a happy little girl. Granny says she is the loveliest of all her grandchildren. Tom is four years older than Carrie. He is a strong boy and quite clever too. I am very proud of him because he is one of the best pupils in the class. Kate is not so hardworking as Tom. She is much lazier, but thirteen is a difficult age. She is too tall and slim for her age, much slimmer than Tom.

Jackie is the oldest of our children. She is a typical teenager. Her collection of the most popular songs is more important for her than her textbooks, I am afraid. She is very fond of sports, too, and wants to be a sportswoman.

Our grandfather is a very busy man. Men of his age do not usually work in the garden the whole day long. Well, he does and our garden looks very pretty. Granny is a dear. She makes nice dresses for the girls and settles all their quarrels. Women must stick together, she says, and we all respect it.

Výslovnosť vlastných mien: **Carrie** [kæri]; **Jackie** [džæki].

---

age [eidž] vek
baby [beibi] dieťa *(malé)*
because [bi'koz] lebo, pretože
child, *mn. č.* **children** [čaild, čildrən] dieťa
class [kla:s] trieda
clever [klevə] bystrý, múdry
collect [kə'lekt] zbierať
collection [kə'lekšn] zbierka
daughter [do:tə] dcéra
dear [diə] milý, drahý; milá osoba
difficult [difiklt] ťažký, obťažný
easy [i:zi] ľahký
grandchild, *mn. č.* **grandchildren** [grænčaild, 'græn,čildrən] vnúča
grandfather ['græn,fa:ðə] starý otec
grandmother ['græn,maðə] stará matka
granny [græni] stará mama *(hovor.)*
happy [hæpi] šťastný
hard [ha:d] ťažký; ťažko
hardworking ['ha:d,wə:kiŋ] usilovný
household [hausəuld] domácnosť
important [im'po:tənt] dôležitý
interesting [intristiŋ] zaujímavý
lazy [leizi] lenivý
look [luk] vyzerať
man, *mn. č.* **men** [mæn, men] muž, muži
more [mo:] viac
most [məust] najviac; väčšina
out [aut] von, preč
pretty [priti] pekný
proud of [praud] pyšný, hrdý na
pupil [pju:pl] žiak, žiačka
quarrel [kworəl] hádka, spor; hašteriť sa
respect [ri'spekt] rešpektovať
settle [setl] urovnať, vybaviť
short [šo:t] krátky, malý *(postavou)*
slim [slim] štíhly
son [san] syn
song [soŋ] pieseň
sportsman, *mn. č.* **sportsmen** [spo:tsmən] športovec
sportswoman, *mn. č.* **sportswomen** [spo:tswumən, spo:tswimin] športovkyňa
stick together ['stik tə'geðə] držať spolu
strong [stroŋ] silný
teenager ['ti:n,eidžə] mládež vo veku 13–19 rokov
textbook [tekstbuk] učebnica
than [ðæn] než
together [tə'geðə] spolu, dovedna
too [tu:] príliš *(pred prídavným menom)*
typical [tipikl] typický
woman, *mn. č.* **women** [wumən, wimin] žena
worse [wə:s] horší; horšie
worst [wə:st] najhorší; najhoršie
young [jaŋ] mladý

DÔLEŽITÉ VÄZBY

She is very busy with her household.	Má veľa roboty v domácnosti.
How many of you are there?	Koľko je vás?
There are five of us.	Je nás päť.
Kate is the baby of the family.	Katka je najmladšie dieťa (v rodine).
How old is she?	Koľko má rokov?
She is four (years old).	Má štyri roky.
He is as old as Tom.	Je taký starý ako Tom.
They are the same age.	Sú rovnako starí.
He is not as old as Pat.	Nie je taký starý ako Pat.
He is much older.	Je oveľa starší.
He is very proud of his son.	Je na syna veľmi hrdý.

Joan is too tall for her age.	Jana je na svoj vek príliš veľká.
Most children like it.	Väčšina detí to má rada.
I like table tennis very much.	Mám veľmi rád stolný tenis.
He likes golf better.	Má radšej golf.
I like tennis best of all.	Najradšej mám tenis.
How's your family?	Ako sa má rodina?
They are all well, thank you.	Ďakujem, všetci sú zdraví.

VÝSLOVNOSŤ A PRAVOPIS

Prehľad výslovnosti a pravopisu anglických samohlások

1. V prízvučných slabikách:

Píšeme	Vyslovíme	Príklady
a (v zatvorenej slabike)	[æ]	hat [hæt], glad [glæd], lamp [læmp]
a (v otvorenej slabike)	[ei]	take [teik], make [meik], lady [leidi]
a + y (i)	[ei]	play [plei], may [mei], train [trein]
a + r (n, s, th)	[a:]	dark [da:k], large [la:dž]; branch [bra:nč], answer [a:nsə]; ask [a:sk], glass [gla:s]; father [fa:ðə], bathroom [ba:θrum]
a + l(ll)	[o:]	also [o:lsəu], always [o:lwəz]; all [o:l], ball [bo:l], small [smo:l]
w + a	[o:]	water [wo:tə], warm [wo:m]
w(h) + a	[o]	want [wont], wash [woš], watch [woč]; what [wot]
e (v zatvorenej slabike)	[e]	bed [bed], desk [desk], next [nekst]
e (v otvorenej slabike)	[i:]	he [hi:], me [mi:], these [ði:z], Peter [pi:tə]
ee, ea	[i:]	meet [mi:t], tree [tri:]; tea [ti:], speak [spi:k], teacher [ti:čə]
e + r, ea + r	[ə:]	prefer [priˈfə:]; early [ə:li], year [jə:]
e + w	[ju:]	new [nju:], newspaper [nju:speipə]
i (v zatvorenej slabike)	[i]	it [it], ill [il], win [win], little [litl]
i (v otvorenej slabike)	[ai]	I [ai], nice [nais], wife [waif], my [mai]
i + r	[ə:]	first [fə:st], firm [fə:m], girl [gə:l], sir [sə:]

Píšeme	Vyslovíme	Príklady
o (v zatvorenej slabike)	[o]	box [boks], lot [lot], fond [fond]
o (v otvorenej slabike)	[əu]	no [nəu], open [əupn], home [həum], over [əuvə], those [ðəuz]
o + w	[əu]	slow [sləu], window [windəu], know [nəu]
o + w	[au]	now [nau], how [hau], brown [braun], down [daun]
o + n (th)	[a]	son [san], front [frant], wonder [wandə]; mother [maðə], brother [braðə]
o + r	[o:]	or [o:], for [fo:], sport [spo:t], corner [ko:nə], morning [mo:niŋ]
ou + r, oo + r	[o:]	four [fo:], course [ko:s]; door [do:]
o + u	[au]	house [haus], round [raund], out [aut], about [əˈbaut]
oo	[u]	book [buk], look [luk], wood [wud], bedroom [bedrum]
oo	[u:]	too [tu:], school [sku:l], shoot [šu:t]
u (v zatvorenej slabike)	[a]	up [ap], club [klab], bus [bas], number [nambə], hurry [hari], must [mast]
p + u	[u]	put [put], pullover [puləuvə]
u (v otvorenej slabike)	[ju:, u:]	tube [tju:b], pupil [pju:pl], student [stju:dnt], excuse [iksˈkju:z], blue [blu:]
u + r	[ə]	curtain [kə:tin], Thursday [θə:zdi]

2. V neprízvučných slabikách:

a (na začiatku slova)	[ə]	again [əˈgen], afraid [əˈfreid], address [əˈdres], about [əˈbaut]
a (na konci, uprostred slova)	[ə]	cinema [sinəmə], camera [kæmərə]; madam [mædəm]
	–	pleasant [pleznt]
	[i]	orange [orindž]
-er	[ə]	better [betə], bigger [bigə], mother [maðə], sister [sistə]
e	[i]	because [biˈkoz], prefer [priˈfə:], ticket [tikit], carpet [ka:pit]

Píšeme	Vyslovíme	Príklady
e	–	garden [ga:dn], seven [sevn], every [evri], evening [i:vni:ŋ]
o	[ə]	factory [fæktəri], London [landən], together [təgeðə]
o	–	seldom [seldm], lesson [lesn]
u + r	[ə]	Saturday [sætədi], picture [pikčə], pleasure [pležə]
u	[ju]	popular [popjulə], regular [regjulə]
u	[i]	minute [minit]

Prečítajte si znovu úvodné poznámky o anglickej výslovnosti na str. 11 a zopakujte si postupne všetky cvičenia na výslovnosť s príslušnými poučkami v častiach „Výslovnosť a pravopis“ lekcií 1.–9., a najmä pravidlo o výslovnosti samohlások v otvorených a zatvorených prízvučných slabikách, pozri 4. lekciu, str. 56.

V angličtine je však veľa slov, ktoré majú veľmi nepravidelnú výslovnosť, a preto je potrebné stále si overovať správnu výslovnosť v slovníčku v Kľúči.

Skontrolujte si v slovníčku v Kľúči, či správne vyslovujete nasledujúce slová, u ktorých sa pri výslovnosti a v pravopise často robia chyby:

great – read, early – ready, please – pleasure, quite – quiet, five – live, four – our, do – does, say – says, work – walk, her – here, now – new, round – country, their – there, people – pupil, many – man.

Čítajte:

1. It's a great pleasure. 2. Please, read this. 3. It's early, I'm not ready. 4. It's quiet here. 5. Yes, it's quite nice. 6. I live at 5, Hill Street. 7. Our four children still go to school. 8. Does he do it well? 9. I say yes, but she says no.

GRAMATIKA

1. Stupňovanie prídavných mien

small	**smaller**	**the**	**smallest**
important	**more important**	**the most**	**important**

a) Všetky **jednoslabičné** a **dvojslabičné** prídavné mená zakončené na **-y, -er, -ow, -ble** a **-ple** stupňujeme pomocou prípon **-er** [ə] a **-est** [ist]:

TALL	[to:l]	– veľký
TALLER	[to:lə]	– väčší
THE TALLEST	[to:list]	– najväčší

1. stupeň: tall

Fred	**is**	**tall.**		Fred je veľký.
He	**is**	**a**	**tall boy.**	Je to veľký chlapec.
He	**is**	**as**	**tall as his mother.**	Je taký veľký ako jeho matka.
He	**isn't**	**as / so**	**tall as I am.**	Nie je taký veľký ako ja.

2. stupeň: -er [ə], **taller** [to:lə] **than** = väčší než

Tom	**is**	**taller.**	Tom je väčší.
He	**is much**	**taller.**	Je oveľa väčší.
He	**is**	**taller than John.**	Je väčší než Ján.
He	**is a**	**taller boy than you think.**	Je to väčší chlapec, než si myslíš.

3. stupeň: -est [ist], **the tallest** [to:list]

Mike	**is the**	**tallest.**	Mišo je najväčší.
He	**is the**	**tallest of them.**	Je z nich najväčší.
He	**is the**	**tallest boy in the class.**	Je najväčší chlapec v triede.

Zapamätajte si, že **3. stupeň** prídavných mien má určitý člen: **the** *smallest house* – najmenší dom, **the** *shortest way* – najkratšia cesta ap.

Pozor na tieto pravopisné zmeny:

1. Koncové -e nedávame v 2. a 3. stupni:

nice – *nicer* – *the nicest*
large – *larger* – *the largest*

2. Koncovú spoluhlásku zdvojujeme, ak pred ňou stojí krátka jednoduchá samohláska (porovn. *get* – *getting*):

big – *bigger* – *the biggest*
thin – *thinner* – *the thinnest*

3. Koncové *-y* sa mení na *-i*, ak pred ním stojí spoluhláska:

happy	– *happier*	[hæpiə]	– *the happiest*	[hæpiist]
easy	– *easier*	[i:ziə]	– *the easiest*	[i:ziist]
pretty	– *prettier*	[pritiə]	– *the prettiest*	[pritiist]

Poznámky k výslovnosti:

1. Dbajte na to, aby ste v druhom stupni jednoslabičných prídavných mien vyslovovali vždy dve slabiky:

nice	[nais]	– *nicer*	[nai-sə]
large	[la:dž]	– *larger*	[la:-džə]
small	[smo:l]	– *smaller*	[smo:-lə]
warm	[wo:m]	– *warmer*	[wo:-mə]

2. V prídavných menách zakončených na *-ng* vyslovte v 2. a 3. stupni zreteľne [g]:

strong	[stroŋ]	*stronger*	[stroŋgə]	*strongest*	[stroŋgist]
young	[jaŋ]	*younger*	[jaŋgə]	*youngest*	[jaŋgist]
long	[loŋ]	*longer*	[loŋgə]	*longest*	[loŋgist]

b) Stupňovanie pomocou „more“ a „most“

Viacslabičné prídavné mená, napr. *careful, difficult, favourite, popular* ap. stupňujeme pomocou **more** [mo:] a **most** [məust].

	IMPORTANT	dôležitý
MORE	IMPORTANT	dôležitejší
THE MOST	IMPORTANT	najdôležitejší

1. stupeň: important

It's	**important.**	Je to dôležité.
It's an	**important job.**	Je to dôležité zamestnanie.
It's as	**important as my work.**	Je to také dôležité ako moja práca.

2. stupeň: more important

It's more	**important.**	Je to dôležitejšie.
It's a more	**important collection.**	Je to dôležitejšia zbierka.
It's more	**important than you think.**	Je to dôležitejšie, než si myslíš.

3. stupeň: the most important

It's the most important book.	Je to najdôležitejšia kniha.
It's the most important match of all.	Je to najdôležitejší zápas zo všetkých.

Poznámka: Pozor pri prekladaní 3. stupňa do slovenčiny:

the most	interesting book	– **naj**zaujímavejšia kniha
a most	interesting book	– **veľmi** zaujímavá kniha
it's most	interesting	– je to veľmi zaujímavé

c) Nepravidelné stupňovanie

GOOD – BETTER – BEST

Zatiaľ si zapamätajte týchto niekoľko prípadov:

1. st.	2. st.	3. st.
good – dobrý **well** – dobre	**better** lepší [betə] lepšie	**best** najlepší [best] najlepšie
many } mnoho **much** }	**more** viac [mo:]	**most** najviac [məust]
bad – zlý **badly** – zle **ill** – chorý	**worse** { horší / horšie [wə:s]	**worst** { najhorší / najhoršie [wə:st]

Príklady:

He is a better pupil.	Je lepším žiakom.
It's better than to stay at home.	Je to lepšie než zostať doma.
I'm better now.	Teraz je mi lepšie.
I've got more books than he.	Mám viac kníh než on.
He speaks English best of all.	Hovorí po anglicky najlepšie zo všetkých.
He is worse.	Je mu horšie.

2. Nepravidelné množné číslo podstatných mien

ONE CHILD – TWO CHILDREN

Väčšina podstatných mien tvorí množné číslo pravidelne; to značí, že priberajú v množnom čísle *-(e)s*, ako ste sa dozvedeli v 2. lekcii. Niektoré podstatné mená však nepriberajú v množnom čísle koncovku *-s*, ale tvoria množné číslo nepravidelne:

He is	an old	**man** [mæn].	Je to starý muž.
They are	old	**men** [men].	Sú to starí muži.
I know	this	**woman** [wumən].	Poznám tú ženu.
I know these		**women** [wimin].	Poznám tie ženy.
They have	one	**child** [čaild].	Majú jedno dieťa.
They have	two	**children** [čildrən].	Majú dve deti.

Nepravidelné množné číslo majú aj všetky **zloženiny** s **-man, -woman** a **-child,** napr.:

a	**workman** [wə:kmən]	robotník	*two* **workmen** [wə:kmən]
an	**Englishman** [iŋglišmən]	Angličan	*two* **Englishmen** [iŋglišmən]
a	**sportsman** [spo:tsmən]	športovec	*two* **sportsmen** [spo:tsmən]
a	**sportswoman** [spo:tswumən]	športovkyňa	*two* **sportswomen** [spo:tswimin]
a	**grandchild** [grænčaild]	vnuk, vnučka	*two* **grandchildren** [ˈgrænˌčildrən]

Poznámka: Všimnite si, že v zloženinách s *-man* je v jednotnom i množnom čísle **rovnaká výslovnosť:**

Do you know this gentleman? [džentlmən]
Do you know these gentlemen? [džentlmən]

CVIČENIA

1. Správne rozlišujte vo výslovnosti znelé a neznelé „th":

1. His father has three brothers. 2. My grandmother is staying with my brother. 3. They live together. 4. They are your father and mother, aren't they? 5. Her brother is three. 6. She's thirteen. 7. Their mother is waiting for them. 8. Thank you. May I have this book? 9. It's Thursday, I think. 10. Take this thick pullover.

2. Odpovedzte podľa vzoru:

Is there a bus stop there?
Yes, there is [ðeərˈiz] **a bus stop there.**

1. Is there a tram stop in this street? 2. Is there a hotel near the railway station? 3. Is there an underground station near our hotel? 4. Is there a meeting on Thursday? 5. Is there a policeman at the crossing? 6. Is there a nice programme in the evening?

3. Na otázky predchádzajúceho cvičenia odpovedzte záporne podľa vzoru:

Is there a bus stop there?
No, there isn't a bus stop there.

4. Tvorte otázky pomocou *where* **k nasledujúcim odpovediam podľa vzoru:**

Jane's sitting in the garden.
WHERE is Jane sitting?

1. Tom's working in the garden. 2. The girls are playing upstairs. 3. Pat's going to school. 4. They are waiting at the tram stop. 5. She's going to the cinema. 6. He's reading in his room. 7. They're doing their homework in father's study. 8. Tom's preparing it at the club.

5. Vymenujte členov rodiny. Poznáte všetkých 11 slov?

6. Porovnajte vlastnosti podľa vzoru:

Mr Black and Mr Brown are old.
Yes, Mr Black is as old as Mr Brown.

1. Tom and Tony are tall. 2. The living room and the bedroom are large. 3. Football and ice hockey are popular. 4. John's textbook and Peter's textbook are interesting. 5. My work and his work are important. 6. Jane and Sue are slim. 7. I am busy and he is busy too. 8. My car and John's car are good.

7. Odpovedzte a použite pritom 2. stupeň prídavných mien podľa vzoru:

Peter is strong. What about John?
John is stronger than Peter.

1. She is young. What about her sister? 2. Mr Brown is old. What about Mr Smith? 3. Carrie is short. What about Pat?. 4. Tom is tall. What about his friend? 5. This way is long. What about that way?. 6. This house is big. What about

Mr Parker's big house ? 7. Brno is large. What about Bratislava ? 8. My room is small. What about your room ? 9. Miss Young is pretty. What about her friend ?

8. Povedzte opak podľa vzoru:

This isn't important.
Oh no, it's more important than you think.

1. This isn't interesting. 2. That song isn't popular. 3. He isn't hardworking. 4. This isn't difficult. 5. Tom isn't careful. 6. It isn't typical. 7. This book isn't so important.

9. Odpovedzte použitím 2. stupňa prídavného mena podľa vzoru:

Is it good ? – **Oh, it's (much) better.**

1. Is it bad ? 2. Are you well ? 3. Is it much ? 4. Is he ill ? 5. Does he know a lot ? 6. Are they bad ? 7. Is she well ?

10. K daným slovám uveďte opačné významy podľa vzoru:

good – **bad.**

1. small –, 2. new –, 3. here –, 4. this –, 5. big –, 6. tall –, 7. better –, 8. old –, 9. difficult –, 10. lazy –, 11. long –, 12. evening –, 13. inside –, 14. upstairs –.

11. Odpovedzte použitím 3. stupňa prídavných mien podľa vzoru:

Carrie is a very lovely girl.
Yes, she is the loveliest (girl) of all.

1. Jane is a happy girl. 2. Jack is a lazy boy. 3. John is a bad student. 4. Tom is a good pupil. 5. This office is very large. 6. Tony is a tall boy. 7. Anne is very young. 8. This is a very popular game. 9. This match is very important. 10. This textbook is easy. 11. This lesson is difficult. 12. This picture is interesting. 13. This factory is old. 14. This garden is very nice.

12. Tvorte otázky k daným odpovediam pomocou *how many* **podľa vzoru:**

Only one child is playing there.
How many children are playing there?

1. Only one woman is working there. 2. Only one gentleman is waiting outside. 3. Only one Englishwoman is here. 4. Only one man is sitting there. 5. Only one Englishman is coming. 6. Only one workman is doing this work. 7. She has only one grandchild.

13. Odpovedzte podľa textu:

1. Has Mr Brown a large family? 2. Does his wife go out to work? 3. How many children has he? 4. What's the name of his youngest daughter? 5. What does granny say about her? 6. How old is Tom? 7. Is he older than Kate? 8. Why is Mr Brown proud of him? 9. Is Kate as hardworking as Tom? 10. How old is she? 11. What do you know about Jackie?

14. Odpovedzte:

1. Have you a large family? 2. How many of you are there? 3. Have you brothers or sisters? 4. What are their names? 5. Is your brother (sister) older than you? 6. What is your father's name? 7. Does he work in an office? 8. Does your mother go out to work? 9. Are you a student? 10. How many hours do you learn English every day?

15. Preložte:

Bratova rodina

Môj brat je oveľa starší než ja. Volá sa Peter Smith. Je úradníkom v banke. Má veľkú rodinu. Je ich päť,a tak jeho žena nechodí do zamestnania. Má veľa práce v domácnosti. Smithovci majú tri deti: dvoch synov a dcéru. Môj brat je hrdý na Karola, lebo je najlepším žiakom v triede. Karol má 14 rokov. Tom je o 3 roky mladší než Karol. Je to aj silný a bystrý chlapec. Na svoj vek je aj veľmi veľký. Väčšina chlapcov má rada šport. Karol veľmi rád pláva. Tom má najradšej kriket. Malá Katka je najmladšie dieťa. Má tri roky.

Konverzačné cvičenia

Porovnajte vlastnosti osôb (predmetov) na obrázkoch a hovorte podľa vzoru:

Jackie is slim.
Pat is **slimmer than** Jackie.
Joan is **the slimmest** (**of** them).

Carrie Jane Anne
Carrie is pretty.
Jane is …
Anne is …

Bob Dick Mike
Bob is tall.
Dick …
Mike …

Sports Hotel is large.
Park Hotel ...
Hilton Hotel ...

Mr Brown's garden is small.
Mr Baker's garden ...
Mr Smith's garden ...

Lesson Five is difficult.
Lesson Seven ...
Lesson Ten ...

A TELEPHONE CALL

Fred: Will you have a cigarette?
Tom: Oh, no, thank you. I don't smoke.
Fred: Well, what are you going to do tomorrow?
Tom: I'm going to show some slides of New York on my projector. I want to show them to my friends. You'll come too, won't you?
Fred: Certainly. Will John come, too?
Tom: I don't think he will. Shall I ring him up?
Fred: Please do. He'll be delighted, I'm sure.
Tom: Do you know his telephone number?
Fred: Well, I think it's 660781 or is it 770681?
Tom: Shall I look it up in the telephone directory?
Fred: That won't be necessary. I've got it in my notebook. Will you pass it to me, please?
Tom: Which one is it? This one?
Fred: No, that one, the blue one.
Tom: Here you are.
Fred: Thanks. Oh yes, it is 660781.
Tom: May I use your phone?
Fred: Of course. It's in the hall.
Tom lifts up the receiver and dials the number.
Tom: Hello. Here's Tom Wright. Is that you John?

Voice: Hello. This is 660781, Mrs Clark speaking.
Tom: Good evening, Mrs Clark. May I speak to John?
Mrs Clark: Yes, just a moment. I'll call him. John, there's a telephone call for you. Will you answer it?
John: Yes, who is it?
Mrs Clark: Tom Wright.
John: Oh, hello, Tom. How nice of you to ring.
Tom: Hello, John. Are you free tomorrow? Can you come to my place after supper? I'm going to show slides of New York on my new projector.
John: Well, luckily I shan't be too busy. I hope. What time shall I come?
Tom: At about eight.
John: All right. See you tomorrow at eight. Thanks for the invitation.
Tom: Not at all. (I'm) glad you can come.
John: Goodbye.

Výslovnosť vlastných mien: **Clark** [kla:k]; **New York** [nju: ˈjo:k]; **Wright** [rait].

---

after [a:ftə] po
answer [a:nsə] odpoveď; odpovedať
as well taktiež, tak isto, ako aj
before [biˈfo:] pred *(časove)*
certainly [sə:tnli] pravdaže, určite, iste
cigarette [ˌsigəˈret] cigareta
count [kaunt] počítať
delighted [diˈlaitid] potešený
dial [daiəl] *(ll)* vytočiť *(číslo)*
double six [dabl] dve šestky *(pri telefonovaní)*
free [fri:] voľný, nezávislý
give [giv] dať
goodbye [ˈgudˈbai] zbohom
got [got]
I have got (hovor.) = **I have** mám
hall [ho:l] hala, sieň, predsieň
hallo [həˈləu], **hullo** [haˌləu] haló *(pri telefonovaní)*
invite [ˌinˈvait] pozvať
invitation [ˌinviˈteišn] pozvanie
lift [lift] zdvihnúť
look up [ˈlukˈap] vyhľadať
luck [lak] šťastie
good luck veľa šťastia
bad luck smola
lucky [laki] šťastný
luckily [lakili] našťastie
necessary [nesəsəri] potrebný, nevyhnutný
notebook [nəutbuk] zápisník, zošit
offer [ofə] ponúknuť
one [wan] zastupujúce zámeno
pass [pa:s] podať
pencil [pensl] ceruzka
phone [fəun] telefón; telefonovať
project [prəˈdžekt] premietať *(film, diapozitívy)*
projector [prəˈdžektə] premietačka
receive [riˈsi:v] prijať, dostať
receiver [riˈsi:və] slúchadlo
ring up sb [riŋ ap] zatelefonovať niekomu
shall [šæl, šəl] *pomocné sloveso budúceho času*
show [šəu] ukázať
show slides premietať diapozitívy
slide [slaid] diapozitív
smoke [sməuk] fajčiť
spell [spel] hláskovať
supper [sapə] večera
sure [šuə] istý; iste
I am sure som si istý; určite
telephone [telifəun] telefón; telefonovať
telephone call telefonický rozhovor
telephone directory [diˈrektəri] telefónny zoznam
tomorrow [təˈmorəu] zajtra
trip [trip] výlet
use [ju:z] používať, užívať
voice [vois] hlas
will [wil] *pomocné sloveso budúceho času*

DÔLEŽITÉ VÄZBY

Can I ring you up?	Môžem ti (vám) zatelefonovať?
How nice of you to ring.	Je to milé od teba, že voláš.
You must phone him.	Musíš mu zatelefonovať.
May I use this phone?	Môžem si odtiaľto zatelefonovať?
What's your telephone number?	Aké máte telefónne číslo?
Who's speaking?	Kto je pri telefóne?
John Baker speaking.	Pri telefóne John Baker.
Can I speak to Mr Brown?	Môžem hovoriť s pánom Brownom?
The phone's ringing.	Zvoní telefón.
Shall I answer the phone?	Mám ísť k telefónu?

Please do. Yes, please.	Áno, prosím.
Will you pass me the pencil, please?	Podali by ste mi ceruzku, prosím?
Here you are.	Nech sa páči. *(pri podávaní)*
Are you free on Friday?	Ste voľný v piatok?
I'm going for a trip.	Idem na výlet.
See you on Sunday.	Do videnia v nedeľu.
Thank you for the invitation.	Ďakujem za pozvanie.
Not at all.	Niet za čo.

VÝSLOVNOSŤ A PRAVOPIS

Prehľad viet s klesajúcou a stúpajúcou intonáciou

A. Vety s klesajúcou intonáciou ↘ (pozri L 5):

1. ↘Look. ↘Wait. ↘Help. ↘Stay. ↘Speak. ↘Start. ↘Write. ↘Stop. ↘Oh! ↘Dont't. ↘There. ↘Here. ↘Quick. ↘Good. ↘Fine. ↘Right. ↘Quite. ↘Ready.
2. You're ↘ late. Yes, I ↘ know. Just ↘ now. He's ↘ out. He's at ↘ school. You're ↘ right. They're ↘ wrong. She's ↘ ill. Of ↘ course. It's ↘ new.
3. ↘Where? ↘Why? ↘When? ↘Who? ↘Which? ↘What? ↘How? What's his ↘name? John's his ↘name. Why can't ↘he? No, he ↘can't. Who's ↘ coming? John's ↘ coming. Who's ↘ waiting? John's ↘ waiting. What's ↘ ringing? The phone's ↘ ringing.
4. Don't be ↘ late. Don't ↘ stop. Don't ↘ ring. Don't ↘ do. Don't ↘ wait. Don't ↘ come.

B. Vety so stúpajúcou intonáciou ↗:

1. ↗You? ↗Me? ↗All? ↗These? ↗Those? ↗Four? ↗Nine? ↗Five? ↗Whose? ↗John's?
2. May ↗ I? May ↗ we? Can ↗ he? Must ↗ they? Has ↗ he? Is ↗ it? Can't ↗ he? Isn't ↗ she? Doesn't ↗ he? Haven't ↗ you? Needn't ↗ they? Can you ↗ see? Do you ↗ know? Does it ↗ work? Are you ↗ there? Have you ↗ time? Must you ↗ go? Are you ↗ well?
3. Is he ↗ reading? Are you ↗ writing? Are you ↗ looking for me? Are you ↗ writing to him? Is it ↗ going? Is she ↗ coming? Are you ↗ going to read? Are you ↗ going

to do it? Are you ↗ going to organize it? Is he ↗ going to use it?

4. Will you ↗ come? Will you ↗ start? Will he ↗ wait? Will they ↗ stay? Will you speak to ↗ him? Will you help ↗ him? Will he be ↗ ready? Will you be ↗ ready? Will you be ↗ late? Will he be all ↗ right? Will you be in ↗ time?

GRAMATIKA

1. Budúci čas

a) Budúci čas významových slovies:

I SHALL COME
WILL YOU COME?

1. I	shall [šəl]	come	1. we	shall [šəl]	help
2. you	will [wil]	stay	2. you	will	work
3. he she it	will	go	3. they	will	start

Budúci čas tvoríme pomocou **shall** (1. osoba jednotného a množného čísla) alebo **will** (2. a 3. osoba jednotného a množného čísla) a neurčitku bez *to*. V hovore sa používa **will** vo všetkých osobách.

Otázku tvoríme premiestením podmetu a prísudku *shall/will:*

1. Shall [šæl]	**I**	**come?**		Mám prísť?
2. Will	**you**	**go**	**there?**	Pôjdeš tam?
3. Will	**he**	**come too?**		Príde aj on?
1. Shall [šæl]	**we**	**buy it?**		Máme to kúpiť?
2. Will	**you**	**do**	**it?**	Urobíte to?
3. Will	**they**	**use**	**it?**	Použijú to?

Otázka **shall I? shall we?** má význam **„mám?"** (niečo urobiť), napr.:

Shall I help you?	Mám vám pomôcť?
Shall we come too?	Máme tiež prísť?

Otázku s **„will"** použijeme, ak chceme vyjadriť **zdvorilú žiadosť** alebo **prosbu,** napr.:

Will you wait a moment?	Počkali by ste chvíľku?
Will you open the window, please?	Otvorili by ste láskavo okno?
Will you pass me the book?	Podali by ste mi knihu?

Všimnite si teraz, ako odpovedáme na otázky:

Will you need it?	Yes, I will.
Will he do it?	Yes, he will.
Will you do it for me?	Of course. With pleasure.
Will you help us?	Sorry, I can't. I'm afraid I can't.
Shall I do it? *(Mám to urobiť?)*	Of course.
Shall we help?	No, you needn't.

Zápor:

1. I	shall	not come	1. we	shall	not write
2. you	will	not stay	2. you	will	not read
3. he	will	not go	3. they	will	not play

Zápor tvoríme tak, že pridáme NOT po pomocnom slovese *shall/will.*

Stiahnuté tvary:

Kladné			Záporné			
1. I'll	[ail]	need it.	1. I	shan't	[ša:nt]	need it.
2. You'll	[ju:l]	come.	2. You	won't	[wəunt]	come.
3. She'll	[ši:l]	go.	3. He	won't	[wəunt]	go.
He'll	[hi:l]	start.	She	won't	[wəunt]	start.
It'll	[itl]	go.	It	won't	[wəunt]	go.
1. We'll	[wi:l]	do it.	1. We	shan't	[ša:nt]	do it.
2. You'll	[ju:l]	take it.	2. You	won't	[wəunt]	take it.
3. They'll	[ðeil]	help.	3. They	won't	[wəunt]	help.

Poznámky: 1. *Will* sa sťahuje na **'ll,** *shall not* = **shan't** [ša:nt], *will not* = **won't** [wəunt]. V hovorovej reči sa v 1. osobe namiesto *I shall/we shall* používajú tvary **I will/we will.** Tieto tvary sa sťahujú na **I'll, we'll**

2. V krátkych **kladných** odpovediach typu: *Yes, I shall* [ai šæl], *Yes, he will* sú vždy **plné tvary,** v **záporných** odpovediach **stiahnuté** tvary, napr.:

Will you do it? — *Yes,* **I shall** [šæl].
No, **I shan't** [ša:nt].

Will he wait? — *Yes, he* **will.**
No, he **won't** [wəunt].

b) Krátke hovorové otázky v budúcom čase

I shall need it, shan't I?	Budem to potrebovať, však?
We shall wait, shan't we?	Počkáme, pravda?
You will stay, won't you?	Zostaneš, však?
They will come, won't they?	Prídu, pravda?
We shan't stay, shall we?	Nezostaneme, však?
You won't quarrel, will you?	Nebudete sa hádať, pravda?
He won't come, will he?	Nepríde, však?

c) Budúci čas slovesa „to be“

I	shall	be	at home.	Budem doma.
You	will	be	ill.	Budeš chorý.
They	will	be	glad.	Budú radi.
Will	you	be	ready?	Budeš hotový?
I	shan't	be	ready.	Nebudem hotový.
He	won't	be	happy.	Nebude šťastný.

Budúci čas slovesa *to be* sa tvorí v angličtine pravidelne, t. j. *shall/will* + **neurčitok bez to,** teda nie iba *shall/will*, ako by sme usudzovali podľa slovenčiny: *I shall be.*

Poznámka: Budúci čas **spôsobových slovies** *(I can, I may, I must)* sa tvorí opisom, ako uvidíte v lekcii 20 na str. 297.

2. Opisy budúceho času

I AM GOING TO READ

a) Ak chceme vyjadriť, čo máme v úmysle urobiť, čo sa **chystáme urobiť v blízkej budúcnosti,** použijeme opisný tvar **I am going to + neurčitok významového slovesa.** K tomu uvádzame aj čas deja.

I	am	going to watch	television	in the evening.
John	is	going to do	it	tomorrow.
We	are	going to play	tennis	on Sunday.
They	are	going to buy	a new car	next week.

I am going *home.*	Idem (práve) domov.
I am going to *walk home.*	Pôjdem (= Chystám sa ísť...) domov peši.

Rozlišujte prítomný čas priebehový a väzbu *I am going to.*

b) Na vyjadrenie budúceho času môžeme v hovorovej reči použiť **priebehový prítomný čas,** ak ide o **dej,** ktorý sa **odohrá v blízkej budúcnosti:**

What are you		**doing**	**this evening?**	Čo robíš dnes večer?
Are	**you**	**coming**	**tomorrow?**	Prídeš zajtra?
I'm		**going**	**there next week.**	Pôjdem tam na budúci týždeň.

Poznámka: Pri slovesách *to go* a *to come* sa nepoužíva opis *I'm going to.*

3. Postavenie 3. a 4. pádu vo vete

GIVE **PAT** THE BOOK
GIVE **HER** THE BOOK

V 8. lekcii ste sa dozvedeli, ako sa vyjadrujú slovenské pády v angličtine. **Predmet v 3. páde** môžeme vyjadriť **bez** predložky **to,** postavením podstatného mena alebo zámena **pred predmet v 4. páde:**

3. p. (KOMU?)		4. p. (ČO?)
Pass	me	the pencil.
Give	him	your address.
Offer	John	a cigarette.
Show	my sister	your room.

Ak je **3. pád** vyjadrený viacerými slovami alebo ak ho chceme zdôrazniť, presunie sa za predmet v 4. páde a pridávame k nemu predložku **to.**

4. p. (ČO?)	3. p. (KOMU?)
Show your room Give your address Pass the glasses Give the book	to my sister. to John and to Pat. to Mr Brown and to his wife. to her, not to him.

Ak sú oba predmety vyjadrené zámenami, použijeme 3. pád s **to**:

4. p. (ČO?)	3. p. (KOMU?)
Give it Pass them Show it	to me. to her. to him.

4. pád podstatných mien sa líši od 1. pádu iba postavením vo vete. 1. pád stojí **pred slovesom,** 4. pád **za slovesom.**

Všimnite si rozdiel:

John goes to see Anne. — Ján navštevuje Annu.
Anne goes to see John. — Anna navštevuje Jána.

Poznámka: V slovenčine môžeme prehodiť podmet a predmet, napr.: Tú knihu číta Peter alebo Peter číta tú knihu. V angličtine však môžeme povedať iba:

Peter is reading the book. — Tú knihu číta Peter. Peter číta tú knihu.

3. Zastupujúce zámeno ONE

This book or that book?
This book or THAT ONE?

Aby sme nemuseli v anglickej vete opakovať to isté podstatné meno, použijeme namiesto druhého podstatného mena slovíčko ONE, ktoré stráca tu svoj pôvodný význam (= jeden), a preto ho možno použiť aj v množnom čísle ONES [wanz].

Použitie: a) Po „this, that, which, the“:

This	book	is new and	that	book	is old.
This	book	is new and	that	ONE	is old.
This	ONE	is old too.			
Which	book	is new?	This	ONE	is.
			That	ONE	is old.
Which	ONE	is new?	That	ONE	is.
			The	ONE	on your desk.
Which	books	are old?	These are.		
Which	ONES	are old?	Those aren't.		

b) Po prídavných menách:

The new book and the old	book.	
The new book and the old	ONE.	
I like the new	ONE.	
I have a small bag and a big	bag.	
I have a small bag and a big	ONE	too.

Some **lessons** are **easy,** some are **difficult.**
I prefer **the easy ONES,** Tom prefers **the difficult ONES.**

CVIČENIA

1. Vyjadrite svoj súhlas podľa vzoru:

He will do it.
Yes, he'll do it. (Používajte stiahnuté tvary.)

1. He will be there. 2. You will miss your bus. 3. I will look it up. 4. We will help. 5. They will organize it. 6. You will settle it. 7. She will go there. 8. We will do it. 9. It will go. 10. You will need it. 11. It will be ready.

2. Použite záporné stiahnuté tvary *shan't* [ša:nt], *won't* [wəunt] **podľa vzoru:**

I shall not come. – **I shan't come.**

1. I shall not stay here. 2. They will not quarrel. 3. We shall not play golf. 4. John will not speak to him. 5. These students will not study English. 6. I shall not miss him. 7. It will not be necessary. 8. I shall not need it. 9. You will not be in time. 10. We shall not go to the meeting. 11. It will not be ready.

3. Tvorte čo najviac viet podľa vzoru:

I shan't go there by car.

Tom	shall	be at home
I	will	come
They	shan't	go there by car
The boys	won't	ring him up
We		play table tennis

4. Požiadajte zdvorile pomocou *will you?* **podľa vzoru:**

Open the door. – **Will you open the door, please?**

1. Wait a moment. 2. Stay outside. 3. Come in. 4. Sit down. 5. Take off your coat. 6. Pass me the telephone directory. 7. Have a cup of tea. 8. Ring me up. 9. Buy some books for me. 10. Ask him. 11. Give me your address.

5. Spytujte sa, či máte robiť to isté podľa vzoru:

He will help them. – **Shall I (we) help them too?**

1. They will come. 2. Mother will speak to her. 3. He will bring some slides. 4. She will go shopping. 5. Father will get up at six. 6. All of them will go swimming. 7. They will look at television. 8. He will wait for them. 9. She will ring them up.

6. Odpovedzte stručne na otázky podľa vzoru:

Yes, I will. – No, I won't [wəunt].
Yes, he will. – No, he won't [wəunt].

1. Will you stay? 2. Will father like it? 3. Will you go by train? 4. Will Peter be in his office? 5. Will you be at home? 6. Will they go to the match? 7. Will you do your homework? 8. Will mother do it? 9. Will you play tennis? 10. Will you need this notebook? 11. Will Miss Blake study Slovak?

7. Odpovedzte podľa vzoru:

Will you do it? – **No, I won't. Tom (father, mother, Pat...) will do it.**

1. Will you carry it? 2. Will you make some tea? 3. Will you go to the bank? 4. Will you come to see her? 5. Will Kate work in the garden? 6. Will you phone Peter? 7. Will she help them? 8. Will you give it to him? 9. Will you settle the matter?

8. Tvorte vety podľa vzoru:

What are you going to do on Saturday?

What	are	he	going to	do	tomorrow	?
	is	you		read	in the afternoon	
		we				
		the girls		write	next week	
		Lucy		learn	in the evening	

9. Odpovedzte pomocou *I'm going to* podľa vzoru:

Will you phone him?
Yes, I'm going to phone him now (tomorrow, in the morning...).

1. Will you look it up for me? 2. Will you buy it for me? 3. Will you ask him? 4. Will you tell her about it? 5. Will you see him? 6. Will you need this textbook? 7. Will you take him there? 8. Will you stay the whole day? 9. Will you write to him?

10. Použite v odpovediach zastupujúce zámeno *one* podľa vzoru:

Which hat is new? – **This one is new. That one is old.**

1. Which garden is larger? 2. Which is the right way? 3. Which dress is new? 4. Which way is shorter? 5. Which textbook is easier? 6. Which room is warmer? 7. Which is the right number?

11. Doplňajte vety podľa vzoru:

I like the new films, but father...
I like the new films, but father prefers the old ones.
I like the thin pullover, but Jane... **(prefers the thick one).**

1. I like Slovak books, but Joan... 2. We like the new songs, but mother... 3. I have a warm coat, but he... 4. Some girls like short evening dresses, but I like... 5. He likes the larger house, but his brother... 6. I have a Slovak textbook, but he... 7. We have a small bedroom, but they...

12. Tvorte vety podľa vzoru:

Give her this picture. – To Jane? **Yes, give this picture to Jane.**

1. Pass her this cup. – To Miss Miller? 2. Give him your address. – To John? 3. Offer them some tea. – To Jack and his friend? 4. Show him your slides. – To Mr Brown? 5. Give her this notebook. – To Jane? 6. Offer him a cigarette. – To Peter? 7. Show her our garden. – To Mr Brown?

13. Odpovedzte na rozkazy podľa vzoru:

Give Tom our address. – **Yes, of course. I'll give him our address.**

1. Show Mary her room. 2. Offer Peter a cup of tea. 3. Give Anne the textbook. 4. Show Mr Brown the newspaper. 5. Tell Mike all about it. 6. Bring Miss Miller some flowers. 7. Bring the boys some oranges.

14. Naučte sa anglickú abecedu (pozri stranu 1) a hláskujte:

a) Praha; Brno; Bratislava; ČSSR; G. B.; USA; New York; Oxford;
b) svoje meno; adresu; názov pracoviska; adresu pracoviska; rodisko; meno otca a matky.

15. Povedzte po anglicky:

1. Zatelefonujte mi zajtra pred 10. hodinou. 2. Kde môžem telefonovať? 3. Môžem použiť váš telefón? – Samozrejme. 4. Kto je pri telefóne? – Pri telefóne Tom Clark. 5. Môžem hovoriť s pani Youngovou? – Áno, okamih, prosím. Zavolám ju. 6. Do videnia zajtra. 7. Ďakujem za pozvanie. 8. Pomohli by ste mi, prosím? 9. Daj Jánovi túto knihu. 10. Ukáž Márii naše diapozitívy. 11. Povedz to otcovi.

16. Odpovedzte na otázky podľa textu a podľa skutočnosti:

1. Does Tom smoke? 2. What is he going to do tomorrow? 3. Will John come to see him? 4. Will Tom ring him up? 5. What's John's telephone number? 6. Who answers the phone? 7. Is John free tomorrow? 8. What time will he come?

1. When are you free? 2. What do you usually do in your free time? 3. What are you going to do this evening? 4. Where are you going on Sunday? 5. Will you go for a trip? 6. What are you going to do on Saturday?

Konverzačné cvičenia

V nasledujúcich troch telefonických rozhovoroch doplňte odpovede:

1

A: Hello, John Baker speaking.
B: ...

L 11

A: How are you?
B: ...
A: I'm fine. Can I speak to your sister?
B: ...
A: Oh, I'm sorry. Will she be at home in the evening?
B: ...
A: Please tell her I'll ring her up after seven.
B: ...

2

A: ...
B: Hello. I'm glad you're ringing. They are showing a very nice English film at the Metro. Are you free on Friday afternoon?
A: ...
B: Oh, that's bad luck. How about Saturday?
A: ...
B: Will you come to the cinema with me?
A: ...
B: Fine. Shall I buy the tickets?
A: ...
B: When shall we meet? And where?
A: ...
B: All right. See you at six on Saturday.
A: ...

3

B: What name please? Can you spell it?
A: ...
B: Oh, I see. Mr Selecký. What can I do for you?
A: ...
B: Oh, I'm so sorry, Mr Brown isn't in his office.
A: ...
B: He'll be back in the afternoon.
A: ...

AT THE RAILWAY STATION

Mother: Here we are at last. Is that all our luggage?
Tony: I hope so. Five pieces in all.
Mother: Who's going to pay the taxi driver? I haven't got any small change. Tony, have you any money on you?
Tony: Yes, I have some. I'll pay the fare.
Mother: Frank, will you take that heavy bag please. – We still have plenty of time for a nice cup of tea, haven't we? What's the time?
Frank: Well, it's a quarter past eight by my watch. What time does the train leave?
Mother: At 8,40 or we can go by the 8.55 express, can't we?
Frank: We'll take the 8.40 (train). It's a slow train, but it is never crowded.
Mother: It's a through train, isn't it?
Frank: No, I'm afraid we must change. – Tony, will you have a look at the timetable please? Or you can ask at the Inquiry Office. I'm going to get the tickets.

AT THE BOOKING OFFICE

Frank: Three and a half to Birmingham, return please.
Clerk: Here you are. That'll be fifty-six pounds altogether.

ON THE PLATFORM

Mother: Which platform for the 8.40 train to Birmingham?

Ticket collector: Number 21, Madam.

Mother: Thank you.

Mother: Take this suitcase to a non-smoker, Tony.

Frank: Are there any vacant seats in that compartment?

Tony: No. It's fully occupied. But the next one's quite empty. And a nonsmoker! That's fine.

Father: Well, have a nice trip.

---

any [eni] nejaký, hocaký; **not any** nijaký

arrive [əˈraiv] prísť, pricestovať, dostať sa, dôjsť

at last [ətˈla:st] konečne

booking office [ˈbukiŋˌofis] pokladnica *(na stanici)*

change [čeindž] meniť, striedať; presadať

small change drobné *(peniaze)*

compartment [kəmˈpa:tmənt] kupé *(vo vlaku)*

crowded [kraudid] plný, preplnený

driver [draivə] vodič

empty [empti] prázdny

express [iksˈpres] rýchlik

fare [feə] cestovné

full of [ful] plný čoho

half [ha:f] pol, polovica

heavy [hevi] ťažký

inquiry office [in'kwaiəri'ofis] informačná kancelária
leave [li:v] odísť, nechať, opustiť
locker [lokə] skrinka *(na batožinu)*
luggage [lagidž] *(len j. č.)* batožina
money [mani] *(len j. č.)* peniaze
never [nevə] nikdy
no [nəu] nijaký
none [nan] nijaký *(samostatne)*
nonsmoker [nonsməukə] nefajčiar
occupied [okjupaid] obsadené
past [pa:st] po *(pri hodinách, pozri gramatiku)*
piece [pi:s] kus, kúsok
platform [plætfo:m] nástupište, perón
pleasant [pleznt] príjemný
plenty of [plenti əv] množstvo
porter [po:tə] nosič
pound [paund] libra, funt *(jednotka britskej meny,* 1£ = 100 pencí)
quarter [kwo:tə] štvrť
return [ri'tə:n] vrátiť sa
return ticket [tikit] spiatočný lístok
seat [si:t] sedadlo, miesto na sedenie *(vo vlaku)*
single [siŋgl] jednotlivý; slobodný *(nie ženatý);* iba tam *(o cestovnom lístku)*
smoker [sməukə] fajčiar
suitcase [sju:tkeis] kufor
taxi [tæksi] taxík
through train ['θru:'trein] priamy vlak
ticket collector ['tikit kə'lektə] konduktor, vyberač lístkov
timetable ['taim'teibl] cestovný poriadok
vacant [veiknt] voľný *(miesto)*

DÔLEŽITÉ VÄZBY

Here you are at last.	Konečne si tu.
Where's your luggage?	Kde máš batožinu?
I've got two pieces of luggage in all.	Mám celkom dva kusy batožiny.
I haven't got any money on me.	Nemám pri sebe nijaké peniaze.
How much is it?	Koľko to stojí?
Can you change me this fiftypence?	Môžete mi rozmeniť päťdesiatpencu?
We must change at Crew [kru:].	V Crew musíme presadať.
What's the fare?	Koľko stojí cestovné?
Fares, please.	Cestovné lístky, prosím!
What's the time?	Koľko je hodín?
My watch is slow/fast.	Hodinky mi meškajú/idú dopredu.
It's ten by my watch.	Na mojich hodinkách je desať.
What time does the train leave?	Kedy odchádza vlak?
We'll take the eight o'clock train.	Pôjdeme vlakom o ôsmej hodine.
Do you want a single or return?	Chcete len lístok tam alebo spiatočný?
I'll put my suitcase in the locker.	Dám si kufor do skrinky na batožinu (do úschovne).
Which platform for the train for Oxford?	Z ktorého nástupišťa odchádza vlak do Oxfordu?
Is this seat free (vacant)?	Je to miesto voľné?
Sorry, it's occupied. (It's taken.)	Žiaľ, je obsadené.
Have a nice trip.	Šťastnú cestu!

VÝSLOVNOSŤ A PRAVOPIS

Dvojaká intonácia stručných otázok na konci vety

1. **Stúpajúca,** ak má otázka charakter skutočnej otázky:

You're English, -aren't ↗ you?
They have a car, haven't they?
He can do it, can't he?
She isn't working, is she?
He has a brother, hasn't he?
I'll open the window, shall I?
You won't be ready, will you?
We shan't need it, shall we?
You work in London, don't you?

2. **Klesajúca** intonácia, ak ide o konštatovanie, ktoré vyžaduje potvrdenie:

It isn't so bad, is ↘it?
You're coming to tea, aren't you?
You'll write to him, won't you?
It's too late, isn't it?
He doesn't like it very much, does he?
You never work at night, do you?
We still have plenty of time, haven't we?
He isn't staying at this hotel, is he?

GRAMATIKA

1. Jediný zápor v anglickej vete

WE **DO NOT** WORK ON SATURDAYS WE **NEVER** WORK ON SATURDAYS

V anglickej vete smie byť iba **jediný záporný výraz.** Ak je teda vo vete záporný výraz, ako napr. *never* = nikdy, musí byť sloveso v kladnom tvare, na rozdiel od slovenčiny, kde môže byť vo vete niekoľko záporných výrazov, napr. Nikdy nič neurobí.

Sledujte príklady:

It is **not** too late.	Nie je priveľmi neskoro.
It is **never** too late.	Nikdy nie je prineskoro.
He has **no** time.	Nemá čas.
I have **no** money.	Nemám (nijaké) peniaze.
I do **not** like it.	Nemám to rád.
I **never** like it.	Nikdy to nemám rád.

2. Some, any, no, none

I HAVE **SOME.**
HAVE YOU **ANY**?
I HAVE **NONE.**

SOME použijeme v kladnej oznamovacej vete. V otázke ho použijeme iba vtedy, ak ide o zdvorilú žiadosť alebo ak ponúkame niečo a predpokladáme kladnú odpoveď (pozri posledný príklad).

He wants **some** English newspaper.	Chce nejaké anglické noviny.
I need only **some** pence.	Potrebujem iba niekoľko pencí.
I know **some** of these boys.	Poznám niektorých spomedzi týchto chlapcov.
Will you have **some** tea?	Vezmeš si trocha čaju?
Yes, I will have **some.**	Áno, vezmem si trocha.

ANY použijeme:

a) V kladnej oznamovacej vete vo význame „hocaký, ktorýkoľvek".

He can watch **any** programme.	Môže sa dívať na **hocaký** program.
You can have **any** of my books.	Môžeš si vziať **ktorúkoľvek** z mojich kníh.
You can have **any.**	Môžeš si vziať **ktorúkoľvek** (= knihu).
You can get it at **any** shop.	Môžete to dostať v **hocktorom** obchode.

b) V kladnej otázke vo význame „nejaký":

Do you know **any** English sportsmen?	Poznáte **nejakých** anglických športovcov?
Do you need **any** money?	Potrebuješ **nejaké** peniaze?
Can I get **any**?	Môžem dostať **nejaké**?

c) V zápornej vete vo význame „nijaký, žiadny":

I **don't** know **any** English sportsmen.	Nepoznám **nijakých** anglických športovcov.
I **don't** need **any** money.	Nepotrebujem **žiadne** peniaze.
You **can't** get **any**.	Nemôžeš dostať **nijaké.**

Some i *any* môžu stáť samostatne, t. j. bez podstatného mena. Nikdy nie je pred nimi člen.

Všimnite si, ako možno preložiť slovenský výraz **„nejaký"** do angličtiny:

It's	**a**	map.	To je **nejaká** mapa.

He needs	**some**	textbooks.	Potrebuje **nejaké** učebnice.
Does he need	**any**	textbooks?	Potrebuje **nejaké** učebnice?

nejaký	**a** **some** **any**

No = nijaký, žiadny. Je vždy spojený s podstatným menom a nikdy pred ním nestojí člen. Ak je vo vete *no* vo význame nijaký, žiadny, musí byť sloveso v kladnom tvare (pozri pravidlo o jedinom zápore).

I **don't**	**know**	**any**	English people.	poznám nijakých Angličanov.
I	**know**	**no**	English people.	Nepoznám nijakých Angličanov.
He **hasn't**		**any**	brothers.	Nemá žiadnych bratov.
He **has**		**no**	brothers.	Nemá žiadnych bratov.

Poznámka: Rozlišujte *no* = **nie** (opak *yes*) a *no* = **žiadny, nijaký,** napr.: *No, I have no money.* Nie, nemám nijaké peniaze.

NONE = nijaký, žiadny. Tvar *no* môžeme použiť iba v spojení s podstatným menom. Ak vynecháme podstatné meno, použijeme tvar NONE:

He has **no small change.**	Nemá nijaké drobné.
He has NONE.	Nemá žiadne.
Have you **no slides**?	Nemáš nijaké diapozitívy?
No, I have NONE.	Nie, nemám žiadne.
Is there **no hotel** there?	Nie je tam nijaký hotel?
No, there is NONE.	Nie, nie je tam žiadny.

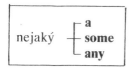

Slovenský výraz „nijaký, žiadny“ možno teda vyjadriť záporným slovesom + ANY alebo kladným slovesom + NO. Druhý spôsob je zriedkavejší.

I have**n't got**	**any** time now.	nijaký – **not any** / **no**
I've got	NO time now.	

Zhrnutie:

a) V kladnej vete:	SOME	I've got some English books.
b) V otázke:	ANY	Have you got any English books?
c) V zápornej vete:	NOT ANY	I haven't got any English books. I don't read any English books.
	NO	I have no English books. I read no English books.
	NONE	I have none. I read none.

3. Číslovky 20 – milión

1 one	10 ten	[ten]	21 twenty-one	
2 two	20 twenty	[twenti]	22 twenty-two	
3 three	30 thirty	[θə:ti]	33 thirty-three	
4 four	40 forty	[fo:ti]	44 forty-four	
5 five	50 fifty	[fifti]	55 fifty-five	
6 six	60 sixty	[siksti]	66 sixty-six	
7 seven	70 seventy	[sevnti]	77 seventy-seven	
8 eight	80 eighty	[eiti]	88 eighty-eight	
9 nine	90 ninety	[nainti]	99 ninety-nine	

Desiatky sa tvoria pomocou neprízvučnej koncovky **-ty**. Jednotky spojujeme pri písaní s desiatkami spojovacou čiarkou.

100 a / one } hundred [handrid]	1,000 a thousand [θauznd]
200 two hundred	2,000 two thousand
600 six hundred	6,000 six thousand

Ak pred *hundred* a *thousand* stojí určitá číslovka (dve, tri), nepriberajú koncovku *-s*. Pri *million* možno použiť tvar so *-s* i bez *-s*.

two { million [miljən] / millions   six { million / millions

Stovky sa spájajú s nasledujúcim číslom spojkou **and**:

250 two hundred **and** fifty
3,560 three thousand, five hundred **and** sixty

Číslovky *hundred, thousand* a *million* priberajú *-s*, ak predchádza neurčitá číslovka (niekoľko, málo, zopár, mnoho). Po týchto číslovkách potom nasleduje predložka **of.** Porovnajte:

three hundre**d** books	hundreds **of** books (stovky kníh)
five thousan**d** students	many thousands **of** students

Poznámky: 1. Skupiny čísel vo viacmiestnych číslach oddeľujeme čiarkou: 1,678 – 1,456,345.
2. Desatinné čísla sa oddeľujú bodkou a čítame ich takto: 3.689 = three – point [point] – six – eight – nine.

4. Určovanie času

WHAT'S THE TIME? KOĽKO JE HODÍN?

7.00 It is seven o'clock.	Je sedem hodín.
7.02 It is two minutes past seven.	Je sedem a dve minúty.
7.05 It is five past seven.	Je sedem a päť minút.

7.10 It is ten past seven.	Je o päť minút štvrť na osem.
7.12 It is twelve minutes past seven.	Je o tri minúty štvrť na osem.
7.15 It is a quarter past seven.	Je štvrť na osem.
7.20 It is twenty past seven.	Je štvrť na osem a päť minút.
7.25 It is twenty-five past seven.	Je o päť minút pol ôsmej.
7.30 It is half past seven.	Je pol ôsmej.
7.35 It is twenty-five to eight.	Je pol ôsmej a päť minút.
7.40 It is twenty to eight.	Je o päť minút tri štvrte na osem.
7.45 It is a quarter to eight.	Je tri štvrte na osem.
7.50 It is ten to eight.	Je o desať minút osem.
7.55 It is five minutes to eight.	Je o päť minút osem.
8.00 It is eight o'clock.	Je osem hodín.

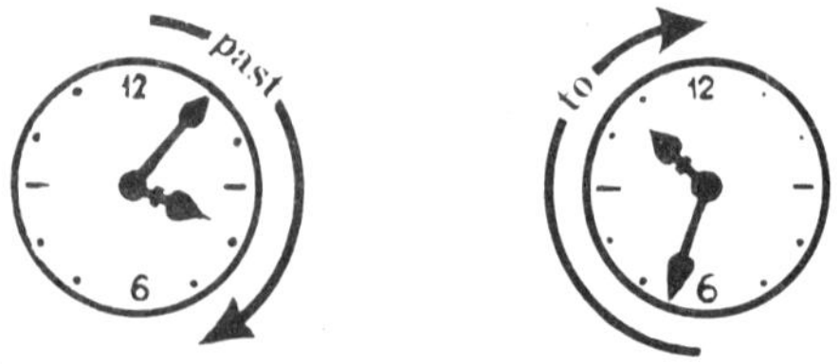

Čas od jednej minúty do 30 minút vyjadríme slovíčkom **past** (=po) s odkazom na p r e d c h á d z a j ú c u hodinu. Angličania teda hovoria: „Je štvrť (pol) po siedmej.“ Čas vyšší než 30 minút sa vyjadruje slovíčkom **to** s odkazom na n a s l e d u j ú c u hodinu. Po anglicky teda povieme: „Je 20 (10,5) minút do ôsmej.“ Výraz **o'clock** (= *of the clock*) znamená „na hodinách“.

Angličania počítajú hodiny iba do 12 (teda 2 × 12), a preto treba rozlišovať:

seven in the morning = **7 a. m.** [eiˈem] = 7 ráno
seven in the evening = **7 p. m.** [piːˈem] = 7 večer

Príklady:

The train arrives at 7.15 (seven fifteen) a. m.	Vlak prichádza o 7.15 ráno.
The bus goes at 8.30 p. m.	Autobus ide o 8.30 večer.
We'll meet at half past eight in the morning.	Stretneme sa o pol deviatej ráno.
Come at about six in the evening.	Príď okolo šiestej večer.

Zapamätajte si, že slovenská predložka „**o**" pri údaji hodín je po anglicky **AT,** napr.:

at ten = o desiatej hodine
at a quarter past four = o štvrť na päť.

Poznámka: Pozor na rozdiel:

watch = hodinky (náramkové)	*Have you got a good watch?*
clock = hodiny (nástenné, vežové)	*Look at that clock on the wall.*
7 o'clock = 7 hodín (časový údaj)	*Come at seven o'clock.*
hour = hodina (= 60 minút)	*He studies five hours every day.*
lesson = hodina (vyučovacia)	*He has two English lessons today.*

CVIČENIA

1. Odpovedzte stručne zápornými stiahnutými tvarmi podľa vzoru:

Can you come at five? – **No, I can't.**

1. Is your watch slow? 2. Does he speak English? 3. Have you time now? 4. Do you walk to work? 5. Can you say it in English? 6. Must they study every day? 7. Has he a good job? 8. Will you start today? 9. Must you leave early? 10. Will he like it? 11. Will they arrive after six? 12. May Sue watch this programme?

2. Pripojte krátke záporné otázky podľa vzoru:

He has a sister, ...? – **He has a sister, hasn't he?**

1. He can read English books, ...? 2. They will come, ...? 3. They are here, ...? 4. You've got a new watch, ...? 5. They'll arrive in the afternoon, ...? 6. It is nice, ...? 7. You will stay, ...? 8. His parents live in London, ...?

3. Povedzte v zápore a používajte výrazy „never = nikdy“ alebo „no = nijaký“ podľa vzoru:

He is always late. – **Oh, no, he's never late.**

1. He is always busy. 2. He always comes at six. 3. She has some English books. 4. He is always lazy. 5. He has the tickets. 6. She is always ready in time. 7. There are some vacant seats in this compartment. 8. You can always meet him there.

4. Spytujte sa podľa vzoru:

I have two brothers. – **Have you any brothers?**

1. I've got some English books. 2. I know some English games. 3. They know two English songs. 4. I need some small change. 5. I have got two road maps. 6. I know some people there. 7. She has two sisters. 8. I have got two English textbooks.

5. Odpovedzte záporne podľa vzoru:

Have you any brothers? – **No, I haven't any brothers.**

1. Have they any children? 2. Have you got any notebooks? 3. Have they got any red pencils? 4. Have you got any English books in your bookcase? 5. Have you got any friends in the country? 6. Do you know any English students?

6. Odpovedzte kladne alebo záporne podľa vzoru:

Have you got any cigarettes? – **Yes, I've** [aiv] **got some. – No, I haven't got any. (No, I have none.)**

1. Have they got any apple trees in their garden? 2. Do you know any English songs? 3. Have you got any slides of London? 4. Do you know any English people? 5. Will you buy any textbooks? 6. Have you got any pictures of your trip? 7. Have they got any English newspapers?

7. Počítajte:

a) po dvoch do dvadsať: two, four, ...
b) po troch do tridsať: three, six, ...
c) po päť do sto: five, ten, ...
d) po desať do dvesto: ten, twenty, ...
e) po dvestopäťdesiat do tisíc: two hundred and fifty, ...

8. Odpovedzte podľa vzoru:

How many men are there in your factory? (300) – **There are three hundred men in our factory.**

1. How many books are there in your bookcase? (260). 2. How many students are there in your class? (29). 3. How many pupils are there in this school? (1,200). 4. How many factories are there in your country? (hundreds). 5. How many seats are there in this compartment? (8). 6. How many cups are there on the table? (only 1). 7. How many players are there in the team? (22). 8. How many women are there in your office? (only 1). 9. How many football fans are there in this country? (thousands). 10. How many trees are there in that garden? (35).

9. Povedzte, koľko je hodín podľa vzoru:

1.30 – **It's half past one.**

a) 8.30 – 3.30 – 12.30 – 5.30 – 10.30 – 2.30
b) 1.15 – 4.15 – 7.15 – 11.15 – 6.15 – 9.15
c) 7.45 – 3.45 – 8.45 – 12.45 – 2.45 – 10.45
d) 6.50 – 12.10 – 4.40 – 5.02 – 6.27 – 11.55

10. Odpovedzte podľa vzoru:

When will you come? (at 6.30 p. m.) – **I'll come at half past six in the evening.**

1. When do you get up? (at 6.45 a. m.) 2. When do you start work? (7.30 a. m.) 3. When will they arrive? (10.15 a. m.) 4. What time do you come home? (4.30 p. m.) 5. When will you meet them at the station? (6.30 p. m.) 6. When does the train arrive? (6.35 p. m.) 7. When will they leave? (10.50 p. m.) 8. What time does your train leave? (9.15 a. m.) 9. When do you usually go to bed? (11.30 p. m.)

11. Vymenujte aspoň päť výrazov z uvedených oblastí:

a) stanica b) dopravné prostriedky c) telefonovanie d) byt e) vyučovanie f) šport g) zamestnanie h) vlastnosti osôb (prídavné mená).

12. Povedzte po anglicky:

1. Koľko je hodín? 2. Je asi pol siedmej podľa mojich hodiniek. 3. O ktorej hodine odchádza vlak do Oxfordu? 4. Kde dostanem lístky? 5. Koľko stojí spiatočný lístok? 6. Mám sa spýtať v informačnej kancelárii? 7. To je moja batožina. 8. Je toto miesto voľné, prosím? Ľutujem, je obsadené. 9. Máte nejaké drobné? Nie, nemám nijaké. 10. Vezmeme si taxík? Nie, pôjdeme električkou.

13. Odpovedzte podľa textu:

1. Where are the Parkers now? 2. Where are they going? 3. How many pieces of luggage have they got? 4. Who's going to pay the taxi driver? 5. What's the time? 6. What time does the train leave? 7. Will they take the express or the slow train? 8. Why do they prefer the slow train? 9. Is it a through train or must they change?

14. Odpovedzte:

1. Do you often go by train? 2. Do you prefer to sit in the nonsmoker? 3. How do you get to work? 4. Is there a bus stop near your house? 5. How long does it take you to get to work? 6. At what time do you get up in the morning? 7. When do you come home?

Konverzačné cvičenia

a) Spytujte sa, kde čo je a odpovedzte podľa vzoru:
Where's the booking office, please?
The booking office is in the arrival hall.

b) Povedzte, čo robia osoby na obrázku:
The old gentleman is carrying...

Nápisy:

Arrival [ə'raivl] príchod
Bookstall [buksto:l] stánok s knihami
Departure [di'pa:čə] odchod
Exchange (Office) [iks'čeindž ofis] zmenáreň
Left Luggage Office [left lagidž ofis] úschovňa batožiny
Refreshment [ri'frešmənt] občerstvenie
Waiting Room [weitiŋ rum] čakáreň
Way Out [wei aut] východ

SHOPPING

Mrs Stevens must do some shopping. She's checking her shopping list.

Mrs Stevens: First, I must go to the baker's, I need two loaves of bread. Then I'll get some potatoes and tomatoes; yes, and some meat for dinner at the butcher's. Does anybody need anything else?

Fred: Will you go anywhere near the post office, Mother? I need some stamps.

Mrs Stevens: Yes, Fred. Let me put it down. Anything for you, Jane?

Jane: No, nothing for me, thanks, but I want to buy a present for Mary. Can you help me (to) choose something useful for her, Mother?

Mrs Stevens: Of course, dear. What does she need?

Jane: Some knives and forks, I think.

Mrs Stevens: That's a good idea. Are you sure nobody else will give her the same thing?

Jane: Oh no, I don't think so.

Mrs Stevens: What about you, Peter?

Peter: Let Jane buy a new pen for me. Here's the money.

Mrs Stevens: All right. Are you ready, Jane? Let's go, then.

AT THE GROCER'S

Grocer: Good morning, Madam. What can I do for you?

Mrs S.: I want a tin of coffee, two pounds of sugar and half a pound of tea.

Grocer: Here you are, Madam. Anything else?
Mrs S.: No, thank you, that's all for today. How much is it?
Grocer: Ninety pence.

IN A DEPARTMENT STORE

Mrs S.: Can you show me some material for curtains, please?
Shop assistant: I can recommend this one.
Mrs S.: I'm afraid I don't like the colour. What about that white material on the shelf over there?
Assistant: There's only three yards of it. Let me show you this one.
Mrs S.: Yes, it's very pretty. How much does it cost?
Assistant: Two pounds a yard.
Mrs S.: That's rather expensive.
Assistant: The quality is really very good. It'll last for years.
Mrs S.: Well, I'll take ten yards.

Výslovnosť vlastných mien: **Stevens** [sti:vnz].

---

anybody [enibodi] hockto, niekto, nikto
anything [eniθiŋ] hocčo, niečo, nič
anywhere [eniweə] hockde, hockam, niekde, niekam, nikde
baker [beikə] pekár
bread [bred] chlieb
butcher [bučə] mäsiar
check [ček] kontrolovať
choose [ču:z] vybrať (si)
coffee [kofi] káva
cost [kost] stáť *(o cene)*
department store [di'pa:tmənt sto:] obchodný dom
dinner [dinə] obed, večera *(hlavné jedlo dňa)*
doctor [doktə] lekár, doktor
else [els] iný; ešte
expensive [iks'pensiv] drahý *(o cene)*
foot, *mn. č.* **feet** [fut, fi:t] noha; stopa *(dĺžková miera)*
get [get] *(tt)* dostať, kúpiť
grocer [grəusə] obchodník
here you are nech sa páči *(pri podávaní)*
knife, *mn. č.* **knives** [naif, naivz] nôž
last [la:st] vydržať, trvať
let [let] *(tt)* nechať
life, *mn. č.* **lives** [laif, laivz] život
loaf, *mn. č.* **loaves** [ləuf, ləuvz] bochník, peceň
material [mə'tiəriəl] látka, materiál
meat [mi:t] mäso
nobody [nəubodi] nikto
nothing [naθiŋ] nič
nowhere [nəuweə] nikde, nikam
pen [pen] pero
post office ['pəust,ofis] pošta
potato [pə'teitəu] zemiak
present [prezənt] dar
put down zapísať si
quality [kwoliti] akosť
rather [ra:ðə] dosť
recommend [,rekə'mend] odporúčať

shelf, *mn. č.* **shelves** [šelf, šelvz] polica
shop [šop] obchod
shop assistant [əˈsistənt] predavač(ka)
shopping [šopiŋ] nákupy
similar [similə] podobný
somebody [sambədi] niekto, ktosi
something [samθiŋ] niečo, čosi
somewhere [samweə] niekde, niekam, kdesi, kamsi
stamp [stæmp] známka
sugar [šugə] cukor
thing [θiŋ] vec
tomato [təˈma:təu] rajčina
tin [tin] konzerva, plechovka
useful [ju:sfl] užitočný
yard [ja:d] yard *(cca 91 cm)*

DÔLEŽITÉ VÄZBY

I must do some shopping.	Musím ísť nakúpiť.
I'll go shopping.	Pôjdem nakúpiť.
I'll put it down.	Zapíšem si to.
What can I do for you?	Čím vám môžem poslúžiť?
Anything else?	Ešte niečo?
That's all for today.	To je nadnes všetko.
How much does it cost?	Koľko to stojí?
How much is it?	Koľko to je?
It's fifty pence a pound.	Libra *(cca 1/2 kg)* stojí 50 pencí.
It's two pounds a yard.	Yard je za dve libry.
Who else is coming?	Kto ešte príde?
Nobody else.	Už nikto. Nik iný.
I don't need anything else.	Nepotrebujem už nič.

VÝSLOVNOSŤ A PRAVOPIS

Výslovnosť dvojhlások

Zopakujte si výslovnosť dvojhlások v doteraz prebratých slovách:

[ei]	*afraid* [əˈfreid], *age* [eidž], *baby* [beibi], *great* [greit], *lady* [leidi], *late* [leit], *lazy* [leizi], *make* [meik], *may* [mei], *place* [pleis], *plate* [pleit], *play* [plei], *railway* [reilwei], *say* [sei], *stay* [stei], *straight* [streit]
[ai]	*buy* [bai], *by* [bai], *child* [čaild], *five* [faiv], *ice* [ais], *inside* [inˈsaid], *invite* [inˈvait], *light* [lait], *mind* [maind], *right* [rait], *why* [wai], *write* [rait]
[oi]	*boy* [boi]
[au]	*about* [əˈbaut], *brown* [braun], *crowded* [kraudid], *outside* [autˈsaid], *pound* [paund], *proud* [praud], *round* [raund]

[əu]	*also* [o:lsəu], *coat* [kəut], *cold* [kəuld], *go* [gəu], *goal* [gəul], *hello* [həˈləu], *home* [həum], *hope* [həup], *over* [əuvə], *phone* [fəun], *programme* [prəugræm], *road* [rəud], *smoke* [sməuk]
[iə]	*idea* [aiˈdiə], *really* [riəli], *serious* [siəriəs], *material* [məˈtiəriəl], *dear* [diə], *here* [hiə], *near* [niə]
[eə]	*chair* [čeə], *their* [ðeə], *where* [weə], *somewhere* [samweə]
[uə]	*sure* [šuə]

Čítajte nahlas:

Kate is afraid to stay. Jane will wait at the railway station. The train may be late. The lady's name is Miss Baker.

What's the right time? Will you invite my wife? I'll write to Mike. It's quite nice.

Mr Brown is not in the house. He's out. How proud he is now! The house is crowded. How many pounds?

Oh, hello, is Tony at home? I hope you know Joan. Oh no, don't open the window. It's cold. Show me the programme. I don't know those old men. I know only Tony.

This material is dear, but I really need it. His idea is not serious. Come here, my dear.

Where do you go so early? There are some chairs there. Where are their books? Over there.

GRAMATIKA

1. Nepočítateľné podstatné mená

a/the	**book**	**–/the time**
two	**books**	**–**
many	**books**	**much time**

Podstatné mená v angličtine majú zväčša jednotné i množné číslo, môžu mať člen (určitý i neurčitý) a možno ich používať s číslovkou. Preto o nich hovoríme ako o počítateľných, napr. a book, two books, a lady, two ladies.

Nepočítateľné podstatné mená majú tieto znaky:

a) Nemajú neurčitý člen. Vo všeobecnom význame sa používajú bez člena. Ak ide o istý, konkrétny prípad, majú člen určitý.

Time is money.	Čas sú peniaze.
I'll buy tea and coffee.	Kúpim čaj a kávu.
The tea is good.	(Ten) čaj je dobrý.

b) Nepoužívajú sa v množnom čísle. Ak chceme vyjadriť určité množstvo, použijeme opis:

bread – chlieb	ale:	*two loaves of bread* – dva bochníky chleba
luggage – batožina, batožiny		*three pieces of luggage* – tri batožiny

c) Sloveso, ktorého sú podmetom, je v jednotnom čísle:

Money **is** *useful.*	Peniaze **sú** užitočné.
What **is** *the news?*	Aké **sú** správy? (Čo je nového?)

d) Na vyjadrenie slovenského „mnoho" sa používa *much*; *many* sa používa iba s počítateľnými podstatnými menami:

I haven't much time.	**Ale:**	*They haven't many books.*
He hasn't much luggage.		*I haven't many bags.*

Nepočítateľné podstatné mená sú:

a) Mená látkové, napr. *coffee, water, sugar.*
b) Mená abstraktné, napr. *time, work, English* – angličtina, *Slovak* – slovenčina.
c) Mená hromadné, napr. *money, luggage.* Patrí sem aj slovo *news* – správa, správy.

2. Neurčité zámená

DOES ANYBODY NEED ANYTHING?

Doteraz sme prebrali tieto tvary neurčitých zámen: **some** – nejaký; **no** – nijaký; **not...any** – nijaký; **any** – hocktorý; **any** – nejaký (v otázke).

Od týchto zámen tvoríme **neurčité zámená samostatné** príponami **-body** pre osoby, **-thing** pre veci; neurčité príslovky miesta sa tvoria príponou **-where.**

základný tvar	osoba	vec	miesto
some nejaký	**somebody** niekto	**something** niečo	**somewhere** niekde, niekam
any hocaký	**anybody** hockto	**anything** hocčo	**anywhere** hockam, hockde
any? nejaký?	**anybody?** niekto?	**anything?** niečo?	**anywhere?** niekde?, niekam?
no nijaký	**nobody** nikto	**nothing** nič	**nowhere** nikde, nikam

Všimnite si, že zámená *any, anybody, anything, anywhere* majú rozličný význam podľa typu viet, v ktorých sa vyskytujú:

	anybody	anything	anywhere
v kladnej vete oznamovacej	hockto	hocčo	hockde, hockam
v otázke	niekto?	niečo?	niekde? niekam?
po zápore	nikto	nič	nikde, nikam

Porovnajte príklady:

a) Otázka:

Is [anybody] here [?]
Je tu niekto?
Do you need [anything?]
Potrebujete niečo?

b) Zápor:

I do [not] know [anybody] here.
Nepoznám tu nikoho.
[Nobody] needs [anything.]
Nikto nič nepotrebuje.

Will you go anywhere?	We shall not go anywhere.
Pôjdete niekam?	*Nikam nepôjdeme.*
	We'll never go anywhere.
	Nikdy nikam nepôjdeme.

Poznámka: Pozor! Na začiatku zápornej vety smú byť iba tvary s no-, napr.:

Nobody knows him.	Nikto ho nepozná.

c) Kladná veta oznamovacia:

Anybody will understand it.	Hockto tomu bude rozumieť.
You can give him anything.	Môžete mu dať hocčo.
They can buy it anywhere.	Môžu to kúpiť hockde.

3. Opisný rozkazovací spôsob

LET US GO HOME.

Doteraz sme prebrali rozkazovací spôsob druhej osoby jednotného a množného čísla, ktorý sa tvorí z neurčitku bez *to*:

Go home.	Choď domov. Choďte domov.
Wait here.	Počkaj tu. Počkajte tu.

Pre ostatné osoby používame opis so slovesom **let** (*to let* = nechať) a **4. pádom** príslušného zámena či podstatného mena.

Let	4. pád	neurčitok bez *to*	preklad
Let	**John**	**read.**	Nech číta Ján.
Let	**him**	**speak.**	Nech hovorí.
Let	**Anne**	**help.**	Nech Anna pomôže.
Let	**us** [as]	**go.**	Poďme.
Let	**them**	**wait.**	Nech počkajú.

Tvar **let us** sa v hovore sťahuje v **let's** [lets]: *Let's go home.*

Let's go home. — Poďme domov.
Let's do it now. — Urobme to teraz.

Opisný tvar sa vyskytuje aj v 1. osobe jednotného čísla. Prekladáme ho väzbou „Dovoľte mi, (aby)...":

Let me do it. — Dovoľte mi to urobiť.
Let me thank you. — Dovoľte mi, aby som vám poďakoval.
Let me come with you. — Dovoľte mi, aby som šiel s vami.

Záporný tvar sa tvorí pomocou **do not (stiahnuté don't) + let:**

Don't let him see it. — Nech to nevidí.
Don't let us wait. — Nečakajme.

Poznámky: 1. Namiesto *Don't let us wait* môžeme použiť *Let's not wait.*

2. Niekedy môžeme prekladať väzby s *let* doslovne, t.j. slovenským slovesom *nechať*. Rozhoduje tu situácia predchádzajúcej vety, pri hovore aj intonácia:

Let him answer.	Nech odpovie. Nechajte ho odpovedať.

Príklady:

Let me help you with your bags.	Dovoľte mi, aby som vám pomohol s kuframi.
Don't let him do that.	Nech to nerobí. (Nenechajte ho...)
Let's stay at home this evening.	Zostaňme dnes večer doma.
Don't let us forget it.	Nezabudnime na to.
Let them start now.	Nech začnú teraz.
Don't let them go there.	Nech tam nejdú. Nenechajte ich tam ísť.

4. Nepravidelné tvary množného čísla

POTATO	–	**POTATOES**
SHELF	–	**SHELVES**
FOOT	–	**FEET**

a) Niektoré podstatné mená sa v množnom čísle menia pred koncovým *-s*. Väčšina podstatných mien na **-o** priberá v množnom čísle **-es**; koncové **-s** sa vyslovuje **[z]:**

potato	zemiak	potatoes	[pəˈteitəuz]
tomato	rajčina	tomatoes	[təˈma:təuz]

b) Väčšina podstatných mien zakončených na **-f** a **-fe** má v množnom čísle koncovku **-ves.** Pozor na zmenu výslovnosti:

shelf	[šelf]	polica	shelves	[šelvz]
loaf	[ləuf]	bochník	loaves	[ləuvz]
knife	[naif]	nôž	knives	[naivz]
life	[laif]	život	lives	[laivz]
wife	[waif]	manželka	wives	[waivz]

c) Niektoré podstatné mená majú nepravidelné tvary v množnom čísle (t. j. zmenu v koreni slova a sú bez koncového -*s*). Doteraz sme prebrali tieto podstatné mená:

man	[mæn]	muž	men	[men]
woman	[wumən]	žena	women	[wimin]
child	[čaild]	dieťa	children	[čildrən]

Podobne:

foot	[fut]	noha	feet	[fi:t]

5. Označenie miesta privlastňovacím pádom

AT THE BAKER'S

Privlastňovací pád sa používa na označenie **názvov obchodov** a niektorých iných **miest.** Špeciálne označenie (napr. *baker* – pekár, *butcher* – mäsiar, *doctor* – lekár) sa používa v privlastňovacom páde, všeobecnejšie označenie miesta (napr. *shop* – obchod, *office* – úrad, *house* – dom) sa vynecháva. (Podobne povieme po slovensky: „Choď k pekárovi.")

You can get it **at the baker's.**	Môžete to dostať u pekára.
Go **to the grocer's.**	Choď k obchodníkovi.
I was **at the butcher's.**	Bol som u mäsiara.

V uvedených príkladoch je vynechané slovo „*shop*". Pri iných označeniach miesta sa niekedy používa plná väzba, zväčša však prevláda tvar privlastňovacieho pádu bez ďalšieho doplnenia:

He lives **at his grandfather's.**	Býva u svojho starého otca (t. j. v dome, byte, na farme ap.).
I'll go **to the doctor's.**	Pôjdem k lekárovi (t. j. do ordinácie).
John works **at Lloyd's.**	Ján pracuje u Lloyda (t. j. v kancelárii, podniku, banke ap.).

CVIČENIA

1. Dopĺňajte do viet slovíčka v zátvorke podľa vzoru:

We need **bread.** *I'll buy* **a loaf of bread.**

1. I like... I'll make... (coffee – cup of coffee). 2. Is this...? I'll have... (water – glass of water). 3. I need... I'll get... (tea – pound of tea). 4. Do you want...? Give me... (sugar – piece of sugar). 5. Do you like...? Will you have...? (wine – glass of wine). 6. I want... Give me... (meat – pound of meat).

2. Tvorte vety podľa vzoru:

I don't need many books.
I don't need much money.

I don't need	many	time
We haven't	much	stamps
There isn't		bread
There aren't		money
		luggage
		oranges

3. Reagujte na dané vety podľa vzoru:

John wants to buy it. – **Let him buy it, then.**

1. Mary wants to write it. 2. We want to go there. 3. They want to use it. 4. The children want to watch television. 5. Mr Stevens wants to do it. 6. Mrs Jenkins wants to help them. 7. Tony wants to speak to her. 8. We want to stay here.

4. Reagujte na dané vety záporným rozkazom podľa vzoru:

Fred mustn't go out. – **Don't let Fred go out.**

1. The children mustn't do it. 2. They mustn't have a look at it. 3. She mustn't buy so many things. 4. We mustn't forget it. 5. The boys cannot watch this programme. 6. Susan mustn't go there. 7. We don't want to go by train. 8. She mustn't work so hard. 9. Mother mustn't tell him about it.

5. Odpovedzte kladne podľa vzoru:

Do you know anything about it? – **Yes, I know something about it.**

1. Do you know anybody there? 2. Do you need anything? 3. Do you want to stop anywhere? 4. Will you speak to anybody about it? 5. Can you ask anybody? 6. Will you buy anything? 7. Will you get it anywhere? 8. Will you choose anything? 9. Are you expecting anybody?

6. Odpovedzte záporne jedným slovom *(nobody, nothing, nowhere, never, none):*

1. When do you do it? 2. Who can do that? 3. What does he do? 4. Where will they go? 5. What shall I say? 6. How much money do you need? 7. Who will you phone? 8. What are you doing here? 9. Which of them knows it? 10. Where shall I get it?

7. Odpovedzte záporne celou vetou:

What are you reading? – **I'm not reading anything.**

1. What is he writing? 2. What do they need? 3. What can you see there? 4. Who will you ask? 5. Where can he get the book? 6. What will Jane bring? 7. Who do you know there?

8. Povedzte v množnom čísle podľa vzoru:

a gentleman – two... **a gentleman – two gentlemen**

1. a potato – a kilo of... 2. one tomato – two kilos of... 3. one shelf – four... 4. one loaf – two... of bread. 5. that knife – those two... 6. her life – their... 7. his wife – their... 8. an old man – two old... 9. a sportsman – eleven... 10. one foot – six... 11. a woman – more...

9. Preložte:

1. Koľko to stojí? Päťdesiat pencí. 2. Kde to dostanem? U mäsiara. 3. Musím ísť k lekárovi. 4. Je u starej mamy.

5. Potrebujem dve police na knihy. 6. Nemám mnoho času. 7. Čo je nového? 8. Kde je vaša batožina? 9. Nepotrebujem už nič (iné). 10. Kto ešte príde? Už nikto. 11. Nič o tom neviem. 12. Poznáte tu niekoho?

10. Odpovedzte podľa textu:

1. What must Mrs Stevens do today? 2. What is she checking? 3. Where must she go first? 4. What will she get there? 5. What else does she need? 6. What will she get at the butcher's? 7. What does Fred need? 8. What does Jane want to buy? 9. What can be a useful present for Mary? 10. What does Peter need? 11. What does Mrs Stevens buy at the grocer's? 12. How much does she pay? 13. What does Mrs Stevens want to buy in the department store?

11. Rozprávajte, čo budete zajtra kupovať cestou domov zo zamestnania, podľa vzoru:

I'll buy some (oranges).

a tin of...
a kilo [ki:ləu] of...
two pounds of...
a loaf of...

12. Povedzte, aké darčeky kúpite členom svojej rodiny:

Vzor: **I'll buy** *a nice pullover* **for my sister.**

Konverzačné cvičenia

Opíšte scénky na obrázkoch a predveďte rozhovory:

Mrs Baker must do some shopping. She has a long shopping list. She's carrying a shopping bag. First she will go to…

A TRIP TO THE COUNTRY

A: Where were you last Saturday? I stopped at your place, but you weren't at home.
B: I was in the country over the weekend. We made a trip to Windsor.
A: Did you hitchhike?
B: Yes, we did. We were lucky. We got a lift as far as Kew, so we walked only a part of the way. Tom was glad, because he carried the largest rucksack.
A: You stayed at a camp, didn't you?
B: Oh, yes, we did. There's a nice campsite near my uncle's place by the river.
A: Did you go to see him?
B: Of course, we did. We went there on Sunday morning. We liked his weekend cottage very much. Auntie invited us to lunch. We had a picnic lunch by the river.
A: Could you bathe?
B: Oh no, we couldn't. The water was too cold.
A: And what did you do on Saturday?
B: We played volleyball in the afternoon, and then we wanted to go up to the castle, but we didn't go there after all, as the boys from the camp prepared a campfire. So we helped them to collect wood. We had a lot of fun.
A: Yes, camping is great fun.
B: Next time you must come along too.
A: Gladly.

A – John B – Peter

Výslovnosť vlastných mien: **Windsor** [winzə]; **Kew** [kju:].

aunt [a:nt] teta
auntie [a:nti] tetuška
after all predsa však
bathe [beið] kúpať sa *(v rieke, mori)*
camp [kæmp] tábor; táboriť
camping táborenie, stanovanie, kemping
campsite [sait] tábor, táborište
campfire [kæmpfaiə] táborák
castle [ka:sl] hrad, zámok
collect [kəˈlekt] zbierať
come along [əˈloŋ] ísť spolu
cottage [kotidž] chata, chalúpka, dedinský domček
could [kud] *minulý čas od* **I can**
did [did] *tvar minulého času slovesa* **to do**
fire [faiə] oheň
fun [fan] švanda, zábava
gladly [glædli] rád, ochotne
go to see navštíviť *(hovor.)*
got [got] *tvar minulého času slovesa* **to get**
happen [hæpn] stať sa, prihodiť sa
hike [haik] pešia túra; konať turistiku *(pešiu)*
hiking [haikiŋ] turistika *(pešia)*
hitchhike [hičhaik] cestovať autostopom
last [la:st] minulý, posledný
lift [lift] výťah; odvezenie *(autom)*
lunch [lanč] obed
made [meid] *tvar minulého času slovesa* **to make**
next time [nekst taim] nabudúce
over [əuvə] cez, nad
part [pa:t] časť
pick [pik] zbierať *(zo zeme)*, trhať *(kvety, ovocie)*
picnic [piknik] piknik
prepare [priˈpeə] pripraviť
river [rivə] rieka
rucksack [raksæk] plecniak, ruksak
site [sait] parcela, pozemok
stop at [stop] *(pp)* zastaviť sa *(kde, u koho)*
uncle [aŋkl] strýko
under [andə] pod
was, were [woz, wə:] *tvary minulého času slovesa* **to be**
weekend cottage víkendová chata
went [went] *tvar minulého času slovesa* **to go**
wood [wud] *(len jednotné číslo)* drevo
yesterday [jestədi] včera

DÔLEŽITÉ VÄZBY

We stayed there over the weekend.	Zostali sme tam cez víkend.
What do you do at weekends?	Čo robievate cez víkendy?
We made a nice trip to Devín.	Urobili sme si pekný výlet na Devín.
He's on a trip.	Je na výlete.
Let's go for a trip.	Poďme na výlet.
We offered him a lift in our car.	Ponúkli sme mu, že ho odvezieme autom.
Did they invite you to lunch?	Pozvali ťa na obed?
I was lucky.	Mal som šťastie.
I'll go there on Sunday morning.	Pôjdem tam v nedeľu ráno.

We went there in the morning.	Šli sme tam ráno.
Come along.	Tak poď. Poď už.
Will you come with us?	Pôjdeš s nami?

VÝSLOVNOSŤ A PRAVOPIS

Výslovnosť koncového „-ed“ minulého času pravidelných slovies (pozri gramatika str. 217).

Koncové **-(e)d** čítame:

a) **[t] po neznelých spoluhláskach** [k, f, p, s, š, č], okrem [t]:

asked	[a:skt]	– I asked him – I asked him yesterday.
walked	[wo:kt]	– He walked – He walked quickly.
worked	[wə:kt]	– They worked – They worked well.
helped	[helpt]	– We helped – We all helped.
dressed	[drest]	– She dressed – She dressed in a hurry.
washed	[wošt]	– I washed – I washed and dressed.
watched	[wočt]	– We watched – We watched television in the evening.

b) **[d] po všetkých znelých spoluhláskach** [okrem d] **a po všetkých samohláskach:**

opened	[əupnd]	– I opened – I opened the box.
returned	[riˈtə:nd]	– We returned – We returned very late.
lived	[livd]	– They lived – They lived in London.
received	[riˈsi:vd]	– I received – I received some books.
arranged	[əˈreindžd]	– I arranged it – I arranged it for him.
changed	[čeindžd]	– They changed – They changed the programme.

offered	[ofəd]	– I offered – I offered him tea.
answered	[a:nsəd]	– I answered – I answered the phone.
used	[ju:zd]	– I used – I used this pen.
stayed	[steid]	– stayed – I stayed there.
hurried	[harid]	– He hurried – He hurried home.

c) **[id]** po **[t]** a **[d]**:

waited	[weitid]	– I waited – I waited there.
started	[sta:tid]	– We started – We started late.
invited	[inˈvaitid]	– She invited – She invited us.
wanted	[wontid]	– I wanted – I wanted to help.
needed	[ni:did]	– He needed – He needed money.

recommended [ˌrekəˈmendid] – We recommended it.

GRAMATIKA

1. Jednoduchý minulý čas anglických slovies

WE STARTED YESTERDAY

Angličtina má niekoľko minulých časov; v slovenčine je iba jeden. Teraz sa oboznámite s **jednoduchým minulým časom.** Ním sa vyjadruje dej, ktorý **sa začal v minulosti** a **v minulosti sa i skončil,** napr. včera – *yesterday,* v pondelok – *on Monday,* o šiestej hodine – *at six o'clock* ap.

Tento čas sa tvorí:

a) **pravidelne,** t. j. pripojením **-(e)d** k neurčitku slovesa:

to work	– I worked	[wə:kt]	*pracoval som*
to live	– I lived	[livd]	*žil som*

b) **nepravidelne,** napr. zmenou kmeňovej samohlásky:

to come	– I came	[keim]	*prišiel som*
to see	– I saw	[so:]	*videl som*

Nepravidelných slovies je asi 200. Postupne preberieme asi polovicu, t. j. tie najpoužívanejšie.

a) Jednoduchý minulý čas pravidelných slovies

I, you, he, she, it	PLAYED	we, you, they

Minulý čas utvoríme jednoducho; pridáme **-ed** k neurčitku bez *to*. Tento tvar s **-ed** je rovnaký pre všetky osoby. Výslovnosť koncového **-ed** si precvičte na str. 197.

Príklady:

I played volleyball **yesterday.**	Včera som hral volejbal.
The boys played football **on Sunday.**	Chlapci hrali v nedeľu futbal.
He returned **last week.**	Vrátil sa minulý týždeň.
She phoned **in the afternoon.**	Telefonovala popoludní.
We started **at six in the morning.**	Začali sme o šiestej ráno.

Všimnite si tieto pravopisné zmeny:

a) Ak je sloveso zakončené na *-e*, pridáme len **-d**:

to prepare – I prepared [priˈpeəd]
to receive – I received [riˈsi:vd]

b) Ak je sloveso zakončené na spoluhlásku + *-y*, mení sa toto *-y* na *-i* pred pridaním *-ed*:

to study – I studied [stadid]
to hurry – I hurried [harid]
ale: to play – I played [pleid]
(pred *-y* je samohláska).

c) Koncová spoluhláska sa zdvojuje, ak predchádza jedna krátka prízvučná samohláska, alebo ak sa končí sloveso na *-l:*

to stop – I stopped [stopt]
to knit – I knitted [nitid]
to dial – I dialled [daiəld]
to quarrel – I quarrelled [kworəld]

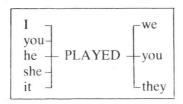

Poznámka: U viacslabičných slovies zakončených na -r sa zdvojuje konco-
vé -r, ak je prízvuk na poslednej slabike, bez ohľadu na dĺžku samohlásky:
ale: to prefer [priˈfəː] – I preferred
 to prepare [priˈpeə] – I prepared (nezdvojené,
 lebo sa končí na -e!)

b) Minulý čas slovies *to be* , *to have* **a** *I can*

> I WAS
> YOU WERE – I HAD – I COULD

Tieto tri slovesá tvoria minulý čas nepravidelne. Sloveso *to
be* má v 1. a 3. osobe jednotného čísla tvar **was** [woz]
a v ostatných osobách tvar **were** [wəː]. Pozor na striedanie
tvarov *was/were* v jednotnom čísle:

Jednotné číslo		Množné číslo	
I was	bol som	**we were**	boli sme
you were	bol si	**you were**	boli ste
he ⎤	bol		
she ⎦ **was**	bola	**they were**	boli
it	bolo		

Plné tvary		Oslabené tvary	
1. **I**	**was** [woz]	**I** was [wəz] busy yesterday.	
2. **You**	**were** [wəː]	**You** were [wə] busy too.	
3. **He**	**was** [woz]	**He** was [wəz] here.	
1. **We**	**were** [wəː]	**We** were [wə] there.	
2. **You**	**were** [wəː]	**You** were [wə] there too.	
3. **They**	**were** [wəː]	**They** were [wə] lucky.

Otázka sa tvorí zámenou podmetu a prísudku, zápor pridaním slovíčka *not* za sloveso:

Otázka:

Were	you	ill?	Bol si chorý?
Was	Tom	at home?	Bol Tom doma?
Was	it	interesting?	Bolo to zaujímavé?
Were	they	ready?	Boli pripravení?

Zápor:

Plné tvary		Stiahnuté tvary			
I	**was not ill.** [woz not]	**I**	**wasn't**	[woznt]	**ill.**
You	**were not late.** [wə: not]	**You**	**weren't**	[wə:nt]	**late.**
He	**was not there.**	**He**	**wasn't**	[woznt]	**there.**
We	**were not glad.**	**We**	**weren't**	[wə:nt]	**glad.**
They	**were not in time.**	**They**	**weren't**	[wə:nt]	**in time.**

Plné tvary používame, ak je *was/were* na začiatku alebo na konci vety:

Were you there?	Boli ste tam?
Yes, I **was.**	Áno, bol.

V zápore používame plné tvary, ak je dôraz na **not.**

to have: **I HAD** mal som

Plné tvary			Oslabené tvary		
I	**had** [hæd]	**I**	**had**	[həd]	**a good idea.**
You	**had** [hæd]	**You**	**had**	[həd]	**no money.**
He	**had** [hæd]	**He**	**had**	[həd]	**coffee.**
We	**had** [hæd]	**We**	**had**	[həd]	**no time.**
They	**had** [hæd]	**They**	**had**	[həd]	**much to do.**

Tvar **had** je pre všetky osoby rovnaký:

$$
\begin{array}{l}
\left.\begin{array}{l}\text{I}\\\text{you}\\\text{he}\end{array}\right\} \text{HAD} \left\{\begin{array}{l}\text{we}\\\text{you}\\\text{they}\end{array}\right.
\end{array}
$$

Otázka a zápor sa tvoria pomocou *did* (pozri otázka a zápor s *did*, str. 204). Iba vtedy, ak sloveso *to have* má význam **mať** = skutočne niečo vlastniť, utvoríme otázku (tak ako pri prítomnom čase) premiestením podmetu a slovesa a zápor pripojením *not* za sloveso, napr.:

Had he any money? [hæd]	Mal nejaké peniaze?
No, he had not any.	Nie, nemal nijaké.
No, he hadn't [hædnt].	Nie, nemal.

I can: I COULD mohol som

Tento tvar je rovnaký pre všetky osoby:

$$
\begin{array}{l}
\left.\begin{array}{l}\text{I}\\\text{you}\\\text{he}\end{array}\right\} \text{COULD} \left\{\begin{array}{l}\text{we}\\\text{you}\\\text{they}\end{array}\right.
\end{array}
$$

Plné tvary			Oslabené tvary			
I	**could**	[kud]	**I**	**could**	[kəd]	come.
You	**could**	[kud]	**You**	**could**	[kəd]	do it.
He	**could**	[kud]	**He**	**could**	[kəd]	stay.
They	**could**	[kud]	**They**	**could**	[kəd]	work.

Otázka:

Could you come?	Mohol si prísť?
Could he do it?	Mohol to urobiť?
Could it be ready?	Mohlo to byť hotové?
Could they stay?	Mohli zostať?

Zápor:

I	**could not come at six.** [kud not]	**I**	**couldn't come at six.** [kudnt]
You	**could not do it.**	**You**	**couldn't do it.**
We	**could not stay long.**	**We**	**couldn't stay long.**
They	**could not win.**	**They**	**couldn't win.**

c) Jednoduchý minulý čas nepravidelných slovies

Neurčitok:			Minulý čas:		
buy	[bai]	–	**I bought**	[bo:t]	kúpil som
bring	[briŋ]	–	**I brought**	[bro:t]	priniesol som
cost	[kost]	–	**it cost**	[kost]	stálo to
come	[kam]	–	**I came**	[keim]	prišiel som
do	[du:]	–	**I did**	[did]	robil som
forget	[fəˈget]	–	**I forgot**	[fəˈgot]	zabudol som
give	[giv]	–	**I gave**	[geiv]	dal som
get	[get]	–	**I got**	[got]	dostal som
go	[gəu]	–	**I went**	[went]	šiel som
know	[nəu]	–	**I knew**	[nju:]	poznal som
leave	[li:v]	–	**I left**	[left]	odišiel som
make	[meik]	–	**I made**	[meid]	robil som
meet	[mi:t]	–	**I met**	[met]	stretol som
put	[put]	–	**I put**	[put]	položil som
read	[ri:d]	–	**I read**	[red]	čítal som
ring	[riŋ]	–	**I rang**	[ræŋ]	zvonil som
say	[sei]	–	**I said**	[sed]	povedal som
see	[si:]	–	**I saw**	[so:]	videl som
sit	[sit]	–	**I sat**	[sæt]	sedel som
speak	[spi:k]	–	**I spoke**	[spəuk]	hovoril som
spend	[spend]	–	**I spent**	[spent]	strávil som
stand	[stænd]	–	**I stood**	[stud]	stál som
take	[teik]	–	**I took**	[tuk]	vzal som
tell	[tel]	–	**I told**	[təuld]	povedal som
think	[θiŋk]	–	**I thought**	[θo:t]	myslel som
write	[rait]	–	**I wrote**	[rəut]	napísal som

To sú najbežnejšie nepravidelné slovesá. Budeme ich postupne precvičovať, tak ako sa vyskytnú v jednotlivých lekciách. Zapamätajte si, že pre všetky osoby majú rovnaký tvar:

I you he	BROUGHT	we you they

Poznámky: 1. Sloveso *to read* má minulý čas tiež *read*, ale čítame ho odlišne. Porovnajte:

I read [ri:d] every day.	Čítam každý deň.
I read [red] it yesterday.	Čítal som to včera.

2. Minulý čas slovies *to put* a *to cost* sa zhoduje s tvarom neurčitku:

I always put it there.	Vždy to tam dávam.
I put it there yesterday.	Dal som to tam včera.
It costs a lot of money.	Stojí to veľa peňazí.
It cost a lot.	Stálo to mnoho.

2. Otázka a zápor s „did"

DO YOU LIKE IT?	Páči sa ti to?
DID YOU LIKE IT?	Páčilo sa ti to?

Významové slovesá tvoria v jednoduchom minulom čase otázku a zápor pomocou DID, teda podobne ako otázku a zápor v prítomnom čase, lenže namiesto tvaru *do, does* používame *did*. Tento tvar *did* je pre všetky osoby rovnaký:

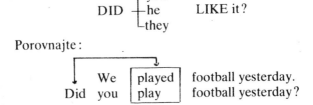

Minulú otázku tvoríme pomocou **did** + **podmet** + **neurčitok bez „to"**. Minulosť je vyjadrená slovesom *did*.

DID { you / he / they } LIKE it?

Porovnajte:

	We	played	football yesterday.
Did	you	play	football yesterday?

Sledujte slovosled v otázke:

Opytovacia častica	Did	Podmet	Neurčitok bez *to*	Ostatné časti vety
	Did	I	play	well?
	Did	you	play	tennis yesterday?
When	did	he	play	volleyball?
Where	did	they	play	football?
What	did	John	play	on Sunday?

Zápor tvoríme pomocou **did not** + **neurčitok bez „to“:**

Plné tvary			Stiahnuté tvary		
I	did not need	it.	I	didn't need [didnt]	it.
You	did not prepare	it.	You	didn't prepare	it.
He	did not return	at three.	He	didn't return	at three.
We	did not use	it.	We	didn't use	it.
They	did not arrive	at five.	They	didn't arrive	at five.

Na otázky, ktoré sa začínajú s *did*, odpovieme stručne takto:

Did you like it? + Yes, I did. / − No, I didn't.

Did they arrive yesterday? + Yes, they did. / − No, they didn't.

Minulú otázku a zápor *nepravidelných slovies* utvoríme rovnako ako u pravidelných slovies.

Did + Podmet		Neurčitok bez *to*	Ostatné členy
Did	you	get	it?
Did	Tom	speak	to her yesterday?
Did	they	go	there on Sunday?
Podmet + didn't			
I	didn't	get	it.
Tom	didn't	speak	to her yesterday.
They	didn't	go	there on Sunday.

Nepravidelný tvar je teda len v kladnej oznamovacej vete.

Porovnajte:

I	**came**	at six.		I	**saw**	it.
Did he	come	at six?	Did	you	see	it?
He didn't	come	at six.	I	didn't	see	it.

Poznámka: Sloveso *to do* (= robiť) má v otázke a zápore tiež pomocné sloveso *did*:

I	did	it.	Urobil som to.
Did she	**do**	it?	Urobila to?
She **didn't**	**do**	it.	Neurobila to.

Aj sloveso *to have* (okrem významu niečo vlastniť) tvorí otázku a zápor s *did*, napr.:

Did you have a good teacher?	Mali ste dobrého učiteľa?
What did you have for breakfast?	Čo ste raňajkovali?
I didn't have any time.	Nemal som (žiadny) čas.

3. Otázka bez pomocného slovesa „did"

WHO CAME?

Who	had a picnic by the river?
Tom and Peter	had a picnic by the river.
Which of you	helped them?
All of us	helped them.
What	happened?
Nothing	happened.
How many boys	went to see the castle?
Six boys	went to see the castle.

V minulej otázke vynechávame *did*, ak sa spytujeme na podmet. Platí tu to isté pravidlo ako v otázke v prítomnom čase (pozri L 9, str. 127).

Porovnajte:

Who bought it?	**What** did	Jane buy?
Jane bought it.		Jane bought **a dress.**
Who saw you there?	**Who** did	Frank see?
Frank saw me there.		Frank saw **Miss Brown.**

4. Stručné hovorové otázky typu „však áno? však nie? (pravda?)“

YOU WERE ILL, WEREN'T YOU?

Ak je vo vete minulý tvar slovies *to be, to have* a *I can,* opakujeme ho v otázke podľa známeho pravidla: ak je veta kladná, je otázka záporná a naopak, pozri L 8, str. 113.

Tom **was** in the country,	**wasn't** he?
Jane **could** help,	**couldn't** she?
They **weren't** busy,	**were** they?

Ak je vo vete minulý tvar významového slovesa, utvoríme otázku pomocou *did/didn't:*

You **stayed** at a camp,	**didn't** you?
He **prepared** it,	**didn't** he?
They **didn't** forget,	**did** they?

CVIČENIA

1. Povedzte, kde ste boli včera, podľa vzoru:

at home – **I was at home yesterday.**

1. in the country 2. in the park 3. in my office 4. at the station 5. at the cinema 6. at school 7. at work 8. at Granny's

2. Povedzte čo najviac viet podľa vzoru:

We were at the cinema on Saturday.

I	was	there	yesterday
We	were	in London	last week
Mr Parker		at the cinema	on Saturday
They		at home	in the morning
She			at three o'clock

3. Spytujte sa druhej osoby podľa vzoru:

I was there. – **Were you there?**

1. I was busy on Monday. 2. He was late yesterday. 3. They were in the country last week. 4. Mother was at home yesterday. 5. Mr Brown was at his office last week. 6. They were in London last week.

4. Hovorte o sebe v zápore:

Father was there yesterday. – **I wasn't there last month.**

1. Mother was at the cinema on Sunday. 2. My wife was ill. 3. Mr Brown was there. 4. She was late. 5. He was sorry. 6. Tom was glad.

5. Odpovedzte záporne podľa vzoru:

Were you late? – **No, I wasn't.**

1. Were you in a hurry? 2. Was she there? 3. Were they at home? 4. Were you at the department store yesterday? 5. Was she at the post office yesterday! 6. Were you at the doctor's last week? 7. Were the Browns in the country over the weekend?

6. Povedzte v minulom čase podľa vzoru:

We have lunch at one. – **We had lunch at one yesterday.**

1. I have much to do. 2. Peter has no time. 3. They have a good programme. 4. We have plenty of work. 5. I have breakfast at six in the morning. 6. They have two English lessons. 7. He has a good idea.

7. Povedzte podľa vzoru:

I can go there now. – **Well, you could go there yesterday (on Tuesday, before, after lunch,...)**

1. I can buy the tickets now. 2. He can have a look at it now. 3. I can take him there now. 4. They can do it now. 5. We can arrange it now. 6. I can write the letter now. 7. We can stop there now.

8. Povedzte v zápore podľa vzoru:

We could go by bus, but we... – **We could go by bus, but we couldn't go by car.**

1. They could speak English, but they... 2. John could play football, but he... 3. We could see the castle, but... 4. I could wait outside, but... 5. They could come on Monday, but...

9. Povedzte v minulom čase s použitím *yesterday* podľa vzoru:

He starts at 10 every day. – **He started at 10 yesterday.**

1. I wait for Tom every day. 2. I phone her every morning. 3. He plays tennis very well. 4. He studies every day. 5. She invites them to dinner quite often. 6. He needs the book all the time. 7. They help me a lot. 8. He smokes 10 cigarettes every day. 9. I stop here every day. 10. I work in my garden the whole day.

10. Spytujte sa na podmet pomocou *who* podľa vzoru:

She made the cake. – **Who made it?**

1. I wrote it. 2. She read [red] it. 3. Somebody said it. 4. He brought it. 5. She gave it to me. 6. He got the tickets. 7. He bought the newspaper. 8. She saw it. 9. They knew about it. 10. I went by car. 11. They came late.

11. Spytujte sa na predmet pomocou *what* podľa vzoru:

He wrote a new book. – **What did he write?**

1. She said nothing. 2. He gave me some English newspapers. 3. I read an interesting book. 4. They bought a new house. 5. I brought his notebook. 6. I made some sandwiches. 7. He did nothing the whole day. 8. I got the tickets. 9. I saw the picture yesterday. 10. They knew nothing about him. 11. He put it there.

12. Odpovedzte celou vetou podľa vzoru:

Did you buy it yesterday? – **Yes, I bought it yesterday.**

1. Did they leave on Monday? 2. Did he go there on Sunday? 3. Did you do it yesterday? 4. Did they meet at the railway station? 5. Did he say it? 6. Did they come at six? 7. Did she bring it after lunch? 8. Did you speak to him yesterday? 9. Did he take them there after lunch? 10. Did you write to him yesterday? 11. Did you see him on Wednesday? 12. Did you ring him up before lunch?

13. Spytujte sa druhej osoby podľa vzoru:

I liked it. – **Did you like it too?**

1. We liked the film. 2. I worked in the garden on Sunday. 3. We arrived before lunch. 4. We returned on Sunday. 5. We had a nice trip. 6. We watched television in the evening. 7. We liked the programme. 8. I wanted to see it.

14. Povedzte o sebe v zápore podľa vzoru:

Mother watched television yesterday. – **I didn't watch it.**

1. They needed help. 2. They asked her. 3. Tom waited for her. 4. They wanted to go and see him. 5. They started early. 6. Susan had lunch at home. 7. She read the book. 8. Father walked home.

15. Povedzte v zápore, čo ste včera nerobili, podľa vzoru:

I usually go by bus, but I... – **I usually go by bus, but I didn't go by bus yesterday.**

1. I usually buy the evening paper, but I ... 2. I usually take coffee after supper, but I ... 3. I usually come at six, but I ... 4. I usually walk to work, but I ... 5. I usually help them, but I ... 6. I usually meet him there, but I ... 7. I usually take her to the cinema, but I ... 8. I usually go there after supper, but I ...

16. Odpovedzte stručne podľa vzoru:

Yes, I did (could, was, had). – No, I didn't (couldn't, wasn't, hadn't).

1. Did Tom prepare it? 2. Did Jane do it? 3. Had they any money? 4. Did Mrs Brown invite you? 5. Could you swim? 6. Were you ready in time? 7. Did the boys help you? 8. Was your wife very busy?

17. Doplňte stručné otázky typu „pravda?, však nie?" podľa vzoru:

a) *He could come, ...?* – **He could come, couldn't he?**

1. Jane could help, ...? 2. It was easy, ...? 3. They were late, ...? 4. Mother was at home, ...? 5. You had some money, ...? 6. The Browns were in Prague, ...? 7. He could buy the tickets, ...?

b) *He prepared it in time, ...?* –
He prepared it in time, didn't he?

1. It happened on Sunday, ...? 2. We started in time, ...? 3. They arranged it, ...? 4. He spoke at the meeting, ...? 5. She rang you up in the morning, ...? 6. They lived in Oxford, ...? 7. You read [red] it, ...?

18. Povedzte po anglicky:

1. Kde si bol včera? 2. Neboli sme doma, boli sme na vidieku. 3. Nešli sme autom, šli sme autobusom. 4. Veľmi sa nám to páčilo. 5. Teta nás pozvala na obed. 6. Nemohli sme

sa kúpať, voda bola príliš studená. 7. Mali sme šťastie. 8. Boli sme v tábore pri rieke. 9. Ako sa vám páčil hrad? 10. Kedy ste sa vrátili? 11. Vrátili sme sa po desiatej večer.

19. Odpovedzte podľa textu:

1. Was John at home last Saturday? 2. Where did he go? 3. How did he get there? 4. Who went with him? 5. What did Tom carry? 6. Where did they stay over the weekend? 7. Where was the campsite? 8. Where did John go on Sunday morning? 9. How did he like his uncle's weekend cottage? 10. What did the boys do in the afternoon? in the evening?

Konverzačné cvičenia

Porozprávajte príbeh v minulom čase podľa obrázkov:

Mrs Blake is ill.
She is in bed.
She can't go to work.

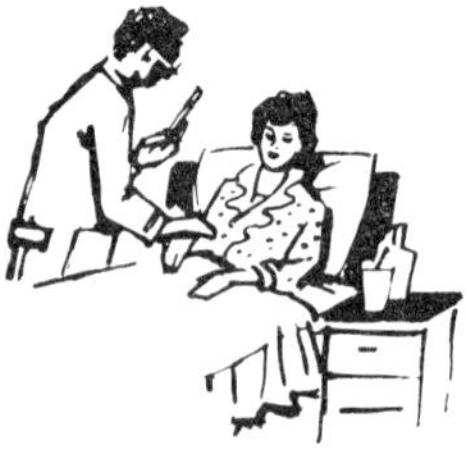

Her husband and children are unhappy.
The doctor comes and says: She needs absolute rest.

Tom goes shopping.
He has a heavy bag.
He hurries home.

The children play at home.
They take out all their things.
They have great fun.

Father is very busy in the kitchen.
He prepares lunch.
He makes sandwiches and tea.

After lunch he washes up.
His wife calls him.
She wants some more tea.
Oh, what a life...!

Mrs Blake is well again,
but Mr Blake is ill.
They call the doctor.
The doctor says: Your husband needs absolute rest.

Neznáme výrazy: **unhappy** [anˈhæpi] nešťastný; **absolute** [æbsəlu:t] absolútny; **rest** [rest] pokoj, odpočinok.

IN AN ENGLISH RESTAURANT

A: I feel like a snack. What about you?
B: I'm a little hungry – and rather thirsty too. We had lunch at midday, and now it's a quarter to seven.
A: Shall we go to a restaurant or to a snackbar? That'll be less expensive.
B: I'm afraid the snackbars will be crowded at this time. Let's go to a restaurant and have dinner there.
A: All right. There's a good one at the corner of this street. It's called the George Inn.
B: There are only a few people here. Let's sit at that table in the corner.
A: The menu, please.
C: Certainly, sir. – Here you are. Do you want a drink, sir?
A: Not now, thank you. We'll have a look at the menu first.
C: Very well, sir.
A: Now, what will you have? I'll have some vegetable soup.
B: No soup for me, thanks. I like fish. I'll have smoked sal-

mon, then boiled chicken and rice, mixed salad and a glass of iced water.

A: And I'll have grilled lamb, new potatoes and stewed fruit.

C: What will you drink? Wine, beer?

A: No, thank you. I'll have a cup of coffee.

B: Will you pass me the salt, please? The fish isn't salted enough.

A: Here you are. – How do you like it here?

B: Very much. The food is very well cooked and we were served in a very short time.

A: Shall we pay and leave? Waiter, the bill, please.

---

beef [bi:f] hovädzie
beer [biə] pivo
bill [bil] účet
boil [boil] variť
boiled [boild] varený
boiled egg vajce na tvrdo
breakfast [brekfəst] raňajky
  have breakfast raňajkovať
butter [batə] maslo; natierať maslom
buttered natretý maslom
cheese [či:z] *(len jedn. č.)* syr
chicken [čikn] kurča
chips [čips] smažené zemiakové hranolky
dinner [dinə] hlavné jedlo dňa, v Anglicku obyčajne večera
drink – drank – drunk [driŋk – dræŋk – draŋk] piť; nápoj
egg [eg] vajce
enough [iˈnaf] dosť
feel – felt – felt [fi:l – felt – felt] cítiť
  I feel like a snack niečo by som si zajedol
few [fju:] *(len s mn. č.)* málo
  a few *(len s mn. č.)* niekoľko
fish [fiš] *(len jedn. č.)* ryba
food [fu:d] jedlo, potrava, stravovanie
fruit [fru:t] *(len jedn. č.)* ovocie
fry [frai] smažiť
  fried [fraid] smažený
grill [gril] grilovať, opekať na ražni
grilled grilovaný
hungry [haŋgri] hladný
  I am hungry som hladný
ice [ais] ľad, zmrzlina; ochladiť ľadom
  iced chladený ľadom
ice cream [ˈaisˌkri:m] zmrzlina (zo smotany)
inn [in] hostinec
juice [džu:s] šťava
lamb [læm] jahňa, jahňacina
like [laik] ako
little [litl] *(s jedn. č.)* málo
  a little *(s jedn. č.)* trocha
leave – left – left [li:v – left – left] nechať, opustiť, odísť, odcestovať
less [les] menej
meal [mi:l] jedlo
menu [menju:] jedálny lístok
midday [middei] poludnie
milk [milk] mlieko
mix [miks] miešať
mixed [mikst] miešaný
pork [po:k] bravčové
rather [ra:ðə] trocha, skoro, dosť
restaurant [restroŋ] reštaurácia
rice [rais] ryža

roast [rəust] pečienka ; piecť *(mäso)*
roast pork bravčová pečienka
salad [sæləd] šalát
salmon [sæmən] *(len jedn. č.)* losos
salt [so :lt] soľ ; soliť
put salt in osoliť niečo
sausage [sosidž] saláma
sausages [sosidžiz] klobásy, párky
serve [sə :v] obslúžiť, podávať *(jedlo)*
snack [snæk] (rýchle) jedlo, desiata, olovrant
snackbar [snækba :] automat, bufet
soup [su :p] polievka
stew [stju :] dusiť
stewed fruit kompót
sweet [swi :t] sladký; múčnik, zákusok
sweets cukríky, zákusky
thirsty [θə :sti] smädný
I am thirsty som smädný
veal [vi :l] teľacie
vegetables [vedžitəblz] zelenina
waiter [weitə] čašník
waiter! pán hlavný!
waitress [weitris] servírka
wine [wain] víno
yet [jet] predsa, však
not yet ešte nie

DÔLEŽITÉ VÄZBY

I feel like a snack.	Niečo by som si zajedol.
I'm hungry. – I feel hungry.	Som hladný.
I'm thirsty.	Som smädný.
I have breakfast at seven.	Raňajkujem o siedmej.
What do you have for breakfast?	Čo raňajkujete?
We can have dinner at a restaurant.	Môžeme sa navečerať v reštaurácii.
I'll have bread and butter.	Vezmem si chlieb s maslom.
I'll have a drink.	Dám si niečo na pitie.
What will you have?	Čo si dáte?
No soup for me, thank you.	Nie, ďakujem, bez polievky.
Do you put sugar in your tea?	Dávate si do čaju cukor?
Tea is served at five o'clock.	Čaj (olovrant) sa podáva o piatej hodine.
We were served in a very short time.	Boli sme veľmi skoro obslúžení.
I must leave now.	Musím už ísť.
Waiter, the bill, please.	Pán hlavný, platím.

VÝSLOVNOSŤ A PRAVOPIS

Výslovnosť minulého príčastia pravidelných slovies (pozri Gramatika, str. 218).

[t]: checked [čekt] – It is checked. – It must be checked.
asked [a :skt] – I'm asked. – He must be asked.

dressed [drest] – She's dressed. – She's well dressed.
washed [wošt] – It is washed. – It must be washed.
stopped [stopt] – We were stopped. – It must be stopped.
[d]: settled [setld] – That's settled. – It must be settled.
changed [čeindžd] – It was changed. – It must be changed.
returned [riˈtə:nd] – It was returned. – It must be returned.
arranged [əˈreindžd] – It's arranged. – It must be arranged.
used [ju:zd] – It's used. – It was used.
studied [stadid] – It's studied. – It must be studied.
[id]: started [sta:tid] – It was started. – It must be started.
needed [ni:did] – It will be needed. – It'll be needed.
respected [risˈpektid] – It's respected. – It must be respected.
invited [inˈvaitid] – I'm invited. – We're invited, too.

GRAMATIKA

1. Minulé príčastie

PREPARED
MADE

I. Tvorenie:

a) Minulé príčastie **pravidelných** slovies sa tvorí rovnako ako minulý čas, ktorý ste sa naučili v minulej lekcii, t. j. pridaním prípony **-(e)d** k neurčitku bez *to*. Výslovnosť sa riadi tými istými pravidlami ako výslovnosť prípony minulého času (pozri str. 197).

Neurčitok	Minulý čas	Minulé príčastie
to call to prepare to invite	I called I prepared I invited	called [ko:ld] volaný prepared [priˈpeəd] pripravený invited [inˈvaitid] pozvaný

b) Minulé príčastie pomocných slovies má tieto tvary:

Neurčitok	Minulý čas	Minulé príčastie
to be	I was	been [bi:n]
to have	I had	had [hæd]

Poznámka: Slovesá *I can, I may* a *I must* nemajú minulé príčastie.

c) Minulé príčastie **nepravidelných** slovies má osobitné tvary, ktoré sa musíte naučiť naspamäť, tak isto ako tvary ich minulého času. Od dnešnej lekcie sa teda budete učiť vždy tri tvary nepravidelných slovies.

Nasledujúca tabuľka obsahuje všetky doteraz prebraté nepravidelné slovesá:

Neurčitok	Minulý čas	Minulé príčastie	
bring	brought	**brought**	[bro:t]
buy	bought	**bought**	[bo:t]
choose	chose	**chosen**	[čəuzn]
come	came	**come**	[kam]
cost	cost	**cost**	[kost]
do	did	**done**	[dan]
drink	drank	**drunk**	[draŋk]
feel	felt	**felt**	[felt]
forget	forgot	**forgotten**	[fəˈgotn]
get	got	**got**	[got]
give	gave	**given**	[givn]
go	went	**gone**	[gon]
know	knew	**known**	[nəun]
leave	left	**left**	[left]
make	made	**made**	[meid]
meet	met	**met**	[met]
pay	paid	**paid**	[peid]
put	put	**put**	[put]
read	read	**read**	[red]
ring	rang	**rung**	[raŋ]
say	said	**said**	[sed]
see	saw	**seen**	[si:n]

Neurčitok	Minulý čas	Minulé príčastie	
shoot	shot	**shot**	[šot]
show	showed	**shown**	[šəun]
shut	shut	**shut**	[šat]
sit	sat	**sat**	[sæt]
speak	spoke	**spoken**	[spəukn]
spend	spent	**spent**	[spent]
stand	stood	**stood**	[stud]
take	took	**taken**	[teikn]
tell	told	**told**	[təuld]
think	thought	**thought**	[θo:t]
win	won	**won**	[wan]
write	wrote	**written**	[ritn]

Poznámka: Minulé príčastie sa nemení ani v rode ani v čísle.

II. Použitie:

a) Minulé príčastie používame vo funkcii **prídavného mena,** a vtedy môže stáť alebo pred podstatným menom, alebo samostatne:

Do you like boiled beef? Máte radi varené hovädzie?
I like buttered toast. Mám rád hrianky s maslom.

b) Minulé príčastie sa používa pri tvorení niektorých **zložených časov,** s ktorými sa oboznámite v ďalších lekciách a pri tvorení **trpného rodu** (pozri ďalej).

2. Trpný rod

I AM CALLED

Trpný rod sa tvorí tak ako v slovenčine pomocou slovesa **to be** a **minulého príčastia** významového slovesa. Časuje sa len pomocné sloveso, tvar minulého príčastia sa nemení.

Prítomný čas		
I am		som volaný(á)
you are		si volaný(á)
he is		je volaný
she is	CALLED	je volaná
it is		je volané
we are		sme volaní(é)
you are		ste volaní(é)
they are		sú volaní(é)

Otázka: am I called? som volaný?
are you invited? si pozvaný?
is it known? je to známe? atď.

Zápor: I am not called nie som volaný
you are not invited nie si pozvaný
it is not known nie je to známe atď.

Podobne sa tvoria i ostatné časy:

	Minulý čas		
kladný tvar	I was	called	bol som volaný
otázka	were you	called?	bol si volaný?
zápor	we were not	called	neboli sme volaní
	Budúci čas		
kladný tvar	I shall	be called	budem volaný
otázka	will he	be called?	bude volaný?
zápor	we shall not	be called	nebudeme volaní

V priebehovom tvare sa trpný rod používa iba v prítomnom a minulom čase:

	Prítomný priebehový čas		
kladný tvar	**I am**	**being called**	som (práve) volaný
otázka	**are you**	**being called?**	si (práve) volaný?
zápor	**he is not**	**being called**	nie je (práve) volaný

	Minulý priebehový čas		
kladný tvar	**I was**	**being called**	bol som (práve) volaný
otázka	**were you**	**being called?**	bol si (práve) volaný?
zápor	**we were not**	**being called**	neboli sme (práve) volaní

Trpný rod je v angličtine veľmi obľúbený a používa sa častejšie než v slovenčine.

Všimnite si v nasledujúcich príkladoch, ako ho prekladáme do slovenčiny. V slovenčine používame namiesto trpného rodu obyčajne **činný rod,** a to buď s určitým podmetom (podst. meno) alebo – najčastejšie – s neurčitým podmetom (my, oni, niekto, ľudia ap.):

This trips are organized by our club.	Výlety organizuje náš klub. (Výlety sú organizované...)
The tickets were bought yesterday.	Lístky sme kúpili včera. (Lístky boli kúpené...)
We were invited to dinner.	Pozvali nás na večeru.
They were seen at the station at six o'clock.	Videli ich na stanici o šiestej hodine.

Inokedy prekladáme anglický trpný rod do slovenčiny **zvratnou väzbou,** t. j. vetou so „sa“:

Football is played in many countries.	Futbal sa hrá v mnohých krajinách.
This is not done here.	To sa tu nerobí.

V slovenskom preklade sa vyhýbame trpnému rodu a iba zriedka ho používame:

All seats are taken. Všetky sedadlá sú obsadené.

Nezabudnite, že pri použití trpného rodu po slovesách *I can, I may, I must, I need not* **nesmie** mať nasledujúci neurčitok slovíčko „*to*“:

The luggage **can be left** *here.* Batožina sa môže nechať tu.

What **must be done?** Čo sa musí urobiť?

Pozor! Ako premeníme činný rod na trpný?

a) Činná veta: Trpná veta:

Mr Clark invited **Tom.** **Tom** was invited **by Mr Clark.**

predmet podmet

Pán Clark pozval Toma. Tom bol pozvaný od pána Clarka.

Tom wrote **that letter.** **That letter** was written **by Tom.**

predmet podmet

Tom písal ten list. Ten list písal Tom.

b) Činná veta: Trpná veta:

They wrote **the letter** yesterday. — **The letter** was written yesterday.

Napísali ten list včera. — *Ten list bol napísaný včera.*

They will do **this work** tomorrow. — **This work** will be done tomorrow.

Urobia tú prácu zajtra. — *Tá práca bude urobená zajtra.*

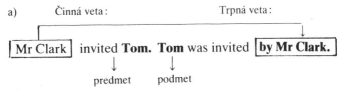

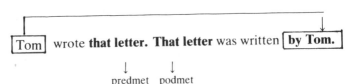

Z predmetu činnej vety sa stane podmet trpnej vety.

a) Ak chceme zdôrazniť, kto dej robí, musíme ešte doplniť príslušné podstatné meno (bývalý podmet činnej vety) predložkou **by.**

b) Ak je podmet neurčitý (oni, niekto ap.), vykonávateľa deja nedopĺňame.

3. "Little – a little, few – a few"

MUCH TIME	**MANY PEOPLE**
LITTLE TIME	**FEW PEOPLE**

Slovenské „málo“ vyjadríme po anglicky **little,** ak ide o podstatné meno nepočítateľné, a **few,** ak ide o podstatné meno počítateľné.

I have **little** *money with me.* Mám so sebou málo peňazí.
There's little time left. Zostáva málo času.

Poznámka: „Málo“ môžeme vyjadriť aj pomocou *not much:*

I have little time. = I have not much time.

I've got **few** *English books.* Mám **málo** anglických kníh.
He's got few friends here. Má tu málo priateľov.

To isté pravidlo platí aj pre vyjadrenie „trochu“ a „niekoľko“: trochu = **a little** s podstatným menom nepočítateľným, niekoľko = **a few** s podstatným menom počítateľným.

I have a little money. Mám trochu peňazí.
He has a little free time. Má teraz trochu času.
He's got a few friends here. Má tu niekoľko priateľov.
We know some people there, but only a few. Poznáme tam nejakých ľudí, ale iba niekoľko.

Porovnajte vyjadrenie „koľko?, mnoho, málo, trochu“ v tejto tabuľke:

	Jednotné číslo	Množné číslo
KOĽKO	**how much** *time?*	**how many** *people?*
MNOHO	**much** *time*	**many** *people*
MÁLO	**little** *time*	**few** *people*
TROCHU	**a little** *time*	
NIEKOĽKO		**a few** *people*

4. Podstatné mená bez člena

Učili ste sa, že podstatné meno v angličtine môže mať člen. Z tohto pravidla je niekoľko výnimiek. Obyčajne sú bez člena tieto podstatné mená:

a) mená **osôb:** *John* Ján, *Lucy* Lucia, *Mr Smith* pán Smith
b) mená **miest:** *London* Londýn, *Prague* Praha, Bratislava
c) mená **krajín:** *Czechoslovakia* Československo, *Canada* Kanada, *England* Anglicko
d) mená **jazykov:** *Slovak* slovenčina, *Czech* čeština, *English* angličtina
e) mená **príslušníkov** (našej alebo istej) **rodiny:** *Father* otec, *Mother* matka, *Auntie* tetuška (často sa píšu s veľkým písmenom)
f) mená **dní:** *Monday* pondelok, *Tuesday* utorok
g) mená **mesiacov:** *May* máj
h) mená **ročných období:** *summer* leto, *winter* zima
i) mená **pravidelných denných jedál:** *breakfast* raňajky, *lunch* obed, *tea* olovrant, *dinner* večera, *supper* večera
j) mená **látkové:** *bread* chlieb, *tea* čaj, *soup* polievka
k) mená **hromadné:** *money* peniaze, *luggage* batožina
l) **abstraktá:** *time* čas, *work* práca, *pleasure* radosť
m) mená **športov:** *basketball* basketbal, *skiing* lyžovanie
n) v **osloveniach:** *waiter* pán hlavný, *constable* pán strážnik (v Anglicku)

o) v **ustálených väzbách:** *by train* vlakom, *by bus* autobusom

p) v menách **budov** alebo **vecí,** ak ide o **účel,** ktorému slúžia: *go to school* chodiť do školy (na vyučovanie), *go to bed* ísť do postele (ísť spať).

Pozorujte tieto príklady:

Mr Young returned from Canada in May.	Pán Young sa vrátil v máji z Kanady.
Auntie invited Jane to dinner.	Tetka pozvala Janu na večeru.
My son studies English.	Môj syn študuje angličtinu.
Come on Wednesday.	Príďte v stredu.
What do you want for breakfast?	Čo si prajete na raňajky?
Do you play tennis in summer?	Hráte v lete tenis?
Waiter, the bill, please.	Pán hlavný, platím!
Will you go by bus or by tram?	Pôjdete autobusom alebo električkou?

Pozor! Ak použijete s týmito podstatnými menami určitý člen, znamená to, že ide o jednu určitú vec, ktorú bližšie označujeme alebo určujeme.

Pozorujte rozdiel:

I usually have **breakfast** *at seven.*	Obyčajne raňajkujem o siedmej hodine. (Týka sa všetkých mojich raňajok.)
The breakfast *was very good.*	(Tieto) raňajky boli veľmi dobré. (Tie, ktoré som práve mal.)
Do you play tennis **in summer?**	Hrávate v lete tenis?
Where will you go **in the summer?**	Kam pôjdete (tohto roku) v lete?

Poznámka: Všimnite si aj tieto rozdiely:

Mr and Mrs Brown	manželia Brownovci
the Browns	Brownovci

CVIČENIA

1. Utvorte minulé príčastia, spojte ich s podstatným menom a preložte:

to boil eggs – **boiled eggs**

1. to butter toast 2. to fry eggs 3. to mix salad 4. to smoke salmon 5. to grill chops 6. to boil rice 7. to stew fruit 8. to ice water

2. Odpovedzte kladne na danú otázku podľa vzoru:

Did your club organise this meeting?
Yes, this is the meeting organised by our club.

a) 1. Did your father use this camera? 2. Did your grandfather draw this map? 3. Did your uncle check this list? 4. Did Mr Young recommend this film? 5. Did your aunt buy this material? 6. Did your wife make this pullover?

b) 1. Did your parents buy this house? 2. Did your mother write this letter? 3. Did your grandmother make this cake? 4. Did your sister choose this dress? 5. Did Miss Baker bring this book? 6. Did Mrs Stevens leave this address?

3. Odpovedzte kladne v trpnom rode podľa vzoru:

Do they close the restaurant at ten p. m.?
Yes, the restaurant is closed at ten p. m.

1. Do they organise Sunday trips every week? 2. Do they check the lists every day? 3. Do they play football in winter too? 4. Do they prefer cricket to tennis? 5. Do they respect these things? 6. Do they know that news? 7. Do they speak English there?

4. Dajte tieto vety do trpného rodu:

They spent all the money.
All the money was spent.

1. They did all the work yesterday. 2. They brought the luggage in the evening. 3. They put it there in the morning. 4. They left it here in the evening. 5. They took it to the station. 6. They paid the bill in the morning. 7. They bought the tickets on Thursday. 8. They wrote the letter on Wednesday.

5. Vyjadrite súhlas s daným tvrdením:

They'll invite Mr and Mrs Clark.
Yes, Mr and Mrs Clark will be invited.

1. They'll prepare everything. 2. They'll make a list. 3. They'll buy the flowers. 4. They'll serve dinner at seven. 5. They'll offer drinks too. 6. They'll show the slides of England after dinner.

6. Reagujte podľa vzoru:

It must be done. – **It was done yesterday (in the morning).**

1. The book must be returned. 2. They must be asked. 3. She must be invited. 4. Everything must be prepared. 5. These things must be bought. 6. He must be called. 7. The letter must be written.

7. Utvorte čo najviac vhodných viet:

This book	must	be given	to Mr Peters
This camera	can	be offered	there
These lists	cannot	be left	tomorrow
	needn't	be returned	to them
	will	be studied	
	won't	be used	
		be shown	

8. Utvorte čo najviac viet:

a)

There's There are	little few	beer apples butter salad glasses coffee people places	there left

b)

Give me Can I have	a little a few	water cheese tomatoes bread salt oranges rice eggs	, please

9. Vyjadrite súhlas so záporným oznámením podľa vzoru:

There aren't many parks here.
Yes, you're right, there are few parks here.

1. There aren't many children in the park. 2. There aren't many people in the restaurant. 3. There aren't many families with children in our house. 4. There aren't many shops in our street. 5. There aren't many department stores here. 6. There aren't many hotels there.

10. Odpovedzte podľa vzoru:

How much milk do you buy every day? – **Only a little. I buy only a little milk every day.**
How many people did you invite to lunch? – **Only a few. I invited only a few people to lunch.**

1. How many friends did Fred invite to dinner? 2. How many things will you need? 3. How much tea will you have? 4. How many apples do you want? 5. How many cups of coffee do you drink in the morning? 6. How many cigarettes do you smoke every day? 7. How much work is there to do?

11. Odpovedzte kladne na danú otázku a dodajte vhodne *but only a few* **alebo** *but only a little:*

Did you bring any slides? – **Yes, I did, but only a few.**
Have you got time now? – **Yes, I have, but only a little.**

1. Did you write any letters? 2. Have you got any stamps? 3. Have you got any friends in London? 4. Did you receive any pictures of London from them? 5. Do you speak English? 6. Have you got any English textbooks? 7. Did you read any English books? 8. Do you put sugar in your tea?

12. Doplňte alebo vynechajte člen podľa potreby:

1. On – Saturday we had – dinner with – Bakers in – restaurant. We had – soup, – chicken, – rice and – salad. – dinner was very good. – food was very good, only – soup was not salted enough. Then we had a glass of – beer, – cake and a cup of – coffee. 2. I like – fruit. Will you pass me – fruit, please? With – pleasure. 3. He addressed me in – Slovak. Do you speak – English? 4. When will – Father return from – Prague? 5. – constable, can you show me – way to – railway station? 6. I have only two pieces of – luggage. 7. Have you – time to do it? 8. – Bob and – Fred play – cricket and – golf in – summer. – Kate likes – winter sports. – skiing is a very nice sport, she says.

13. Odpovedzte:

1. What time was it when the two friends felt hungry? 2. Where did they go? 3. Was the George Inn crowded at that time? 4. What places did the two friends choose? 5. What did the waiter bring them? 6. What did they have for dinner? 7. What did they drink? 8. Did they like the food? 9. Was the service good?

1. Do you often go to a restaurant or do you prefer to take your meals at home? Why? 2. Do you sometimes go to a snackbar? When? 3. At what time do you have breakfast? 4. What do you have for breakfast? 5. Do you have lunch at home? 6. What do you have for lunch? 7. Do you have

anything in the afternoon? 8. At what time do you have dinner? 9. What do you have for dinner?

14. Povedzte po anglicky:

1. Ste hladný? 2. Som trochu smädný. 3. Budeme raňajkovať o pol ôsmej. 4. Čo budeme mať na raňajky? 5. Obyčajne obedujeme na poludnie. 6. Môžeme sa navečerať v reštaurácii. 7. Ako sa vám tu páči? 8. Budete niečo piť? 9. Dávate si do kávy cukor? 10. Olovrant sa podáva o piatej hodine. 11. Musíme už ísť. 12. Platím!

Konverzačné cvičenia

a) Preštudujte si tento jedálny lístok s pomocou slovníčka na str. 56 Kľúča.
b) Požiadajte o jedálny lístok a objednajte si jedlo.
c) Objednajte si niečo piť a požiadajte o účet.

Vzor: **May I have the menu, please? I'll have...**

bacon [beikn] anglická slanina
bean [bi:n] fazuľa
biscuit [biskit] keks (slaný)
bun [ban] sladká žemľa (s hrozienkami)
cabbage [kæbidž] kapusta, kel
carrot [kærət] mrkva
cauliflower [ko:liflauə] karfiol
chop [čop] kotleta
cornflakes [ko:nfleiks] obilné vločky
cream [kri:m] smotana
custard [kastəd] vanilkový krém, puding
cutlet [katlit] porcia mäsa
flan [flæn] ovocná torta
grapefruit [greipfru:t] grapefruit
ham [hæm] šunka
ham and eggs šunka s vajcami
hors-d'oeuvre [o:də:vr] predjedlo
jam [džæm] zaváranina, džem
jelly [dželi] želé, rôsol
kidney [kidni] ľadvina, oblička
liver [livə] pečeň
marmalade [ma:məleid] pomarančový (citrónový) džem
omelet [omlit] omeleta
peas [pi:z] hrach
  garden peas zelený hrášok
pie [pai] mäso zapečené v ceste; ovocný koláč
  apple pie jablkový koláč
porridge [poridž] ovosná kaša
pudding [pudiŋ] puding (varený v pare); múčnik, zákusok
  Yorkshire pudding [jo:kšə] druh mäsového pokrmu
steak [steik] (hovädzí) rezeň, biftek
steak and kidney pie hovädzí guláš s ľadvinami zapečenými v ceste
stewed fruit [stju:d] kompót
toast [təust] *(len jedn. č.)* hrianka

Breakfast:

Orange, Grapefruit or Tomato Juice
Cornflakes with Sugar and Milk
Porridge
Fried Bacon, Fried Sausage and Tomato
Ham and Eggs
Buttered Toast with Marmalade or Jam
Bread and Butter and Marmalade or Jam
Tea with Milk or Coffee

Lunch:

Fruit Juice
Sandwiches
Fried or Boiled Eggs or Omelet
Cold Meat or Fish or Grill
Sweets
Fruit
Coffee or Tea

Tea:

Tea
Bread and Butter. Ham or Cheese. Sandwiches. Cake. Cakes. Buns

Dinner:

Soup or Fish or Hors-d'oeuvres
Meat and Vegetables (Steak, Steak and Kidney Pie, Roast Beef and Yorkshire Pudding, Lamb Chop, Veal Cutlet, Roast Pork, Liver and Bacon – Potatoes, Garden Peas, Beans, Carrots, Cauliflower, Cabbage)
Sweets (Apple Pie and Cream, Fruit Salad and Cream, Stewed Fruit and Custard, Fruit Jelly, Pudding, Flan, Ice cream)
Cheese and Biscuits
Coffee (Black or White)

IN LONDON

Mr Robinson is speaking to his new Slovak acquaintance, Mr Horný:

Mr R.: Have you been to England before, Mr Horný, or is it your first visit abroad?

Mr H.: I have never been to England before, but I was in America two years ago.

Mr R.: I see. You've picked up an American accent, haven't you?

Mr H.: Oh, have I? I'm afraid my English is rather poor, I've forgotten a great deal since my stay in America.

Mr R.: How long are you going to stay in England?

Mr H.: Four weeks in all, I think. I came on the 26th (of) November and I must be back by the 21st or 22nd (of) December.

Mr R.: You have already done some sightseeing, haven't you?

Mr H.: Yes, I have. I took part in a guided tour through the City last week. I've also been to Stratford and Brighton.

Mr R.: Have you? Have you heard the speakers at Hyde Park Corner?

Mr H.: No, I haven't had time yet. But I want to go there this week. But I've already seen all the best-known and the most interesting sights – St Paul's cathedral, the Tower, the Houses of Parliament, and I've also been to the National Gallery.

Mr R.: You have managed to see a lot, indeed. What has made the deepest impression on you?

Mr H.: Well, it's hard to say. I was much impressed by the London museums and art galleries, especially by the collections in the British Museum.

Mr R.: Were you? That's good. They're fine, aren't they? Well, I hope you'll enjoy your stay here.

Výslovnosť vlastných mien: **America** [əˈmerikə]; **Brighton** [braitn]; **England** [iŋglənd]; **Hyde Park** [haid pa:k]; **Robinson** [robinsn]; **St Paul's** [sntˈpo:lz]; **Shakespeare** [šeikspiə]; **Stratford** [strætfəd]; **Hamlet** [hæmlit].

NAMES OF THE MONTHS

January [džænjuəri]
February [februəri]
March [ma:č]
April [eipril]
May [mei]
June [džu:n]
July [džuˈlai]
August [o:gəst]
September [sepˈtembə]
October [okˈtəubə]
November [nəuˈvembə]
December [diˈsembə]

abroad [əˈbro:d]
  to go abroad ísť do cudziny
  to be abroad byť v cudzine
accent [æksənt] prízvuk
acquaintance [əˈkweintəns] známy, známosť
ago [əˈgəu] pred *(časove)*
all
  in all celkom
already [o:lˈredi] *len v kladnej oznamovacej vete* už
American [əˈmerikən] americký
and so on atď.
April [eipril] apríl
art [a:t] umenie, umelecký
August [o:gəst] august
back [bæk] späť
  be back vrátiť sa
before [biˈfo:] pred, predtým
British [britiš] britský
by [bai] do *(časove)*
cathedral [kəˈθi:drəl] katedrála
city [siti] veľkomesto
the City obchodné stredisko a stred Londýna
date [deit] dátum
December [diˈsembə] december
deep [di:p] hlboký
during [djuəriŋ] počas, v priebehu
enjoy [inˈdžoi] páčiť sa; mať z niečoho radosť
especially [iˈspešli] obzvlášť, najmä

ever [evə] niekedy, (vôbec) kedy
February [februəri] február
gallery [gæləri] galéria
guide [gaid] sprievodca; sprevádzať
guidebook (to London) [gaidbuk] sprievodca (po Londýne)
guided tour [gaidid] okružná cesta so sprievodcom
impress [imˈpres] urobiť dojem
I was impressed by it. Urobilo to na mňa dojem.
impression [imˈprešn] dojem
indeed [inˈdi:d] naozaj
January [džænjuəri] január
July [džuˈlai] júl
June [džu:n] jún
manage [mænidž] zvládnuť, riadiť
March [ma:č] marec
May [mei] máj
mean – meant – meant [mi:n – ment – ment] – mať v úmysle, znamenať
month [manθ] mesiac
museum [mjuˈziəm] múzeum
national [næšənl] národný
November [nəuˈvembə] november
October [okˈtəubə] október
parliament [pa:ləmənt] parlament
poor [puə] biedny, slabý
second [seknd] druhý
September [sepˈtembə] september
sight [sait] pohľad, pamiatka, pamätihodnosť
sightseeing [saitsi:iŋ] prehliadka pamätihodností
since [sins] od (toho času až doteraz)
speaker [spi:kə] rečník, hlásateľ
St [snt] *skratka* **saint** [seint] svätý
stay [stei] pobyt
take part in zúčastniť sa na
third [θə:d] tretí
tour [tuə] okružná cesta
tower [tauə] veža
the Tower *historický hrad v Londýne*
visit [vizit] návšteva; navštíviť
well-known [ˌwelˈnəun] známy; **better-known** známejší; **best-known** najznámejší
yet [jet] *v otázke* už

DÔLEŽITÉ VÄZBY

Have you done any sightseeing? — Prezreli ste si už niektoré pamätihodnosti?

We'll go sightseeing in the afternoon. — Popoludní pôjdeme na prehliadku mesta (prezerať pamätihodnosti).

I've seen some important sights. — Videl som niektoré význačné pamiatky (pamätihodnosti).

I took part in a sightseeing tour. — Zúčastnil som sa na okružnej prehliadke.

It was a guided tour. — Bola to okružná cesta so sprievodcom.

I've been to London. — Bol som v Londýne.
I took part in a meeting. — Zúčastnil som sa na schôdzke.
I had a good time there. — Dobre som sa tam zabával.
Have a good time! — Dobrú zábavu!
What's the date today? — Koľkého je dnes?

1. Výslovnosť znelých koncových spoluhlások

V angličtine sa znelá spoluhláska vyslovuje na konci slova vždy znele. Pri výslovnosti poslednej slabiky zakončenej na znelú spoluhlásku predchádzajúcu hlásku vyslovíme trochu dlhšie; napr. *job* vyslovujeme asi takto: [džo-b].

Porovnajte výslovnosť niektorých znelých a neznelých koncových spoluhlások:

neznelá:		znelá:	
[p]	stop [stop]	[b]	job [džob]
[t]	art [a:t]	[d]	hard [ha:d]
	sight [sait]		inside [inˈsaid]
[k]	back [bæk]	[g]	bag [bæg]
[f]	beef [bi:f]	[v]	leave [li:v]
[s]	house [haus]	[z]	to use [ju:z]
[č]	March [ma:č]	[dž]	large [la:dž]

Rozdiel vo výslovnosti koncovej spoluhlásky niekedy rozlišuje slová rôzneho významu. Preto pozor, aby nesprávna výslovnosť nezapríčinila zámenu zmyslu. Porovnajte:

neznelá:			znelá:		
back	[bæk]	späť	bag	[bæg]	kapsa
hat	[hæt]	klobúk	I had	[hæd]	mal som
I spent	[spent]	minul som	to spend	[spend]	míňať

Hovorte nahlas a rozlišujte pozorne koncové hlásky:

Bob – pop; club – cup; job – chop;
read – meet; foot – food;
cabbage – which; large – March;
big – Dick; bag – back;
have – half; live [liv] – life [laif];
use – bus.

I need a large bag. – Bob has a good job. – Give him some bread and sausage. – She made some good marmalade. – The child wanted a sandwich. – Mr Stevens studied at Oxford. – What's his age?

2. Zopakujte si výslovnosť koncového *-ed* **slovies,** pozri str. 197.

3. Skrátené tvary slovesa „to have" (pozri Gramatika, str. 236).

I've	[aiv]	we've	[wi:v]
you've	[ju:v]	you've	[ju:v]
he's	[hi:z]	they've	[ðeiv]
she's	[ši:z]		
it's	[its]		

Čítajte:

I've called – I've called him. – I've prepared it. I've done it. You've seen – You've seen him. You've prepared it. You've done it. He's been – He's been there. He's been to London. She's come – She's helped us. She's helped them. She's done it. It's started. – It's happened. – It's stopped. We've worked – We've worked there. – We've been there. They've prepared it. They've called. They've studied it.

Záporné skrátené tvary:

I haven't [hævnt] – he hasn't [hæznt]

I haven't – I haven't called – I haven't called her.
We haven't – We haven't been there. They haven't called.
He hasn't – He hasn't come. He hasn't called.

GRAMATIKA

1. Predprítomný čas

I HAVE WORKED
PRACOVAL SOM

Doteraz ste prebrali anglické préteritum, t. j. minulý čas, ktorým vyjadrujeme dej skončený v minulosti. Druhým anglickým minulým časom je predprítomný čas, ktorý vyjadruje dej závislý od prítomnosti. Tvorí sa z prítomného času slovesa **to have** a z **minulého príčastia významového slovesa.** (Minulé príčastie pozri L 15, str. 217.)

a) Predprítomný čas pravidelných slovies:

Podmet	*have /has*	Minulé príčastie
I	**have**	**waited** [weitid]
you	**have**	**answered** [a:nsəd]
he	**has**	**watched** [wočt]
she	**has**	**liked** [laikt]
it	**has**	**stopped** [stopt]
we	**have**	**called** [ko:ld]
they	**have**	**asked** [a:skt]

b) Predprítomný čas nepravidelných slovies:

I	**have**	**been**	[bi:n]	bol som
you	**have**	**had**	[hæd]	mal si
he	**has**	**written**	[ritn]	napísal
she	**has**	**read**	[red]	čítala
it	**has**	**begun**	[biˈgan]	začalo sa to
we	**have**	**made**	[meid]	urobili sme
they	**have**	**given**	[givn]	dali

Otázka sa tvorí zámenou podmetu a pomocného slovesa *have/has:*

Have your friends arrived?	Prišli vaši priatelia?
Has Jane heard the news?	Počula Jana, čo je nového? (Počula Jana tú správu?)

V zápore používame časticu *not*, ktorú dávame za *have/has:*

I have not asked.	Nepýtal som sa.
You have not changed.	Nezmenili ste sa.
The film has not started.	Film sa nezačal.

V hovore sa používajú hlavne skrátené tvary (pozri Výslovnosť a pravopis, str. 235).

V stručnej odpovedi používame iba tvar slovesa *to have* (teda nie druhé sloveso). V kladnej odpovedi je vždy plný tvar:

Have you seen this film?	–	**Yes, I have.**
Videli ste ten film?	–	Áno, videl.
Has he missed his lesson?	–	**Yes, he has.**
Zameškal hodinu?	–	Áno, zameškal.

V zápornej odpovedi je skrátený tvar aj plný tvar:

Have you heard it?	–	**No, I haven't (No, I have not).**
Počuli ste to?	–	Nie, nepočul.
Has he called?	–	**No, he hasn't (No, he has not).**
Volal?	–	Nie, nevolal.

Ak sú vo vete krátke príslovky času, ako *often* – často, *sometimes* – niekedy, *usually* – obyčajne, *already* – už, *seldom* – zriedka, *never* – nikdy, dávame ich medzi *have/has* a významové sloveso; v zápornej vete po *have not/haven't, has not/hasn't:*

Podmet	*have/has not*	Príslovka času	Minulé príčastie	Predmet prísl. urč.
I	have	often	helped	them.
You	have	never	liked	it.
The girl	has not	always	lived	there.
He	has	seldom	come	late.
It	has	already	begun.	
We	have not	often	gone	there.
They	have	just	written	to us.
My friends	have	usually	had	free time.

2. Používanie predprítomného času

Predprítomným časom vyjadrujeme minulý dej, ktorý má vzťah k prítomnosti.

Rozlišujeme tieto významy:

a) Dej sa odohral v bližšie neurčenom čase:

I have written to him.	Napísal som mu.
He has come to see us.	Prišiel nás navštíviť.

b) Dej sa začal v minulosti a trvá do prítomnosti; sloveso prekladáme do slovenčiny prítomným časom a obyčajne pridávame príslovku „už"; v anglickej vete často používame príslovku *since* = od (toho času až doteraz):

We have known her since 1970.	Poznáme ju od r. 1970.
I have been here for three weeks.	Už som tu tri týždne.

c) Záporný dej, ktorý sa doteraz neodohral; sloveso prekladáme minulým časom. Vo vete sa často používa väzba *not... yet* = ešte nie, *never* = nikdy:

I haven't spoken to him since Monday.	Nehovoril som s ním od pondelka.
They haven't seen it yet.	Ešte to nevideli.
You have never told me that.	Nikdy ste mi to nepovedali.

d) V otázke, ak sa spytujeme na dej, ltorý súvisí s prítomnosťou; v slovenskom preklade často pridávame „už", i keď to nie je vyjadrené v angličtine. V otázke môžeme použiť príslovku *ever* = niekedy (vôbec kedy) a *yet* = už.

Have you ever been abroad?	Boli ste niekedy v cudzine?
Has she washed the dishes?	(Už) umyla riad?
Have they brought it yet?	Už to priniesli?

e) Dej sa síce skončil, ale jeho priame dôsledky trvajú do prítomnosti:

He has bought a new car.	Kúpil si nové auto (a ešte ho má).

Lucy has been very ill.	Lucia bola veľmi chorá (a ešte nie je celkom zdravá).

f) Dej sa odohral v čase, ktorý sa doteraz neskončil (napr. *today, this week, now, just* = práve):

I have been very busy this morning.	Dnes dopoludnia mám veľmi mnoho práce.
We have just begun.	Práve sme začali.

3. Trpný rod predprítomného času

**I HAVE BEEN CALLED.
BOL SOM VOLANÝ.**

Trpný rod predprítomného času sa tvorí pomocou predprítomného času pomocného slovesa **to be** (I have been) + **minulého príčastia** (called, written), napr.

The work has been done.	Tá práca bola urobená.
We haven't been prepared.	Neboli sme pripravení.

4. Rozdiel v používaní predprítomného času a minulého času

I'VE SEEN HIM. I SAW HIM YESTERDAY.

Minulý čas používame na označenie deja, ktorý sa v minulosti skončil. Minulosť je vo vete vyjadrená časovým údajom, ako: *yesterday, last week* – minulý týždeň, *last Sunday, at six, two years ago* – pred dvoma rokmi ap. Porovnajte:

Predprítomný čas:	**Minulý čas:**
He has been here.	He was here last week.
I've talked to him.	I talked to him yesterday.
The train has just arrived.	The train arrived an hour ago.

I've met him in the morning.	I met him in the morning.
(Stretol som ho ráno. – Je ešte ráno.)	(Stretol som ho ráno. – Je už večer.)

5. Radové číslovky

Radové číslovky 1., 2. a 3. sa tvoria nepravidelne:

the first [fə:st]	**1st** (skratka)	prvý
the second [seknd]	**2nd**	druhý
the third [θə:d]	**3rd**	tretí

Ostatné radové číslovky sa tvoria pridaním koncovky **-th** [θ] k základnej číslovke. U niektorých čísloviek dochádza k zmenám v pravopise a výslovnosti:

4th	for	+ -th = the fourth	[fo:θ]	štvrtý
5th	**five**	+ -th = the **fifth**	[fifθ]	piaty
6th	six	+ -th = the sixth	[siksθ]	šiesty
7th	seven	+ -th = the seventh	[sevnθ]	siedmy
8th	**eight**	+ -th = the **eighth**	[eitθ]	ôsmy
9th	**nine**	+ -th = the **ninth**	[nainθ]	deviaty
10th	ten	+ -th = the tenth	[tenθ]	desiaty
11th	eleven	+ -th = the eleventh	[iˈlevnθ]	jedenásty
12th	**twelve**	+ -th = the **twelfth**	[twelfθ]	dvanásty

Ďalšie radové číslovky sa tvoria pridaním **-th** bez zmeny pravopisu či výslovnosti, okrem radových desiatok:

20th	twenty	+ -th = twenti**eth**	[twentiiθ]	dvadsiaty
30th	thirty	+ -th = thirti**eth**	[θə:tiiθ]	tridsiaty

Zložené číslovky:

21st	= the twenty-first	[ˈtwentiˈfə:st]
22nd	= the twenty-second	[ˈtwentiˈseknd]
23rd	= the twenty-third	[ˈtwentiˈθə:d] atď.

Poznámka: Radové číslovky sa zvyčajne používajú s určitým členom. *1st* teda čítame **the** *first*, *100th* = **the** *hundredth* atď. Za radovou číslovkou sa v angličtine nepíše bodka.

6. Anglické dátum

> What's the date today?
> It's **the first of** October.

October					
S		5	12	19	26
M		6	13	20	27
T		7	14	21	28
W	1	8	15	22	29
T	2	9	16	23	30
F	3	10	17	24	31
S	4	11	18	25	

Anglické dátum

píšeme:	4th	October 1980	
čítame:	the fourth of	October nineteen eighty.	

Môžeme napísať najprv mesiac, potom deň a rok:

	October	4th	1980
čítame:	October the	fourth,	nineteen eighty.

Príklady:

School begins on 1st September.	Škola sa začína 1. septembra.
He'll leave London on August 30th.	Odíde z Londýna 30. augusta.
He came to Prague in 1946.	Prišiel do Prahy r. 1946.

7. Vyjadrenie údivu

Ak chceme vyjadriť údiv ako reakciu na vetu, ktorú predtým niekto povedal, (slovenské: Naozaj? Skutočne?), môžeme vysloviť stručnú otázku s intonáciou údivu. V otázke použijeme pomocné sloveso predošlej vety, prípadne, ak nie je vo vete pomocné sloveso, *do/does/did* + zámenný podmet. Ak je tvrdenie **kladné,** bude otázka tiež **kladná.** Po **zápornom** tvrdení bude i otázka **záporná.** Záporný tvar je vždy skrátený:

A:	He's here.	Je tu.
B:	Is he?	Naozaj?
A:	He **isn't** here.	Nie je tu.
B:	**Isn't** he?	Naozaj?
A:	I have read it.	Čítal som to.
B:	Have you?	Naozaj?
A:	I haven't read it.	Nečítal som to.
B:	Haven't you?	Skutočne?
A:	He speaks English.	Hovorí po anglicky.
B:	Does he?	Skutočne?
A:	He doesn't speak English.	Nehovorí po anglicky.
B:	Doesn't he?	Skutočne nie?
A:	Mother helped me.	Matka mi pomáhala.
B:	Did she?	Naozaj?
A:	Mother didn't help me.	Matka mi nepomáhala.
B:	Didn't she?	Naozaj nie?

8. Nepravidelné slovesá

break	rozbiť	**broke**	**broken**
[breik]		[brəuk]	[bræukn]
go	ísť	**went**	**gone**
[gəu]		[went]	[gon]
hear	počuť	**heard**	**heard**
[hiə]		[hə:d]	[hə:d]
mean	mať v úmysle,	**meant**	**meant**
[mi:n]	mieniť, znamenať	[ment]	[ment]

CVIČENIA

1. Odpovedzte na dané otázky a použite predprítomný čas podľa vzoru:

Will you finish it? – **I have finished it.**

1. Will you visit them? 2. Will you help him? 3. Will you wash the dishes? 4. Will you answer the letter? 5. Will you thank her? 6. Will you use it? 7. Will you invite them? 8. Will you start your work? 9. Will you change it?

2. Reagujte na dané vety s použitím predprítomného času a *never* podľa vzoru:

When were you in London? – **I've never been to London.**

1. Where did you see that film? 2. When did you read that book? 3. Why did you write to him? 4. When were you there? 5. Where did you hear the news? 6. Why did you do that? 7. Why did you speak to him? 8. When did you meet her? 9. Where did you buy it? 10. Did you say that?

3. Odpovedzte stručne na otázky podľa vzoru:

A. kladne: *Have you been busy?* – **Yes, I have.**
B. záporne: **No, I haven't.**

1. Have you managed to do it? 2. Has Miss Baker been there? 3. Have the children had dinner? 4. Has Mr Brown been sightseeing? 5. Have we finished? 6. Have Peter and Anne arrived yet? 7. Has the car stopped? 8. Has Mrs Stevens called? 9. Have I done it well? 10. Has Father been busy today?

4. Spytujte sa podľa vzoru:

I've been there. – **Have you been there?**
Has he been there?

1. I've seen the film. 2. I've met Mr Brown. 3. I've been to London. 4. I've heard that song. 5. I've visited the National Gallery. 6. I've been abroad. 7. I've done it. 8. I've prepared it. 9. I've read the book.

5. Hovorte vety podľa vzoru:

They have often gone there.

We	have	often	gone there
Our friends	has	never	visited us
Tom		just	heard it
I		already	been there
She		seldom	come to see us

6. Odpovedzte zápornou vetou:

Who brought this? – **I haven't brought it.**
Tom hasn't brought it.

1. Who did it? 2. Who saw him? 3. Who met them? 4. Who was there? 5. Who read it? 6. Who said that? 7. Who wrote it? 8. Who heard it?

7. K uvedeným tvrdeniam pridajte krátku otázku (však?, pravda nie?) podľa vzoru:

You've seen that film, **haven't you?**
You haven't seen that film, **have you?**

1. You've had a good time here. 2. You have had no time. 3. They've come late. 4. They haven't come. 5. The train has arrived. 6. It hasn't arrived yet. 7. She's been here before. 8. She's never done that before. 9. It's been very interesting. 10. It hasn't been very important.

8. Povedzte, čo kto nerobil od istého času (s použitím *since*) podľa vzoru:

I didn't see John. – We were students.
I haven't seen John since we were students.

1. He didn't play football. – He was at school. 2. He didn't work with us. – He came to Prague. 3. She didn't write. – She left our office. 4. They didn't invite him. – They quarreled. 5. We were not in the National Museum. – We were children. 6. The team didn't win any match. – Peter Baker left the club. 7. He didn't speak English. – He

returned from abroad. 8. I didn't speak to my teacher. – I left school.

9. Obmieňajte vo východiskovej vete názvy mesiacov a radové číslovky:

January is the first month of the year.
February is the...

10. Čítajte:

1. He lived in Prague from 1957 to 1964. 2. She started to work there on July 1st 1969. 3. They stayed with us from 1945 to 1947. 4. Shakespeare lived from 1564 to 1616. 5. There was a great fire in London in 1666. 6. We'll have a meeting on 5th January. 7. The new theatre was opened on 9th May 1917. 8. The school year will begin on 3rd September.

11. Povedzte, čo sa ktorý deň stalo podľa vzoru:

24th March 1974 – **It happened (It was) on the 24th of March 1970.**

25th January 1971; April 23rd 1965; January 1st 1928; 17th October 1939; 9th May 1945; September 22nd 1948; 20th December 1970; July 18th 1920; 20th June 1880; November 10th 1334; August 3rd 1975; 6th June 1418; 23rd April 1616.

12. Povedzte po anglicky:

1. Už ste boli v Londýne? 2. Nikdy som nebol v Anglicku. 3. Videli ste ten film? Nie, nevidel. 4. Už ste si prezreli niektoré pamätihodnosti? 5. Navštívil som hrad, múzeum a galériu. 6. Včera som sa zúčastnil na okružnej prehliadke. 7. Vrátili sme sa 5. mája. 8. Práve sme prišli. 9. Ešte som ho nevidel. 10. Dobrú zábavu!

13. Odpovedzte podľa textu:

1. Where is Mr Horný now? 2. Who is speaking to him? 3. Has Mr Horný been to England before? 4. Is the visit to England his first stay abroad? 5. When was he in America?

6. How long is he going to stay in England? 7. When did he come to England? 8. When must he be back in Czechoslovakia?

14. Odpovedzte:

1. Have you ever been abroad? When? 2. Have you ever been to England? 3. Do you speak English well? 4. Which is the best-known museum in London? 5. And in Prague? Have you been there? 6. Have you visited the National Gallery in Prague? 7. Have you visited the Slovak National Gallery in Bratislava? 8. Do you like to visit museums and galleries? 9. Are you interested in art?

Konverzačné cvičenia

Look at the map and ask:

Have you been to...?
Have you seen the...?
Have you visited...?
How did you like...?
Has... made a deep impression on you?

AT A BIRTHDAY PARTY

Mr Leigh:	Good evening, Mary. I'm sorry we're late.
Mrs Parker:	Good evening, Betty. You're just at the right time. Hello, Dick. How nice to see you again.
Dick:	Good evening. Let me introduce my friend, Joe Novák.
Mrs Parker:	How do you do.
Joe:	How do you do. It was very kind of you to invite me.
Mrs Parker:	It's nice that you could come. Would you leave your coats here and come in, please. Jane's expecting you.

Dick:	Hello, Jane. Happy birthday to you.
Jane:	Thank you. What's this?
Dick:	Your birthday present.
Jane:	How nice of you. Thanks a lot.
Joe:	Good evening, Miss Parker. May I add my birthday greetings? Many happy returns!
Jane:	Thank you, Joe. Meet my friend Mary Brown and this is Sue Blake.
Mary:	Hello, Joe.
Joe:	Hello.
Jane:	Joe has just arrived from the Continent.

Mary:	What country do you come from?
Joe:	From Czechoslovakia.
Sue:	Who are you staying with?
Joe:	I'm staying with Dick's parents.
Jane:	Well, let's sit down and make ourselves comfortable. Joe, would you like to sit by the fire?
Joe:	Yes, I'd like to. It's nice here.
Jane:	Mary, would you please pass Joe the biscuits?
Mary:	Certainly. – Help yourself please.
Joe:	Thank you. – They are very good.

Jane:	Will you have a cup of tea?
Dick:	Yes, please. But not too strong.
Jane:	Do you take milk?
Dick:	Yes, please.
Jane:	Sugar?
Dick:	No, thank you.
Jane:	Now, we could play some games.
Dick:	I'm afraid that might be too boring for Joe. But we could listen to some music.
Jane:	Joe, what kind of music would you like to listen to?
Joe:	Well, I'd prefer some pop records.
Dick:	Let's have some dance music, shall we?
Joe:	Oh, that would be lovely.

Joe:	Thank you for a very pleasant evening.
Mrs Parker:	Thank you for coming. I'm glad you have all enjoyed yourselves so much.

Výslovnosť vlastných mien: **Czechoslovakia** [ˌčekəusləˈvækiə] Československo; **Joe** [džəu]; **Leigh** [li:]; **Mary** [meəri].

Now read this nursery rhyme:

Solomon Grundy,
Born on a Monday,
Christened on Tuesday,
Married on Wednesday,
Took ill on Thursday,
Worse on Friday,
Died on Saturday,
Buried on Sunday.
This is the end
of Solomon Grundy.

Neznáme výrazy: **nursery rhyme** [nə:sri raim] riekanka; **Solomon Grundy** [soləmən grandi]; **born** [bo:n] narodený; **christened** [krisnd] pokrstený; **marry** [mæri] oženiť sa, vydať sa; **take ill** ochorieť; **die** [dai] zomrieť; **bury** [beri] pochovať.

add [æd] dodať, pridať, pripojiť
allow [əˈlau] dovoliť
alone [əˈləun] sám
apologize [əˈpolədžaiz] ospravedlniť (sa)
arrive [əˈraiv] prísť
birthday [bə:θdei] narodeniny
boring [bo:riŋ] nudný
comfortable [kamftəbl] pohodlný
continent [kontinənt] pevnina
the Continent Európa *(pre Britov)*
could [kud, kəd]: **I could** mohol by som
dance [da:ns] tanec; tancovať tanečný
enjoy [inˈdžoi] tešiť sa z niečoho
  I enjoy it páči sa mi to
enjoy oneself [wanˈself] zabávať sa (dobre)
expect [iksˈpekt] očakávať
finish [finiš] dokončiť, skončiť
fireplace [faiəpleis] kozub
  sit by the fire [faiə] sedieť pri kachliach, pri kozube, *dosl.* pri ohni
greeting [gri:tiŋ] pozdrav, blahoželanie
greet [gri:t] pozdraviť, blahoželať
help oneself [vziať si, poslúžiť si, ponúknuť sa
holiday [holidei] prázdniny, dovolenka
introduce [ˌintrədju:s] predstaviť
introduce oneself predstaviť sa
join [džoin] pripojiť sa, pridať sa k
kind [kaind] druh; láskavý
listen to [lisn] počúvať (niečo)
might [mait] *(+neurčitok)* azda by, mohol by
music [mju:zik] hudba
  pop music [pop] druh modernej hudby
myself [maiˈself] ja sám *(pozri gramatiku)*
party [pa:ti] večierok
pleasant [pleznt] príjemný, sympatický
pleased [pli:zd] potešený, rád
record [reko:d] platňa *(gramofónová)*
request [riˈkwest] žiadosť
should [šud, šəd] *pomocné sloveso podmieňovacieho spôsobu (pozri gramatiku)*
surprised [seˈpraizd] prekvapený
trouble [trabl] unúvať, obťažovať
would [wud, wəd] *pomocné sloveso podmieňovacieho spôsobu (pozri gramatiku)*

DÔLEŽITÉ VÄZBY

a) Predstavovanie

Allow me to introduce Doctor Smith to you.	Dovoľte, aby som vám predstavil pani N.
Let me introduce Mr Black.	Dovoľte, aby som vám predstavil pána Blacka.
May I introduce my friend John Miller?	Môžem vám predstaviť svojho priateľa Johna Millera?
Have you met Miss Young?	Poznáte sa so slečnou Youngovou?
Meet my best friend, Jack N.	Zoznámte sa s mojím najlepším priateľom J. N.
May I introduce myself?	Dovoľte, aby som sa vám predstavil.
My name is...	Volám sa...
How do you do. (How d'you do.)	Teší ma.
(I'm) pleased to meet you.	Teší ma, že vás poznávam.

b) Ospravedlnenia

I'm sorry I'm late.	Ľutujem, že idem neskoro.
So sorry to be late.	Naozaj ľutujem, že som sa oneskoril.
I'm sorry to trouble you.	Prepáčte, že vás obťažujem.
I'm sorry (may I come by/past).	Prepáčte (ak chcem uvoľniť cestu).
Excuse me for a moment.	Ospravedlňte ma na moment.
Excuse me, is that your pen?	Prepáčte, je to vaše pero?

c) Žiadosti

May I have a glass of water, please?	Môžem dostať pohár vody?
May I have a look at it?	Môžem sa na to pozrieť?
May I ask a question?	Môžem sa niečo spýtať?
Can you do it for me?	Môžete mi to urobiť?
Could you do it now?	Mohli by ste to teraz urobiť?
Will you shut the door, please?	Zavreli by ste láskavo dvere?
Would you like to go to the pictures with me?	Chceli by ste ísť so mnou do kina?
Would you kindly pass me the book?	Podali by ste mi láskavo tú knihu?

d) Ponúknutie

Have a cigarette.	Vezmi si cigaretu.
Have some biscuits.	Vezmi si keksy.

Help yourself please.	Vezmite si, prosím.
Will you have a cup of tea?	Dáte si šálku čaju?
Make yourself comfortable.	Urobte si pohodlie.
Make yourself at home.	Robte ako doma.

VÝSLOVNOSŤ A PRAVOPIS

1. Plná výslovnosť tvaru podmieňovacieho spôsobu: should [šud], **would** [wud] (pozri Gramatiku)

I should come. – Would you come?
Would he do it? – Yes, he would.
Would it be nice? – Yes, it would.
Would they like it? – Yes, they would.

2. Oslabená výslovnosť tvarov podmieňovacieho spôsobu: should [šəd], **would** [wəd]

Čítajte s oslabenou výslovnosťou

I should [šəd] stay. I should stay longer. I think I should stay longer. You would [wəd] be happy. You would be happy there. We should return. We should return by train. The boys would go. The boys would go there. It would be nice. I think it would be nice.

3. Kladné skrátené tvary podmieňovacieho spôsobu 'd [d]:

Čítajte:

I'd	[aid]	I'd be there. I'd be there in time.
You'd	[ju:d]	You'd like it. You'd like it too.
He'd	[hi:d]	He'd come. He'd come back.
It'd	[itəd]	It'd be nice. It'd be interesting.
We'd	[wi:d]	We'd like to see it.
The'd	[ðeid]	They'd prefer some tea.

4. Záporné skrátené tvary podmieňovacieho spôsobu: shouldn't [šudnt], **wouldn't** [wudnt]:

Čítajte:

I shouldn't. I shouldn't buy it.

You wouldn't.	You wouldn't enjoy it.
She wouldn't.	She wouldn't return in time.
It wouldn't.	It wouldn't be necessary.
We shouldn't.	No, we shouldn't do it.

GRAMATIKA

1. Prítomný podmieňovací spôsob

I	**SHOULD**	COME
YOU	**WOULD**	

I	**should**	**come.**		Prišiel by som.
You	**would**	**enjoy**	**it.**	Páčilo by sa ti to.
He	**would**	**meet**	**us there.**	Stretol by sa tam s nami.
It	**would**	**be**	**nice.**	Bolo by to pekné.
We	**should**	**wait**	**for you.**	Čakali by sme na vás.
They	**would**	**come**	**too.**	Prišli by tiež.

Prítomný podmieňovací spôsob tvoríme pomocou **should** (v 1. osobe jednotného a množného čísla) alebo **would** (v 2. a 3. osobe) a **neurčitku bez „to“,** teda podobne ako budúci čas. Porovnajte:

I **shall**	go – pôjdem	you **will**	go – pôjdeš
I **should**	go – išiel by som	you **would**	go – išiel by si

Otázku utvoríme zámenou podmetu a pomocného slovesa *should/would,* teda podobne ako u budúceho času:

Shall	**I**	need	it?	– Budem to potrebovať?
Should [šud]	**I**	need	it?	– Potreboval by som to?
Will	**he**	do	it?	– Urobí to?
Would [wud]	**he**	do	it?	– Urobil by to?

Pomocou **would you...?** vyjadrujeme zdvorilú žiadosť:
Would you help me? Pomohol by si mi láskavo?

Zápor sa tvorí pomocou *not*, ktoré dávame za pomocné sloveso *should/would.* Záporné skrátené tvary: **shouldn't** [šudnt], **wouldn't** [wudnt]:

I	should	not come.	Neprišiel by som.
You	would	not like it.	Nepáčilo by sa ti to.
I	shouldn't	go.	Nešiel by som.
They	wouldn't	leave.	Neodišli by.

Poznámky: 1. V hovorovej angličtine môžeme použiť tvar *would* pre všetky osoby, napr.: I would do it. – Urobil by som to.

2. Pomocou *should* vyjadríme povinnosť (niečo urobiť), napr.: You should do it. – Mal by si to urobiť. Should I go there? – Mal by som tam ísť?

Porovnajte:	They **would** do it.	Urobili **by** to.
	They **should** do it.	**Mali by** to urobiť.

3. Pozor na vyjadrenie slovenského **rád by** som (niečo urobil) = I should like to (do something) a **bol by som rád** = I should be glad.

I should like to see the play.	Rád by som videl tú hru.
He would like to meet you.	Rád by som sa s vami stretol.
We should be glad.	Boli by sme radi.

4. **Chcel by som** (niečo urobiť) = **I would like to** (do something).

Tvary plné a oslabené:

Plné tvary, t. j. vyslovované [šud, wud] stoja alebo na začiatku vety *(Would you come?)*, alebo na konci vety *(Yes, he would.)*, alebo ak je na nich osobitný dôraz *(He* ***would*** *forget).* Uprostred vety vyslovujeme *should/would* s oslabenou výslovnosťou [šəd, wəd], alebo ich skracujeme, pozri Výslovnosť a pravopis, str. 252.

Všimnite si, ako odpovedáme na otázky:

Would you come to the party?	Yes, gladly.
	Of course.
	Certainly.
	I'd like to, but I can't.
Would you like to go there?	Yes, I'd like to.
Would he take part in it?	Yes, he would.
	I think he wouldn't.

2. Podmieňovací spôsob slovies I CAN, I MAY

COULD – MIGHT

I	**could**	**come.**	Mohol by som prísť.
You	**could**	**come too.**	Mohol by si tiež prísť.
They	**could**	**join us.**	Mohli by sa k nám pripojiť.

Tvar **could** je pre všetky osoby rovnaký. Otázka a zápor sa tvoria rovnako ako u **should/would:**

Could [kud]	**you**	**stay?**	Mohol by si zostať?
Could	**they**	**wait?**	Mohli by počkať?
I could	**not**	**stay.**	Nemohol by som zostať.

Záporný stiahnutý tvar **couldn't** [kudnt] je pre všetky osoby rovnaký, napr.:

I	**couldn't**	**do it.**	Nemohol by som to urobiť.
We	**couldn't**	**go there.**	Nemohli by sme tam ísť.

Plná výslovnosť tvaru *could* je [kud], oslabená [kəd], napr.:

Could	[kud]	you	help?	Yes,	I	could	[kud].
Could		Tom	help?	Yes,	he	could.	
They	could	[kəd]	write it.				
We	could		bring it.				

Poznámka: Tvar *could* môže mať dva významy: **mohol som** a **mohol by som**, napr.:

I could do it. – Mohol som to urobiť. / Mohol by som to urobiť.

Podmieňovací spôsob slovesa *I may* = **I might** [mait]. Aj tento tvar je pre všetky osoby rovnaký a prekladáme ho buď: **mohol by som** alebo **azda by som** (niečo urobil), napr. *I might need it.* = Mohol by som to potrebovať. *He might come.* = Azda by prišiel.

3. Postavenie predložiek v otázkach

What are you working ON?
Na čom pracujete?

V anglických otázkach dávame predložky na koniec otázky, t. j. za tvar významového slovesa.

Pozor na výslovnosť predložiek. Predložky dávané na koniec vety majú vždy výslovnosť plnú, t. j. **at** [æt], **for** [fo:], **from** [from] atď.

Sledujte príklady:

What	are	you	looking	**at**?	Na čo sa dívate?
What	is	he	working	**on**?	Na čom pracuje?
What	are	you	listening	**to**?	Čo počúvate?
Who	is	he	speaking	**about**?	O kom hovorí?
Who	are	you	waiting	**for**?	Na koho čakáte?
Where	did	he	come	**from**?	Odkiaľ prišiel?

4. Zámená zvratné a dôrazové

I enjoyed myself. Zabával som sa dobre.

I	enjoyed	**myself**	**we**	enjoyed	**ourselves**
you	enjoyed	**yourself**	**you**	enjoyed	**yourselves**
he	enjoyed	**himself**	**they**	enjoyed	**themselves**
she	enjoyed	**herself**	**to**	enjoy	**oneself**

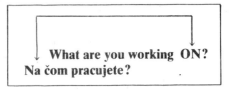

Tieto zámená sa vzťahujú k podmetu. Sledujte:

I	– myself	[maiˈself]	we	– ourselves	[auˈselvz]
you	– yourself	[jo:ˈself]	you	– yourselves	[jo:ˈselvz]
he	– himself	[himˈself]	they	– themselves	[ðəmˈselvz]
she	– herself	[hə:ˈself]			
it	– itself	[itˈself]			

S neurčitkom stojí tvar *oneself*, napr. *to enjoy oneself* [wanself].

Použitie:

a) Ako dôrazové zámená vo význame „sám, osobne“, napr.:

I have prepared it myself.	(Ja) sám som to pripravil.
He didn't know it himself.	On sám to nevedel.
She herself wasn't ready in time.	Ona sama nebola zavčasu hotová.
The party wasn't too amusing in itself.	Večierok sám (osebe) nebol veľmi zábavný.

Poznámka: Pozor na rozdiel „sám“ = **osobne** a „sám“ = **osamote!**

We were there ourselves.	My sami sme tam boli (= osobne).
We were there alone.	Boli sme tam sami (= už nikto iný).

b) Ako zvratné zámená vo význame slovenského „si, sa, sebe“, napr. zabávať sa, povedať si ap. Takých slovies je v angličtine veľmi málo, napr. *to prepare oneself* = pripraviť sa, *to find oneself* = ocitnúť sa a i.

Príklady:

May I introduce myself?	Môžem sa predstaviť?
Help yourself to some more tea.	Vezmite si ešte trocha čaju.

How did you enjoy your**self**? (= 1 osoba)	Ako ste sa bavili?
How did you enjoy your**selves**? (= viac osôb)	Ako ste sa bavili?
He said **to himself.**	Povedal **si.**
She looked **at herself.**	Pozrela sa **na seba.**
ale: She looked **at him.**	Pozrela sa **na neho.**

Poznámka: Mnoho slovenských zvratných slovies nemá v angličtine zvratné zámeno, napr. učiť sa = *to learn*, vrátiť sa = *to return*, obliecť sa = *to dress*, dostať sa (niekam) = *to get to*, spytovať sa = *to ask*. U slovies typu umývať sa = *to wash*, česať sa = *to comb* [kəum] sa zámeno v angličtine nahradzuje privlastňovacím zámenom, ak nasleduje predmet.

Príklady:

I must wash. = Musím sa umyť.
I must wash **my hands.** = Musím **si** umyť **ruky.**

CVIČENIA

1. Odpovedzte záporne pomocou *nothing* podľa vzoru:

What did he bring? – **He brought nothing.**

1. What did you bring? 2. What did you feel? 3. What did she buy? 4. What did they get? 5. What did he do? 6. How much did it cost? 7. What did they choose? 8. What did you drink? 9. What did they know? 10. What did you hear? 11. What did he take? 12. What did you see? 13. What did she think about it? 14. What did you read?

2. Odpovedzte celou vetou s použitím skrátených tvarov podľa vzoru:

Have you been there? – **Yes, I've been there. I haven't been there yet.**

1. Has he brought it? 2. Have they come? 3. Has she done it? 4. Have you heard it? 5. Have they bought it? 6. Have you written to him? 7. Has he told you to do it? 8. Have you spent all the money? 9. Has he taken it? 10. Have they won? 11. Have they paid? 12. Has he gone? 13. Has it stood there long? 14. Have you read it?

3. Tvorte otázky pomocou *who* podľa vzoru:

He didn't speak at the meeting. – **Who spoke at the meeting?**

1. I didn't write that. 2. She didn't say it. 3. I didn't speak to her. 4. I didn't pay for the tickets. 5. I didn't leave it there. 6. I didn't give it to her. 7. He didn't tell me about it. 8. They didn't win. 9. I didn't do it. 10. I didn't go there.

4. Povedzte čo najviac viet podľa vzoru:

John would enjoy it very much.

John	should	enjoy it very much
I	would	invite him
She	could	ring you up
They		be back before six
We		meet you there
You		manage it

5. Vyjadrite zdvorile nasledujúce rozkazy pomocou *Would you kindly...?*

Vzor: *Shut the door.* – **Would you kindly shut the door, please?**

1. Open the window. 2. Put it on the table. 3. Bring a glass. 4. Pass me the cup. 5. Tell me the time. 6. Step in. 7. Say it again. 8. Give me your telephone number. 9. Give him our address.

6. Hovorte, čo by ste radi robili a použite *I'd like to* podľa vzoru:

He knows English well. – **I'd like to know English well.**

1. They play golf. 2. They go for a swim. 3. They return on Monday. 4. They will come after supper. 5. They will go sightseeing. 6. They will see it. 7. She will go shopping. 8. He speaks English very well. 9. They leave tomorrow.

7. Použite vety predošlého cvičenia a povedzte, čo by Mária rada robila.

He plays tennis well. – **Mary would like to play tennis well.**

8. Odpovedzte na otázky podľa vzoru:

Would you like to come? – **Yes, I'd like to.** (Použite skrátené tvary **I'd, he'd** atď.)

1. Would you like to look at the programme? 2. Would Mr Brown like to have some tea? 3. Would Mary like to listen to pop music? 4. Would they like to go to the National Theatre? 5. Would Mary like to see the museum? 6. Would Tom like to come along? 7. Would Miss Young like to go to the picture gallery? 8. Would the girls like to go swimming? 9. Would Peter like to watch this programme? 10. Would you like to go to a dance?

9. Doplňte záporné tvary podľa vzoru:

John would stay, but Peter... **John would stay, but Peter wouldn't (stay).**

1. We'd walk there, but Mrs Blake ... 2. I should do it for you, but he... 3. They would be back at seven, but their daughter... 4. He would know something about it, but his friend... 5. They would allow it, but she... 6. We should like to go to a dance, but they... 7. She would get a lift, but Tom... 8. I'd prefer a picnic, but Mary...

10. Pozvite svojich priateľov na obed, do kina ap. podľa vzoru:

Come to lunch with me on Saturday. – **Would you like to come to lunch with me on Saturday?**

1. Spend the weekend with me and my family. 2. Come to the cinema with us tomorrow. 3. See my garden. 4. Come for a trip with me on Sunday. 5. Spend your holiday with us. 6. Come to a football match with me. 7. Join us. 8. Have a look at my new slides. 9. Come to tea on Friday. 10. Come to lunch (to dinner) today.

11. Tvorte otázky k daným vetám podľa vzoru:

I got it from Fred. **Who did you get it FROM?** (Predložky dávajte na koniec otázky.)

1. I worked with him. 2. They spoke about her. 3. I'm

waiting for her. 4. She's speaking to somebody. 5. She's looking for someone. 6. He wrote about it. (What) 7. They spoke about the new film. (What) 8. He comes from Manchester. (Where) 9. I'm looking for a pencil. (What) 10. He's fond of tennis. (What) 11. The children are looking forward to it. (What)

12. Povedzte čo najviac viet podľa vzoru:

I wouldn't start at 7.

It	wouldn't	go swimming
You	couldn't	be back in time
Miss Black	shouldn't	recommend it
The children		start at 7
They		respect it
I		be done
		be finished

13. Povedzte, že robili to isté, podľa vzoru:

He enjoyed himself at the party. (She) – **She enjoyed herself at the party too.**

1. They prepared it themselves. (Tom) 2. I heard it myself. (Pat) 3. We enjoyed ourselves on the trip. (I) 4. She helped herself to a small piece of cake... (The girls) 5. I did it myself. (We) 6. They themselves knew about it. (Mr Parker) 7. He paid for it himself. (I) 8. We went there ourselves. (They) 9. I myself told them to come. (She)

14. Uveďte opačné významy hrubo tlačených slov podľa vzoru:

It was a **good** *film.* – It was a **bad** film.

1. That's the **right** number. 2. Come **after** six. 3. I'm **early.** 4. **Ask** a question. 5. The train **arrives** at seven. 6. He's **tall.** 7. The cup's **empty.** 8. It was **difficult.** 9. It's too **fast.** 10. The bag's **heavy.** 11. It's a **dark** room. 12. It's **over** the desk. 13. Turn **left.** 14. It's a **small** garden. 15. He knows **nothing.** 16. It was **boring.**

15. Povedzte po anglicky:

1. Prepáčte, že obťažujem. 2. Podali by ste mi láskave tie noviny? 3. Môžem dostať šálku kávy? 4. Zavrite dvere, prosím vás. 5. Mohli by ste mi tie platne vrátiť do týždňa? 6. Prepáčte, je to vaša kniha? 7. Ospravedlňte ma, prosím, na chvíľočku. 8. Chceli by ste vidieť ten film? Áno, chcel. 9. Poznáte sa s pánom Millerom? 10. Ako ste sa bavili?

16. Odpovedzte na otázky:

a) 1. Who gave the birthday party? 2. Who did she invite to her party? 3. How did Dick introduce his friend to Jane's mother? 4. What did Joe answer? 5. How did Dick greet Jane on her birthday? 6. What was Joe's wish? 7. How did Jane introduce Joe to her friends? 8. What country does Joe come from? 9. Who is he staying with? 10. Where did they all sit? 11. What did they drink? 12. Who offered Joe the biscuits? 13. Who made them? 14. What kind of music did they listen to? 15. How did Joe enjoy the party?

b) 1. When were you born? (on what day?) 2. How would you greet a friend on his birthday? 3. How would you introduce yourself? 4. How would you introduce Mr Brown to your friend Peter Nový? 5. When Mr Parker is introduced to you, what do you say? 6. What do you say when you are late?

Konverzačné cvičenia

a) Požiadajte zdvorile o predmety, ktoré vidíte na obrázkoch:
Vzor: May I have a cup (a glass, a piece) of...?
Can you give me some...
some more...
a little...

b) Požiadajte o podanie:
Vzor: Will you pass me the...?
Would you pass me...?
May I ask you for...?

c) Ponúknite:
Vzor: Have a...
Help yourself to...
Would you like to have...?

SHALL WE GO TO THE POST OFFICE?

It was raining almost the whole day. In the morning the sun was shinig, but then the sky got dark and it began to rain.

I was studying in my room and listening to the radio at the same time. A very thrilling football match was being broadcast and I didn't want to miss it. The other boys were in the next room and were following the match on TV.

Suddenly somebody opened the door and looked in. It was Stephen, an old friend of mine. "Hello, Jim," he said, "will you go with me? I'm going to the post office. I have to post a letter."

"Why go to the post office in this rain?" I asked him. "Isn't there a pillar-box at the corner, just opposite the call box?"

"Yes, that's true," said Stephen, "but I have no stamps and there's no slot-machine round here. Besides, I want to send a wire to my mother."

I looked out of the window; it was still raining. At that moment the match on the radio ended and so I decided to go with Stephen.

AT THE POST-OFFICE

1

A: How much is the postage to the Continent?
B: Twenty pence for a letter or a postcard.
A: I'd like three twentypenny stamps.

2

A: May I have a fifty-pence book of stamps?
B: Here you are.
A: Thank you. – And a telegram form, please.
B: Counter number six.

3

A: I want this letter registered.
B: Sorry, this is the counter for poste restante letters. Next counter for registered letters, please.

4

A: I want to send this parcel. Can you weigh it for me?
B: Certainly. – Do you want it insured?
A: Yes, please.

A TELEGRAM

Peter Thompson 16 Park Lane London S. E. 21
Arriving Monday 10 a. m. Paddington (Station) John

A POSTCARD FROM LONDON

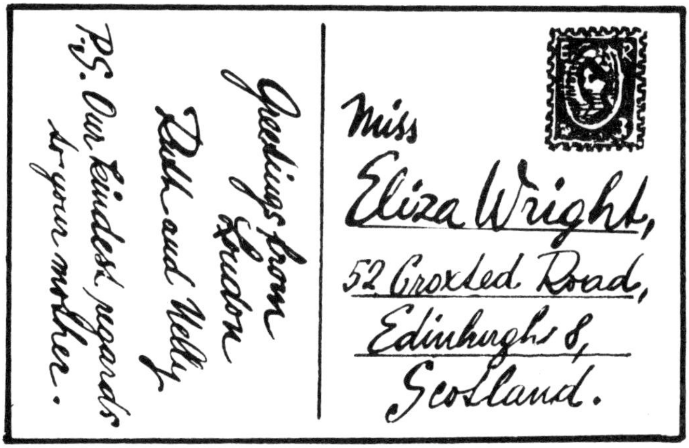

Výslovnosť vlastných mien z textu: **Croxted Road** [krokstid rəud]; **Edinburgh** [edinbərə] hlavné mesto Škótska; **Eliza** [iˈlaizə]; **Jim** [džim]; **London S. E. 21** [sauθ i:st] Londýn juhovýchodný (poštový) obvod č. 21; **Nelly** [neli]; **Paddington** [pædiŋtən] **Station** jedna z londýnskych žel. staníc; **Park Lane** [pa:k lein]; **Ruth** [ru:θ]; **Scotland** [skotlənd] Škótsko; **Stephen** [sti:vn] Štefan; **Thompson** [tomsn]; **Wright** [rait].

almost [o:lməust] takmer, skoro
arrival [əˈraivl] príchod
begin – began – begun [biˈgin – biˈgæn – biˈgan] *(nn)* začať sa
broadcast – broadcast(ed) – broadcast [bro:dka:st – bro:dka:st(id) – bro:dka:st] vysielať rozhlasom
call box [ko:l boks] telefónna búdka
counter [kauntə] pult, okienko
dark [da:k] tmavý; tma
get dark stmievať sa
decide [diˈsaid] rozhodnúť sa
desk [desk] písací stôl
follow [foləu] sledovať, nasledovať
form [fo:m] formulár, blanketa
insure [inˈšuə] poistiť
have a thing insured dať niečo poistiť
interest [intrəst] záujem
be interested in [intrəstid] zaujímať sa o
look in [luk] pozrieť sa (dnu)
look out of pozrieť sa von (z)
love [lav] láska; milovať
give my love to pozdravuj odo mňa...
mine [main] *samostatné privlastňovacie zámeno*
a friend of mine jeden z mojich priateľov, jeden môj priateľ
moment [məumənt] moment, okamih
opposite [opəzit] naproti
other [aðə] *(pozri gramatiku)*
another [əˈnaðə] iný, ďalší
over [əuvə]:
be over skončiť sa
parcel [pa:sl] balík, balíček
penny [peni]:
a twenty penny stamp známka v hodnote 20 penny
pillar-box [piləboks] schránka na listy *(v Anglicku)*
post [pəust] dať na poštu alebo do schránky, podať poštou
postage [pəustidž] poštovné
postcard [pəustka:d] lístok (poštový)
poste-restante [pəust resta:nt] poste restante
public [pablik] verejný
radio [reidiəu] rádio, rozhlas
rain [rein] dážď; pršať
regards [riˈga:dz] pozdrav
registered [redžistəd] doporučený (list)
road [rəud] cesta, ulica
same [seim]:
at the same time zároveň, súčasne
send – sent – sent [send – sent – sent] poslať
shine – shone – shone [šain – šon – šon] svietiť, žiariť
sky [skai] obloha
slot machine [ˈslot məˌši:n] automat
suddenly [sadnli] odrazu, naraz
sun [san] slnko
telegram [teligræm] telegram
thrilling [ðriliŋ] napínavý
true [tru:] pravý, skutočný
that's true to je pravda
weigh [wei] (z)vážiť
wire [waiə] drôt; telegram

DÔLEŽITÉ VÄZBY

How much is the postage for a letter to Canada? (What's the postage...?)	Aké je poštovné na list do Kanady?
Will you post this letter for me?	Podajte mi, prosím vás, ten list na poštu.
May I have a fifty-pence book of stamps?	Môžem dostať zošit známok za 50 penny?
You'll get it at the next counter.	Dostanete to pri vedľajšom okienku.
I want to send this letter registered.	Chcem poslať tento list doporučene.
Give my kindest regards (my love) to your mother.	Odovzdajte svojej matke môj srdečný pozdrav.
It's getting dark.	Stmieva sa.
I was listening to the radio.	Počúval som rádio.
What's on the radio?	Čo dávajú v rozhlase? Aký je program v rádiu?
I was watching the match on the radio (on (the) television).	Sledoval som zápas v rádiu (v televízii).
I looked out of the window.	Podíval som sa z okna.
Why go there in this rain?	Načo tam chodiť v tomto daždi?
That's true.	To je pravda.
You're right.	Máte pravdu.
You're mistaken.	Nemáte pravdu. (Mýlite sa.)
Our English lesson is over.	Naša hodina angličtiny sa skončila.

VÝSLOVNOSŤ A PRAVOPIS

Výslovnosť písaného „a" v prízvučných slabikách

píšeme	čítame	príklady
a	[æ]	*apple* [æpl], *fan* [fæn], *stamp* [stæmp]
a	[ei]	*name* [neim], *place* [pleis], *baby* [beibi]
a	[a:]	*glass* [gla:s], *dance* [da:ns], *answer* [a:nsə], *father* [fa:ðə], *ask* [a:sk]
a	[e]	*any* [eni], *many* [meni], *anything* [eniθiŋ]
ar *ar + spoluhl.*	[a:]	*car* [ka:], *dark* [da:k], *large* [la:dž], *hard* [ha:d]
all	[o:l]	*also* [o:lsəu], *always* [o:lwəz], *salt* [so:lt] *all* [o:l]. *small* [smo:l], *tall* [to:l], *ball* [bo:l]
ai	[ei]	*rain* [rein], *train* [trein], *wait* [weit], *straight* [streit], *railway* [reilwei], *afraid* [əˈfreid]

píšeme	čítame	príklady
ay	[ei]	*play* [plei], *say* [sei], *day* [dei]
au	[o:]	*August* [o:gəst], *sauce* [so:s], *daughter* [do:tə]
wa, wha	[wo]	*wash* [woš], *want* [wont], *watch* [woč], *was* [woz], *what* [wot]
qua	[kwo]	*quality* [kwoliti], *quarrel* [kworəl]
wa	[wo:]	*warm* [wo:m], *walk* [wo:], *water* [wo:tə]

Poznámka: Všimnite si výslovnosť týchto slov: *half* [ha:f], *salmon* [sæmən], *again* [əˈgen], *sausage* [sosidž], *aunt* [a:nt].

Cvičte výslovnosť písaného „a" v prízvučnej slabike:

[æ]

Jack's at a camp. – I'm glad you're back. – Let's have a snack. – Pat carried apples. – Ann has the map in her bag. – Who's the man with the black hat? – That's bad.

[ei]

The lady's name is Jane Baker. – Wait for Kate. – They play their favourite games. – They came to the same place. – This way goes straight to the railway station.

[a:]

Let's start. – It's rather dark. – The parcel's in the car. – The parks in Prague are large. – Ask Charles. – Father answered at last. – Pass me the glass.

[o:]

Paul isn't small, he's tall. – Joe called all boys. – She's also in the hall. – She always talks too much. – She's Tom's daughter.

[eə]

My parents prepared it carefully. – Mary paid the fare.

[o] – [o:]

What's there? – Wash it in water. – It's warm, we'll walk. – Don't quarrel. – It's a good quality watch.

GRAMATIKA

1. Minulý priebehový čas

What were you doing at six yesterday?	Čo si robil včera o šiestej?
I was writing a letter.	Písal som list.

Minulý priebehový čas je minulým tvarom prítomného priebehového času, s ktorým ste sa stretli v 4. lekcii. Tvorí sa pomocou slovesa *to be* v minulom čase *(I was, you were* atď.) a **tvaru na -ing:**

Podmet + *was, were* + tvar na *-ing*			
I	**was**	**writing.**	Písal som.
You	**were**	**watching TV.**	Díval si sa na televíziu.
He	**was**	**studying.**	Študoval.
She	**was**	**reading.**	Čítala.
It	**was**	**raining.**	Pršalo.
We	**were**	**waiting.**	Čakali sme.
You	**were**	**playing.**	Hrali ste sa.
They	**were**	**walking.**	Išli pešo.

Otázka sa tvorí zámenou podmetu a *was/were:*
Were you watching television?

Was she reading?

V zápore dávame za *was/were* časticu *not:*

I was not writing.
You were not studying.

Záporné skrátené tvary:

I wasn't [woznt]	writing.
It wasn't	raining.
We weren't [we:nt]	sitting there.

Stručné odpovede:

Were you studying the whole afternoon?
– Yes, I was. – No, I wasn't.
– Yes, we were. – No, we weren't.

Stručné hovorové otázky:

You weren't playing tennis, were you?
It was raining, wasn't it?

Použitie:

Minulý priebehový čas vyjadruje:

a) Dej, ktorý sa práve konal v istom čase v minulosti, napr. včera o šiestej hodine, v nedeľu okolo desiatej ap.:

At six o'clock I was getting up.	O šiestej som práve vstával.
At seven we were having breakfast.	O siedmej sme práve raňajkovali.
At this time yesterday we were leaving Bratislava.	Včera o tomto čase sme odchádzali z Bratislavy.

b) Dej, ktorý trval dlhší čas v minulosti. Čas trvania je spravidla daný časovým údajom:

It was raining the whole day yesterday.	Včera celý deň pršalo.
In the morning the sun was shining.	Dopoludnia svietilo slnko. (Po celé dopoludnie.)
I was learning English from three to five on Saturday.	Učil som sa angličtinu od tretej do piatej v sobotu.

c) Deje, ktoré sa konali súčasne a trvali dlhší čas v minulosti:

We were sitting and waiting for Mr Brown.	Sedeli sme a čakali na pána Browna.
I was writing a letter and Tom was reading a book.	Písal som list a Tom čítal knihu.

d) Minulý čas priebehový označuje dej, ktorý trval istý čas v minulosti a tvoril akési pozadie k hlavnému deju minulému, okamžitému a vyjadrenému jednoduchým minulým časom:

We met Ann and Joyce in the street. They were going to the cinema.	Na ulici sme stretli Annu a Joyce. Išli (práve) do kina.
He looked out of the window. It was still raining.	Pozrel sa z okna. Stále ešte pršalo.
I didn't hear the phone because I was listening to the radio.	Nepočul som telefón, lebo som počúval rádio.

Pozor! Dobre si uvedomte významový rozdiel medzi minulým časom jednoduchým a priebehovým:

I played *football* yesterday.	**We were playing** *football* the whole time.
Včera som hral futbal. **(konštatovanie)**	Hrali sme futbal po celý čas. (zdôrazňuje sa **čas trvania**)

Poznámky: 1. Minulý čas priebehový sa môže vyskytnúť aj v **trpnom rode,** napr.:

A football match was being broadcast from four to six.	Od štyroch do šiestej sa (práve) vysielal v rádiu futbalový zápas.

2. Sloveso *to have* vo väzbách *to have breakfast* (raňajkovať), *to have lunch* (obedovať), *to have tea* (olovrantovať), *to have dinner* (večerať) ap. môže taktiež tvoriť priebehové tvary:

We were having tea when John came.	(Práve) sme olovrantovali, keď prišiel Ján.

2. Samostatné zámeno privlastňovacie

THIS IS **MY BOOK.** – **IT'S MINE.**

Popri privlastňovacích zámenách nesamostatných, ktoré stoja vždy pred príslušným podstatným menom *(my book, your money…)*, sú v angličtine ešte privlastňovacie zámená samostatné, za ktorými nenasleduje nijaké podstatné meno.

This is my	book.	It's **mine.**	[main]
This is your	money.	It's **yours.**	[jo:z]
This is his	coat.	It's **his.**	[hiz]
This is her	bag.	It's **hers.**	[hə:z]
This is our	ball.	It's **ours.**	[auəz]
This is their	room.	It's **theirs.**	[ðeəz]

Na rozdiel od slovenčiny nemožno v angličtine použiť privlastňovacie zámená po neurčitom člene a po ukazovacích zámenách *this, that.* Ak chceme v takých prípadoch privlastňovať, použijeme spojenie **of** + **mine (yours** atď.) a presunieme ho až za príslušné podstatné meno.

his coat	– **this coat of his**	ten jeho kabát
her bag	– **that bag of hers**	tá jej taška
my friend	– **a friend of mine**	jeden z mojich priateľov

3. Neurčité zámená „other, another, the other"

V tabuľke si všimnite rôzne významy týchto zámen.

Jednotné číslo		
len s podst. menom	**another book** 1. iná kniha 2. ešte jedna, ďalšia kniha	**the other book** tá druhá kniha
Množné číslo		
s podst. menom	**other boys** iní chlapci	**the other boys** ostatní (tí druhí) chlapci
bez podst. mena	**others** *(were playing)* iní (sa hrali)	**the others** *(left)* ostatní (odišli)

Give me another pen.	Dajte mi iné pero.
Another cup of tea?	Ešte jednu šálku čaju?
Some were playing volleyball.	Niektorí hrali volejbal.
Others were picking up wood.	Iní zbierali drevo.
The other boys were preparing a campfire.	Ostatní chlapci pripravovali táborák.
I invited the others as well.	Pozval som aj ostatných.
I prefer the other book.	Páči sa mi väčšmi tá druhá kniha.

4. Nepravidelné slovesá

begin [biˈgin] začať (sa)	**began** [biˈgæn]	**begun** [biˈgan]
broadcast [bro:dka:st] vysielať rozhlasom	**broadcast(ed)** [bro:dka:st(id)]	**broadcast** [bro:dka:st]
send [send] poslať	**sent** [sent]	**sent** [sent]
shine [šain] svietiť, žiariť	**shone** [šon]	**shone** [šon]

CVIČENIA

1. Utvorte čo najviac viet:

I	was	going to the stadium	at three
We	were	playing cricket	from 4 do 6
Jim	wasn't	watching TV	the whole evening
They	weren't	listening to the music	all the time

2. Spýtajte sa Toma, čo robil včera v určitom čase, a odpovedzte namiesto neho:

6.10 *to get up* – **What were you doing at ten past six?**
I was getting up at ten past six.

6.20 to wash and dress
6.30 to make coffee

6.40	to have breakfast
6.55	to look at the papers
7.05	to hurry to the tram stop
7.30–15,45	to work in the office
13	to have lunch at the canteen
15.50	to leave the office
16	to walk home
16.15	to buy flowers for Mary
17.20	to phone Mr Parker
17.30–18.30	to study French
18.30–19	to watch the TV
19.10	to have dinner
19.40	to go to the cinema

3. Hovorte vety podľa vzoru:

a) When I met Jane she was going to the post-office.

When I met Jane she...
(to walk to the factory, to hurry to the railway station, to go out of the post-office, to do some shopping, to buy milk, to look for the Inquiry Office).

b) When I saw the boys they were playing football.

When I saw the boys they...
(to learn their lessons, to show slides, to help in the garden, to carry luggage upstairs, to stand in front of the house).

c) When Tom rang me up I was having supper.

When Tom rang me up...
(to finish supper, to begin to write to him, to put on (my) coat, to leave, to go out).

4. Odpovedzte stručne na otázky a) kladne, b) záporne:

1. Was it raining yesterday?2. Were you working all day? 3. Was it getting dark when you came home? 4. Were the boys staying at a camp over the weekend? 5. Was Jim talking about it at your meeting?

5. Odpovedzte kladne na otázku:

This is my ticket, isn't it? – **Yes, it's yours.**

1. This is your cup, isn't it? 2. This is his rucksack, isn't it? 3. This is her bag, isn't it? 4. This is our road map, isn't it? 5. This is their luggage, isn't it? 6. This is my parcel, isn't it?

6. Odpovedzte podľa vzoru:

Do you need this book? – **No, I need another book.**

1. Will you have this postcard? 2. Will you use this textbook? 3. Will you have this pen? 4. Will you need this map? 5. Do you want this slide? 6. Do you prefer this picture? 7. Will you watch this programme?

7. Reagujte podľa vzoru:

The other people must wait outside.
Yes, the others must wait outside.

1. The other boys are coming. 2. The other English ladies are going there too. 3. The other sportsmen are at the camp. 4. The other boys are by the river. 5. The other students are at the museum. 6. The other girls will go to the National Gallery.

8. Preložte:

1. Ukážte mi, prosím vás, inú anglickú učebnicu. 2. Máte nejaké iné pohľadnice? 3. Môžem dostať ešte jednu šálku čaju? 4. Podajte mi ten druhý balíček. 5. Niektorí chlapci dávajú prednosť futbalu, iní basketbalu. 6. Kde sú ostatní? 7. Keď prišli, práve som raňajkoval. 8. Hrali sme volejbal celé dopoludnie. 9. Čo ste robili včera o piatej hodine? 10. Dívali sme sa na televíziu. 11. To je pravda. Má pravdu.

9. Odpovedzte podľa textu a podľa skutočnosti:

1. What was the weather like yesterday? 2. What was Jim doing? 3. What was on the radio? 4. What were the other

boys doing? 5. Who's Steven? 6. What did he ask Jim? 7. Why must he go to the post-office? 8. What did Jim decide to do? 9. Was it still raining? 10. What's on television today? (There's...) 11. What programmes do you like to watch? (TV plays, pop music, football,...) 12. When do you listen to the radio?

Konverzačné cvičenia

a) Spýtajte sa, kde je najbližšia pošta, poštová schránka, telefónna búdka, či je tu v blízkosti automat na známky.

Vzor: **Excuse me, where's the nearest...?**
Excuse me, is there a... around here?

b) Spýtajte sa, kde môžete dostať známky, formulár na telegram, pohľadnice ap. a koľko stojí poštovné na pohľadnicu, list atď.

Vzor: **Where can I get...?**
What's the postage for...?

c) What were they doing when Father came home?

Vzor: **Mother was cooking, Ann was...**

AN EVENING AT HOME

Father: Switch on the light, will you?

Mike: Has it stopped raining yet?

Father: I'm afraid not. But if it doesn't rain much, I'll go for a walk after supper.

Mother: Mike, would you mind looking at the TV Times, please? I'd like to know what's on tonight.

Mike: There's a play on the second channel in half an hour. Then there's a detective serial at nine and the figure-skating championship starts after the 10 o'clock news.

Father: Well, I'm looking forward to watching the world championship. Mike, what have you on for to-night?

Mike: I'd like to try my hand at repairing Anne's old tape-recorder.

Anne: Do you think you'll be ready with it when Jack comes? He promised to bring a new tape.

Mike: I hope so. What about you, Pat?

Pat: We're going to the pictures. There's a nice film on at the Odeon. – Oh dear, the bell's ringing. That'll be John. Anne, please will you answer the door while I get my coat?

Výslovnosť vlastných mien: **Odeon** [əudjən].

---

as soon as len čo
behind [biˈhaind] za *(miestne)*
bell [bel] zvon(ček)
bridge [bridž] most
championship [čæmpjənšip] majstrovstvo
channel [čænl] kanál
detective [diˈtektiv] detektívny
figure skating [ˈfigəˈskeitiŋ] krasokorčuľovanie
half an hour [ˈha:f ənˈauə] polhodina
hand [hænd] ruka
if [if] ak
instead of [inˈsted] namiesto (čoho)
keep – kept – kept [ki:p – kept – kept] nechať
mind [maind] prekážať, namietať
off [of] preč
oh dear [ˈəuˈdiˈə] o jej!
promise [promis] sľub; sľúbiť
remember [riˈmembə] pamätať si, spomínať
repair [riˈpeə] opraviť
ring – rang – rung [riŋ – ræŋ – raŋ] zvoniť
serial [siˈriəl] seriál
skate [skeit] korčuľovať sa
soon [su:n] zavčasu, čoskoro
story [sto:ri] príbeh
short story poviedka
switch [swič] vypínač
switch off vypnúť
switch on zapnúť
tape [teip] páska (magnetofónová)
tape-recorder [ˈteipriˌko:də] magnetofón
till, until [til, ənˈtil] až do (istého času), kým ne-
tonight [təˈnait] dnes večer
try [trai] skúsiť, pokúsiť sa, usilovať sa
understand – understood – understood [ˌandəˈstænd – ˌandəˈstud – ˌandəˈstud] rozumieť
used to [ju:st] zvyknutý
while [wail] chvíľa; zatiaľ čo, kým
without [wiˈðaut] bez
world [wə:ld] svet; svetový
wash up umyť riad

DÔLEŽITÉ VÄZBY

Switch on the light, please.	Zažni, prosím ťa.
Switch on the radio.	Zapni rádio.
Switch off the television.	Vypni televíziu.
What's on at the theatre?	Čo dávajú v divadle?
What have you got on? (= on the programme)	Čo máš na programe? Čo chceš robiť?
Do you feel like going to the pictures?	Chce sa ti ísť do kina?
They are showing a nice film at the Metro [metrəu].	V Metre dávajú pekný film.
I prefer tea to coffee.	Dávam prednosť čaju pred kávou.
I like reading good detective stories.	Rád čítam dobré detektívky.
Don't keep him waiting.	Nenechaj ho čakať.
I'll try my hand at repairing it.	Pokúsim sa to opraviť.
I'm afraid so. I'm afraid not.	Obávam sa, že áno. Obávam sa, že nie.
I hope so. I hope not.	Dúfam, že áno. Dúfam, že nie.
Will you answer the door?	Išli by ste, prosím, otvoriť dvere?

VÝSLOVNOSŤ A PRAVOPIS

1. Výslovnosť koncového -ing

Čítajte a dbajte na to, aby ste **nevyslovovali na konci** [k]:

reading – reading books – I'm fond of reading books.
writing – writing letters – I don't like writing letters.
waiting – waiting too long – Don't keep us waiting too long.

2. Rozlišujte vo výslovnosti w – v:

It's a very warm evening. Switch on the television, will you? Why won't you wait? We'll visit the gallery. When will you visit it? Next week. We visited it in the winter. Where's the inquiry office? It's near Victoria Station. We live near the railway station. There's only one selfservice shop here.

3. Čítajte v prvom stĺpci plnú výslovnosť [kud, wud, hæz, kæn atď.] a v druhom oslabenú výslovnosť [kəd, wəd, həz, kən atď.]:

Could you come?	Yes, I could come at once.
Would he do it?	Yes, he would do it at once.
Has Tom seen it?	Yes, he has seen it today.
Can you ring me up?	Yes, I can ring you up after lunch.
Will you invite them?	Yes, I shall invite them if you like.

GRAMATIKA

1. Gerundium

It has stopped raining.	Prestalo pršať.

Anglické gerundium má rovnaký tvar ako prítomné príčastie. Tvorí sa od slovies príponou **-ing,** napr. *reading, sitting,* *writing.* Tento tvar v slovenčine nemáme, preto ho prekladáme ako:

a) slovesné podstatné meno:

reading	–	čítanie
writing	–	písanie
smoking	–	fajčenie

b) podstatné meno:

coming	–	príchod
walking	–	chôdza

c) sloveso:

I went	**shopping**	–	ísť **nakupovať**
I enjoyed	**reading**	–	rád **čítať**
it stopped	**raining**	–	prestať **pršať**

d) alebo veľmi často vedľajšou vetou:

He spoke of going there.	Hovoril o tom, že tam pôjde.
I'm afraid of being late.	Bojím sa, že prídem neskoro.
Thank you for bringing it.	Ďakujem vám, že ste to priniesli.
Do you mind my smoking?	Neprekáža vám, že fajčím?

Gerundium sa vyznačuje tým, že

a) môže byť podmetom vety:

Reading is easier than writing.	Čítanie je ľahšie než písanie.
Speaking English isn't easy.	Rozprávať po anglicky nie je ľahké.

b) môže pred ním stáť privlastňovacie zámeno alebo privlastňovací pád:

my	coming	môj príchod
John's	coming	Jánov príchod
mother's	cooking	matkino varenie

c) môže po ňom nasledovať predmet alebo príslovka.

Porovnajte:

Sloveso		Gerundium	
to read	newspapers	reading	newspapers
to write	letters	writing	letters
to walk	quickly	walking	quickly
to read	slowly	reading	slowly

Použitie:

Gerundium je veľmi obľúbeným tvarom v angličtine. Používa sa:

a) po slovesách označujúcich začiatok, pokračovanie a koniec deja: *start, begin, stop* (prestať), *finish, keep* (nechať, pokračovať), *go on* (pokračovať)

b) po slovesách označujúcich citový vzťah, napr. *enjoy, prefer, dislike* (nemať rád), *like* (ak ide o trvalú záľubu), *feel like* ap.

c) po ďalších slovesách a slovesných väzbách, ako: *go, come, mind, try* (skúsiť niečo), *excuse, remember* (pamätať si, spomínať si), *I cannot help* (nemôžem si pomôcť) ap.

Pozor! Pred gerundiom nesmie byť člen a nedáva sa za ním predložka *of*, ako pri podstatných menách:

Gerundium	I enjoy	**reading**	**books.**	Rád čítam knihy.
	I like	**meeting**	**friends.**	Rád sa stretávam s priateľmi.
Podstatné meno	**THE**	reading	**OF** books	čítanie kníh
	THE	meeting	**OF** our club	schôdza nášho klubu

Príklady:

Stop smoking.	Prestaňte fajčiť.
He finished writing.	Dopísal.
Keep walking.	Pokračujte v chôdzi.
Don't keep saying that.	Nehovorte to stále.
Go on reading.	Čítajte ďalej.
I prefer walking to going by tram.	Radšej idem pešo než električkou.
I enjoy listening to music.	Rád počúvam hudbu.
Excuse my being late.	Prepáčte, že prichádzam neskoro.
I'm thinking of buying a new tape-recorder.	Pomýšľam na to, že si kúpim nový magnetofón.
Would you mind opening the window?	Otvorili by ste láskavo okno?
I don't mind his smoking.	Neprekáža mi, že fajčí (jeho fajčenie).
Do you mind my smoking here?	Neprekáža vám, keď tu fajčím?
I remember posting the letter.	Spomínam si, že som dal list na poštu.
Ale: Remember to post the letter.	Nezabudni dať ten list na poštu.

d) po predložkových väzbách a spojkách:

to think of – pomýšľať na
to excuse for – ospravedlniť, že
to be used to – byť zvyknutý (na čo)
to be interested in – zaujímať sa o čo
to be good at – byť dobrý v čom
the idea of – nápad (niečo urobiť)
the hope of – nádej, že
the interest in – záujem o
to thank for – poďakovať za
to look forward – tešiť sa na
to be afraid of – báť sa čoho
to be pleased at – byť potešený čím
to be surprised at – byť prekvapený čím
instead of – namiesto aby
without – bez toho, že by
by – tým, že

Príklady:

Thank you for sending me the book.	Ďakujem za poslanie knihy.
They talked about buying some fruit.	Hovorili o tom, že kúpia ovocie.
We are looking forward to seeing her.	Tešíme sa, že ju uvidíme.
I was surprised at meeting him here.	Bol som prekvapený, že som ho tam stretol.
Is there any hope of getting it?	Je nádej, že to dostaneme?
I'm used to walking.	Som zvyknutý chodiť pešo.
He left without saying good-bye.	Odišiel bez toho, že by sa rozlúčil.
She helped us by preparing the list.	Pomohla nám tým, že pripravila zoznam.

2. Časové vety

I shall come	**as soon as**	**I have time.**
Prídem,	len čo	budem mať čas.

Časové vety sú uvedené spojkami:

when keď
before skôr než
as soon as len čo
as keď, až
since od (toho času, čo)
after potom, keď
till, until kým ne-
while zatiaľ čo

V časových vetách nesmie byť po uvedených spojkách budúci čas *(shall/will)*. Preto namiesto budúceho času dávame po časových spojkách prítomný čas. Toto pravidlo platí aj pre podmienkové vety v budúcnosti, uvedené spojkou *if* – ak.

(vedľajšia veta)			(hlavná veta)			
Spojka + Prítomný čas			**Budúci čas**			
As soon	as he	arrives,	he	will	telephone.	
When	I am	free,	I	shall	write	to her.
If	it's	fine,	we'll		go	for a walk.

Poradie viet môžeme obrátiť:

(hlavná veta) **Budúci čas**				(vedľajšia veta) **Spojka + Prítomný čas**			
We	shall	go	there	if	it	doesn't	rain.
Will	you	speak	to him	while	I	am	out?
You'll		see	the Tower	as	you	cross	the bridge.
Will	you	be	ready	before	we	come	back?

3. Vyjadrenie slovenského „pred" a „za" v angličtine

pred (časove)	**before**, **ago**	**po** (časove)	**after**
		za (časove)	**in**
pred (miestne)	**in front of**	**za** (miestne)	**behind**

BEFORE použijeme, ak ide o nejakú udalosť v minulosti alebo v budúcnosti:

	before	supper	**pred**	večerou
		the end of the play		koncom hry
		the beginning		začiatkom
		10 o'clock		desiatou
		1st June		prvým júnom
He came	**before**	me.	Prišiel	**predo** mnou.

Poznámka: **Before** môžeme použiť aj samostatne vo význame *predtým*, napr. *I have never seen it before.* Nikdy som to predtým nevidel.

AGO použijeme, ak ide o určitý časový údaj v minulosti vzhľadom na prítomný okamih. *Ago* dávame vždy až za časový údaj.

it was	two minutes	**ago**	bolo to	**pred** dvoma minútami
	an hour	**ago**		**pred** hodinou
	three days	**ago**		**pred** troma dňami
	a week	**ago**		**pred** týždňom

IN FRONT OF použijeme pri určení miesta:

in front	**of** the house	**pred**	domom
	the window		oknom
	the school		školou (budovou)

AFTER je opakom k *before* a *ago*:

before lunch	**after** lunch	po obede
two years **ago**	**after** two years	po dvoch rokoch

BEHIND je opakom k *in front of*:

in front of the door	**behind** the door
in front of the house	**behind** the house

IN vo význame „*o*" používame s časovým údajom:

in an hour	**o** hodinu
in a week	**o** týždeň

4. Nepravidelné slovesá

to keep [ki:p] držať, chovať	**kept** [kept]	**kept** [kept]
to understand rozumieť [ˌandəˈstænd]	**understood** [ˌandəˈstud]	**understood** [ˌandəˈstud]

CVIČENIA

1. Hovorte o sebe v zápore v predprítomnom čase podľa vzoru:

Tom saw the film yesterday. – **I haven't seen it.**

1. She heard the news yesterday. 2. They kept him waiting. 3. You began yesterday. 4. They understood all.

5. They sent the letter yesterday. 6. He spoke about it. 7. He read it. 8. He rang them up.

2. Hľadajte vhodné spojenia, napr. opaky, podľa vzoru:

Sitting and –. **Sitting and standing.**

1. Coming and –. 2. Starting and –. 3. Playing and –. 4. Switching on and –. 5. Remembering and –. 6. Going to bed and –. 7. Being late and –. 8. Going up and –. 9. Asking and –. 10. Being ill and –.

3. Spytujte sa na hrubo vytlačené výrazy podľa vzoru:

They're looking **at some pictures.** – **What are they looking at?**

1. He's speaking **to some friends.** 2. They're listening **to pop music.** 3. They're coming **from the cinema.** 4. She's dancing **with John.** 5. I'm interested **in art books.** 6. We're looking forward **to the summer holidays.** 7. They're talking **about him.**

4. Tvorte čo najviac rôznych otázok podľa vzoru:

Do you enjoy going to the pictures?

Do	you	like	going to the pictures	
Does	they	enjoy	watching TV plays	
	Mike	prefer	walking	?
			reading detective stories	

5. Odpovedzte podľa vzoru:

Are they going skiing? – **Yes, they're going skiing.**
No, they're going skating.

1. Are they thinking of buying a car? 2. Are you thinking of buying a tape-recorder? 3. Do you like camping? 4. Do you prefer going by bus? 5. Are you interested in reading books on sports? 6. Does Tom enjoy hitchhiking?

6. Hovorte podľa vzoru:

swimming – **Come swimming with me (with us).**

1. shopping 2. skating 3. dancing 4. walking 5. camping

7. Poproste zdvorile o dovolenie podľa vzoru:

May I open the window? – **Do you mind my opening the window? Would you mind my opening the window?**

1. May I switch on the light? 2. May I smoke here? 3. May I switch off the radio? 4. May I shut the window? 5. May I switch on the television? 6. May I keep the book till next week? 7. May I wait here?

8. Povedzte, kde čo je, podľa vzoru?

In front of our house there's a bus stop.

In front of	our house	there's	a	car
Behind	the museum			park
	the school			garden

9. Odpovedzte s použitím väzby *I'm going to* podľa vzoru:

When will you finish it? In a month?
Yes, I'm going to finish it in a month.

1. When will you be ready with it? In a week? 2. When will you repair it? In an hour? 3. When will they return? In three weeks? 4. When will you do it? In half an hour? 5. When will you be back? In ten minutes? 6. When will you ring me back? In five minutes?

10. Odpovedzte podľa vzoru:

He left before lunch *(after 7 o'clock, before the 1st March ap.)*
It happened an hour *(a week, ten minutes, 2 years* ap.*)* **ago.**

1. When did Mr Parker leave? 2. When did they arrive? 3. When did he come back? 4. When did it happen? 5. When did he speak about it? 6. When did they return? 7. When did

she phone? 8. When did you start? 9. When did the train arrive?

11. Povedzte, čo urobíte, kým prídu, podľa vzoru:

I'll go shopping before they come.

1. buy some fruit 2. get some biscuits 3. wash up 4. prepare supper 5. ring you up 6. be very busy.

12. Odpovedzte podľa vzoru:

What will you do if it rains? – **If it rains, I'll stay at home.**

1. What will you do if you miss the bus? 2. What will you do if you are free tomorrow? 3. What will you do if she doesn't phone? 4. What will you do if they are late? 5. What will you do if it's fine tomorrow? 6. What will you do if you win the money?

13. Povedzte po anglicky:

1. Prišiel pred hodinou. 2. Príď pred obedom. 3. Prišiel som za vami. 4. Skončili sme pred desiatimi minútami. 5. Prišiel pred troma dňami. 6. Čo si robil pred dovolenkou? 7. Budem hotový o pár minút. 8. Zavolám ti, až dostanem odpoveď. 9. Ak bude v sobotu pekne, budem pracovať v záhrade. 10. Pomôžete mi, keď Tom nepríde?

14. Odpovedzte na otázky:

a) k textu: 1. What will Father do if it doesn't rain much after supper? 2. What's on the television in the evening? 3. What TV programmes does he like watching? 4. What will Mike do in the evening? 5. What did Jack promise to bring? 6. What's Pat going to do? 7. Where are they showing a nice film?

b) 1. What do you like doing in the evening? 2. Which do you prefer, going to the theatre or to the pictures? 3. What books do you enjoy reading? 4. Which do you like better, dancing or listening to dance music? 5. What radio programmes do you like to listen to? 6. How do you enjoy going to parties? giving parties? going out to dinner?

Konverzačné cvičenia

Povedzte podľa obrázkov, čo radi (prípadne neradi) robia. Používajte podľa možnosti gerundiálne väzby, napr. playing tennis, reading detective stories ap.

John and Dick are sportsmen.
They are fond of...
John is good at...
Dick is better at...
He prefers... to...
They both enjoy...
But they don't like...

Kate likes sightseeing.
She often takes part in...
She enjoys...
She is also interested in...
But she dislikes...

Sue and Frank like pop music.
They prefer... to...
They collect...
They also like...
They enjoy...

AT A TRAVEL AGENCY

Travel agent:	Good morning, sir. Can I help you?
Mr Parker:	Yes, I should like to book a coach trip to Scotland.
Travel agent:	Certainly. We run cheap weekend trips. Departures are every Friday evening or Saturday morning.
Mr Parker:	I'm afraid I can't leave on Friday, I have to work till five. Besides, I don't like to travel by night. I want to see the sights.
Travel agent:	Maybe you will be able to leave early Saturday morning? Of course that makes a rather short weekend, I always think.
Mr Parker:	Yes, so do I, but it can't be helped.
Travel agent:	So shall I reserve seats for you on the six a. m. coach next Saturday? How many?
Mr Parker:	Yes please, two for the next Saturday. But I don't know what my wife will say to getting up so early.

Travel agent:	Well, neither do I. She won't regret it, though. It's rather lovely in Scotland at this time of the year, and you must allow some time to see all the beauty spots.
Mr Parker:	Is Loch Lomond included in the tour?
Travel agent:	Yes, of course. Each of our coaches stops there. Help yourself to the folder on the counter.
Mr Parker:	May I?
Travel agent:	Here you will be able to find full details of the timetable, the sights, hotels, simply everything.
Mr Parker:	I must take it for my wife. She will like the splendid coloured photographs and may not mind getting up so early in the morning.
Travel agent:	That will be all then.
Mr Parker:	Oh, we shall have to take Toby. Are dogs allowed?
Travel agent:	Yes, but you must pay half-fare for him.
Mr Parker:	That doesn't matter.
Travel agent:	Here's your bill; please pay at the desk. May I wish you a pleasant trip, sir. Goodbye.
Mr Parker:	Thank you, goodbye.

Výslovnosť vlastných mien: **Loch Lomond** [lok ləumənd] jazero v Škótsku; **Toby** [təubi].

---

able [eibl] schopný
be able to môcť
be allowed to smieť
beauty [bju:ti] krása
beauty spot [spot] miesto s krásnou prírodnou scenériou; **beauty spots** prírodné krásy
besides [biˈsaidz] okrem, okrem toho, popri tom
bicycle [baisikl] bicykel
book [buk] rezervovať si, zabezpečiť si
certainly [sə:tnli] dozaista, pravdaže
cheap [či:p] lacný
coach [kəuč] autokar, diaľkový autobus
coach tour [tuə] autokarový zájazd
depart [diˈpa:t] odchádzať
departure [diˈpa:čə] odchod
desk [desk] pokladnica
detail [di:teil] podrobnosť; **full** [ful] **details** všetky podrobnosti
dog [dog] pes

each [i:č] každý *(z daného počtu, každý jednotlivo)*
everybody [evribodi], **everyone** [evriwan] každý (= všetci ľudia)
everything [evriθiŋ] všetko
find [faind] – **found** – **found** [faund] nájsť
folder [fəuldə] prospekt
half-fare [ha:ffeə] polovičné cestovné
have to musieť
include [inklu:d] zahrnúť
learn [lə:n] učiť sa
maybe [meibi:] možno, azda
neither [naiðə] ani, *pozri gramatiku* (ani ja)
night [nait] noc
once [wans] raz; **at once** ihneď
pai – paid – paid [pei – peid – peid] platiť
photograph [fəutəgra:f] fotografia
really [riəli] naozaj, skutočne
regret [rigret] *(tt)* ľutovať
reserve [rizə:v] rezervovať
run – ran – run [ran – ræn – ran] *(nn)* utekať, bežať;
run something viesť, riadiť (podnik), organizovať
seat [si:t] sedadlo, miesto
splendid [splendid] znamenitý, výborný
then [ðen] potom, teda, tak
though [ðəu] ale
timetable [taimteibl] cestovný poriadok
tourist [tuərist] turista
travel [trævl] *(ll)* cestovať
travel agency [eidžənsi] cestovná kancelária
travel agent [eidžnt] úradník v cestovnej kancelárii

DÔLEŽITÉ VÄZBY

We run cheap two-day trips.	Organizujeme lacné dvojdenné výlety.
I don't want to travel by night.	Nechcem cestovať v noci.
What time does the coach leave?	O ktorej hodine odchádza autokar?
Can you book two seats for me?	Môžete mi rezervovať dve miesta?
Help yourself to the folders.	Vezmite si prospekty.
Can you give me full details?	Môžete mi povedať všetky podrobnosti?
It can't be helped.	Nedá sa nič robiť.
You won't regret it, though.	Ale nebudete to ľutovať.
I don't mind getting up early.	Neprekáža mi, keď skoro vstávam.
That'll be all then.	Tak to bude všetko. To je teda všetko.
That doesn't matter.	To nič.
Here's your bill.	Tu máte účet.
Pay at the (cash) desk.	Zaplaťte pri pokladnici.

VÝSLOVNOSŤ A PRAVOPIS

Výslovnosť písaného th

Písané **th** vyslovujeme alebo znele [ð] alebo neznele [θ]. Pre správnu výslovnosť je dôležitá poloha jazyka. Špička jazyka sa ľahko opiera o dolnú hranu horných zubov, prípadne sa vkladá medzi zuby. Dbajte na to, aby ste nevyslovovali [dz], [t] alebo [s].

Znelé [ð]: brother [braðə]; father [fa:ðə]; mother [maðə]; other [aðə]; weather [weðə]; without [wiˈðaut]; this [ðis], these [ði:z]; that [ðæt], those [ðəuz]; they [ðei], them [ðəm], their [ðeə], theirs [ðeəz]; there [ðeə]; than [ðæn]; then [ðen]; though [ðəu]; na konci slova: with [wið].

Neznelé [θ]: theatre [θiətə]; thirsty [θə:sti]; thank [θæŋk]; think [θiŋk]; thought [θo:t]; thick [θik]; thin [θin]; three [θri:], third [θə:d], thirty [θə:ti]; thirteen [ˈθə:ˈti:n]; thousand [θauzənd]; Thursday [θə:zdi]; through [θru:]; both [bəuθ]; fourth [fo:θ], fifth [fifθ], twentieth [twentiiθ].

Starostlivo vyslovujte:

Father and mother went there with my brother. – They will come on the third Thursday in the month. – Both books are rather thrilling. – That's better than they thought. – Thirty-three without three is thirty. – Miss Smith was at the theatre. – You must thank them for everything. – It's Thursday the third. Come on the fifth.

GRAMATIKA

1. Minulý a budúci čas spôsobových slovies

I must do it.	Musím to urobiť.
I shall have to do it.	Budem to musieť urobiť.

Spôsobové slovesá *(I can, I may, I must)* nemajú neurčitok, minulý čas (okrem *I can – I could*) ani budúci čas. Na vyjadrenie týchto sa používajú tieto tvary:

a) **Neurčitok:**

môcť	= **to be able to** (do something) *dosl.*	byť schopný (niečo urobiť)

smieť = **to be allowed to** (do it) — mať dovolené (to urobiť)

musieť = **to have to** (do it) — musieť (to urobiť)

b) **Minulý čas:**

Prítomný čas:		Minulý čas:		
I can	come.	**I could**	**come.**	Mohol som
		I was able	**to come.**	prísť.
I cannot	come.	**I couldn't**	**come.**	Nemohol
		I wasn't able	**to come.**	som prísť.
I may	come.	**I was allowed**	**to come.**	Smel som prísť.
I mustn't	come.	**I wasn't allowed**	**to come.**	Nesmel som prísť.
I must	come.	**I had**	**to come.**	Musel som prísť.
I needn't	come.	**I didn't have**	**to come.**	Nemusel som prísť.

Tvary *be able to, be allowed to, have to* môžeme použiť aj v prítomnom čase:

He is able to finish it. — Môže to dokončiť. (Je schopný to dokončiť.)

I am not allowed to drink it. — Nesmiem to piť. (Nemám to dovolené.)

He has to work hard. — Musí ťažko pracovať. (Okolnosti to vyžadujú.)

Ak použijeme tieto tvary, musí nasledovať vždy **neurčitok** s **to:**

Porovnajte:

I must **buy** the tickets. — He **had to buy** them.

Poznámka: Tvar *I could* má dva významy: mohol som a mohol by som (podmieňovací spôsob).

Tvar *I might* (od slovesa *I may*) má len význam podmieňovací: He might [mait] come. Mohol **by** prísť. Azda **by** prišiel.

c) **Budúci čas:**

I shall	**be able**	**to** do it.	Budem to môcť urobiť.
I shall not	**be able**	**to** do it.	Nebudem to môcť urobiť.
I shall	**be allowed**	**to** come.	Budem smieť prísť.
I shan't	**be allowed**	**to** come.	Nebudem smieť prísť.
I shall	**have**	**to** do it.	Budem to musieť urobiť.
I shall not	**have**	**to** do it.	Nebudem to musieť urobiť.

Príklady:

Will you be able to finish this work in time?	Budete môcť dokončiť tú prácu včas?
I hope I'll be able to repair it.	Dúfam, že to budem môcť opraviť.
Did you have to wait long?	Museli ste dlho čakať?
I had to try it.	Musel som to skúsiť.
Tom didn't have to leave early (and he didn't.).	Tom nemusel skoro odísť (a ani neodišiel).

2. Ďalšie významy spôsobových slovies

He must come.	**Určite** príde.
He may come.	**Hádam** príde (pravdepodobne).

Sloveso **I must** má popri pôvodnom význame (musím) ešte aj význam slovenského **určite, dozaista:**

He must	know	that.	Určite to vie. (Musí to vedieť.)
It must	be	there.	Iste to tam je.

Podobne **I may** má popri pôvodnom význame (môžem, smiem) aj význam slovenského **možno (že...), azda:**

He may come tomorrow.	Možno, že príde zajtra.
She may not know about it.	Možno, že o tom nevie.
It may rain.	Azda bude pršať.

Ak ide o vyjadrenie tejto väzby v minulosti (Možno, že o tom včera nevedel), musí po *may/must* nasledovať **minulý neurčitok.** Tvorí sa pomocou slovesa *to have* + **minulé príčastie,** teda podobne ako predprítomný čas.

Predprítomný čas:	**Minulý neurčitok:**
I have prepared.	to have prepared
I have heard	to have heard
I have been	to have been

Po spôsobových slovesách častica **to** odpadá:

They **may have** prepared it.	Možno, že to pripravili.
She **must have** heard it.	Určite to počula.
He **must have** been there.	Dozaista tam bol.
He **may not have** known about it.	Možno, že o tom nevedel.

3. Neurčité zámená

Vyjadrenie slovenského každý, všetko, všade

Each of us heard it.	Každý z nás to počul.
Everybody likes it.	Každý to má rád.
Every child likes TV.	Každé dieťa má rado televíziu.

Everybody, everyone = každý, vo význame všetci ľudia, napr.

Everybody heard it.	Každý to počul.

Every (= každý) nemožno používať samostatne. Musí za ním nasledovať podstatné meno, napr.

Every boy likes football.	Každý chlapec má rád futbal.

Each = každý z dvoch alebo viacerých osôb/vecí, každý jednotlivo. Možno ho používať **s podstatným menom alebo i samostatne,** napr.

Each of us knew him.	Každý z nás ho poznal.
Each of his children had a bicycle.	Každé z jeho detí malo bicykel.
There were five boys there. Each had a bicycle.	Bolo tam päť chlapcov. Každý (z nich) mal bicykel.

Everything = všetko vo význame všetky jednotlivé veci, napr.

Have you got everything?	Máš všetko?
Everything is ready.	Všetko je pripravené.

Everywhere = všade, napr.

I have looked for it everywhere.	Hľadal som to všade.

4. Vyjadrenie slovenského „aj ja, ani ja“ v angličtine

He is a student.	Je študent.
So am I.	Aj ja.

Slovenský súhlas **(aj ja)** vyjadríme v angličtine pomocou väzby **so + pomocné sloveso + podmet.** Pomocné a spôsobové slovesá (I can, may, must) sa opakujú z predchádzajúcej vety. Významové slovesá sa nahradzujú pomocným *do/does/did.* Podmet je až na konci vety.

Príklady:

He was late. Prišiel neskoro.	– **So was I.** Aj ja.	– **So were they.** Aj oni.
I can stay. Môžem zostať.	– **So can she.** Aj ona.	– **So can Tom.** Aj Tom.

He works in Bratislava.	– **So do I.**	– **So does Ann.**
Pracuje v Bratislave.	Aj ja.	Aj Anna.
They needed it.	– **So did I.**	– **So did we.**
Potrebovali to.	Aj ja.	Aj my.
I'll need it.	– **So will he.**	– **So will they.**
Budem to potrebovať.	Aj on.	Aj oni.

Slovenské **ani ja** vyjadríme pomocou:
neither + pomocné sloveso + podmet.

I'm not ready.	– **Neither am I.**	– **Neither are we.**
Nie som hotový.	Ani ja.	Ani my.
I didn't say that.	– **Neither did I.**	– **Neither did he.**
To som nepovedal.	Ani ja.	Ani on.

5. Nepravidelné slovesá:

find [faind] nájsť	**found** [faund]	**found** [faund]
run [ran] bežať	**ran** [ræn]	**run** [ran]

CVIČENIA

1. Odpovedzte záporne podľa vzoru:

Can you wait for him? – **No, I can't wait for him.**

1. Can you do it now? 2. May I have a look at it? 3. Must they take part in it? 4. Must I stay here? 5. Can he swim? 6. Must I wait till he comes back?

2. Spytujte sa prečo podľa vzoru:

I had to walk home. – **Why did you have to walk home?**

1. I had to wait there. 2. We had to start at seven. 3. I had to see him. 4. He had to phone them. 5. We had to leave our things here. 6. He had to return before lunch. 7. I had to send a telegram.

3. Odpovedzte v budúcom čase podľa vzoru:

Can you bring it today? – **No, but I'll be able to bring it tomorrow (on Wednesday, next week** ap.**).**

1. Can you do it today? 2. Can you help us today? 3. Can they start on Monday? 4. Can you bring the tape-recorder today? 5. Can you write it today? 6. Can we buy the tickets now? 7. Can Mike come on Tuesday?

4. Spytujte sa podľa vzoru:

I can't come. – **Will you (your husband, they** ap.**) be able to come?**

1. I can't arrange it. 2. I can't find it. 3. I can't take part in the meeting. 4. I can't stay till the end. 5. I can't repair it. 6. I can't remember it. 7. I can't get it. 8. I can't have a look at it.

5. Povedzte, čo všetko musel Fred robiť, keď bola jeho žena chorá.

to prepare lunch – **Fred had to prepare lunch.**

1. to get up early 2. to go shopping 3. to make breakfast 4. to wash up 5. to take Tom for a walk in the afternoon 6. to prepare supper.

6. Povedzte, čo nemusel Fred robiť, keď sa jeho žena uzdravila.

Vzor: **He didn't have to prepare lunch.**

7. Odpovedzte podľa vzoru:

Will he come tomorrow? – **He may come tomorrow.** (Možno, že zajtra príde.)

1. Will it rain tomorrow? 2. Will they be back tomorrow? 3. Will the weather change? 4. Will you see him tomorrow? 5. Will they leave tomorrow? 6. Will he be ready tomorrow?

8. Odpovedzte záporne podľa vzoru:

Were you allowed to drink strong coffee?
No, I wasn't allowed to drink strong coffee.

1. Was he allowed to drink beer? 2. Were they allowed to smoke? 3. Were the children allowed to see the film? 4. Was Tom allowed to watch it? 5. Were you allowed to eat everything? 6. Were they allowed to use the new tape-recorder?

9. Odpovedzte podľa vzoru:

Are you sure that he will come? – **Yes, he must come.**

1. Are you sure that he is right? 2. Are you sure that they will change the programme? 3. Are you sure that they will return the books on Monday? 4. Are you sure that they will be back before lunch? 5. Are you sure that he is all right now?

10. Reagujte na danú otázku podľa vzoru:

Has he been there? – a) **He may have been there.** (Možno, že tam bol.)
b) **He must have been there.** (Určite tam bol.)

1. Have they met there? 2. Has she spoken to him? 3. Has he tried to repair it? 4. Have they quarrelled? 5. Have they left? 6. Has she asked them about it? 7. Have they stopped there?

11. Doplňte *each* alebo *every*:

1. I need – of these books. 2. He comes to see us – week. 3. It was raining on – day of our stay. 4. It rains here – afternoon. 5. A trip to the castle is organized – Sunday. 6. – tour organized by the travel agency starts from here. 7. – of us knew something about it.

12. Hovorte „Aj ja" podľa vzoru:

I know that student. – **So do I.**

1. I often meet her. 2. We are in a hurry. 3. I liked it. 4. He enjoyed himself. 5. They have seen the play. 6. We'll be there tomorrow. 7. They live in this street. 8. We like her.

13. Hovorte „Aj oni" podľa vzoru:

I don't know him. – **Neither do they.**

1. We didn't like the film. 2. I haven't been to the pictures this week. 3. I can't understand it. 4. I don't like television. 5. We haven't got time. 6. I'm not hungry. 7. I'm never late.

14. Povedzte po anglicky:

1. Nemuseli sme čakať. 2. Nesmel som o tom hovoriť. 3. Nemusíte si robiť starosti. 4. Budete to môcť zariadiť? 5. Máte všetko? 6. Každý to potrebuje. 7. Dal každému z chlapcov jednu libru. 8. Nemohol som dostať lístky. – Ani ja. 9. Rozhodli sme sa odísť v pondelok. – Aj my. 10. Zúčastním sa na tom. – Aj ja. 11. Radšej chodíme do divadla. – Aj ja. 12. Možno, že zajtra prídu. 13. Azda to urobili. 14. Iste dostal váš telegram. 15. Určite je to v poriadku.

15. Odpovedzte:

a) 1. Where would Mr Parker like to go? 2. Why did he go to a travel agency? 3. Do they run cheap weekend trips? 4. Why can't Mr Parker leave on Friday? 5. Why doesn't he want to travel by night? 6. When will he leave? 7. At what time? 8. Will he go alone? 9. What's the weather like in Scotland at this time of the year? 10. Is Loch Lomond included in the tour? 11. Where are the folders? 12. How much will Mr Parker have to pay for the dog?

b) Have you ever taken part in a coach tour? Try to tell something about your trip.

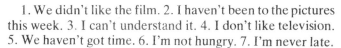

Konverzačné cvičenia

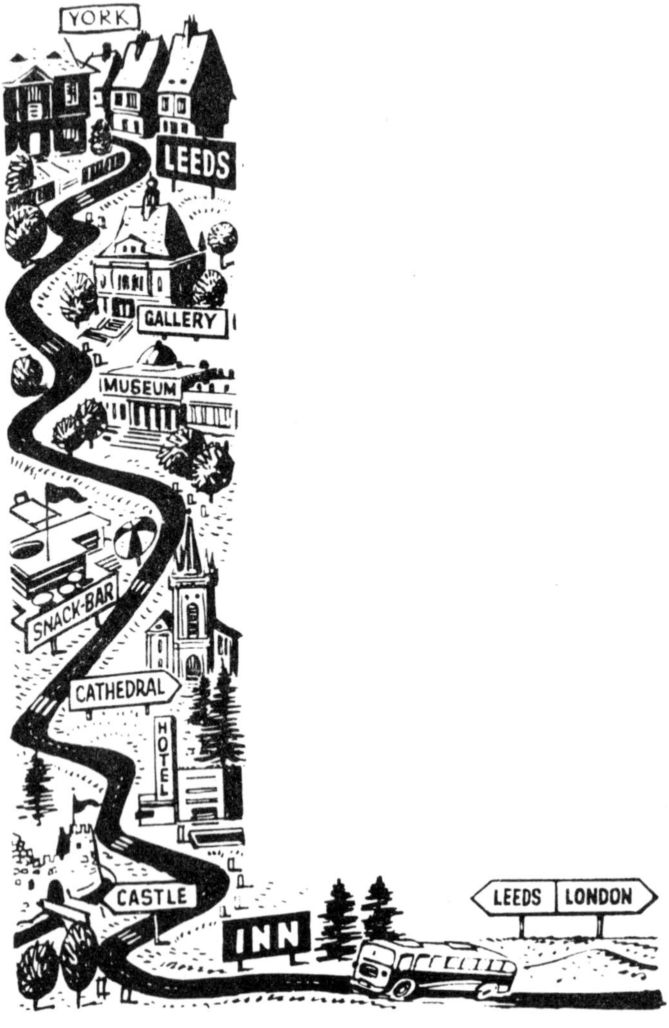

Opíšte výlet pána Parkera podľa obrázku:

1. Where did he start from? 2. Where did they stop first? 3. Where did they have lunch? 4. What did they do after lunch? 5. Where did they start the first night? 6. What did they see in York? 7. Where did they have a snack? 8. What impressed Mr Parker most? 9. What else did he visit on the second day? 10. How did he liked Leeds?

Výslovnosť: **cathedral** [kəθi:drəl] katedrála; **snackbar** [snækba:] automat, samoobslužná jedáleň; **Leeds** [li:dz] mesto v severnom Anglicku; **York** [jo:k] mesto v severnom Anglicku známe slávnou katedrálou.

HEALTH AND ILLNESS

AT THE DOCTOR'S

Doctor: How are you feeling today, Mr Miller? How's your headache?

Patient: Thank you, Doctor. I've been feeling better lately. On the other hand I've not been sleeping well and I've been coughing. What am I to do about it?

Doctor: Have you got a temperature?

Patient: No, I haven't.

Doctor: Well, let me examine you. Take off your jacket and shirt, please.
(After the examination.)

Patient: Is it serious, Doctor? Shall I have to go to hospital?

Doctor: Oh no, it just looks like slight bronchitis. Don't worry about it. Take these two letters. One is for the radiology department, the other for the laboratory. We'll have some further examinations and tests.

Patient: Am I to bring the results at once?

Doctor: No, it'll take some time. I'll have them by next

	week at the latest. In the meantime, let me prescribe some medicine for your cough and some sleeping pills. You should stay in bed for three days at least. If you feel worse, come and see me at once, of course. You should stop smoking. Or, at least, smoke less than five cigarettes a day.
Patient:	When am I to come again, Doctor?
Doctor:	Come on Friday.
Patient:	Thank you. Goodbye.

AT THE CHEMIST'S

A: Can I have something for the toothache?
B: Here you are, sir, but you should see a dentist. Tablets will stop the pain only for a short time.
A: Yes, I know, but my dentist is down with the flu.

---

be
I am to (go) mám (ísť)
be down with ochorieť, ležať na nejakú chorobu
bronchitis [bronˈkaitis] bronchitída, zápal priedušiek
chemist [kemist] lekárnik, chemik
cough [kof] kašeľ; kašlať
dentist [dentist] zubný lekár
doctor [doktə] doktor, lekár
ear [iə] ucho
earache [iəreik] bolesť ucha
examination [igzæmiˈneišn] skúška, prehliadka
examine [igˈzæmin] skúšať, prehliadnuť
flu [flu:] chrípka
the former [fo:mə] prvý *(z dvoch menovaných)*
further [fə:ðə] ďalší
hand [hænd] ruka; podať
on the other hand na druhej strane, naproti tomu
head [hed] hlava
headache [hedeik] bolesť hlavy
health [helθ] zdravie
hospital [hospitl] nemocnica
illness [ilnis] choroba
jacket [džækit] sako
just [džast] len
laboratory [ləˈborətri] laboratórium
lately [leitli] v poslednom čase
the latter [lætə] druhý *(z dvoch menovaných)*
meantime [mi:ntaim]
in the meantime zatiaľ, medzitým
medicine [medsin] medicína, liek
or [o:] alebo
pain [pein] bolesť
patient [peišnt] pacient; trpezlivý
pill [pil] pilulka, prášok
prescribe [priˈskraib] predpísať
radiology [ˌreidiˈolədži] **department** [diˈpa:tmənt] röntgenové oddelenie
result [riˈzalt] výsledok
shirt [šə:t] košeľa
sick [sik] chorý

sleep – slept – slept [sli:p – slept – slept] spať
slight [slait] slabý
tablet [tæblit] tabletka
take time trvať
temperature [tempričə] teplota, horúčka
test [test]
tooth, *mn. č.* **teeth** [tu:θ, ti:θ] zub
toothache [tu:θeik] bolesť zubov

DÔLEŽITÉ VÄZBY

How are you feeling today?	Ako sa dnes cítite?
How's your cough?	Čo robí kašeľ? A čo kašeľ?
I'm better today. (I'm worse.)	Dnes mi je lepšie (horšie).
I have a headache (I have toothache).	Bolí ma hlava (zub(y)).
I'll go to the dentist.	Pôjdem k zubárovi.
You should see a doctor.	Mali by ste ísť k lekárovi.
What am I to do about it?	Čo mám s tým robiť?
You should stay in bed.	Mali by ste zostať (= ležať) v posteli.
It looks like bronchitis.	Vyzerá to na zápal priedušiek.
Don't worry about it.	Nerobte si s tým starosti.
It'll take some time.	Potrvá to nejaký čas.
Can I have something for toothache?	Môžem dostať niečo proti bolesti zubov?
I'll prescribe some medicine for you.	Predpíšem vám nejaký liek.
He's down with flu.	Leží s chrípkou.
He's in hospital.	Je v nemocnici.
He's a sick man.	Je to chorý človek.
What's the matter with you?	Čo vám je? Čo je s vami?
I've got a temperature.	Mám horúčku.
I feel (I am) sick.	Je mi zle.
I'm ill.	Som chorý.

VÝSLOVNOSŤ A PRAVOPIS

Výslovnosť písaného „o"

píšeme	čítame	príklady
o	[a]	*box* [boks], *clock* [klok], *coffee* [kofi]
o	[a]	*colour* [kalə], *money* [mani], *worry* [wari]
o + r	[o:]	*corner* [ko:nə], *form* [fo:m], *more* [mo:]
o	[əu]	*ago* [əˈgəu], *hope* [həup], *most* [məust]
o	[wa]	*one* [wan], *once* [wans], *oneself* [wanˈself]
o	[u:]	*do* [du:], *who* [hu:]

píšeme	čítame	príklady
wor + *spoluhl.*	[wə:]	*world* [wə:ld], *work* [wə:k], *worse* [wə:s], *worst* [wə:st]
oo oo	[u] [u:]	*book* [buk], *cook* [kuk], *foot* [fut] *soon* [su:n], *too* [tu:], *tooth* [tu:θ]
oa	[əu]	*coach* [kəuč], *goal* [gəul], *road* [rəud]
ou ou our our	[au] [a] [uə] [auə]	*found* [faund], *house* [haus], *out* [aut] *double* [dabl], *country* [kantri], *young* [jaŋ] *tour* [tuə], *tourist* [tuərist] *our* [auə], *hour* [auə]
ow ow	[au] [əu]	*brown* [braun], *down* [daun], *how* [hau] *slow* [sləu], *know* [nəu]
ough + t	[o:t]	*bought* [bo:t], *brought* [bro:t], *thought* [θo:t]

Poznámka: Všimnime si, že výslovnosť istej skupiny hlások kolíše, napr. dve slová so zakončením na *-oor* sa vyslovujú odlišne: *door* [do:], *poor* [puə]. Preto anglickú výslovnosť nikdy neodhadujte podľa podobnosti pravopisu s iným slovom, ale vždy si overte výslovnosť nového slovíčka.

Starostlivo vyslovujte:

This is more than I thought. I haven't got so much money. That's a lovely colour. Miss Wood is a good cook. I bought a pound of coffee at the grocer's. He paid five thousand pounds for the house. Let's go there by coach. The new road is good. It took four hours. You should see a doctor about that cough [kof] of yours.

GRAMATIKA

1. Priebehový predprítomný čas

I've been waiting here for two hours.
Už tu čakám dve hodiny.

Priebehový predprítomný čas sa tvorí z predprítomného času slovesa *to be (I have been)* a z prítomného príčastia významového slovesa (tvaru na *-ing*):

Podmet	+ have been	– -ing	
I	**have**	**been waiting**	for ten minutes. Čakám desať minút.
You	**have**	**been reading**	the whole day. Čítaš celý deň.
He	**has**	**been learning**	French for a year. Učí sa po francúzsky rok.
We	**have**	**been working**	since the morning. Pracujeme od rána.

Priebehový predprítomný čas vyjadruje dej, ktorý trvá od minulosti do prítomnosti (porovnaj jednoduchý predprítomný čas, str. 237). Od jednoduchého predprítomného času sa líši tým, že dáva väčší dôraz na trvanie deja, prípadne ide o neprerušené trvanie deja od minulosti do prítomnosti. Často sa viaže na niektoré väzby, ktoré určujú trvanie deja, napr. **since** – od (istého času v minulosti až doteraz), **for** – počas, **how long?** – ako dlho? ap.

Príklady:

I haven't been waiting long.	Nečakám dlho.
How long have you been learning English?	Ako dlho sa už učíte po anglicky?
I've been living in Bratislava since 1970.	Bývam v Bratislave od roku 1970.
They've been watching television for three hours.	Dívajú sa na televíziu už tri hodiny.

Všimnite si, že **priebehový predprítomný čas** prekladáme do slovenčiny **prítomným časom.**

2. Rozdiel medzi priebehovými a jednoduchými časmi niektorých slovies

Niektoré slovesá činnosti majú trvací význam a používajú sa častejšie v priebehovom tvare, napr. *to sit* sedieť, *to live* bývať, *to wait* čakať, *to look for* hľadať ap.

Na druhej strane iné slovesá sa zväčša nepoužívajú v priebehových tvaroch. Ide o slovesá vyjadrujúce trvalý stav, ktoré pri duševných pochodoch naznačujú stálosť. Napr. *to want* chcieť, *to know* vedieť, *to meet* zoznámiť sa, *to cost* stáť (cenove), *to remember* pamätať, *to forget* zabudnúť a i.

Slovesá *to think* myslieť, *to feel* cítiť, *to see* vidieť, *to have* mať, *to be* byť a i. sa v pôvodnom význame používajú v jednoduchých tvaroch. V priebehových tvaroch majú trochu odlišný význam:

I have free time every Saturday. Mám čas každú sobotu.	*I am having lunch now.* Teraz obedujem.
I have seen you. Videl som vás.	*I am seeing you on Friday.* Uvidíme sa v piatok.
I feel cold. Je mi zima. (– cítim zimu, t. j. zmyslami).	*I am feeling worse.* Cítim sa horšie (t. j. som chorý).
He thinks that he knows it. Myslí si, že to vie.	*He is thinking about it.* Rozmýšľa o tom.

3. Väzba *to be* + neurčitok

I am to go there.
Mám tam ísť.

Väzba slovesa *to be* + neurčitku významového slovesa označuje potrebný alebo možný dej. Do slovenčiny sa prekladá najčastejšie slovesom **mať, dať.**

Príklady:

I am to go to hospital.	Mám ísť do nemocnice.
You are to help me.	Máš mi pomôcť.
They are not to worry.	Nemajú si robiť starosti.
We were to speak to him (but we did not).	Mali sme s ním hovoriť (ale nehovorili sme).
It was to be expected.	To sa dalo čakať.
It is to be found everywhere.	Možno to nájsť všade.

Pozor na rozdiel medzi touto väzbou a opisom slovesa *I must* – **I have to.** *I have to...* vyjadruje nevyhnutnosť:

I had to send a telegram.	Musel som poslať telegram.
I am to send a telegram.	Mám poslať telegram.

4. Should vo význame „mal by"

He **would** come.	Prišiel by.
He **should** come.	**Mal by** prísť.

V podmieňovacom spôsobe (pozri str. 253) používame v 1. osobe *should,* v 2. a 3. osobe *would.* Ak toto pravidlo porušíme a použijeme **should** v 2. alebo 3. osobe, má veta odlišný význam. **Should** značí mali by ste, mal by. Toto *should* sa nikdy neskracuje a vyslovujeme ho s plnou výslovnosťou [šud], lebo je na ňom dôraz.

Príklady:

You should do it at once.	Mal by si to urobiť ihneď.
She should see a doctor.	Mala by ísť k lekárovi.
They should wait.	Mali by počkať.

Porovnajte:

I'd come too.	Aj ja by som prišiel.
I should [šud] come too.	Aj ja by som mal prísť.

5. Nepravidelné stupňovanie prídavných mien a prísloviek

GOOD – BETTER – BEST

Niektoré prídavné mená a príslovky sa stupňujú nepravidelne. Zapamätajte si ich tvary uvedené na str. 142.

Všimnite si, že aj prídavné mená aj príslovky majú rovnaké tvary pre druhý a tretí stupeň, napr. *better* je 2. stupeň od *good* i *well, best* je 3. stupeň od *good* i *well.*

1. stupeň	2. stupeň	3. stupeň
good dobrý **well** dobre	**better** [betə] lepší, lepšie	**best** [best] najlepší, najlepšie
bad zlý **badly** zle **ill** chorý, nezdravo	**worse** [wə:s] horší, horšie	**worst** [wə:st] najhorší, najhoršie
much, many mnoho	**more** [mo:] viac	**most** [məst] najviac
little malý, málo	**less** [les] menej	**least** [li:st] najmenší, najmenej
far ďaleký, ďaleko	**further** [fə:ðə] vzdialenejší, ďalší, ďalej	**furthest** [fə:ðist] najvzdialenejší, najďalej

Príklady:

I have a better idea.	Mám lepší nápad.
John is better.	Jánovi je lepšie.
This is my best student.	To je môj najlepší študent.

He works best at night.	Pracuje najlepšie v noci.
He is worse.	Je mu horšie.
He is the worst of all.	Je najhorší zo všetkých.
This is the worst.	To je to najhoršie.
I need more money.	Potrebujem viac peňazí.
I have less time than she has.	Mám menej času než ona.
This is the least I can do.	To je to najmenšie, čo môžem urobiť.
Are there any further questions?	Sú nejaké ďalšie otázky?
He lives further away than I thought.	Býva ďalej, než som si myslel.

Poznámka: **Late** – neskorý, neskoro má v 2. a 3. stupni dva tvary: 2. st. **later** [leitə] neskorší, neskoršie a **the latter** [lætə] druhý.

3. st. **latest** [leitist] posledný, najnovší, najneskorší a **last** [la :st] posledný, minulý, minule, naposledy.

The latter sa používa vo význame **druhý** (z dvoch skôr menovaných) a je protikladom k *the former* – prvý (z dvoch menovaných), napr. Fred and Tom like games. The former (= Fred) plays football and the latter (= Tom) ice-hockey.

The latest znamená **posledný** = **najnovší** (v budúcnosti budú nasledovať ďalší) a *the last* = posledný (v poradí, t. j. ďalší sa už nevyskytnú), napr.

Have you seen his latest play?	Videli ste jeho najnovšiu hru?
What's the latest news?	Aké sú najnovšie správy?
The last bus leaves at eleven.	Posledný autobus odchádza o jedenástej.
He came last.	Prišiel posledný.

Zopakujte si rozličný preklad slovenského mnoho = *much, many* (pozri str. 185) a málo = *little, few* (pozri str. 222). Pozor na preklad slovenského **menej:**

menej – **fewer** books / **less** time

Fewer používame s **počítateľnými** podstatnými menami.
Less používame s **nepočítateľnými** podstatnými menami.

Príklady:

They have fewer friends than you.	Majú menej priateľov než vy.
There are fewer books there than I thought.	Je tam menej kníh, než som si myslel.
I have less time than you have.	Mám menej času než vy.
The more I think about it, **the less** I like it.	**Čím viac** o tom premýšľam, **tým menej** sa mi to páči.

2. a 3. stupeň od *little* používame aj na určovanie menšej miery vlastnosti, pri tzv. zostupňovaní:

a difficult question – ťažká otázka
a **less** difficult question – **menej** ťažká otázka
the least difficult question – **najmenej** ťažká otázka.

Príklady:

I am less hungry now.	Teraz som menej hladný.
It is less usual.	Je to menej obvyklé.
He is the least popular of all.	Je najmenej obľúbený zo všetkých.

6. Nepravidelné slovesá:

sleep [sli:p] spať	**slept** [slept]	**slept** [slept]

CVIČENIA

1. Tvorte vety podľa vzoru a dbajte na správne používanie „fewer“ a „less“:

Vzor: **We need fewer books than they do.**
We need less bread than they do.

We need	less fewer	books bread time rooms classes lessons money	than they do.

2. Odpovedzte na otázky a použite priebehový predprítomný čas podľa vzoru:

Do you live in Bratislava? – For five years.
I have been living in Bratislava for five years.

1. Do you work in this factory? – Since 1978. 2. Do you learn English? – For a year. 3. Do you feel better? – Since Monday. 4. Are they expecting you? – Since five o'clock. 5. Are you waiting? – Since three o'clock. 6. Have you prepared it? – Since the morning. 7. Have they been staying here long? – For three weeks.

3. Odpovedzte na otázky a použite väzbu *I am to* **– „mám" podľa vzoru:**

Must he do it? – **Yes, he is to do it.**

1. Must they wait for her? 2. Must you try it again? 3. Must she go to hospital? 4. Shall I park here? 5. Must we go back at once? 6. Will she go shopping? 7. Shall I take this medicine? 8. Must she go to the dentist? 9. Will he stop smoking?

4. Odpovedzte s použitím *should* **(mal by) podľa vzoru:**

I don't want to go there. – **But you should go there.**

1. I don't want to see him. 2. Mary doesn't want to go to the doctor's. 3. She doesn't want to take this medicine. 4. They don't want to wait for him. 5. He isn't interested in learning languages. 6. Our children don't drink milk. 7. He doesn't want to go for a walk.

5. Odpovedzte s použitím 2. stupňa prídavných mien podľa vzoru:

He's good at tennis. What about Pat? – **She's better (at tennis).**

1. John will come late. What about his brother? 2. This tape recorder doesn't cost much. What about that one? 3. Frank has little time. What about Pat? 4. We haven't many examinations this year. What about the others?

5. This detective story isn't bad. What about that one? 6. The Park Hotel is not far from here. What about the Sports Hotel? 7. Fred speaks English quite well. What about his wife?

6. Spytujte sa pomocou *How long?* a odpovedzte podľa vzoru:

I'm waiting for John. – **How long have you been waiting?**
I've been waiting for fifteen minutes.

1. I'm reading. 2. He's learning French. 3. They're working in that factory. 4. Mr Brown is staying in Brno. 6. They are living in Oxford. 6. The doctor's examining him.

7. Odpovedzte s použitím *at least* (najmenej) podľa vzoru:

How much will it cost? – **It'll cost three pounds at least.**

1. How many tickets do you need? 2. How long will it take? 3. How many days are you going to stay there? 4. How much does a good car cost? 5. How many weeks will she stay in hospital?

8. Odpovedzte s použitím *latest* (posledný, najnovší) podľa vzoru:

Have you read any of his books? – **Yes, I've read his latest book.**

1. Have you seen any of his films? 2. Have you read any of her short stories? 3. Have you listened to any of his records? 4. Have you watched any of his plays? 5. Have they checked any of our results? 6. Have you taken part in any of their meetings? 7. Have you seen any of his slides? 8. Have you heard any of her songs? 9. Have you brought any of your photographs? 10. Have you bought any of her detective stories?

9. Vymenujte všetky anglické slovíčka, ktoré ste doteraz prebrali v týchto tematických okruhoch:

1. ľudské telo 2. členovia rodiny 3. denné jedlá 4. potraviny 5. farby 6. mená dní v týždni 7. mená mesiacov.

10. Odpovedzte podľa textu:

1. Where's Mr Miller now? 2. How is he feeling today? 3. Has he been sleeping well? 4. What does the doctor do when Mr Miller tells him about his cough? 5. What's the matter with Mr Miller? 6. Has he got a temperature? 7. What did the doctor prescribe to Mr Miller? 8. How long is he to stay in bed? 9. Is he allowed to smoke?

11. Preložte:

1. Je tu blízko lekáreň? 2. Bolí ma hlava a zuby. 3. Je vám lepšie? 4. Nerob si s tým starosti. 5. Mali by ste brať nejaký liek proti kašľu. 6. Ako dlho to bude trvať? Najmenej tri dni. 7. Minulý týždeň som ležal s chrípkou. 8. Ako dlho už pracujete v laboratóriu? 9. Čo mu je? 10. Je mu zle.

Konverzačné cvičenia

At the Doctor's

a) Vymenujte lekárovi, čo vás trápi (napr. bolí vás hlava, ucho, máte chrípku, kašeľ, nemôžete spať, jesť, bolí vás ruka, nohy, žalúdok ap.).

Vzor: I have a bad headache. I have a pain in my (in the...)...

b) Obmieňajte opis príznakov choroby a rozprávajte, čo trápi malého Petra.

Vzor: Little Peter is ill. He has earache, he doesn't want to eat...

The human body
[hju:mən bodi]

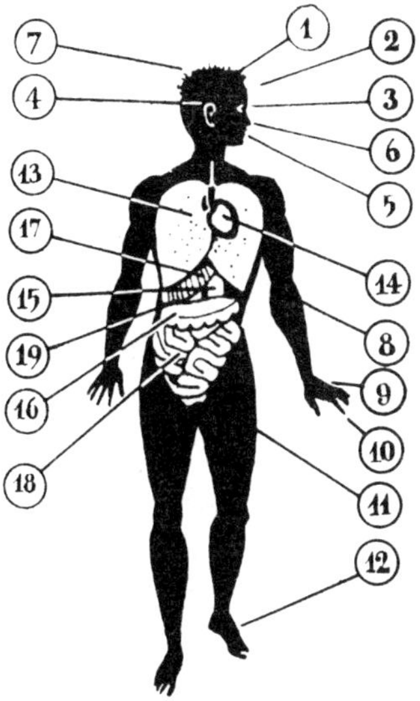

1. **head** [hed] hlava
2. **face** [feis] tvár
3. **eye** [[ai] oko
4. **ear** [iə] ucho
5. **mouth** [mauθ] ústa
6. **nose** [nəuz] nos
7. **hair** [heə] *(len jedn. č.)* vlasy
8. **arm** [a:m] rameno
9. **hand** [hænd] ruka
10. **finger** [fiŋgə] prst
11. **leg** [leg] noha
12. **foot** [fut] noha
13. **lungs** [laŋz] pľúca
14. **heart** [ha:t] srdce
15. **kidneys** [kidniz] obličky
16. **stomach** [stamək] žalúdok
17. **liver** [livə] pečeň
18. **intestines** [inˈtestinz] črevá
19. **gall-bladder** [ˈgo:lˌblædə] žlčník

A LETTER

18 Market Street,
NEWTOWN,
19th December 1985.

Dear John,

First let me thank you for your nice Christmas card and the gift of books which arrived yesterday. I am pleased you enjoyed the magazines and the picture calendar that I sent you. The visit to Italy you were telling me about in your last letter must have been highly exciting.

At present we are making preparations for Christmas and buying presents. The shops, the windows of which are beautifully decorated, are ready for the Christmas rush. This year my parents, who live in Hampshire, will come to stay the three days with us, so our family will be complete.

You ask about my children. Well, Sue will be sitting for her final examinations in June. She is very good at German and Russian and wants to study foreign languages at the university. Steve, whose hobbies are football and cricket, is also doing quite well at school. He will enter secondary school in September next year. John has been studying engineering for the last two years. There's one more year to go. Then he will take a special course in electrical engineering and do a year's practice in an engineering factory.

Kate, whose wish is to become a secretary, has just finished commercial school and applied for a post with the firm that I work for. It's a car factory. I am sending you an information booklet which might be quite useful for drivers like you. Is there any professional magazine you badly need and cannot obtain? Please let me know and I'll try to get it for you.

It is nearly eleven o'clock, so I must close my letter.

With our best wishes for the coming year,

Yours sincerely,

Patrick

A MERRY CHRISTMAS AND A HAPPY NEW YEAR

Výslovnosť vlastných mien: **Hampshire** [hæmpšə] *názov juhoanglického grófstva;* **Italy** [itəli] Taliansko; **Market Street** [ma:kit stri:t] názov ulice; **Newtown** [nju:taun].

---

apply (for) [əˈplai] uchádzať sa o
attend [əˈtend] navštevovať, chodiť do
beautiful [bju:təfl] krásny
become – became – become [biˈkam – biˈkeim – biˈkam] stať sa
booklet [buklit] brožúrka (propagačná)
calendar [kælində] kalendár
card [ka:d] lístok, pohľadnica
close [kləuz] zatvoriť
Christmas [krisməs] Vianoce
college [kolidž] univerzitné kolégium (v Anglicku), vysoká škola
commercial [kəˈmə:šl] obchodný
complete [kəmˈpli:t] úplný; doplniť, dokončiť
decorate [dekəreit] ozdobiť
department [diˈpa:tmənt] oddelenie
drive – drove – driven [draiv – drəuv – drivn] ísť autom, šoférovať
driver [draivə] vodič, šofér
engineer [endžiˈniə] inžinier, strojník
engineering [endžiˈniəriŋ] strojárstvo; strojársky
electrical engineering [iˈlektrikl] elektrotechnika
enter [entə] vstúpiť do (na)
exciting [ikˈsaitiŋ] vzrušujúci
final [fainl] konečný
foreign [forin] cudzí, zahraničný
German [džə:mən] Nemec; nemčina; nemecký; nemecky

gift [gift] dar(ček)
high [hai] vysoký; vysoko
highly [haili] veľmi vysoko
hobby [hobi] koníček, záľuba
information [ˌinfəˈmeišn] *(len jedn. č.)* informácia
language [læŋgwidž] jazyk, reč
magazine [ˌmægəˈzi:n] časopis
merry [meri] veselý
nearly [niəli] takmer, skoro
obtain [əbˈtein] získať, dostať, obdržať
post [pəust] miesto *(zamestnanie)*
practice [præktis] prax
preparation [ˌprepəˈreišn] príprava
present [preznt] dar(ček); prítomný
at present teraz
professional [prəˈfešənl] odborný
rush [raš] zhon, ruch
Russian [rašn] ruština; Rus; ruský; rusky
secondary school [sekəndri] stredná škola
secretary [sekrətri] sekretárka
shop-window [ˈšopˈwindəu] výklad
sincere [sinˈsiə] úprimný
sit for an examination skladať skúšku
special [spešl] špeciálny, zvláštny
that [ðæt] ktorý; že
town [taun] mesto
university [ˌju:niˈvə:siti] univerzita
which [wič] ktorý *(o veci)*
who [hu:] ktorý *(o osobe)*
whose [hu:z] ktorého, či *(pozri gramatiku)*

DÔLEŽITÉ VÄZBY

They attend secondary school.	Chodia do strednej školy.
He's at university.	Je na vysokej škole.
I took my school-leaving examination in June.	V júni som zložil maturitu.
She's finished her university studies.	Skončila univerzitné štúdium.
He's doing well at school.	Má dobrý prospech v škole.
She's good at Russian.	Dobre jej ide ruština.
He's doing a year's practice now.	Je teraz na ročnej praxi.
He entered the university.	Vstúpil na univerzitu.
She will be sitting for her final examinations at the end of June.	Bude skladať záverečné skúšky na konci júna.
What's your hobby?	Akého koníčka (záľubu) máte?
My hobby is collecting stamps.	Mojím koníčkom je zbieranie známok.
Will you attend this course?	Budeš chodiť do tohto kurzu?
I'll take a course in German.	Budem chodiť na kurz nemčiny.
I applied for a job with this firm.	Uchádzal som sa o miesto u tejto firmy.
Our parents will come to stay with us.	Rodičia k nám prídu na návštevu.
Let me know in time.	Dajte mi včas vedieť.
I need it badly.	Veľmi nutne (naliehavo) to potrebujem.
Yours sincerely	S úprimným pozdravom *(na záver listu)*
With best wishes.	S prianím všetkého najlepšieho.

VÝSLOVNOSŤ A PRAVOPIS

1. Výslovnosť písaného „e" v prízvučných slabikách:

píšeme	čítame	príklady
e	[e]	*get* [get], *egg* [eg], *else* [els], *empty* [empti]
ea	[e]	*head* [hed], *bread* [bred], *ready* [redi], *heavy* [hevi], *pleasant* [pleznt], *breakfast* [brekfəst]
e	[i:]	*me* [mi:], *Peter* [pi:tə], *detail* [di:teil]
ea	[i:]	*meat* [mi:t], *leave* [li:v], *easy* [i:zi]
ee	[i:]	*keep* [ki:p], *meet* [mi:t], *free* [fri:], *cheese* [či:z]
er	[ə:]	*her* [hə:], *certainly* [sə:tnli], *prefer* [priˈfə:]
ea + r	[iə]	*dear* [diə], *hear* [hiə], *near* [niə]
ea + r	[ə:]	*early* [ə:li], *learn* [lə:n], *heard* [hə:d], *year* [jə:]
e + w	[ju:]	*new* [nju:], *few* [fju:], *stew* [stju:], *knew* [nju:]

2. Výslovnosť písaného „e" v neprízvučných slabikách:

-e	nevyslovíme	*came* [keim], *take* [teik], *late* [leit]
-e-	nevyslovíme	*student* [stju:dnt], *every* [evri], *lovely* [lavli]
e	[ə]	*sportsmen* [spo:tsmən], *children* [čildrən], *gallery* [gæləri]
-er	[ə]	*letter* [letə], *corner* [ko:nə]
-en	[n]	*garden* [ga:dn], *happen* [hæpn], *open* [əupn]
-el	[l]	*channel* [čænl]
-et, -est	[it, -ist]	*carpet* [ka:pit], *ticket* [tikit], *biggest* [bigist]
e-	[i]	*eleven* [iˈlevn], *enjoy* [inˈdžoi]
be-	[bi-]	*because* [biˈkoz], *begin* [biˈgin], *besides* [biˈsaidz], *before* [biˈfo:]
de-	[di-]	*detective* [diˈtektiv], *December* [diˈsembə], *delighted* [diˈlaitid], *decide* [diˈsaid]
re-	[ri-]	*remember* [riˈmembə], *receive* [riˈsi:v], *return* [riˈtə:n], *repair* [riˈpeə], *regard* [riˈga:d]
ex-	[iks-]	*expensive* [iksˈpensiv], *excuse* [iksˈkju:z], *express* [iksˈpres], *expect* [iksˈpekt]
-ey	[i]	*money* [mani], *hockey* [hoki]

Mnoho slov má nepravidelnú výslovnosť. Porovnajte:

h**er**	[hə:]	ale:	cl**er**k	[kla:k]
br**ea**d	[bred]		gr**ea**t	[greit]

eight	[eit]	n**ei**ther	[naiðə]
m**e**n	[men]	wom**e**n	[wimin].

Cvičte

a) výslovnosť „e“ v prízvučných slabikách:

We met them there. Even the cathedral will be closed. Give me some details, please. With pleasure.

Breakfast is ready. Have some bread and butter instead. We eat plenty of meat and cheese.

Certainly. I prefer German. Dinner is served. We heard about the girl.

Oh dear! Did you hear that? It's really near. I had no idea.

b) Cvičte výslovnosť „e“ v neprízvučných slabikách:

I especially enjoy reading detective stories. We must begin before eleven. They decided to go there in December. I was delighted. Excuse me, is this the express train? We received it after our return. It'll be expensive, I expect. I remember repairing it.

c) Rozlišujte správne vo výslovnosti [æ] **a** [e]**:**

He read that. The camp was empty. I met Pat. Ani [eni] map will do. The bell rang. The hat is ready. You have a heavy bag. Let me carry that. Fred will be glad. Will you get the map for him? Did you have many [meni] troubles?

GRAMATIKA

1. Vzťažné zámená

WHO – WHICH – THAT

Vzťažné vety sa uvádzajú zámenami *who* (ktorý), *which* (ktorý) a *that* (ktorý).

Who sa vzťahuje len na osoby: **the lady** who was here.
Which sa vzťahuje na veci, zvieratá a pojmy: **the desk** which is in the corner.

That sa môže vzťahovať na osoby i veci, podľa typu vzťažnej vety. Rozlišujeme totiž dva typy vzťažných viet:

A. **Vety, v ktorých zámeno nie je možné vynechať** – bližšie určujú podstatné meno, ku ktorému sa vzťahujú, a preto ich nemôžeme vynechať, aby sa nezmenil zmysel hlavnej vety. S týmto typom vzťažných viet používame zámená **WHO** alebo **THAT** pre osoby a **THAT** alebo **WHICH** pre veci. Nevynechateľné vzťažné vety sa nikdy neoddeľujú čiarkou.

U osôb dávame prednosť zámenu *who* pred *that*, najmä ak je v 1. páde: *Where's the boy* **who** (= 1. pád) *brought this?*

Príklady:

The man	**who**	brought this letter	was English.
	to whom	I spoke	
	whom	I met	
Muž,	ktorý	priniesol tento list,	bol Angličan.
	s ktorým	som hovoril	
	ktorého	som stretol,	
The hotel	**that/which**	stands at the corner	isn't expensive.
	to which	I wrote	
	that/which	you see over there	
Hotel,	ktorý	stojí na rohu,	nie je drahý.
	kam	som napísal,	
	(do ktorého)	som napísal,	
	ktorý	tam vidíte,	

THAT dávame

a) po 3. stupni prídavných mien: *the longest, the best*
b) po radových číslovkách: *the first, the second* atď.
c) po niektorých zámenách, ako:

all, everything, everyone, no, none nothing, nobody, not any, much, little, some, the only (jediný), *the same* (ten istý).

Zapamätajte si, že pred **that** sa **nikdy nepíše čiarka** a nesmie pred ním byť predložka (preto: *the hotel* **to which** *I wrote*).

Príklady:

This is the best book that I have read.	To je najlepšia kniha, ktorú som čítal.
He was the only student that came late.	To bol jediný študent, ktorý prišiel neskoro.
We had nothing that could be used.	Nemali sme nič, čo by sa mohlo použiť.
This is all that I know about it.	To je všetko, čo o tom viem.

Vynechanie vzťažného zámena

Pre angličtinu je veľmi charakteristické vynechanie vzťažného zámena:

a) v 4. páde:

Where's the magazine		*I gave you?*
Kde je ten časopis,	ktorý	som ti dal?
Who is the lady		*we have just met?*
Kto je tá pani,	ktorú	sme práve stretli?
That's the school		*he attended.*
To je tá škola,	ktorú	navštevoval.
Ale: *Where's the letter*	**that**	*arrived yesterday?*
Kde je ten list,	ktorý (= 1. pád)	prišiel včera?

b) v predložkovom páde:

This is the lady to whom you were talking.
that you were talking to.
you were talking to.

To je tá pani, s ktorou ste hovorili.

This is the factory in which I worked.
that I worked in.
I worked in.

To je továreň, v ktorej som pracoval.

Po predložkách možno používať len tvary **whom** u osôb a **which** u vecí a zvierat.

Predložku vo vzťažných vetách presunieme **na koniec vety,** tak ako v otázke (porovnajte: Who were you talking to?) a vzťažné zámeno vynecháme.

B. Vynechateľné vzťažné vety bližšie neurčujú podstatné meno, ku ktorému sa vzťahujú. Podstatné meno je už dostatočne určené samo osebe (Mr. Brown, my office, this guidebook). Tento typ vzťažnej vety má charakter vloženej poznámky, ktorú môžeme vynechať bez toho, aby tým utrpel zmysel hlavnej vety. Pre osoby tu použijeme zámeno **who** a pre veci a zvieratá **which.** Na rozdiel od vynechateľných vzťažných viet sa oddeľujú čiarkami a v reči prestávkami. Vzťažné zámeno v týchto vetách nesmieme vynechať.

Príklady:

My brother Jim, who is nineteen, studies at the university.	Môj brat Jim, ktorý má devätnásť rokov, študuje na univerzite.
Mr Brown, whose daughter is coming to see us, lives in London.	Pán Brown, ktorého dcéra nás príde navštíviť, žije v Londýne.
Tom, to whom I wrote, will come too.	Tom, ktorému som napísal, príde tiež.
Mary Parker, whom we met at the Browns last summer, is a bank clerk.	Mary Parkerová, ktorú sme poznali vlani v lete u Brownovcov, je úradníčkou v banke.
This guidebook, which was very cheap, has a lot of coloured photographs.	Tento sprievodca, ktorý bol veľmi lacný, má plno farebných fotografií.
The film London at night, I told you about, is on at the Odeon.	Film Londýn v noci, o ktorom som ti hovoril, dávajú v Odeone.
This book of short stories, which I bought in London, is very good.	Táto kniha poviedok, ktorú som si kúpil v Londýne, je veľmi dobrá.

Privlastňovací pád má pre osoby tvar *whose* (= ktorého, ktorej, ktorých), pre veci a zvieratá tvar *of which*, ktorý sa dáva za podstatné meno, ku ktorému sa vzťahuje:

Peter, whose wife is Mr Brown's secretary, is our best worker.	Peter, ktorého manželka je sekretárkou pána Browna, je naším najlepším pracovníkom.
His office, the windows of which look on to the street, is noisy [noizi].	Jeho kancelária, ktorej okná vedú na ulicu, je hlučná.

2. Príslovky s *-ly* **a bez** *-ly*

NEAR	–	blízko
NEARLY	–	takmer, skoro

Príslovky sa zvyčajne tvoria od prídavných mien príponou *-ly* (pozri lekcia 6, str. 85): *quick* rýchly – *quick* rýchlo. Niektoré príslovky však majú taký istý tvar ako prídavné mená:

high [hai]	vysoký vysoko	**fast**	rýchly rýchlo	**near**	blízky blízko
hard	ťažký, tvrdý ťažko, tvrdo	**late**	neskorý neskoro	**ill**	chorý nezdravo, zle
low [ləu]	nízky nízko	**little**	malý málo		

Niektoré z týchto prísloviek priberajú *-ly*, ale potom menia svoj pôvodný význam. Porovnajte:

high	vysoko	ale:	**highly**	veľmi, vysoko
hard	ťažko		**hardly**	sotva, ťažko
near	blízko		**nearly**	temer, skoro
late	neskoro		**lately**	nedávno

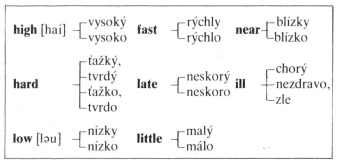

Niektoré slová zakončené na *-ly* môžu byť aj prídavné mená aj príslovky, napr.:

early	včasný, skorý včasne, skoro	**daily**	denný denne
weekly	týždenný týždenne	**monthly**	mesačný mesačne

Príklady:

The sun was high.	Slnko bolo vysoko.
They live near the museum.	Bývajú blízko múzea.
It's nearly midday.	Je skoro poludnie.
They came late.	Prišli neskoro.
I haven't seen him lately.	V poslednom čase som ho nevidel.
He's working hard.	Usilovne pracuje.
We had hardly any time to speak about it.	Nemali sme skoro vôbec času o tom hovoriť.
He can hardly do it.	Sotva to môže urobiť.

Poznámky: 1. Príslovku *hardly* dávame (podobne ako *often, usually*) pred tvar významového slovesa: He hardly **spoke** about it.

2. *Lately* sa používa len v zápornej vete alebo v otázke: *Have you seen him lately?*

3. Vyjadrenie slovenského „už" v angličtine

už	**predprítomný čas** **yet** **already**

a) Slovenské **už** vyjadrujeme **predprítomným časom,** jednoduchým a priebehovým:

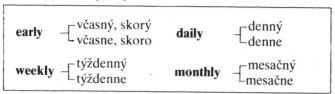

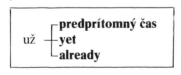

I have been there.	Už som tam bol.
Have you read that book?	Už ste čítali tú knihu?
We have been living here for ten years.	Bývame tu už desať rokov.

How long have you been preparing the tests?	Ako dlho už pripravujete tie testy?

b) V otázkach **už** = **yet:**

Has he come back yet?	Už sa vrátil?
Have you done it yet?	Už si to urobil?

c) **Already** používame len **v kladných otázkach pri zdôraznení:**

He has already come back.	Už sa vrátil.
I have done it already.	Už som to urobil.

4. Vyjadrenie slovenského „ešte"

ešte	**still**	vo význame **ešte stále,** doteraz
	some more	vo význame **ešte trochu,** ešte niekoľko
	another	vo význame **ešte jeden,** ďalší
	else	v spojení so zámenami: **Who** else? Kto ešte? **What** else? Čo ešte? **Anybody** else? Ešte niekto?

Príklady:

He still works with me.	(Stále) ešte so mnou pracuje (= doteraz).
Give me some more pudding.	Daj mi ešte puding.
May I have another piece?	Môžem dostať ešte kúsok?
Who else will come?	Kto ešte príde?
What else will you buy?	Čo ešte kúpiš?
Anything else?	Ešte niečo?

Poznámka: Ešte nie = *not yet*, už nie = *no longer* (nie ďalej), *no more* (= viackrát nie), napr.:

He hasn't come yet.	Ešte neprišiel.
I can't wait any longer. / I can wait no longer.	Ďalej už nemôžem čakať.
He won't do it any more.	Už to (viackrát) neurobí.

5. Budúci čas priebehový

What	**will you be doing**	this time tomorrow?
Čo	budete robiť	zajtra o takomto čase?

Budúci čas priebehový tvoríme pomocou budúceho času pomocného slovesa **to be** *(I shall be, you will be,* pozri str. 156) a **tvaru na -ing.** Vyjadruje dej, ktorý sa práve uskutoční v danom okamihu alebo čase v budúcnosti, napr. *tomorrow at five, on Sunday about ten a. m., next week* ap. Porovnajte s prítomným priebehovým časom:

Now	I'm	reading.	Teraz čítam.
This time tomorrow	I'll be	working.	Zajtra o tomto čase budem pracovať.

Príklady:

I'll be seeing you tomorrow.	Zajtra sa uvidíme.
He'll be taking his examinations next week.	Budúci týždeň bude skladať skúšky.
We shall be leaving on Sunday.	V nedeľu budeme odchádzať.
At nine the children will be sleeping.	O deviatej už budú deti spať.
They won't be coming next week.	Budúci týždeň neprídu.
What will you be doing at about five?	Čo budeš robiť okolo piatej?

6. Nepravidelné slovesá:

become	[biˈkam]	stať sa	**became**	[biˈkeim]	**become**	[biˈkam]
teach	[ti:č]	vyučovať	**taught**	[to:t]	**taught**	[to:t]
drive	[draiv]	jazdiť autom	**drove**	[drəuv]	**driven**	[drivn]

CVIČENIA

1. Povedzte, ako dlho to už robí, podľa vzoru:

He's reading. – **He has been reading for two hours.**

1. I'm working. 2. He's waiting. 3. I am preparing for my English examination. 4. She's looking at television. 5. It's raining. 6. The doctor is examining him. 7..They're doing nothing.

2. Spytujte sa podľa vzoru:

A young	*lady*	*is staying with them.*
Do you know the young	**lady who**	**is staying with them?**

1. A young lady is waiting outside. 2. An old gentleman was speaking to them. 3. A boy had brought this. 4. A young doctor examined him. 5. A lady has just left. 6. An English teacher taught this class last year. 7. A French student has brought this tape. 8. A young girl attends this course.

3. Spojte obe vety pomocou *which* podľa vzoru:

This booklet cost only twenty pence. It's very useful.
This booklet, which is very useful, cost only twenty pence.

1. This guidebook to London cost only one pound. It is quite nice. 2. This magazine's quite cheap. It brings information about life in Britain. 3. The examinations weren't difficult. We took them yesterday. 4. This way will take you there in five minutes. It is shorter. 5. Their house is quite small. It stands near the railway station. 6. Our factory is well-known all over the world. It makes cars. 7. This detective story was written by A. Christie [kristi]. It is very thrilling.

4. Hovorte vety podľa vzoru:

That's the school that I want to attend.

That's the	school course university commercial school	that	I want to attend he attended I'd like to go to she's going to attend.

5. Spojte obe vety pomocou *whose* podľa vzoru:

Tom is my son's friend. His parents live in this street.
Tom, whose parents live in this street, is my son's friend.

1. John won't come. His wife isn't feeling well today. 2. Mrs Parker must stay at home. Her children are ill. 3. My daughters attend secondary school. Their names are Anne and Sue. 4. Miss Newman won't be able to come. Her father was taken to hospital. 5. Mr Brown speaks French very well. His wife is French.

6. Spytujte sa podľa vzoru:

You've bought a new tape. – **Is this tape you've bought?**

1. You've used a tape-recorder. 2. You've read a booklet. 3. You've bought an English magazine. 4. She has brought a folder. 5. She gave you a gramophone record. 6. He wanted to buy a picture.

7. Hovorte, čo práve budete robiť zajtra v danom čase podľa vzoru:

at six – **At six I'll be getting up.**

1. at 6.10 2. at 6.30 3. at 6.45 4. at 7.30 5. at 10 o'clock 6. at 1 o'clock 7. at 4.30 8. at 7.30 9. at 8 10. at 11.

8. Spytujte sa podľa vzoru:

I was looking for a notebook. – **Is this the notebook you were looking for? for?**

1. I was asking about an information booklet. 2. They were looking at some photograph. 3. We were talking to a lady. 4. I was working with a young girl. 5. They lived in an old house. 6. They talked about a young man.

9. Spytujte sa pomocou *else* podľa vzoru:

I'll buy some butter. – **What else will you buy?**
John will come. – **Who else will come?**

1. I'll need a pen and some paper. 2. Jane will help us.

3. They will be there. 4. I'll bring some magazines. 5. Tom can speak German. 6. Peter was there. 7. I'll buy some fruit.

10. a) Odpovedzte s použitím *too* **alebo** *very* **podľa vzoru:**

Is it far? – **It isn't too far.**

1. Is it late? 2. Is it near? 3. Is it fast? 4. Is it hard? 5. Is it high? 6. Is it far from here?

b) Odpovedzte s použitím *nearly* **(skoro, takmer):**

Is it five o'clock? – **Yes, it's nearly five o'clock.**

1. Is it ready? 2. Is it twelve? 3. Is it at the end of the street? 4. Is lunch ready? 5. Is it half past four? 6. Is it over?

c) Odpovedzte s použitím *hardly* **(sotva, ťažko):**

Can you see her? — **I can hardly see her.**

1. Can you understand? 2. Can you help me in that matter? 3. Can he do it? 4. Will he find it? 5. Do you know her? 6. Has he ever been there? 7. Can you hear me?

11. Doplňte podľa potreby príslovku s *-ly* **a bez** *-ly* *(near – nearly, hard – hardly, late – lately, high – highly* **a** *fast):*

1. He lives in our street. He lives –. 2. It isn't 11 yet, but it's – 11. 3. He can – finish it this week, although he's working –. 4. Frank hasn't come yet. He's always –. 5. What have you been doing –? 6. These mountains aren't very –. 7. It was a – amusing film, wasn't it? 8. It's a fast train, you'll travel –. 9. He's a fast driver. He's driving –.

12. Odpovedzte v minulom čase podľa vzoru:

Will he get it? – **He got it last month (week, year).**

1. Will he become a teacher? 2. Will he teach you? 3. Will he drive you there? 4. Will he find it? 5. Will they run two-day trips to the mountains? 6. Will you sleep well? 7. Will they begin this month?

13. Povedzte po anglicky:

1. Už ste čítali jeho poslednú (= najnovšiu) knihu? Nie, ešte som ju nečítal. 2. Už ste videli ten film? Áno, už som ho videl. 3. Už odpovedali? Nie, ešte neodpovedali. 4. Už ste dali ten list na poštu? Áno, už som ho poslal. 5. Kto by ešte mohol prísť? 6. Čo ešte chcete urobiť? 7. Peter je ešte v škole. 8. Môžem dostať ešte kúsok torty? 9. Ako dlho sa už učíte po rusky? 10. Je skoro pol siedmej. 11. Ťažko to môžeme dnes dokončiť.

14. Odpovedzte podľa textu:

1. Who wrote the letter to John? 2. When did he write it? 3. What's Patrick's address? 4. What does he thank John for? 5. What did Patrick send him? 6. Where did John spend his holiday? 7. How many children has Patrick? 8. When will Sue be sitting for her final examination? 9. What foreign languages does she want to study? 10. What are Steve's hobbies? 11. What does Patrick write about his son John? 12. What's Kate's wish? 13. Where's Patrick working? 14. How did he close his letter?

Konverzačné cvičenie

a) Poďakujte za predmety, ktoré vidíte na obrázku.

Vzor: **Thank you for the...**
Thanks for your...

b) Poďakujte za poslaný časopis, sprievodcu, telegram, za zatelefonovanie, za pozvanie na čaj, na večierok, za kúpenie lístka, za opravu magnetofónu ap.

Vzor: **Thank you for sending me the magazine.**

Odpoveď: **I hope you'll like it.**
That's all right.
It was a pleasure.

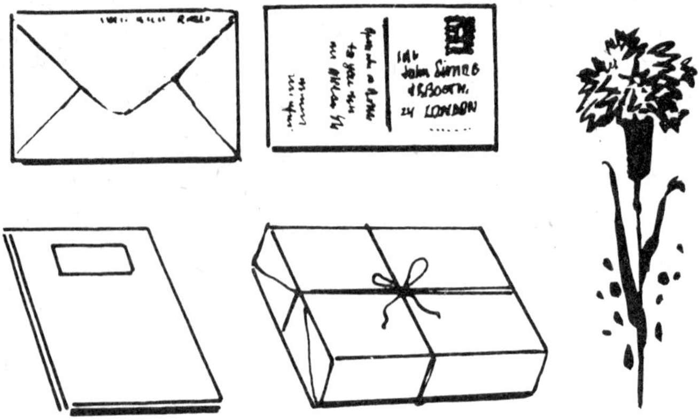

c) Poďakujte za pekný večer, zaujímavú knihu, dôležitú správu, za krásny obrázok, za milý darček, za kvety ap.

Vzor: **Thank you very much indeed for the…**

Odpoveď: **I'm glad you liked it (them).**
I'm glad you enjoyed it (them).
I'm glad to be able to help you.

ARRIVAL AT A HOTEL

Tourist:	Good evening. Can I have a double room for my wife and me?
Receptionist:	Sorry,we're full up at present. How long do you want to stay?
Tourist:	We're leaving tomorrow.
Receptionist:	Just a moment, please. I'll have a look at the reservations. – Well, I can let you have a small room with bath on the third floor.
Tourist:	Thank you. We'll take it. What's the price of the room?
Receptionist:	Four pounds. Charges are for bed and breakfast. May I have your passports, please? – Thank you. Your room is Number 318. Here's your key. The porter will take your luggage up.
Tourist:	What time do you serve breakfast?
Receptionist:	Between eight and ten. The dining-room's on the ground-floor.

Tourist: Will you please call us at seven in the morning?
Receptionist: Certainly, sir.
Porter: This way, please. The lift's to the right.

STAYING AT A HOTEL

On Monday afternoon I arrived in Liverpool and went by taxi to the Palace Hotel. I asked the receptionist whether I could have a single room. I had booked it by phone in the name of Mr Lewis. The receptionist looked up my reservation and gave me the key.

My room was on the second floor, overlooking a park. First I unpacked my suitcase. I took out my pyjamas, slippers, socks, a pair of black shoes, a toothbrush and toothpaste. I was glad I had not left my glasses behing. This sometimes happens to me.

I rang for the chambermaid and asked her to press my trousers. She promised that she would see to it at once. Then I went into the bathroom. Clean towels, soap and a glass had already been prepared there. I had a hot shower and a shave, and quickly changed into my dark suit. I looked at my watch. It was nearly eight o'clock and I had made an appointment for eight at a restaurant in the city with Bob Langston, a former colleague of mine. I had to hurry up because I didn't want to keep him waiting too long.

Výslovnosť vlastných mien: **Langston** [læŋstən]; **Lewis** [lu:is]; **Liverpool** [livəpu:l] prístavné mesto v severozápadnom Anglicku; **the Palace Hotel** [pælis həutel].

---

appointment [əˈpointmənt] schôdzka
arrival [əˈraivl] príchod
bath [ba:θ] kúpeľ; vaňa
  have a bath okúpať sa *(vo vani)*
between [biˈtwi:n] medzi *(dvoma)*
board [bo:d] stravovanie, strava
  full board plná penzia
chambermaid [čeimbəmeid] chyžná
change into preobliecť sa do
charge [ča:dž] poplatok, cena; účtovať
clean [kli:n] čistý; čistiť
colleague [koli:g] kolega, spolupracovník
double [dabl] dvojitý, dvojposteľový
explain [iksˈplein] vysvetliť

floor [flo:] dlážka; poschodie
glasses [gla:siz] okuliare
glove [glav] rukavice *(jedna)*
ground-floor [ˈgraundˈflo:] prízemie
hang – hung – hung [hæŋ – haŋ – haŋ] zavesiť; visieť
hot [hot] *(tt)* horúci
inform [inˈfo:m] informovať
key [ki:] kľúč
leave behind [li:v biˈhaind] zabudnúť (doma)
let – let – let [let] *(tt)* nechať
overlooking [ˈəuvəˈlukiŋ] *(so 4. p)* s výhľadom (na, do)
pack [pæk] (za)baliť
pair [peə] pár
passport [pa:spo:t] (cestovný) pas
porter [po:tə] vrátnik
press [pres] žehliť
price [prais] cena
put on [put on] obliecť si, obuť si
put up (at a hotel) bývať, ubytovať sa (v hoteli)
pyjamas [pəˈdža:məz] pyžama
reception [riˈsepšn] príjem, prijatie, (hotelová) recepcia
receptionist [riˈsepšənist] úradník v hotelovej recepcii, recepčný úradník
reservation [ˌrezəˈveišn] rezervovanie, objednávka (izby)
see to sth. postarať sa o čo
single [siŋgl] jednotlivý, jednoduchý, jednoposteľový
shave [šeiv] (o)holiť sa
  have a shave oholiť sa
shoe [šu:] topánka
shower [šauə] sprcha
  have a shower osprchovať sa
slipper [slipə] papuča
soap [səup] mydlo
sock [sok] ponožka
stocking [stokiŋ] pančucha
suit [sju:t] oblek, šaty (pánske)
take out vybrať
toothbrush [tu:θbraš] zubná kefka
toothpaste [tu:θpeist] zubná pasta
towel [tauəl] uterák
trousers [trauzəz] nohavice *(dlhé)*
unpack [ˈanˈpæk] vybaliť
whether [weðə] či

DÔLEŽITÉ VÄZBY

The hotel is full up.	Hotel je plne obsadený.
No vacancies [veiknsiz].	Voľné izby nemáme. (Nápis)
We were staying at the Palace Hotel.	Bývali sme v hoteli Palace.
Please book a single (room).	Rezervujte mi, prosím, jednoposteľovú izbu.
I've booked a double room by phone (by wire) in the name of...	Rezervoval som si telefonicky (telegraficky) dvojposteľovú izbu na meno...
How much do you charge for bed and breakfast? For full board?	Koľko stojí izba (nocľah) s raňajkami? Celodenná penzia?
On which floor?	Na ktorom poschodí?
It's on the first floor (on the ground-floor).	Je na prvom poschodí (na prízemí).
We can go by lift (take the lift).	Môžeme ísť výťahom.
Will you call me at seven?	Zobuďte ma o siedmej, prosím.
Ring for the chambermaid.	Zazvoňte chyžnej.

She'll see to it.	Postará sa vám o to. Zariadi to.
I can let you have a quiet room with a bath.	Môžem vám dať tichú izbu s kúpeľňou.
This way please.	Tadiaľto, prosím.
I've left my glasses behind.	Zabudol som si okuliare.
I've got an appointment for 10 a. m. with Mr Smith.	O desiatej mám schôdzku s pánom Smithom.
Would you have my bill ready by 8 o'clock?	Pripravili by ste mi účet do ôsmej hodiny?
We'll take a taxi. Will you get us a taxi, please?	Pôjdeme taxíkom. Zavolali by ste nám láskavo taxík?

VÝSLOVNOSŤ A PRAVOPIS

1. Výslovnosť písaného „i" v prízvučných slabikách

píšeme	čítame	príklady
i	[i]	*big* [big], *wish* [wiš], *difficult* [difiklt]
i	[ai]	*ice* [ais], *white* [wait], *driver* [draivə], *final* [fainl], *invite* [inˈvait]
igh	[ai]	*light* [lait], *right* [rait], *night* [nait]
ir + spoluhl.	[ə:]	*first* [fə:st], *firm* [fə:m], *shirt* [šə:t]
ai ui ui	[ei] [u:] [ju:]	*pain* [pein], *train* [trein], *afraid* [əˈfreid] *fruit* [fru:t], *juice* [džu:s] *suit* [sju:t], *suitable* [sju:təbl], *suitcase* [sju:tkeis]

Výslovnosť písaného „y"

píšeme	čítame	príklady
y + samohl. na zač.	[j]	*you* [ju:], *your* [jo:], *yes* [jes], *year* [jə:], *young* [jaŋ]
y y	[i] [ai]	*typical* [tipikl], *lady* [leidi], *baby* [beibi], *my* [mai], *why* [wai], *try* [trai], *reply* [riˈplai]
ay	[ei]	*say* [sei], *stay* [stei], *play* [plei], *away* [əˈwei]

Poznámka: Pozor na výslovnosť slov *key* [ki:] a *child* [čaild] – *children* [čildrən].

Čítajte:

Bring me the list. – Give him the tickets. – Think of this thing. – It's difficult. – It's a gift from my children. – I like this child. – The price is high. – The light's on your right. – Come tonight. – I'll be delighted. – Why not try it? – Reply by wire. – I'm afraid I can't explain it. – Try this fruit juice. – It's nice. – Will you give me the key, please?

GRAMATIKA

1. Predminulý čas

I had prepared everything before they arrived.	Pripravil som všetko prv než prišli.

a) **Jednoduchý predminulý čas** sa tvorí pomocou **had** + **minulé príčastie,** t. j. u pravidelných slovies tvar na *-ed,* u nepravidelných slovies tretí tvar. Porovnajte s predprítomným časom: **I have** *prepared* – **I had** *prepared* – pripravil som (dosl. mal som (to) pripravené).

Plné tvary				Skrátené tvary		
I HAD + minulé príčastie				I'D + minulé príčastie		
I	had	prepared	it.	I'd	[aid]	prepared it.
You	had	returned	it.	You'd	[ju:d]	returned it.
He	had	called.		He'd	[hi:d]	called.
She	had	invited	us.	She'd	[ši:d]	invited us.
It	had	stopped.		It'd	[itəd]	stopped.
We	had	done	it.	We'd	[wi:d]	done it.
They	had	seen	it.	They'd	[ðeid]	seen it.

Zápor a otázka:

I had not sent it. – I hadn't sent it.
Had they sent it? – No, they hadn't [hædnt].
Had he returned? – Yes, he had [hæd].

Trpný rod sa tvorí z predminulého času slovesa *to be* a z minulého príčastia:

I HAD BEEN + minulé príčastie			
I	had been	called	bol som volaný
it	had been	sent	bolo to poslané
we	had been	invited	boli sme pozvaní

Použitie:

Jednoduchý predminulý čas označuje minulý dej, ktorý sa skončil pred iným dejom minulým alebo pred istým daným časom v minulosti.

V slovenčine tento čas nemáme. Pri preklade do slovenčiny môžeme dodať slovo „už".

Príklady:

I didn't know that you had returned.	Nevedel som, že ste sa už vrátili.
I opened the window and saw that it had stopped raining.	Otvoril som okno a videl som, že (už) prestalo pršať.
We couldn't go there as we hadn't been invited.	Nemohli sme tam ísť, lebo sme neboli pozvaní.
Jane didn't go to the cinema with us as she had seen the film.	Jana nešla s nami do kina, lebo ten film už videla.
My brother knew about it. I had told him the day before.	Brat o tom vedel. Povedal som mu to deň predtým.
All the children had left the camp by last Sunday.	Do minulej nedele všetky deti z tábora odišli.
Everything had been prepared by eight o'clock.	Do ôsmej hodiny bolo všetko pripravené.

b) **Priebehový predminulý čas** sa tvorí spojením predminulého času slovesa *to be* (= I had been) a prítomného príčastia významového slovesa, t. j. tvaru na *-ing*.

Plné tvary		Skrátené tvary	
I HAD BEEN + -ing		I'D BEEN + -ing	
I	had been waiting	I'd	been waiting
he	had been walking	he'd	been walking
it	had been raining	it'd	been raining
we	had been playing	we'd	been playing
they	had been living	they'd	been living

Otázka: *had you been walking?, had they been playing?* atď.

Zápor: *I had not (hadn't) been waiting, we had not (hadn't) been playing.*

Použitie: Priebehový predminulý čas označuje dej, ktorý **prebiehal** istý čas **pred istým minulým okamihom alebo dejom.**

Príklady:

How long had you been learning English before you went to England?	Ako dlho ste sa učili po anglicky, než ste išli do Anglicka?
Mr Smith had been living in Oxford for ten years before he came to London.	Pán Smith býval v Oxforde desať rokov predtým než prišiel do Londýna.

2. Súslednosť časov – nepriama reč

She knew	**he was** helping them	Vedela, že im **pomáha**
	he had helped them	že im **pomohol**
	he would help them.	že im **pomôže.**

Na rozdiel od slovenčiny v angličtine jestvuje tzv. súslednosť časov. To značí závislosť slovesného tvaru vedľajšej vety predmetnej (spytujeme sa na ňu otázkou s „čo“: „Čo vedel? Čo povedal?“) od tvaru slovesa vo vete hlavnej.

Najčastejším prípadom časovej súslednosti je **nepriama reč.**

Premeniť priamu reč na nepriamu v slovenčine je jednoduché:

PRIAMA REČ	NEPRIAMA REČ
Nemám čas.	Hovorí, že nemá čas.
Nemal som čas.	Hovorí, že nemal čas.
Nebudem mať čas.	Hovorí, že nebude mať čas.

V angličtine môžeme takto premeniť priamu reč na nepriamu len vtedy, ak je sloveso vety hlavnej v prítomnom, budúcom alebo predprítomnom čase:

“**I have** no time.”	**He says** (that)	**he has** no time.
“**I had** no time.”	**He says** (that)	**he had** no time.
“**I'll** have no time.”	**He says** (that)	**he'll have** no time.

Poznámka: Spojku *that* (že) môžeme v nepriamej reči vynechať.

Ak je však **v hlavnej vete sloveso v minulom čase,** mení sa čas vedľajšej vety podľa tejto tabuľky:

1.	prítomný čas	he helps
↓	**minulý čas**	↓ **he helped**
2.	minulý čas	he helped
↓	**predminulý čas**	↓ **he had helped**
3.	budúci čas	he will help
↓	**podmieňovací spôsob**	↓ **he would help**

PRIAMA REČ		NEPRIAMA REČ
1. PRÍTOMNÝ ČAS "**I help** them every day."	→	**MINULÝ ČAS** He said (that) **he helped** them every day. Povedal, že im **pomáha** každý deň.
2. MINULÝ ČAS "**I helped** them (yesterday, a month ago)."	→	**PREDMINULÝ ČAS** He said (that) **he had helped** them (the day before, a month before). Povedal, že im **pomohol** (deň predtým, pred mesiacom).
2. BUDÚCI ČAS "**I'll help** them tomorrow."	→	**PODMIEŇOVACÍ SPÔSOB** He said (that) **he would help** them next day. Povedal, že im **pomôže** nasledujúci deň.

Ide teda o posúvanie časov do minulosti.

Zároveň dochádza k posúvaniu časových údajov vo vzťahu k minulej výpovedi:

today	→	that day
yesterday	→	the day before
tomorrow	→	next day
a week ago	→	a week before

Poznámky: 1. *Ago* používame len vo vzťahu k prítomnému okamihu; ináč treba používať *before*.

2. Všimnite si zmysel vety: *He said he would come today.* Povedal, že dnes príde. (Skutočne dnes, v ten deň, keď opakujem jeho oznámenie.) – Podobne: *He said he would come tomorrow.* (Skutočne zajtra.)

3. Tvary *should* a *must* sa v nepriamej reči nemenia, napr.: *"He should do it." I said he should do it.*

Pri preklade do slovenčiny postupujeme obrátene: minulý čas prekladáme prítomným časom, podmieňovací spôsob budúcim časom ap.

Priama reč:	Nepriama reč:
"I often **write** *to my mother."*	*She said that she often* **wrote** *to her mother.* Povedala, že **píše** často matke.
"**I'm writing** *a letter."*	*She said (that) she* **was writing** *a letter.* Povedala, že **práve píše** list.
"**I am going** *to help you."*	*She said she* **was going** *to help me.* Povedala, že mi **pomôže.**
"**I wrote** *him a letter."*	*She said she* **had written** *him a letter.* Povedala, že mu **napísala** list.
"**I'll write** *him a letter."*	*She said she* **would write** *him a letter.* Povedala, že mu **napíše** list.

Nepriamu reč môžu uvádzať aj iné slovesá, ako: *answer, reply, explain, inform, promise, think, know* ap.

Porovnajte tieto príklady:

I didn't know he **was** ill.	Nevedel som, že **je** chorý.
I didn't know he **had been** ill.	Nevedel som, že **bol** chorý.
We thought you **weren't** at home.	Mysleli sme, že **nie ste** doma.
She promised she **would see** to it at once.	Sľúbila, že sa o to hneď **postará.**

3. Nepriama otázka

Nepriama otázka stojí najčastejšie po slovese *ask*. Ak je v priamej otázke *who, which, what* alebo *when, where, why,* zostávajú aj v nepriamej otázke. Ináč použijeme spojky **whether** (či) alebo **if** (ak).

Pozor! **Slovosled v nepriamej otázke** je taký istý ako v oznamovacej vete, t. j. **najprv podmet, potom sloveso.**

Porovnajte:

Priama otázka:	"Where is **your friend**?" sloveso + podmet
Nepriama otázka:	He asks where **my friend is**. podmet + sloveso
Priama otázka:	"**Will your friend** come too?"
Nepriama otázka:	He asks if **my friend will** come too.

Pre nepriamu otázku platí pravidlo o súslednosti časovej, ak je v hlavnej vete minulý čas.

He asked whether	Spýtal sa, či
I had time	**mám čas**
I had had time	**som mal** čas
I should have time.	**budem mať** čas.

Príklady:

Priama otázka:	Nepriama otázka:
"Where **do you** work?"	He asked me where **I worked.** Spýtal sa ma, kde **pracujem.**
"**Have they** arrived?"	She wanted to know whether **they had** arrived. Chcela vedieť, či už **prišli.**
"**Will you** do it for me?"	I asked John whether **he would** do it for me. Spýtal som sa Jána, či to pre mňa **urobí.**
"How long **are you** going to stay?"	He asked how long **we were** going to stay. Spýtal sa, ako dlho tu **zostaneme.**

4. Nepriamy rozkaz

I asked him **to come.**
Poprosil som ho, **aby prišiel.**

Nepriamy rozkaz vyjadríme pomocou **neurčitku.**

Príklady:

I asked Mr Lewis to **give me** your address.	Poprosil som pána Lewisa, **aby mi dal** vašu adresu.
He asked me **to bring** the book.	Poprosil ma, **aby som priniesol** tú knihu.
They told me **not to do** it.	Povedali mi, aby **som to nerobil.**

5. Väzba „have + podstatné meno"

I must **have a look** at it.
Musím sa na to pozrieť.

Týmto spôsobom môžeme napríklad vyjadriť dokonavý vid: *look at* – pozerať sa – *have a look* **pozrieť sa.**

Príklady:

Let's have a drink.	Napime sa.
Shall we have a smoke?	Zafajčíme si?
I'll have a try.	Skúsim to.
Have a wash.	Umy sa.
I had a quick shave.	Rýchlo som sa oholil.
I had a shower.	Osprchoval som sa.
I'll have a bath.	Okúpem sa (vo vani).
Let's have a swim.	Zaplávajme si.

Poznámka: Sloveso *to have* má v tejto väzbe v otázke a zápore pomocné *do/did: Did you have a look?*

6. "A pair of trousers"

Podstatné mená, ktoré označujú odev skladajúci sa z dvoch častí, napr. *trousers* (nohavice), *shoes* (topánky), *stockings* (pančuchy), *socks* (ponožky), *gloves* (rukavice), používajú slovo **"pair"** (pár), ak chceme vyjadriť počet: jedny, dvoje atď.

Príklady:

How much is this pair of trousers?	Koľko stoja tieto nohavice?
I've got two pairs of black gloves.	Mám dvoje čiernych rukavíc.
She's bought a pair of summer shoes.	Kúpila si letné topánky.

7. Ďalšie nepravidelné slovesá

hang [hæŋ]	zavesiť, visieť	– **hung** [haŋ]	– **hung** [haŋ]
let [let]	nechať	– **let** [let]	– **let** [let]

CVIČENIA

1. Reagujte na východiskovú vetu pomocou *I didn't know that...*, podľa vzoru:

He was ill. – **I didn't know that he had been ill.**

1. She was late. 2. He bought the tickets. 3. I sent him a wire. 4. We were there. 5. She returned the magazines. 6. I didn't tell him about it. 7. He didn't promise it. 8. Jane saw him there. 9. I received a letter from him.

2. Odpovedzte podľa vzoru:

Why didn't you post the parcel?
Because Peter (Mother, Miss Lewis, my wife ap.**) had already posted it.**

1. Why didn't you buy the newspaper? 2. Why didn't you phone them? 3. Why didn't you invite them? 4. Why didn't you make the tea? 5. Why didn't you book the seats? 6. Why didn't you show him the photographs? 7. Why didn't you make the reservation? 8. Why didn't you write to that hotel?

3. Spojte obe vety pomocou *after* + **predminulý čas (jednoduchý alebo priebehový) podľa vzoru:**

We were walking for two hours. Then we stopped for lunch.
After we had been walking for two hours, we stopped for lunch.

1. I did my shopping. Then I stopped at my mother's. 2. They were waiting for twenty minutes. Then they returned home. 3. He learned English for three years. Then he took the examination. 4. I did my homework for half an hour. Then I watched television. 5. We played records for an hour. Then we listened to the radio. 6. They lived in Brno for five years. Then they came to Prague. 7. I worked there for two years. Then I applied for another post.

4. Odpovedzte na otázky:

How long had you been waiting at the tram stop before the tram came?
I had been waiting there for ten minutes before the tram came.

1. How long had you been learning English before you came to London? 2. How long had he been working in that office before he started to work at the travel agency? 3. How long had you been looking for your notebook before you found it? 4. How long had you been living in the country before you came to Liverpool? 5. How long had you been learning to drive before you bought a car? 6. How long had you been waiting for Jane before she came?

5. Reagujte na dané vety podľa vzoru:

He is ill. – **Yes, I heard that he was ill. (Yes, I knew that... Yes, we thought that...)**

1. They are out of Bratislava. 2. They are going to buy a weekend cottage. 3. His wife doesn't go out to work. 4. They meet every day. 5. He's going to study German at the university. 6. He's very good at tennis. 7. They are staying at the Palace Hotel.

6. Odpovedzte podľa vzoru:

What did he say? Will he come? – **He said (that) he would come.**

1. What did she say? Will she explain it to you? 2. What did he think? Will it be all right? 3. What did Mother say? Will she invite them? 4. What did Mike say? Will he go there? 5. What did Mr Lewis say? Will he speak to her? 6. What did he say? Will he phone? 7. What did they say? Will it be possible?

7. Povedzte, na čo všetko sa vás spytovali podľa vzoru:

What do you like? – **They asked me what I liked.**
Have you been seriously ill? – **They asked me whether I had been seriously ill.**

1. What schools did you attend? 2. Where do you live? 3. What's your father's name? 4. Where do you work? 5. What foreign languages can you speak? 6. How many children have you? 7. Do you like your present work? 8. Have you done this work before? 9. Can you speak German well? 10. Are you staying at a hotel?

8. Odpovedzte podľa vzoru:

What did they tell you? To come at once?
Yes, they told me to come at once.

1. What did she tell you? To go and buy another one? 2. What did they tell you? To do it at once? 3. What did she ask you? To show her how to do it? 4. What did they tell you? To bring it in the morning? 5. What did he ask you? To see to it at once? 6. What did he tell you? Not to send them any money? 7. What did she tell you? Not to wait?

9. Povedzte podľa vzoru:

Do you smoke? – **Let's have a smoke.**
Will you have a smoke?

1. We must try again. 2. Everybody's dancing. 3. Do you swim? 4. We haven't washed our hands yet. 5. They are

drinking beer. 6. I had a nice hot bath. Will you...? 7. Here are the showers. 8. They're looking at the photographs.

10. Povedzte po anglicky:

1. Prechádzali sme sa pol hodiny, (predtým) než začalo pršať. 2. Keď sme prišli na stanicu, autobus už odišiel. 3. Keď som to chcel kúpiť, boli už obchody zatvorené. 4. Ako dlho ste čakali na stanici, než prišiel vlak? 5. Povedal mi, aby som tam bol o siedmej hodine. 6. Poprosila ma, aby som jej to vysvetlil znova. 7. Povedal, že tam bude. 8. Povedala, že tam bola. 9. Povedali, že sú veľmi zaneprázdnení. 10. Myslel som, že to priniesol Peter. 11. Spýtal sa ma, či budem okolo poludnia v kancelárii. 12. Spýtal som sa, koľko to stojí. 13. Povedali mi, aby som nečakal. 14. Pozrime sa na to. 15. Zafajčíte si? 16. Zabudol som si okuliare. 17. Zabudol som mu dať kľúč. 18. Musím si kúpiť nohavice (jedny), dvoje ponožiek a hnedé topánky.

11. Odpovedzte na otázky k textu:

a) 1. What did the tourist ask the receptionist? 2. How long are they going to stay at the hotel? 3. What number is their room? 4. Which floor is it on? 5. Where's the dining room? 6. What time do they serve breakfast? 7. What time does the tourist want to be called in the morning? 8. Is there a lift there?

b) 1. Where did Mr Lewis go on Monday? 2. When did he arrive in Liverpool? 3. How did he get to the Palace Hotel? 4. How did he book the room? 5. What did he do first? 6. What does he often leave behind? 7. Why did he ring to the chambermaid? 8. Will she see to it at once? 9. Did he have a bath? 10. Who's Bob Langston?

Konverzačné cvičenia

a) Poproste o rezervovanie izby (jednoposteľovej, dvojposteľovej, s kúpeľňou, bez kúpeľne, so sprchou ap.) na istý čas podľa vzoru:

Please reserve... from... to...
I'd like to book (reserve)... on the... for...

b) Spýtajte sa na cenu izby (jednoposteľovej atď.), plnej penzie, jedál ap. podľa vzoru:

How much do you charge for...?

c) Poproste, aby vám doniesli batožinu do izby, aby vás zobudili ráno o šiestej hodine, aby vám pripravili účet, aby vám zavolali taxík ap. podľa vzoru:

Will you please...?

Vyplňte tento registračný lístok:

REGISTRATION CARD

Please fill in this form in block letters	
SURNAME:	DATE OF BIRTH: ....
FIRST NAME:	PLACE OF BIRTH: ....
NATIONALITY:	PROFESSION: ....
HOME ADDRESS:	
PASSPORT No.	ISSUED AT ....
DATE:	SIGNATURE ....

birth [bə:θ] narodenie; **place of b.** rodisko
card [ka:d] lístok
fill in vyplniť
first name (= Christian [kristjən] **name)** krstné meno
form [fo:m] formulár
issued [isju:d] vydaný
letter [letə] písmeno; **block l.** [blok] paličkové písmo
nationality [ˌnæšəˈnæliti] štátna príslušnosť, národnosť
profession [prəˈfešn] povolanie
registration [ˌredžiˈstreišn] záznam, súpis
signature [signičə] podpis
surname [sə:neim] priezvisko

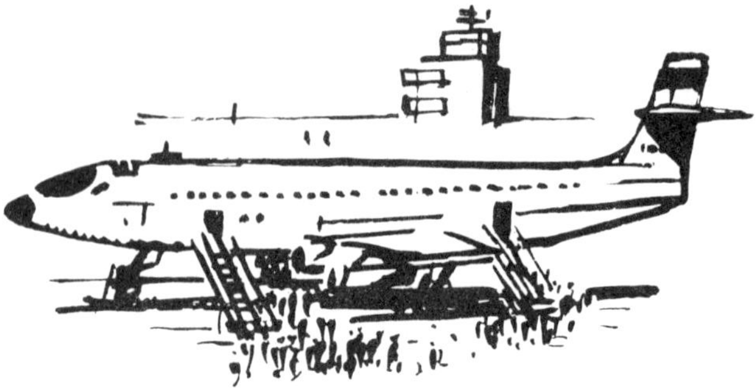

GOING BY PLANE

AT THE AIRPORT

Mr Blake: When will the plane for London take off, please?

Information Clerk: At 10.30. There's a delay of about half an hour. We're waiting for the connection with the Moscow flight.

Mr Blake: I see. Where's the check-in counter?

Clerk: It's the last but one counter on your left.

Mr Blake: Thank you. – (To his wife:) You'd better have your passport, customs declaration and the plane tickets ready while I hand in our luggage.

IN THE FREE SHOP

Mr Blake: Would you like to buy some souvenirs?

Mrs Blake: Yes, I'd like to. What would you suggest?

Mr Blake: If I were you I'd get some cut glass. It's much cheaper here.

Mrs Blake: How do you like that vase over there? Isn't it beautiful?

Mr Blake: I'd buy it if it weren't so big. What about that crystal necklace?
Mrs Blake: It's lovely. I think I'll have it. And what about you?
Mr Blake: I'd rather have a bottle of plum brandy. It's duty-free.

ON THE PLANE

Mr Blake: Are you quite comfortable? Not afraid of being airsick?
Mrs Blake: Of course not. If I'd thought so, I'd have taken some pills.
Mr Blake: Well, let's fasten our seat-belts. If it weren't so cloudy, we'd have a nice view of the city.
Mrs Blake: I can see some buildings below us, but we'll be flying above the clouds most of the time. – When do we land?
Mr Blake: The plane's rather late. We'll be in London after two.
Mrs Blake: That's a pity. If we arrived before two we'd catch the three o'clock train to Worcester.
Mr Blake: Never mind. We'll take the next one.

PASSPORT CONTROL AT LONDON AIRPORT

Immigration Officer: Your passport please. What's the purpose of your stay in England?
Mr Novák: I'm taking part in a conference in Manchester.
Officer: How long are you going to stay in England?
Mr Novák: Four or five days.
Officer: Have you any foreign currency?
Mr Novák: I've got one hundred and twenty dollars in cash and traveller's cheques.

AT THE CUSTOMS

Customs Official:	Have you anything to declare?
Mr Novák:	Nothing. Everything's for my personal use.
Customs Official:	Any cigarettes or spirits?
Mr Novák:	Oh yes, I bought two hundred cigarettes on the plane.
Customs Official:	That's all right. You're allowed that.

Výslovnosť vlastných mien: **Moscow** [moskəu] Moskva; **Worcester** [wustə].

above [əˈbav] nad
air [eə] vzduch
airline [eəlain] aerolínie
airport [eəpo:t] letisko
airsick [eəsik]
  be airsick trpieť na nevoľnosť *(v lietadle)*
airsickness [eəsiknis] nevoľnosť *(v lietadle)*
below [biˈləu] pod
belt [belt] pás, opasok
better [betə]
  you'd better radšej by ste mali
bottle [botl] fľaša
brandy [brændi] koňak, brandy
building [bildiŋ] budova
cash [kæš] peniaze *(v hotovosti)*
catch – caught – caught [kæč – ko:t – ko:t] chytiť
check-in [ˈček ˈin] odbavenie *(na letisku)*
cheque [ček] šek
  traveller's cheques [trævləz] cestovné šeky
cloud [klaud] mrak
cloudy [klaudi] oblačno
conference [konfrəns] konferencia
connection [kəˈnekšn] spojenie
control [kəntˈrəul] *(ll)* kontrola, riadenie; kontrolovať, riadiť
crystal [kristl] krištáľ
currency [karənsi] mena, valuty
customs [kastəmz] *(len mn. č.)* clo
  at the customs na colnici
cut – cut – cut [kat] *(tt)* krájať, rezať
  cut glass brúsené sklo
declaration [dekləˈreišn] vyhlásenie
declare [diˈkleə] vyhlásiť, vycliť
delay [diˈlei] oneskoriť sa; oneskorenie *(pri odchode)*
dollar [dolə] dolár
duty [dju:ti] povinnosť, clo
  duty-free bez cla
eat – ate – eaten [i:t – et – i:tn] jesť
fasten [fa:sn] **the seat-belt** pripútať sa *(v lietadle)*
flight [flait] let
fly – flew – flown [flai – flu: – fləun] letieť
go through [θru:] **the customs** podrobiť sa colnej prehliadke
hand in [hænd in] podať *(pri priehradke)*
immigration officer [imiˈgreišn ofisə] úradník pasovej kontroly
if keby, ak
into [intu] do *(smerom donútra)*
land [lænd] krajina, zem; pristáť
last but one predposledný
necklace [neklis] náhrdelník, korálky
out of von z

personal [pə:snl] osobný
pity [piti] škoda
plane [plein] lietadlo ; **on the plane** v lietadle
plum [plam] slivka
plum brandy [brændi] slivovica
purpose [pə:pəs] účel
rather [ra:ðə] dosť
I'd rather radšej by som
spirits [spirits] liehoviny
souvenir [ˌsu:vəˈniə] suvenír
stewardess [stjuədis] stewardka, letuška
suggest [səˈdžest] navrhnúť
take off odlietať *(o lietadle)*
traveller [trævlə] cestujúci
use [ju:s] použitie
vase [va:z] váza
view [vju:] pohľad
weigh [wei] vážiť
weight [weit] hmotnosť

DÔLEŽITÉ VÄZBY

When does the Prague plane fly?	Kedy lieta lietadlo do Prahy?
What time does the plane for Bratislava leave on Saturday?	Kedy poletí lietadlo do Bratislavy v sobotu?
How long does the flight take?	Ako dlho trvá let?
What time does the plane arrive in Bratislava?	Kedy priletí lietadlo do Bratislavy?
The plane's late.	Lietadlo má oneskorenie.
Have you got the (plane) ticket?	Máte letenku?
Did you go by plane or by train?	Leteli ste alebo ste cestovali vlakom?
I'd rather go by train.	Radšej by som cestoval vlakom.
You'd better get ready.	Radšej by ste sa mali pripraviť.
That's a pity.	To je škola.
It's a pity you can't come.	To je škoda, že nemôžete prísť.
Never mind.	To nič.
Did you catch the train?	Stihli ste (= chytili ste) vlak?
I caught a cold yesterday.	Včera som prechladol.
I took part in the conference.	Zúčastnil som sa na tej konferencii.
Will you pay in cash or by cheque?	Budete platiť v hotovosti alebo šekom?
Have you anything to declare?	Máte niečo na preclenie?
Do I have to pay duty on that?	Musím z toho platiť clo?
It's duty-free.	Je to bez cla.
You can bring in one bottle duty-free.	Môžete doviezť jednu fľašu bez cla.

VÝSLOVNOSŤ A PRAVOPIS

Výslovnosť písaného „u" v prízvučných slabikách

píšeme	čítame	príklady
u u u u + spoluhl.	[u] [u:] [ju:] [a]	*butcher* [bučə], *full* [ful], *put* [put], *sugar* [šugə] *June* [džu:n], *Lucy* [lu:si], *Susan* [su:zn], *due* [dju:], *duty* [dju:ti], *excuse* [ikskju:z], *music* [mju:zik] *butter* [batə], *cup* [kap], *just* [džast], *hungry* [haŋgri], *number* [nambə]
u + r u + r + spoluhl.	[uə] [ə:]	*during* [djuəriŋ], *sure* [šuə] *curtain* [kə:tin], *further* [fə:ðə], *purpose* [pə:pəs], *return* [ri'tə:n]
ui ui	[u:] [i]	*fruit* [fru:t], *juice* [džu:s] *building* [bildiŋ]

Poznámky: 1. *gu + e* alebo *i*: v týchto spojeniach je *u* nemé, slúži iba na označenie tvrdej výslovnosti [g]: *guide* [gaid], *Prague* [pra:g].

2. *gu + a*: *u* je zväčša nemé, v ojedinelých prípadoch čítame *gu* ako [gw]: *language* [læŋgwidž].

3. Všimnite si aj ďalšie varianty pravopisu či výslovnosti slov s písaným *u*: *Tuesday* [tju:zdi], *busy* [bizi], *business* [biznis].

Čítajte:

They haven't much luggage. – Put on your pullover. – Where did you put the butter? – Hurry up, you must be hungry. – Have some fruit juice, Lucy. – Susan was here in June. – He's a student at Charles University. – Excuse me, it's not my duty. – The pupils have begun to study music. – When will uncle return? – The guide will show us those buildings on Sunday. – I must buy some curtains.

GRAMATIKA

1. Minulý podmieňovací spôsob

I should have come last week, but I couldn't.
Bol by som prišiel minulý týždeň, ale nemohol som.

Minulý podmieňovací spôsob sa tvorí pomocou *should/would* a minulého neurčitku významového slovesa *(have come).*

Minulý neurčitok

pravidelných slovies	nepravidelných slovies
have + -ed	**have + III. tvar**
have prepared	have bought
have tried	have done
have stopped	have written

Porovnajte:

Prítomný podmieňovací spôsob:	Minulý podmieňovací spôsob:
I should **try** it.	I should **have tried it.**
He wouldn't **do** it.	He wouldn't **have done** it.

Minulý podmieňovací spôsob vyjadruje dej, ktorý by sme boli vykonali v minulosti, ale ku ktorému nedošlo:

I should have changed it.	Bol by som to zmenil *(ale nezmenil som to).*
He would have come alone.	Bol by prišiel sám.
We should have done all the sights.	Boli by sme si prezreli všetky pamätihodnosti.
It wouldn't have been ready.	Nebolo by to hotové.

2. Podmienkové súvetia

a) **If it rains,**	I'll stay at home.	**Ak bude pršať,** zostanem doma.
b) **If it rained,**	I'd stay at home.	**Keby pršalo,** zostal by som doma.
c) **If it had rained,**	I'd have stayed at home.	**Keby bolo pršalo,** bol by som zostal doma.

V angličtine rozlišujeme tri typy podmienky:

a) Podmienka skutočná, t. j. splniteľná (v budúcnosti, v prítomnosti a v minulosti). V slovenčine ju uvádza spojka **ak,** v angličtine **if.** Pre podmienku splniteľnú v budúcnosti platí toto pravidlo (pozri L 19, str. 284):

Vedľajšia veta	Hlavná veta
If + Prítomný čas	**Budúci čas**

If it is nice, Ak bude pekne,	**I'll go for a trip.** pôjdem na výlet.
If Fred comes, Ak Fred príde,	**he will see to it.** postará sa o to.
If he doesn't come, Ak nepríde,	**you will have to do it.** budeš to musieť urobiť ty.

Namiesto budúceho času dávame teda po *if* **prítomný čas.** Pre prítomnosť a minulosť používame tie isté časy ako v slovenčine, napr.:

If he did it, he was right. Ak to urobil, mal pravdu.

b) Podmienka neskutočná, t. j. nesplniteľná **v prítomnosti.** V slovenčine ju uvádza spojka **keby,** v angličtine zase **if,** po ktorom nasleduje **jednoduchý minulý čas:**

Vedľajšia veta	Hlavná veta
If + Minulý čas	**Prítomný podmieňovací spôsob**

If he came, Keby prišiel,	**we should start at once.** začali by sme ihneď.
If she didn't come, Keby neprišla,	**she would phone.** zatelefonovala by.
If it was fine, Keby bolo pekne,	**I'd go for a walk.** šiel by som na prechádzku.
If I were you, Keby som bol vami,	**I wouldn't do it.** nerobil by som to.

Pri slovese *to be* používame tvar **were** pre všetky osoby, ak je splniteľnosť podmienky veľmi málo pravdepodobná (keby som bol vami = *if I were you*, keby bol na mojom mieste = *if he were in my place* ap.).

c) Podmienka neskutočná minulá, t. j. nesplnená v minulosti. V slovenčine ju uvádza spojka **keby,** v angličtine znova **if,** po ktorom nasleduje **predminulý čas:**

Vedľajšia veta	Hlavná veta
If + Predminulý čas	**Minulý podmieňovací spôsob**

If I had had time,	**I should have waited.**
Keby som bol mal čas,	bol by som počkal.
If it hadn't rained,	**I should have gone to the mountains.**
Keby nebolo pršalo,	bol by som išiel do hôr.

Porovnajte:

ak bude pršať	=	if it rains
keby pršalo	=	if it rained
keby bolo pršalo	=	if it had rained

Poznámka: *Could* a *might* možno použiť aj po *if*: *If I could come* – keby som mohol prísť, *If I might ask you* – keby som sa vás mohol opýtať.

Príklady:

I'll come if it doesn't rain.	Prídem, ak nebude pršať.
I should come if it didn't rain.	Prišiel by som, keby nepršalo.
I should have come if it hadn't rained.	Bol by som prišiel, keby nepršalo.
He will finish sooner if you help him.	Skončí prv, ak mu pomôžete.
He would finish sooner if you helped him.	Skončil by prv, keby ste mu pomohli.
He would have finished sooner if you had helped him.	Bol by skončil prv, keby ste mu (boli) pomohli.

Prišli by sme, keby sme mohli.	We'd come if we could.
Ak si pripravený, môžeme ísť.	If you are ready, we can go.
Keby to Ján chcel urobiť, urobil by to hneď.	If John wanted to do it, he would do it at once.

3. „Radšej" + podmieňovací spôsob

I'd rather wait.	**Radšej by som** počkal.
You'd better go.	**Radšej by si mal** ísť.

Väzba *I'd rather* (skrátený tvar od *I should/would rather*) sa používa na vyjadrenie slovenského **radšej by som:**

I'd rather stay here. — **Radšej by som** tu zostal.

Väzbu *I'd better* (skrátený tvar od *I had better*) používame na vyjadrenie slovenského **radšej by som mal** (bolo by lepšie, keby som):

I'd better do it myself. — **Radšej by som to mal urobiť** sám.

Zapamätajte si, že **neurčitok,** ktorý nasleduje, je **vždy bez častice** *to: I'd better (rather)* **go** *now.*

Príklady:

I'd better go to bed.	Radšej by som išiel spať.
We'd rather leave.	Radšej by sme odišli.
You'd better take some medicine.	Radšej by ste si mali zobrať nejaký liek.

4. Predložkové väzby

in – out

in – v, do	**out** – z, von
He went in.	*He went out.*
Vstúpil (dnu).	Vyšiel (von).

Come in.
Vstúpte.

Come out.
Poďte von.

He isn't in.
Nie je doma (tu).

He's out.
Je vonku (preč). Odišiel.

The cigarettes are in the box.
Cigarety sú v škatuli.

Take them out.
Vyberte ich.

into – out of

into – do, donútra

He went into the room.
Vstúpil do izby.

He looked into the box.
Pozrel sa do škatule.

out of – z (smerom von)

He went out of the room.
Vyšiel z izby.

He looked out of the window.
Pozrel sa von z okna.

over – under

over – nad, ponad (istú hranicu)

He's over forty.
Má vyše štyridsať.

The lamp is over the table.
Lampa je nad stolom.

under – pod (istú hranicu)

She's under thirty.
Nemá ešte tridsať.

It is under the table.
Je to pod stolom.

above – below

above – nad (vyššie)

Write your name above mine.
Podpíšte sa nad moje meno.

We flew above the clouds.
Leteli sme nad oblakmi.

See above.
Pozri vyššie (odkaz).

below – pod (nižšie)

Write your name below mine.
Podpíšte sa pod moje meno.

We flew below the clouds.
Leteli sme pod oblakmi.

See below.
Pozri nižšie (odkaz).

up – down

up – nahor, hore

He ran up.
Vybehol nahor.

down – nadol, dole

He ran down.
Zbehol nadol.

Go up this street. Choďte touto ulicou nahor.	*Go down that street.* Choďte tou ulicou nadol.
Stand up. Postavte sa.	*Sit down.* Sadnite si.
It's up there. Je to tam hore.	*It's down there.* Je to tam dole.

5. Nepravidelné slovesá

catch	[kæč]	chytiť	**caught**	[ko:t]	**caught**	[ko:t]
cut	[kat]	krájať	**cut**	[kat]	**cut**	[kat]
eat	[i:t]		**ate**	[et]	**eaten**	[i:tn]
fly	[flai]		**flew**	[flu:]	**flown**	[fləun]

CVIČENIA

1. Čítajte nahlas so skrátenými tvarmi podľa vzoru:

I would do it. – **I'd** [aid] **do it.**

1. You had better see him. 2. I would rather go there myself. 3. We should come later. 4. He would come again. 5. She had better begin. 6. They would understand. 7. I would learn it. 8. You would enjoy it. 9. You had better go. 10. I would rather fly.

2. Odpovedzte na otázky podľa vzoru; po časových spojkách použite prítomný čas:

When will you come? As soon as you finish this work?
Yes, I'll come as soon as I finish this work.

1. When will you be back? Before he posts these letters? 2. When will you speak to him? Before you go home? 3. When will Mr Parker come to see us? Before he leaves for Brno? 4. When will you let us know? As soon as you get the results? 5. Will you go there if it's necessary? 6. Shall we go for a walk if it rains? 7. Will you help them if they ask you? 8. Will you walk home if it's too late?

3. Reagujte na dané vety s použitím minulého podmieňovacieho spôsobu podľa vzoru:

He didn't come. – **I'm sure you would have come.**

1. He didn't write. 2. She didn't understand. 3. They didn't use it. 4. They didn't try again. 5. She didn't like it. 6. They didn't enjoy themselves. 7. They didn't invite us.

4. Odpovedzte podľa vzoru:

Would you do it if they asked you?
If they asked me, I'd do it.

1. Would you phone my office if they arrived before lunch? 2. Would you take a taxi if you were in a hurry? 3. Would you buy a new car if you had enough money? 4. Would you explain it to him if he rang you up? 5. Would you do it if it was necessary? 6. Would you come if they needed help? 7. Would you meet them at the airport if they arrived at night? 8. Would you try to repair it if you had time?

5. Reagujte na dané vety podľa vzoru:

I don't want to speak to him. – **If I were you, I would speak to him.**
He doesn't want to do it. – **If I were in his place, I would do it.**

1. I don't want to speak to them. 2. He doesn't want to learn French. 3. I don't want to go to the dentist. 4. I don't want to take the pills. 5. I don't want to wait. 6. He doesn't want to go by plane. 7. I don't want to promise it.

6. Odpovedzte podľa vzoru:

Would you have gone there if you had had time?
Yes, I'd have gone there if I had had time.

1. Would you have been glad if they had stayed longer? 2. Would they have come if they hadn't been so busy? 3. Would you have caught the train if you had taken a taxi? 4. Would you have bought it if it had cost less than three pounds? 5. Would you have gone to see the museum if you had had more free time? 6. Would you have stayed at home if you had known about their visit?

7. Odpovedzte pomocou *I'd rather* podľa vzoru:

Will you have a cup of tea? – **I'd rather have coffee.**

1. Will you have some sandwiches? 2. Would you like to go to the cinema? 3. Would you like to listen to the radio or watch television? 4. Would you like to go dancing? 5. Will you have some brandy? 6. Will you buy that vase? 7. Will you write to him? 8. Will you pay by cheque? 9. Will you have a look at the pictures?

8. Reagujte na dané vety pomocou *you'd better* podľa vzoru:

Shall I wait for her? – **Yes, you'd better wait.**

1. Jane's feeling sick. Shall I give her a glass of water? 2. I don't feel well. Shall I stay in bed? 3. I haven't paid the bill yet. Shall I pay it? 4. I have a bad headache. Shall I take some pills? 5. It's rather cold. Shall I put on my pullover? 6. The train is delayed. Shall I ask at the information office? 7. They haven't come yet. Shall I ring them up?

9. Uveďte protiklady podľa vzoru:

Take off your jacket. – **Put on your jacket.**

1. Come out. 2. Go down the street. 3. They went into the building. 4. Bring the books downstairs. 5. Father is in. 6. Write your name below mine. 7. She's over forty. 8. We flew above the clouds. 9. It's under the table. 10. Take out your things.

10. Povedzte po anglicky:

1. Kedy poletí lietadlo do Glasgowa? 2. Práve pristáva lietadlo z Edinburghu. 3. Rýchlik z Liverpoolu príde o desať minút. 4. Zaplatíte v hotovosti, alebo šekom? Mám cestovné šeky. 5. Odišiel vám vlak? 6. Minulý mesiac som letel do Londýna. 7. Let trval asi dve hodiny. 8. Keby pršalo, šli by sme autobusom. Keby nepršalo, šli by sme peši. 9. Keby sme boli prišli na stanicu pred šiestou, boli by sme stihli

rýchlik. 10. Radšej by sme sa mali pripraviť. 11. Radšej by som si vzal džús.

11. Odpovedzte podľa textu a podľa skutočnosti:

1. What does Mr Blake ask the information clerk? 2. Why is the plane delayed? 3. Where's the check-in counter? 4. What can we buy at a free shop? 5. What does Mr Blake suggest to buy there? 6. What did they buy in the end? 7. What time will their plane take off? 8. When will the plane land at London airport? 9. Will they be able to catch the three o'clock train? 10. Why is Mr Novák going to England? 11. How long is he going to stay there? 12. What things must be declared at the customs? 13. What's duty-free? 14. What did Mr Novák buy on the plane? 15. Have you ever flown? When and where?

Konverzačné cvičenia

Porozprávajte o svojej ceste lietadlom podľa vzoru:

We arrived at the airport at 2 o'clock.
At 2.15 we were going through the passport control.

at 2.25 ... (customs)
at 2.50 ... (snackbar)
at 3.20 ... (free shop)
at 3.50 ... (on the plane)
at 3.55 ... (seat belts)
at 4.00 ... (take off)
at 4.20 ... (tea and sandwiches)
at 5.20 ... (at London airport)

SOME FACTS ABOUT GREAT BRITAIN

The islands lying northwest of Europe, between the Atlantic Ocean and the North Sea, are called the British Isles. Besides the two large islands, Great Britain and Ireland, there are many small islands like the Isle of Wight and the Channel Islands in the south, the Hebrides and the Shetlands in the north, and the Isle of Man in the west.

The United Kingdom of Great Britain and Northern Ireland consists of four countries: England, Scotland, Wales and Northern Ireland. Southern Ireland is an independent republic.

England is an industrial country, rich in coal and iron. There you can find large industrial towns with many factories producing various kinds of goods and machines. England's most important industries are the mining, engineering and textile industries. They are concentrated in the north-western part of England. Birmingham is the centre of the engineering industry, Manchester and Leeds are the centres of the textile industry. Sheffield is famous for its steel and the best coal is found around Newcastle. In the southeastern part of England you can see fields, meadows and farms with cattle and sheep.

Scotland is a hilly country. The Scottish countryside is very beautiful and is visited by many tourists. On page 292 you can see a typical Scotsman in his traditional costume which is called the kilt. Scotland is known for its fishing, shipbuilding and textile industries. Glasgow is the largest industrial city, but Edinburgh is the capital.

Wales is a hilly country, too. South Wales is rich in coal. There are large coalmines near Cardiff, the capital of Wales.

The English weather changes very often. The English say: rain at seven, sun at eleven. The autumn is especially unpleasant, as it is often rainy, foggy and windy. Winter is a mild season. It doesn't snow much, and the temperature seldom falls below zero.

The official language of Great Britain is English; Welsh is still spoken a great deal in Wales; Gaelic is spoken in the remote parts of Northern Scotland and is dying out.

Great Britain has a population of about 56 million, of which nearly one eighth live in Greater London. London, situated on the Thames, is not only the capital of Great Britain, but the largest and most important port as well.

Ben Nevis (4,406 ft) in the Scottish Highlands is the highest mountain of Great Britain.

The longest rivers are the Severn and the Thames. The river Tweed gave its name to the well-known woollen material – tweed.

The best wool made in Great Britain comes from the Shetland Isles.

The longest lake in England is Windermere -- 10 miles long. It lies in the northwest of England in the Lake District, which is the most beautiful part of England.

Oxford and Cambridge are the oldest university towns.

Výslovnosť vlastných mien: **the Atlantic Ocean** [ətlæntik əušn]; **Ben Nevis** [ben nevis]; **the British Isles** [britiš ailz] Britské súostrovie; **Cambridge** [keimbridž]; **the Channel** = **the English Channel** [čænl] Lamanšský prieliv; **the Channel Islands** [čænl ailəndz] Normanské ostrovy; **Cardiff** [ka:dif]; **Europe** [juərəp] Európa; **Gaelic** [geilik] gaelčina *(starý keltský jazyk)*; **Glasgow** [gla:sgəu]; **Great Britain** [greit britn] Veľká Británia; **the Hebrides** [hebridi:z] Hebridy; **Ireland** [aiələnd] Írsko; **the Isle of Man** [ail əv mæn]; **the Isle of Wight** [wait]; **Lake District** [leik distrikt] jazerná oblasť; **Leeds** [li:dz]; **Newcastle** [nju:ka:sl]; **the Scottish Highlands** [skotiš hailəndz] Škótska vysočina; **the Severn** [sevən]; **Sheffield** [šefi:ld]; **the Shetlands** [šetləndz] Šetlandské ostrovy; **the Thames** [temz] Temža; **the Tweed** [twi:d]; **Wales** [weilz]; **Windermere** [windəmiə].

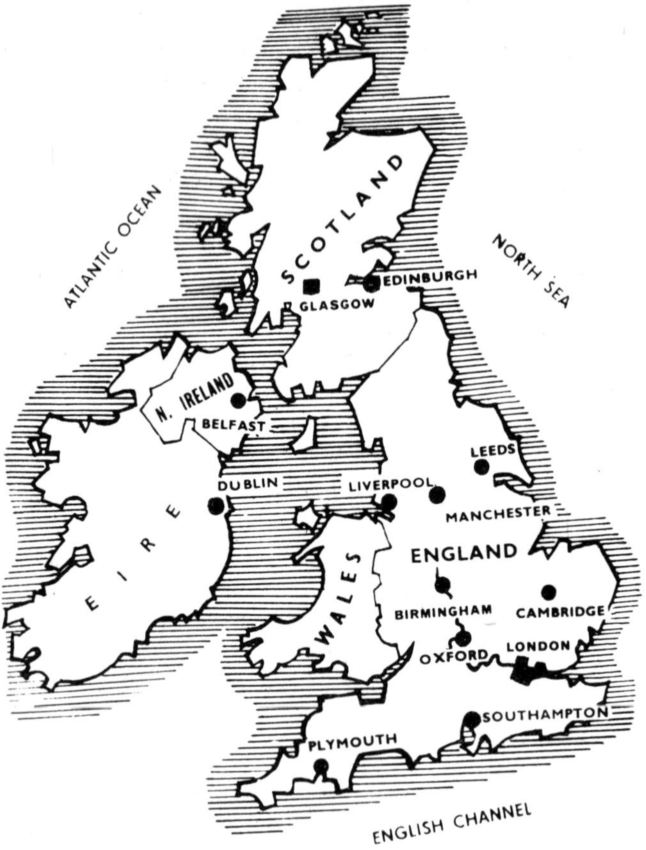

around [əraund] okolo, vôkol
autumn [o:təm] jeseň
build – built – built [bild —bilt – bilt] stavať
capital [kæpitəl] hlavné mesto
care [keə] starostlivosť
careful [keəfl] starostlivý
cattle [kætl] dobytok
centre [sentə] stred, stredisko; sústrediť
coal [kəul] uhlie
concentrate [konsntreit] sústrediť (sa)
consist of [kənˈsist] skladať sa (z)
countryside [ˈkantriˈsaid] krajina
deal [di:l]
a great deal (of) veľa, mnoho
degree [diˈgri:] stupeň
die; dying [dai; daiiŋ] zomrieť
die out vymrieť, zanikať
east [i:st] východ; východný
fact [fækt] fakt, skutočnosť

fall – fell – fallen [fo:l – fel – fo:ln] padať
famous [feiməs] slávny
famous for preslávený čím
farm [fa:m] statok, farma, gazdovstvo; poľnohospodársky
farming [fa:miŋ] poľnohospodárstvo
field [fi:ld] pole
fifth [fifθ] pätina
fog [fog] hmla
foggy [fogi] hmlistý; zahmlené, hmlisto
goods [gudz] *(len mn. č.)* tovar
hill [hil] kopec, vŕšok
hilly [hili] kopcovitý
independent [ˈindiˈpendnt] nezávislý
industrial [inˈdastriəl] priemyselný
industry [indəstri] priemysel
industries [indəstriz] priemyslové odvetvia
information [ˈinfəˈmeišn] *(len jedn. č.)* informácie
iron [aiən] železo
island [ailənd] ostrov
isle [ail] *(len s menom)* ostrov
kingdom [kindəm] kráľovstvo
lake [leik] jazero
lie – lying – lay – lain [lai – laiiŋ – lei – lein] ležať
machine [məˈši:n] stroj
meadow [medəu] lúka
mild [maild] mierny
mile [mail] míľa *(= 1.609 m)*
mine [main] baňa; dolovať
mining [mainiŋ] baníctvo
north [no:θ] sever; severný
official [əˈfišl] úradný
page [peidž] stránka *(knihy)*
population [ˌpopjuˈleišn] obyvateľstvo
port [po:t] prístav
produce [prəˈdju:s] vyrábať
remote [riˈməut] odľahlý, vzdialený
republic [riˈpablik] republika
rich (in) [rič] bohatý (na)
Scotsman [skotsmən] Škót
Scottish [skotiš] škótsky
sea [si:] more
at the seaside [ˈsi:ˈsaid] pri mori
season [si:zn] ročné obdobie
sheep, *mn. č.* **sheep** [ši:p] ovca
ship [šip] loď
situated [sitjuejtid] položený, ležiaci
situation [ˌsitjuˈeišn] situácia
snow [snəu] sneh; snežiť
south [sauθ] juh; južný
southern [saðən] južný
spring [spriŋ] jar; **in spring** na jar
state [steit] štát
steel [sti:l] oceľ
temperature [tempričə] teplota
textile [tekstail] textil; textilný
traditional [trædišnl] tradičný
traditional costume [kostju:m] kroj
united [ju:ˈnaited] spojený
unpleasant [anˈpleznt] nepríjemný
various [veəriəs] rôzny
Welsh [welš] waleština; walešský
west [west] západ; západný
western [westən] západný
wind [wind] vietor
windy [windi] veterný; vetristo
zero [ziərəu] nula

DÔLEŽITÉ VÄZBY

It's north of Prague.	Je to na sever od Prahy.
Leeds is in the north of England.	Leeds je na severe Anglicka.
How many parts does it consist of?	Z koľkých častí sa to skladá?
Our country is rich in coal.	Naša krajina je bohatá na uhlie.
Our goods are well-known all over the world.	Náš tovar je známy po celom svete.

This part of the country is famous for its beauty spots.	Tento kraj je známy svojimi prírodnými krásami.
It rains here a lot, especially in autumn (in spring).	Veľa tu prší, obzvlášť na jeseň (na jar).
What's the temperature?	Aká je teplota?
It's five degrees above (below) zero.	Je päť stupňov nad (pod) nulou.
I spent my holiday at the seaside.	Strávil som dovolenku pri mori.
There was little snow in the mountains last year.	Vlani bolo na horách málo snehu.
What was the weather like?	Aké bolo počasie?
It was rainy weather.	Bolo daždivé počasie.
Lovely weather, isn't it?	Pekné počasie, pravda?
We're having a mild winter.	Máme miernu zimu.

VÝSLOVNOSŤ A PRAVOPIS

1. Výslovnosť členov (opakovanie)

a) Určitý člen *the* vyslovíme [ðə] a neurčitý člen *a* [ə], ak sa nasledujúce slovo začína vyslovovanou spoluhláskou, i keď je na začiatku slova písmeno *u* [ju:] alebo *y* [j]:

the university [ðə ˌju:niˈvə:siti]	*a university* [ə ˌju:niˈvəsiti]
the useful thing [ðə ju:sfl θiŋ]	*a useful thing* [ə ju:sfl θiŋ]
the young man [ðə jaŋ mæn]	*a young man* [ə jaŋ mæn]

b) Ak sa nasledujúce slovo začína **vyslovovanou samohláskou,** vyslovíme *the* ako [ði] a neurčitý člen má tvar *an* [ən]:

the industrial town (ði‿inˈdastriəl taun]	*an industrial town* [ən‿inˈdastriəl taun]
the unpleasant thing [ði‿anˈpleznt θiŋ]	*an unpleasant thing* [ən‿anˈpleznt θiŋ]
the hour [ði‿auə]	*an hour* [ən‿auə]

CVIČENIA

a) Povedzte pozorne s určitým členom:

visitor – American visitor, Czechoslovak visitor – English visitor, Scottish song – Irish song, examination – usual examination, Englishman – young Englishman, Slovak language – official language, industry – textile industry, old machine – useful machine, university – oldest university.

b) Povedzte pozorne s neurčitým členom:

coalmine – old coalmine, day – October day, half hour – hour, conference – important conference, country – industrial country, American – young American, pleasant man – unpleasant man, young lady – old lady.

2. Viazanie koncového -r

Koncové -r vyslovujeme a viažeme vtedy, ak sa nasledujúce slovo začína samohláskou. Viazanie je podmienené tempom reči. Pri veľmi pomalom alebo váhavom prejave viazanie nebýva.

Cvičenie

a) Povedzte rýchle niekoľkokrát za sebou (oblúčik naznačuje viazanie *-r*):

my father‿and his friend, her mother‿and her sister, my brother‿and his wife, the teacher‿and his students, the driver‿and his car, the writer‿and his readers, the speaker‿and his listeners, the newspaper‿and the magazine, the letter‿and the card, an hour‿and a half.

a telegram or‿a postcard?, a man or‿a woman?, a baby or‿a child?, a tram stop or‿a bus stop?, coal or‿iron?, shops or‿offices?, apples or‿oranges?, inside or‿outside?, west or‿east?, shut or‿open?, in town or‿out of town?

b) Cvičte viazanie koncového -r vo vetách:

Father‿and mother are‿at home. They are‿in the room. We are‿in a hurry. There‿aren't any buses there. There‿are only trams there. Where‿are they? They are‿in the country. Where‿are the boys? They are‿at school. Where‿are the magazines? They are‿on the table. No, they are‿on the shelf.

GRAMATIKA

1. Člen pred vlastnými menami

> Oxford lies **on the Thames.**
> Oxford leží na Temži.

bez člena	s členom
osoby:	
John, Mr Blake, Doctor Young, Professor Brown	the Browns, the Misses Brown (slečny Brownové)
krajiny:	
England, Italy, France	the United Kingdom, the USA (= the United States of America), the Soviet Union [səuvjət ju:njən]
mestá:	
Prague, Bratislava, New York, Moscow [moskəu]	the Hague [heig] *(celkom výnimočne!)*
hory:	**pohoria:**
Ben Nevis, Mount Everest [maunt evərist]	the High Tatras [tætrəz], the Alps [ælps], the Scottish Highlands
jazerá:	**rieky, moria:**
Lake Victoria, Salt Lake, Windermere	the Thames, the Vltava, the Danube, the Black Sea, the Atlantic Ocean, the Baltic [bo:ltik]

bez člena	s členom
ostrovy: Great Britain, Ireland, Iceland	**súostrovia:** the British Isles, the Shetlands
svetadiely: Europe [juərəp], America [əˈmerikə], Asia [eišə], Africa [æfrikə], Australia [osˈtreiljə]	
ulice, námestia, parky: Hill Street, Park Avenue [ævinju:], Oxford Square [skweə], Hyde Park	**divadlá, kiná, hotely:** the Grand [grænd], the Odeon, the Sports Hotel, the Yalta [jæltə]
	lode: the Lidice, the Queen Elizabeth [kwi:n iˈlizəbəθ]
jazyky: English, French, German, Russian, Irish, Czech, Slovak, Italian	**národy:** the English, the French, the Irish, the Czechs, the Slovaks, the Germans, the Italians, the Americans

Vlastné mená osôb, miest, krajín (vyjadrených jedným slovom), jednotlivých hôr, jazier, ulíc a námestí sú spravidla bez člena. Ostatné majú určitý člen. Pozri prehľad na str. 408.

Poznámka: Mená národov zakončené na sykavku nepriberajú v množnom čísle koncovku: *the English, the Irish* atď. Rozlišujte: Angličania ako celý národ = *the English* alebo *English people* (bez člena) a Angličania ako jednotlivé osoby = *Englishmen,* napr.:

The English like to drink plenty of tea.
alebo: **English people** like to drink plenty of tea.
I know **three Englishmen.**

Príklady:

They left for the Soviet Union.	Odišli do Sovietskeho zväzu.
Have you been at the Baltic?	Boli ste pri Baltickom mori?

Do you prefer the High Tatras to the Krkonoše Mountains?	Máte radšej Vysoké Tatry než Krkonoše?
I've never flown across the Atlantic.	Nikdy som neletel cez Atlantický oceán.
We walked along Oxford Street.	Šli sme po Oxford Street.
I'd like to see the Alps.	Rád by som videl Alpy.
Windsor is on the Thames.	Windsor leží na Temži.
They went for a walk in Hyde Park.	Šli na prechádzku do Hyde Parku.

2. Tvorenie slov v angličtine

listen	**listener**	**listening**
počúvať	poslucháč	posluch

Nové slová možno tvoriť:

a) bez zmeny tvaru, napr. *London – London parks* londýnske parky
b) zložením dvoch slov, napr. *home+ work = homework* domáca úloha
c) pomocou prípon, napr. *drive – driver* viesť – vodič.

Príklady:

a) **need**	potrebovať, potreba	**empty**	vyprázdniť, prázdny
play	hrať, hra	**open**	otvoriť, otvorený
dress	obliekať sa, šaty (dámske)	**shut**	zatvoriť, zatvorený
drive	cestovať autom, jazda	**clean**	čistiť, čistý

last	trvať, minulý	**Slovak**	slovenský, Slovák, slovenčina
patient	pacient, trpezlivý	**Russian**	ruský, Rus, ruština
return	vrátiť sa, návrat	**German**	nemecký, Nemec, nemčina
Czech	český, Čech, čeština		

b) zložené slová:

schoolmaster	učiteľ	**summertime**	letný čas
schoolboy	žiak	**housework**	domáca práca
schoolgirl	žiačka	**summerhouse**	besiedka
postman	poštár	**household**	domácnosť
postwoman	poštárka	**housewife**	gazdiná
postcard	lístok	**classroom**	trieda

Niektoré tieto slová sa píšu so spojovníkom, ako napr. *well-known* známy, *well-kept* pestovaný ap.

c) slová odvodené pomocou prípon:

Sloveso + -er	**Osoba, ktorá činnosť vykonáva**
drive	**driver** vodič
write	**writer** spisovateľ
build	**builder** staviteľ
travel	**traveller** cestovateľ
begin	**beginner** začiatočník
read	**reader** čitateľ

Sloveso + -er	**Nástroj, ktorým sa činnosť koná**
light	**lighter** zapaľovač
open	**tin-opener** otvárač na konzervy
play	**record-player** gramofón
hang	**hanger** ramienko
read	**reader** čítanka

Poznámky: 1. Pred príponou *-er* (podobne ako pred *-ing*) sa zdvojuje koncová spoluhláska, ak sú na konci krátke, prízvučné slabiky: *begin – beginner (beginning)*. Koncové *-l* sa zdvojuje vždy: *travel – traveller – travelling*.

2. Ak sa sloveso končí na *-ng*, v odvodených slovách nevyslovujeme hlásku *-g*, napr. *sing – singer* [siŋə], *singing* [siŋiŋ], *hang – hanger* [hæŋə].

Sloveso + -ing	Podstatné meno
drive	**driving** riadenie auta
travel	**travelling** cestovanie
meet	**meeting** stretnutie, schôdza
begin	**beginning** začiatok

Sloveso + -ation [eišn]	Podstatné meno
inform [inˈfo:m]	**information** [ˌinfəˈmeišn] informácia
examine [igˈzæmin]	**examination** [igˌzæmiˈneišn]
prepare [priˈpeə]	**preparation** [ˌprepəˈreišn] príprava
explain [iksˈplein]	**explanation** [ˌeksplәˈneišn] vysvetlenie

Sloveso + -ment	Podstatné meno
arrange	**arrangement** [əˈreindžmənt] usporiadanie
improve	**improvement** [imˈpru:vmənt] zlepšenie
manage	**management** [mænidžmənt] vedenie, riadenie

Prídavné meno + -ness [nis]	Podstatné meno
ill	**illness** [ilnis] choroba
kind	**kindness** [kaindnis] láskavosť
happy	**happiness** [hæpinis] šťastie
lazy	**laziness** [leizinis] lenivosť

Poznámky: 1. V slovách zakončených na *-ation* je hlavný prízvuk na druhej slabike od konca, teda na [ˈeišn].

2. Pred príponou *-ness* sa koncové *-y* mení na *-i*, ak predchádza spoluhláska pred *-y*.

Prídavné mená tvoríme od podstatných mien príponami *-y, -ful, -less* ap.

Podstatné meno + -y	Prídavné meno
rain	**rainy** [reini] daždivý

fog	**foggy** [fogi] zahmlený, hmlistý
sun	**sunny** [sani] slnečný
wind	**windy** [windi] veterný
cloud	**cloudy** [klaudi] oblačný, zamračený

Všimnite si zdvojovanie pri *sunny*, *foggy* – predchádza krátka prízvučná samohláska.

Podstatné meno + **-ful** [fl] + **-less** [lis]	**Prídavné meno**
care [keə] starostlivosť	**careful** [keəfl] starostlivý
	careless [keəlis] nedbanlivý
use [ju:s] úžitok	**useful** [ju:sfl] užitočný
	useless [ju:slis] zbytočný
hope [həup] nádej	**hopeful** [həupfl] nádejný
	hopeless [həuplis] beznádejný
help pomoc	**helpful** [helpfl] ochotný
	helpless [helplis] bezmocný
pain bolesť	**painful** [peinfl] bolestivý
	painless [peinlis] bezbolestný

Poznámka: *-less* značí opak *-ful*, teda niečo chýbajúce. Od niektorých podstatných mien možno utvoriť len tvar s *-ful*, napr. *beauty – beautiful*, od iných len tvar s *-less*, napr. *childless* – bezdetný.

3. Nepravidelné slovesá

build	[bild]	stavať	**built**	[bilt]	**built**	[bilt]
fall	[fo:l]	padať	**fell**	[fel]	**fallen**	[fo:ln]
lie	[lai]	ležať	**lay**	[lei]	**lain**	[lein]
sing	[siŋ]	spievať	**sang**	[sæŋ]	**sung**	[saŋ]

CVIČENIA

1. Odpovedzte kladne v jednoduchom minulom čase a použite *yesterday*, *a week ago*.

Vzor: *Has John come back from his holiday?* – **Yes, he came back yesterday.**

1. Have you seen the play? 2. Have they let you know?

3. Has he driven you there? 4. Have you found the key? 5. Has he flown to London? 6. Has she broken her leg? 7. Have they sung that song? 8. Has the shelf fallen down? 9. Have you shown him the sights?

2. Rozprávajte o sebe v minulom čase podľa vzoru:

He gets up at seven. – **I got up at seven.**

1. He has breakfast at 7.30. 2. He must hurry to school. 3. He must wait for the tram. 4. He is late for school. 5. He leaves his homework at home. 6. He is at school till 1 o'clock. 7. He runs home. 8. He has a headache. 9. He goes to bed and reads till 9 o'clock.

3. Doplňte člen podľa potreby:

1. I've never been to – Scotland. 2. – Snowden [snəudn] is the highest mountain in – Wales. 3. They flew across – Alps. 4. – Widermere is a beautiful lake. 5. London is on – Thames. 6. The ship crossed – Atlantic in fifteen days. 7. She lived in – Isle of Wight. 8. They visited – France, – Italy and – Great Britain. 9. He has just returned from – Soviet Union. 10. He's in – USA. 11. Have you been to – United States? 12. There are very nice shops in – Oxford Street. 13. They went to – High Tatras. 14. Shall we go to – Lyric to see the new musical?

4. Obmieňajte vety podľa vzoru:

He speaks well. – **He's a good speaker.**

1. She writes well. 2. He drives carefully. 3. She reads fast. 4. She teaches well. 5. He doesn't dance well. 6. He plays tennis well. 7. She works slowly. 8. He drives fast. 9. He listens carefully. 10. He learns slowly.

5. Odpovedzte a použite minulý priebehový čas s udaním času podľa vzoru:

Is it rainig? – **No, but it was raining a few minutes (an hour) ago.**

1. Is it snowing? 2. Is the lift working? 3. Is the catalogue still lying on the desk? 4. Is she reading the magazine? 5. Is he repairing the car? 6. Are the lights working?

6. Povedzte v zápore podľa vzoru:

They did something about it. – **I haven't done anything about it.**

1. They knew something about it. 2. He read something about it. 3. She heard something about it. 4. They went somewhere. 5. They ate something. 6. He sent her something. 7. They gave him something.

7. Odpovedzte podmienkovou vetou s *if* podľa vzoru:

He will get the job. – **If I got the job, I'd be glad.**

1. He knows how to repair it. 2. She plays tennis well. 3. John can dance very well. 4. He speaks two foreign languages. 5. He works in the centre of the town. 6. He has received some money. 7. He got free tickets to the theatre.

8. Povedzte podľa vzoru, ktorým jazykom hovoria:

The French speak French.

The	French	speak	English
	Germans		Welsh
	English		Slovak
	Slovaks		German
	Welsh		Russian
	Americans		French
	Russians		American English

9. Spojte vhodne slová a uveďte slovenské významy:

-man	-work	-woman	-room
police	field	sports	class
French	house	English	bed
post.	home	post	bath
atď.			*atď.*

10. Utvorte podstatné mená pomocou prípon a) *-ing* **b)** *-ness* **c)** *-ation* **a prídavné mená d) pomocou** *-less*:

a) build, farm, land, garden, cook, teach, travel, fish, feel.
b) lovely, ready, great, happy, thick, sick, ill, serious.
c) organize, invite, inform, reserve, prepare, explain, declare.
d) cloud, child, mother, work, pain, care, money, end, hope.

11. Povedzte po anglicky:

1. Chodíte na jeseň do hôr? 2. Ako sa vám páčia Vysoké Tatry? 3. Aké je počasie vo Veľkej Británii? 4. Ráno bola hmla. 5. Je pekné počasie, pravda? 6. Je dvadsaťpäť stupňov (nad nulou). 7. Strávili sme dovolenku pri mori. 8. Boli sme pri Čiernom mori. 9. Na jar tu často prší. 10. Vlani nebolo mnoho snehu. 11. Krkonoše sú známe svojimi prírodnými krásami. 12. Sú na severe? Nie, ležia na severovýchod od Prahy.

12. Odpovedzte na otázky:

1. What countries does Great Britain consist of? 2. Give the names of some of the islands. 3. Is Great Britain the largest island? 4. Where's the Isle of Wight? 5. What are England's most important industries? 6. What's Manchester famous for? 7. Where's Leeds situated? 8. Which is the most beautiful part of England? 9. What's the capital of Scotland? The largest industrial city in Scotland? 10. What are the oldest universities in Britain?

Konverzačné cvičenia

a) Ospravedlňte sa, že nemôžete zostať dlhšie (pomôcť v tej veci, prísť na schôdzku, pripraviť všetko včas ap.).

Vzor: **I'm sorry, but I can't...** *(stay any longer).*

b) Ospravedlňte sa, že to bude veľmi dlhé (ťažké, veľmi beznádejné, príliš drahé, že to nebude možné, ľahké, pripravené, hotové ap.).

Vzor: **I'm afraid it'll be too...**
very...
it won't be...

c) Ospravedlňte sa, že nesmiete jesť sladkosti, zmrzlinu, fajčiť cigarety ap., že nesmiete piť kávu, víno, jesť vyprážané mäso ap.

Vzor: **I'm sorry, but I'm not allowed any...** (ice-cream)
to drink... (coffee)

d) Vyjadrite poľutovanie nad tým, že ste sa dozvedeli (že sa dozvedáte) o chorobe vášho priateľa (jeho matky, manželky, detí ap.).

Vzor: **I was very sorry to hear about your...**
I'm very sorry to hear about your mother's...

AT AN INTERNATIONAL FAIR

Mr Miller came to England to visit the international fair in Newcastle. He is an expert in machine tools and runs the design department of a large industrial enterprise. After his arrival in Newcastle he contacted Mr Carter, his business colleague. They decided to meet at the main entrance to the fair.

Mr Miller: Good morning, Mr Carter. I hope I haven't kept you waiting too long.

Mr Carter: Good morning. That's perfectly all right. I've only just arrived myself.

Mr Miller: Is your wife coming too?

Mr Carter: Yes, she's coming. We arranged to meet at the tearoom at about 2 o'clock, so there'll be enough time to walk round the pavilions that might be of interest to you.

Mr Miller: That'll be nice, thank you.

Mr Carter: I'd like you to see as much as possible, of

course. However, the fair's too large for us to do all the pavilions in a day, I'm afraid. To save time we might go round the main pavilion first, I think.

Mr Miller: Yes, I think so too. What's on show there?

Mr Carter: Mostly machines and electrical appliances, but also glass and furniture.

Mr Miller: What's that low building opposite the main pavilion?

Mr Carter: That's the Food Hall. Would you care to walk in?

Mr Miller: No, I don't think so.

Mr Carter: In the next pavilion there's a motor show with the latest models and makes of cars.

Mr Miller: I'd like to look in on it – maybe in the afternoon. Look at those flowerstalls over there.

Mr Carter: They're lovely, aren't they? – Well, I'd like you to see the exhibits of our firm first of all. We're anxious to hear your opinion as we all know you to be an expert in the field.

Mr Miller: Good. You exhibit in the main pavilion, don't you?

Mr Carter: Yes, we do. We'd better hurry up. Our chief engineer's expecting us already. You can watch the operator handle some of the machines, if you like.

AT THE TEAROOM

Mr Carter: Hello, here we are.

Mr Miller: Good afternoon, Mrs Carter.

Mrs Carter: Oh, hello. I've been watching people passing by, but I didn't see you come in. You must be terribly tired, I suppose. How did you like the fair, Mr Miller?

Mr Miller: I was very impressed. What a pity I can't stay longer to discuss everything in detail.

Mrs Carter: Then we must try to make you stay a little longer.

Mr Miller: I'm afraid that it'll hardly be possible as I've already booked my flight for Saturday morning.

Výslovnosť vlastných mien: **Carter** [ka:tə]; **Newcastle** [ˈnju:ka:sl].

---

anxious [æŋkšəs] dychtivý, túžiaci
I am anxious to veľmi rád by som
care [keə] mať záujem o
chief [či:f] hlavný; šéf
complicated [komplikeitid] zložitý
contact [kənˈtækt] nadviazať spojenie
design [diˈzain] návrh, plán
design department plánovacie oddelenie
discuss [disˈkas] **sth.** diskutovať o niečom
electrical [iˈlektrikl] elektrický
electrical appliances [əˈplaiənsiz] elektrospotrebiče
exhibit [igˈzibit] vystavovať; exponát, vystavovaný predmet
exhibition [ˌeksiˈbišn] výstava
engineer [ˌendžiˈniə] inžinier, strojník
enough [iˈnaf] dosť *(za prídavným menom)*
enterprise [entəpraiz] podnik; podniknúť
entrance [entrəns] vchod
expert [ekspə:t] odborník
fair [feə] veľtrh
field [fi:ld] odbor
food [fud] potrava
furniture [fə:niča] nábytok
handle sth. [hændl] zaobchádzať s čím
hold – held – held [həuld – held – held] držať, konať
however [hauˈevə] (a)však
international [ˌintəˈnæšnl] medzinárodný
low [ləu] nízky
main [mein] hlavný
make sb. do sth. prinútiť niekoho niečo urobiť
make [meik] značka (auta)
model [modl] model
mostly [məustli] zväčša
motor [məutə] motor
motor show [šəu] výstava motorových vozidiel
operate [opəreit] obsluhovať stroj, operovať
operator [opəreitə] operátor, predvádzateľ stroja
opinion [əˈpinjən] názor, mienka
in my opinion podľa môjho názoru
order [o:də] poriadok, poradie, rozkaz; rozkázať
in order to (za účelom) aby
pavilion [pəˈviljən] pavilón
perfect [pə:fikt] dokonalý, úplný
possible [posəbl] možný
as much as possible podľa možnosti čo najviac
save [seiv] **(up)** (u)šetriť
show [šəu] výstava, prehliadka
be on show byť vystavený
stall [sto:l] stánok
flowerstall stánok s kvetinami
tearoom [ti:rum] čajovňa
terrible [terəbl] hrozný
tired [taiəd] unavený
tool [tu:l] nástroj
machine tool [məˈši:n] obrábací stroj
trouble [trabl] nepríjemnosť, starosť

DÔLEŽITÉ VÄZBY

He was at the Brno Fair.	Bol na brnenskom veľtrhu.

He's an expert in cut glass.	Je odborníkom na brúsené sklo.
Who's running this department?	Kto vedie toto oddelenie?
He's our business colleague.	Je naším obchodným partnerom.
We met at the entrance.	Stretli sme sa pri vchode.
Sorry to have kept you waiting.	Prepáčte, že som vás nechal čakať.
That's perfectly all right.	To je úplne v poriadku.
We had tea at a tearoom.	Boli sme na čaji v čajovni.
There's enough time.	Máme dosť času.
Are you warm enough?	Je vám dosť teplo?
Let's walk round the main pavilion.	Prejdime sa po hlavnom pavilóne.
We can't do all the pavilions.	Nemôžeme si prezrieť všetky pavilóny.
I'd like to see as much as possible.	Rád by som videl podľa možnosti čo najviacej.
Would you care to have a look at it?	Mali by ste záujem (Chceli by ste) sa na to pozrieť?
What's on show there?	Čo sa tam vystavuje?
It's a flower show.	Je to výstava kvetov.
We can stop there if you like.	Ak chcete, môžeme sa tam zastaviť.
I was very impressed by it.	Urobilo to na mňa veľký dojem.
We discussed the conference.	Diskutovali sme o konferencii.
I think so. I don't think so.	Myslím, že áno. Myslím, že nie.
We're anxious to hear your opinion.	Veľmi radi by sme počuli váš názor.
First of all we'd like to thank you for everything you've done for us.	Predovšetkým by sme sa vám radi poďakovali za všetko, čo ste pre nás urobili.

VÝSLOVNOSŤ A PRAVOPIS

Prehľad stiahnutých a oslabených tvarov pomocných slovies a slovies „I can, I must"

a) Sloveso „to be"

I'm	[aim]	we're	[wiə]	was	[wəz]
you're	[juə]	they're	[ðeə]	were	[wə]
he's	[hi:z, hiz]				
she's	[ši:z, šiz]	be	[bi:, bi]	wasn't	[woznt]
it's	[its]	been	[bi:n, bin]	weren't	[wə:nt]

Každú vetu opakujte niekoľkokrát nahlas rýchlym tempom:

I'm surprised to see you here. – He's ready to go now. – We're spending our holiday abroad. – You're right. – It's too late. – They're going to stay at home. – Don't be late. – I've been there. – The pen was good. – It wasn't there. – We weren't tired. – They weren't glad.

b) Sloveso „to have"

I have	[həv]	met	I'd	[aid] = I had	met
he has	[həz]		you'd	[ju:d, jud]	
I've	[aiv]		she'd	[ši:d, šid]	
you've	[ju:v, juv]		it'd	[itəd]	
he's	[hi:z, hiz]		we'd	[wi:d, wid]	
it's	[its]		they'd	[ðeid]	
we've	[wi:v, wiv]				
they've	[ðeiv]				

Hovorte nahlas:

I've got a lot of things to do. – They've been helping us. – He's come from Leeds. – We've to be there at six. – It's happened before. – You've been right. – She'd better buy the tickets now. – They'd been out in the rain. – He said you'd had good luck. – Did you say you'd lost your glasses? – They left before they'd had coffee.

c) Shall, will, do, I can, I must

I shall	[šəl]	I should	[šəd]
I'll	[ail]	I'd	[aid]
you'll	[ju:l, jul]	you would	[wəd]
he'll	[hi:l, hil]	you'd	[ju:d, jud]
I can	[kən]	do	[du, də]
you must	[məst]	d'	[d]
I could	[kəd]		

Povedzte nahlas:

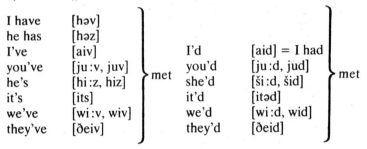

I'll manage. – We'll enjoy ourselves tonight. – I'll meet him at the station. – It'll be all right. – That'll do. – He'll be here after seven. – I'd like to go at once. – I'd be glad to see you. – They'd prefer to leave now. – We'd stay if we could. – It'd be better to wait. – They'll finish repairing the car in twenty minutes. – If I were you, I'd leave as soon as possible. – You must come and have a look at it. – Yes, I think, I could do it now.

Hovorte rýchlym tempom:

Are they ill? Yes, they're ill. – Is she out? Yes, she's out. – Have you been abroad? Yes, I've been abroad. – Has he been at the show? No, he's been at the fair. – Was it nice? Yes, it was nice. – Were they in front? No, they were at the back. – Have they finished? Yes, they've finished. – Hadn't she better wait? Yes, she'd better wait. – Had you met before? Yes, we'd met before. – Do you know what to say? Yes, how d'you do. – Can you do it? Yes, I can do it at once. – Could you understand everything? Yes, I could understand nearly everything.

GRAMATIKA

1. Účelové vety

I got up at six **to catch** the early morning train.
Vstal som o šiestej, **aby som stihol** prvý ranný vlak.

Účelové vety odpovedajú na otázku prečo?, načo?, z akého dôvodu? a v slovenčine ich spravidla uvádza spojka aby.

Ak je v oboch vetách **rovnaký podmet,** vyjadríme účelovú vetu v angličtine **pomocou neurčitku** takto:

a) jednoduchým neurčitkom:

to – aby
not to – aby ne-

I sent John to the butcher's **to buy** some meat.
aby kúpil

He went to Germany **to learn** German.
aby sa naučil

I had to hurry **not to miss** my bus.
aby som nezmeškal

b) pomocou

so as to	–	aby
so as not to	–	aby ne-
in order to	–	aby (z dôvodov, aby)
in order not to	–	aby ne-

He brought a lot of books **so as to have** plenty to read.
aby mal

She carried the vase carefully **so as not to break it.**
aby ju nerozbila

She came here **in order to help** her husband with his work.
aby pomáhala

Ak nie sú v oboch vetách rovnaké podmety, možno účelovú vetu vyjadriť napr. takto:

I left the magazine at home
(ja) Nechal som časopis doma,
so that the boys could have a look at it.
aby sa **chlapci** naň pozreli.

Vzorec:

so that + podmet + **can/could** / **will/would** + neurčitok

Can/will použijeme,	ak je **sloveso hlavnej vety** v prítomnom alebo budúcom čase,
could/would	ak je **sloveso hlavnej vety** v minulom čase,
will not/would not	použijeme **v zápore.**

Príklady:

Will you repeat the address so that I can put it down?	Zopakovali by ste tú adresu, aby som si ju poznačil?
He spoke slowly so that we all could understand him.	Rozprával pomaly, aby sme mu všetci rozumeli.
Put it in my desk so that the boys won't find it.	Daj to do môjho písacieho stola, aby to chlapci nenašli.

2. Väzby s neurčitkom s „to"

I want **to do** it.

Väzby s neurčitkom sú v angličtine veľmi časté, oveľa častejšie než v slovenčine. Do slovenčiny ich prekladáme neurčitkom alebo vedľajšou vetou uvedenou spojkami **že, aby,** napr.

I want to do it.	Chcem to urobiť.
They asked me to do it.	Požiadali ma, aby som to urobil.
I hope to see you.	Dúfam, že vás uvidím.

Neurčitok s **to** môžeme použiť:

a) **po slovesách:** *ask, be allowed, arrange, begin, I am to* (= mám), *I have to* (= musím), *care, forget, hope, learn, like, know how* (vedieť, dokázať), *manage, get* (prinútiť niekoho niečo urobiť), *expect, promise, go, come, want, remember, tell, try* a i.

Príklady:

I forgot to bring it.	Zabudol som to priniesť.
We managed to open the box.	Podarilo sa nám otvoriť škatuľu.
I tried to help.	Pokúsil som sa pomôcť.
Do you know how to repair it?	Viete to opraviť?
I'll get him to write it.	Prinútim ho to napísať.

Remember to post the letter.	Nezabudni podať list na pošte.
It began to rain.	Začalo pršať.
I don't want to be seen.	Nechcem byť videný (aby ma videli).
Tell him to prepare it.	Povedz mu, aby to pripravil.
Ask Mr Brown to come.	Požiadaj pána Browna, aby prišiel.
They asked us not to do it.	Požiadali nás, aby sme to nerobili.
Tell them not to go there.	Povedz im, aby ta nešli.

b) **po prídavných menách,** napr. *(I am) glad, sorry, lucky, happy, ready, (it is) good, bad, difficult, hard, easy, kind of you, necessary, important,* a po väzbách tohto typu:

It's difficult for me to...	Je ťažké, aby som...
It's too difficult for us to...	Je to príliš ťažké, než aby sme...
He's too young to...	Je príliš mladý, aby...
He's old enough to...	Je dosť starý, aby...

Príklady:

I'm glad to see you.	Som rád, že vás vidím.
I'm pleased to meet you.	Som rád, že sa s vami stretávam (že vás poznávam).
I'm sorry to trouble you.	Prepáčte, že vás obťažujem.
We were lucky to get the tickets.	Mali sme šťastie, že sme dostali lístky.
I was too busy to go there.	Mal som priveľa práce, než aby som ta šiel.
No one is too old to learn.	Nik nie je taký starý, aby sa nemohol učiť.
He's old enough to understand.	Je dosť starý, aby to pochopil.
Is it necessary for me to do it?	Je treba, aby som to urobil?

There's enough time for us to get everything ready.	Máme dosť času, aby sme všetko pripravili.

Sledujte rozdiel:

It is necessary to do it.	Je potrebné to urobiť.
It is necessary for her to do it.	Je potrebné, aby to urobila (ona).

3. Neurčitok bez „to"

You needn't go there.

Neurčitok má v angličtine časticu **to.** Výnimočne sa častica *to* nedáva:

a) po pomocných a spôsobových slovesách: *do, does, did* (v otázke a zápore), *shall, will, should, would, can, could, must, need not* (nemusím), *may, might*

b) po slovesách zmyslového vnímania: *see, feel, hear, watch, notice*

c) po niekoľkých ďalších slovesách, ako: *let* nechať, *make* prinútiť (niekoho niečo urobiť) a *help*

d) po väzbách: *I had better,* mal by som radšej, *I'd rather* radšej by som (pozri L 24, str. 362).

Príklady:

a) Did they arrive on Monday?	Prišli v pondelok?
He'll be tired.	Bude unavený.
They needn't quarrel.	Nemusia sa hádať.
b) I saw her run out of the house.	Videl som ju vybehnúť z domu.
We watched the man cross the street.	Pozorovali sme toho muža, ako prešiel cez ulicu.
I haven't heard her sing.	Nepočul som ju spievať.

I have never noticed him do this before.	Nikdy som nepozoroval, že by to niekedy predtým robil.
c) Let me help you.	Dovoľte, aby som vám pomohol.
They wouldn't let me go.	Nenechali by ma odísť.
Will you help me carry it?	Pomohli by ste mi to niesť?
He made me promise it.	Prinútil ma, aby som to sľúbil.
They made us stay till Sunday.	Prinútili nás zostať do nedele.
d) You'd better ask someone.	Radšej by si sa mal niekoho spýtať.
I'd rather have a smaller piece.	Radšej by som si vzal menší kúsok.

Poznámka : Ak je však sloveso v **trpnom rode,** nasleduje vždy neurčitok s **to:**

I was made **to stay** till the end.	Prinútili ma zostať až do konca.
She was heard **to come** downstairs.	Počuli ju prísť nadol.

4. Väzby 4. pádu s neurčitkom

I want **you**	**to do** it.
Chcem,	aby si to urobil.

Táto väzba je v angličtine veľmi častá. V slovenčine použijeme spravidla vedľajšiu vetu s **aby, že.** Po niektorých slovesách môžeme aj v slovenčine použiť neurčitok. Porovnajte:

Poradil som mu, **aby nechal** auto tu.
nechať auto tu.

I advised him **to leave** his car here.

I expect that	**he** will ↓	come.	Dúfam, že príde.
I expect	**HIM** 4. p. + neurčitok	TO COME.	

I asked **them to help** us.	Poprosil som ich, aby nám pomohli.
I'd like **Mary to come** too.	Chcel by som, aby aj Mária prišla.

Túto väzbu môžeme použiť po slovesách:

a) vyjadrujúcich želanie: *wish, like, want, prefer*
b) po slovesách vyjadrujúcich dovolenie, rozkaz, žiadosť, domnienku, predpoklad, napr. *allow* dovoliť, *advise* poradiť, *let* nechať, dovoliť, *ask* poprosiť, požiadať, *make* prinútiť, *order* rozkázať, *think* myslieť, považovať za, *expect* dúfať, očakávať, *help* pomáhať, *tell* povedať, *invite* pozvať, *teach* učiť, *show how* ukázať ako a i.
c) po slovesách zmyslového vnímania: *see, hear, feel, notice* (potom však nasleduje neurčitok **bez to**).

Príklady:

We expect you to come to dinner tomorrov.	Dúfame, že prídete zajtra na večeru.
I want Father to see it.	Chcem, aby to otec videl.
Will you tell him to come at once?	Povedali by ste mu, aby ihneď prišiel?
Will you show me how to do it?	Ukázali by ste mi, ako to mám urobiť?
Would you like them to wait till he comes?	Chceli by ste, aby počkali, až príde?
I don't want her to leave.	Nechcem, aby odišla.
I didn't hear him start the car.	Nepočul som ho naštartovať auto.
I saw her leave the office.	Videl som ju odísť z kancelárie.
I wouldn't let him do it.	Nenechal by som ho to robiť.

Poznámka: Všimnite si, že po slovesách *hear, see* a *let* nasleduje neurčitok *bez to.*

Sledujte teraz rozdiel:

I want	to come.	Chcem prísť.
I want you	to come.	Chcem, aby si (ty) prišiel.
I want	to buy it.	Chcem si to kúpiť.
I want her	to buy it.	Prajem si, aby si to (ona) kúpila.
I'd like	to stay.	Rád by som zostal.
I'd like them	to stay.	Chcel by som, aby (oni) zostali.

5. Nepravidelné slovesá:

burn	[bə:n]	spáliť	**burnt**	[bə:nt]	**burnt**	[bə:nt]
draw	[dro:]	kresliť, tiahnuť	**drew**	[dru:]	**drawn**	[dro:n]
hold	[həuld]	držať	**held**	[held]	**held**	[held]

CVIČENIA

1. Spytujte sa podľa vzoru:

Mother often goes to the theatre. – How often?
How often does she go to the theatre?

1. He attends a language course. – How often? 2. She wants to apply for a new post. – Why? 3. I spent a lot of money. – How much? 4. They have already arrived. – When? 5. She sang in a musical. – What musical? 6. I've written several letters this week. – How many? 7. The conference was held in Manchester. – When?

2. Odpovedzte celou vetou v trpnom rode podľa vzoru:

Have they built any new houses there? – **Yes, some (two...) new houses have been built.**

1. Have they bought any new machines? 2. Have they built a new hospital? 3. Have they held a meeting? 4. Have

they sent the telegrams? 5. Have they made the tests? 6. Have they eaten everything? 7. Have they found the keys?

3. Odpovedzte, čo by sa stalo v opačnom prípade:

You haven't the money, so you can't buy it.
If I had the money, I would buy it.

1. He isn't in Bratislava, so he can't come. 2. You don't know his telephone number, so you can't ring him up. 3. He didn't let them know, so they won't come. 4. You didn't send them a telegram, so they won't meet you at the airport. 5. Mr Brown isn't here, so we can't start. 6. He doesn't need it, so he won't buy it.

4. Reagujte podľa vzoru:

Has he done it? – **He may have done it.** (Možno, že to urobil.)

1. Has she promised anything? 2. Has he made an appointment with them? 3. Have they noticed any changes? 4. Have they offered him any job? 5. Has he read anything about it? 6. Have they been anywhere else? 7. Has he bought anything?

5. Odpovedzte záporne podľa vzoru:

Did anybody tell you to write to him?
No, nobody told me to write to him.

1. Did anybody ask you to book the seats? 2. Did anybody tell you to book a room? 3. Did anybody ask you to arrange it? 4. Did anybody ask you to have a look at the programme? 5. Did anybody ask you to show them round the fair? 6. Did anybody tell you how to do it? 7. Did anybody show you how to handle the machine?

6. Povedzte záporné rozkazy podľa vzoru:

He wants to come before five. – Tell him…
Tell him not to come before five.

1. Miss Young wants to prepare the lists. 2. Joan wants to use this tape-recorder. 3. She wants to go to the laboratory.

4. Tom will forget about the telephone call. 5. The children want to play with it. 6. She's worried about her husband. 7. The Carters want to wait for Mr Miller.

7. Spytujte sa pomocou *Why? When?* **podľa vzoru:**

I want Mother to invite them.
Why do you want her to invite them?

1. I want Dick to arrange it. 2. I asked the operator to see to it. 3. We expect the Browns to arrive. 4. I've seen Mr Carter leave his office. 5. I heard them come in. 6. I showed John how to use the tape-recorder. 7. She invited the girls to stay at her house.

8. Odpovedzte podľa vzoru:

Why did Mary come to Prague? To study music?
(Yes.) She came to Prague to study music.

1. Why did you ask them to come here? To show them your photographs? 2. Why did he go abroad? To attend a conference or a fair? 3. Why does he attend evening courses? To get a better job? 4. Why does she learn German? To help her husband with his work? 5. Why is she working so hard? To pass her examinations as soon as possible? 6. Why do you want to go to Italy? To see the sights? To learn Italian? 7. Why are they saving? To buy a new car?

9. Povedzte po anglicky:

1. Stretneme sa pri vchode. 2. Kde dostanem vstupenky? Pokladnica je pri hlavnom vchode. 3. Čo sa tu vystavuje? 4. Prejdeme sa po veľtrhu? 5. Preberieme si niekoľko dôležitých vecí. 6. Chceli by ste, aby som vás previedol po výstave? 7. Chcel, aby som mu ukázal naše najnovšie modely. 8. Akú značku má vaše auto? Je to Fiat z r. 1982. 9. Aký je váš názor? Podľa môjho názoru je to veľmi užitočné. 10. Je to v poriadku? Myslím, že áno. Už sme o tom diskutovali.

10. Odpovedzte na otázky k textu a podľa skutočnosti:

1. Who is Mr Miller? 2. Why did he come to England? 3. Where is the International Fair held? 4. Who did Mr Miller contact after his arrival in Newcastle? 5. Who is Mr Carter? 6. Where did they meet? 7. Is Mr Carter's wife coming too? 8. Where will she be expecting them? 9. Why did they go round the main pavilion first? 10. What's on show there? 11. How did Mr Miller like the fair? 12. Why can't he stay longer?

1. Have you been to the Brno International Fair? 2. What's on show there? 3. Inform a foreign visitor about the fairs held in Czechoslovakia (the Liberec Textile Fair, the Olomouc Flora, the INCHEBA etc.).

Konverzačné cvičenia

a) Show a foreign visitor round the fair (give the names of the pavilions and tell him what's on show there).
b) Try to say a few words about some of the exhibits.

Výslovnosť vlastných mien na obrázku: **Bulgaria** [balˈgeəriə]; **France** [fra:ns]; **Hungary** [haŋgəri]; **Italy** [itəli]; **Poland** [pəulənd]; **Ro(u)mania** [ruˈmeinjə].

THE UNITED STATES OF AMERICA

Let us have a look at the map of the USA which is in your textbook. In this article you will be given a few facts about the geography, history, industry and the government of the United States of America.

The United States is only a little smaller than Europe. It lies between the Atlantic and the Pacific Oceans, with Canada to the north and Mexico to the south. It takes forty-eight hours for a modern train to cross the States.

In the western United States you can see the Rocky Mountains with Mount Whitney rising to about 14,000 ft. For lack of rain this area is very dry. The river valleys are deep and narrow, for example the Grand Canyon on the Colorado, which is one mile deep.

After 1848, when gold was found in California, a large number of people crossed these mountains and deserts on their way west. The first farmers, who settled in the area around Great Salt Lake, had to fight against great difficulties. Today eight railroads and several highways go across these mountains. At the foot of the Rockies there is a world-famous holiday resort and sporting centre, Colorado Springs. Yellowstone National Park, situated in these mountains, is the first natural reservation in the world, with hot springs, wild animals, birds and plants.

In the middle of the States are the Great Plains where mostly wheat and corn are grown. Cotton and tobacco are the traditional crops of the southern states. The largest city in this area is St. Louis on the Mississippi river.

The northeast is the most industrial part of the USA. The heavy industries are concentrated around the Great Lakes where raw materials like coal, iron, oil and copper are found. Since the American industries are in the hands of private monopolies, the USA represents a typical capitalist country in contrast to those countries which are building up a new socialist order.

The USA consists of fifty states. The two newest are Alaska and Hawaii. Alaska and Texas, famous for its oil and cattle ranches, are among the largest states. California boasts of the highest standard of living, but owing to a large number of poor Mexicans and Negroes there are also the greatest differences between the rich and the poor.

Washington, D. C., the seat of the American Congress and of the White House, the residence of the President, is the capital of the USA. New York City with its typical

skyscrapers in Lower Manhattan is the largest American city and the largest port for foreign trade.

The United States is the home of about 220 million people. The original inhabitants, the Red Indians, live mostly in reservations and are dying out.

The USA is said to be a country of great contrasts, for example between the whites and the Negroes. The question of racial discrimination and civil rights for Negroes is one of the greatest problems facing the United States today.

Výslovnosť vlastných mien: **Alaska** [əˈlæskə]; **California** [ˌkæliˈfo:njə]; **Canada** [kænədə]; **Colorado** [ˌkoləˈra:dəu] **Springs** [spriŋgz]; **Congress** [koŋgres]; **Europe** [juərəp]; **Grand Canyon** [grænd kænjən]; **Hawaii** [ha:ˈwaii:]; **Manhattan** [mænˈhætn]; **Mexico** [meksikəu]; **Mexicans** [meksikənz]; **Mississippi** [ˌmisiˈsipi]; **Mount Whitney** [maunt witni]; **Negroes** [ni:grəuz] černosi; **Pacific** [pəˈsifik]; **Red Indians** [red indjənz] Indiáni; **Rocky Mountains** [roki mauntinz] Skalnaté hory; **St. Louis** [sntˈluis]; **Texas** [teksəs]; **Washington** [wošiŋtən]; **Yellowstone** [jeləustəun].

---

across [əˈkros] cez, krížom
against [əˈgenst] proti
among [əˈmaŋ] medzi *(viacerými)*
animal [æniml] zviera
area [eəriə] oblasť
article [a:tikl] článok, druh tovaru, člen *(v gramatike)*
become – became – become [biˈkam – biˈkeim – biˈkam] stať sa
bird [bə:d] vták
boast of [bəust] pýšiť sa (čím)
build up – built – built [bild – bilt – bilt] (vy)budovať
capitalist [kæpitəlist] kapitalistický
civil [sivl] občiansky
congress [koŋgres] kongres, snemovňa
contrast [kontra:st] kontrast, rozdiel
in contrast to na rozdiel od
copper [kopə] meď
corn [ko:n] obilie *(brit.)*, kukurica *(am.)*
cotton [kotn] bavlna
crop [krop] plodina
deep [di:p] hlboký
desert [dezət] púšť
difference [difrəns] rozdiel
difficulty [difiklti] ťažkosť
dry [drai] suchý
example [igˈza:mpl] príklad
for example napríklad
face [feis] tvár; stáť pred (niečím)
fight – fought – fought [fait – fo:t – fo:t] bojovať; boj
foot, *(mn. č.* **feet** [fut, fi:t], *skr. ft* stopa, chodidlo
at the foot of na úpätí; dolu *(na strane knihy)*
gold [gəuld] zlato
grow – grew – grown [grəu – gru: – grəun] rásť, pestovať
highway [haiwei] *(am.)*, **motorway** [məutəwei] *(brit.)* diaľnica
inhabitant [inˈhæbitənt] obyvateľ
lack [læk] nedostatok
middle [midl] stred
in the middle of uprostred
modern [modən] moderný
monopoly [məˈnopəli] monopol

narrow [nærəu] úzky
natural [næčərl] prírodný
Negro [ni:grəu] černoch; černošský
oil [oil] nafta, olej
original [əˈridžinl] pôvodný; originál
owing to [əuiŋ] vzhľadom na, kvôli, následkom čoho
plain [plein] rovina
plant [plænt] rastlina
poor [puə] chudobný
president [prezidənt] prezident
private [praivit] súkromný
problem [probləm] problém
question [kwesčn] otázka
racial discrimination [ˈreišl disˌkriˈmineišn] rasová diskriminácia
railway [reilwei], **railroad** [reilrəud] *(am.)* železnica
ranch [ra:nč] ranč
raw material [ro:] surovina
represent [ˌrepriˈzent] predstavovať, reprezentovať
reservation [ˌrezəˈveišn] rezervácia
residence [rezidns] sídlo
resort [riˈzo:t] výletné miesto, letovisko
right [rait] právo
rise – rose – risen [raiz – rəuz – rizn] zdvíhať sa, stúpať, vstať
several [sevrəl] niekoľko
seat [si:t] sedadlo, sídlo
settle [setl] usadiť sa
since [sins] keďže, pretože
skyscraper [ˈskaiˌskreipə] mrakodrap
socialist [səušəlist] socialistický
spring [spriŋ] prameň, žriedlo
standard [stændəd] úroveň, štandard
living standard životná úroveň
such [sač] taký
tobacco [təˈbækəu] tabak
trade [treid] obchod
foreign trade [forin] zahraničný obchod
valley [væli] údolie
wheat [wi:t] pšenica
wild [waild] divý

DÔLEŽITÉ VÄZBY

It's in the middle.	Je to uprostred.
It's at the foot (at the top) of the page/of page five.	Je to na stránke dole (hore)/ na strane piatej.
I am an early riser.	Vstávam veľmi zavčasu.
The prices are rising.	Ceny stúpajú.
The hot springs of Karlovy Vary are world-famous.	Horúce pramene Karlových Varov sú svetoznáme.
We grow the usual crops.	Pestujeme bežné plodiny.
What is grown there?	Čo tam rastie? Čo sa tam pestuje?
A large number of people came to the exhibition.	Veľké množstvo ľudí prišlo na tú výstavu.
This is said to be very important.	Je to vraj veľmi dôležité.
There are many differences between the two languages.	Medzi oboma jazykmi je mnoho rozdielov.
He's among the best students.	Je medzi najlepšími študentmi.
They are facing serious problems.	Stoja pred vážnymi problémami.

The windows of our rooms face south.	Okná našich izieb vedú na juh.
He boasts of being very good at tennis.	Pýši sa tým, že hrá veľmi dobre tenis.
That's nothing to boast of.	Niet sa čím pýšiť.
I'm for doing it but he's against it.	Ja som za to, aby sa to urobilo, ale on je proti tomu.

VÝSLOVNOSŤ

Oslabená výslovnosť predložiek a spojok

Predložky a **spojky** (podobne ako **pomocné slovesá)** sú vo vete spravidla bez prízvuku a preto sa v nich **oslabujú samohlásky** (a, o, u) na [ə]. **Plnú výslovnosť** majú tieto slová **len pri osobitnom dôraze,** alebo vtedy, keď stoja na začiatku alebo na konci vety.

a) predložky: **at** [ət], **for** [fə], **from** [frəm], **of** [əv], **to** [tə];

ale: **on** [on], **off** [of] **(vždy plná výslovnosť).**

b) spojky: **and** [ənd], **as** [əz], **but** [bət], **for** [fə], **or** [ə], **than** [ðən], **that** [ðət].

Prečítajte správne:

a) Predložky **na konci** alebo **na začiatku** vety vyslovujte **plne, uprostred** vety **oslabene:**

What are you looking *at?*	– I'm looking *at* the time-table.
What is she looking *for?*	– She's looking *for* her keys.
Who did you get it *from?*	– I got it *from* Peter.
How many parts does it consist *of?*	– It consists *of* two parts.
What are you thinking *of?*	– We are thinking of buying a car.
Who did you give it **to?**	– I gave it *to* John.
Who did he explain it to?	– He explained it *to* me.

Ale: on, off

When will it take place?	– It'll take place **on** Thursday.
What are you working **on?**	– I'm working **on** a difficult problem.
When did the plane take **off?**	– It took **off** at six.
Did you switch it **off?**	– Yes, I switched it **off.**

b) **Silne tlačené tvary spojok vyslovujte plne,** t. j. [ænd], [æz], [bat], [o:], kurzívou tlačené tvary oslabene, t. j. [ənd], [əz], [bət], [ə].

Tom *and* Joan can have it. – **And** what about you *and* Jack? – Tom *and* his colleague suggested it. – **And** did they do it? – **As** I've said they will see to it. – **As** you may know she works *as* a secretary. – It was difficult, *but* I managed. – The questions weren't easy, *but* I answered them. – **But** you didn't answer all of them. – You *or* Dick must stay. – **Or** will she stay? – Tom *or* John will see to it. – **Or** would you rather do it?

GRAMATIKA

1. Ďalšie použitie trpného rodu v angličtine

They asked ME ↓ **I WAS ASKED** several questions.	Opýtali sa ma niekoľko otázok.

V slovenčine možno v trpnom rode vyjadriť iba väzbu **sloveso + predmet v 4. páde,** napr. posielam knihu (= koho?, čo?) → kniha je poslaná. V angličtine možno vyjadriť v trpnom rode aj väzbu **sloveso + predmet v 3. páde,** napr. ukázali **mi** = komu? – they showed **me** → I was shown.

Príklady:

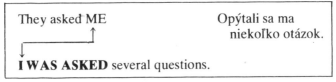

They told me everything. ↓ I was told everything.	Povedali mi všetko.

They sent her a book. → She was sent a book.	Poslali jej knihu.
They have given me no answer. → I have been given no answer.	Nedali mi odpoveď.
Somebody told us to wait. → We were told to wait.	Povedali nám, aby sme počkali.
They will show you the way. → You will be shown the way.	Ukážu vám cestu.

Poznámka: Slovenskú väzbu „vravia o ňom, že je..., vraj je..." vyjadríme v angličtine takto: *he* **is said to** *be*..., napr.:
They say that he is clever. = **He is said to be clever.**
Vraj je múdry.

Ďalšou zvláštnosťou trpného rodu v angličtine je, že i **slovesá s predložkovou väzbou,** ako napr. *to speak about, to send for*, možno používať **v trpnom rode.** Predložka stojí vždy za tvarom minulého príčastia významového slovesa: **to be spoken about, to be sent for.**

Príklady:

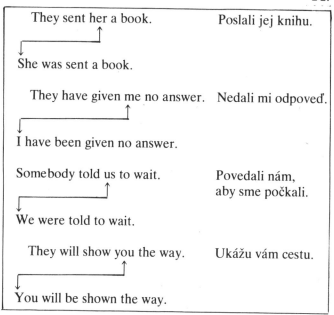

They sent for the doctor. **The doctor was sent for.**	Poslali po lekára.
They listened to him with great interest. **He was listened to with great interest.**	Počúvali ho s veľkým záujmom.

Everyone talked about her. **She was talked about by everyone.**	Každý o nej hovoril.
They have paid for everything. **Everything has been paid for.**	Zaplatili všetko.
They will look after the child. **The child will be looked after.**	Postarajú sa o to dieťa.

2. Používanie členov

A. Neurčitý člen používame:

a) Pred počítateľným podstatným menom, ak sa o ňom zmieňujeme po prvý raz a ak nepredstavuje určitú osobu alebo vec:

We can take a taxi.	Môžeme si vziať taxík.
Have you a brother?	Máte brata?

b) Po slovesách **to be, to become** (stať sa), najmä ak ide o zamestnanie:

He's a car mechanic.	Je automechanikom.
She became a teacher.	Stala sa učiteľkou.

c) Pred prídavným menom, ktoré kvalifikuje nasledujúce podstatné meno:

They bought a small (large) house.	Kúpili malý (veľký) dom.
It's a good pen.	Je to dobré pero.

d) Vo význame „jeden" pred číselnými výrazmi:

Will an hour be enough?	Postačí hodina (jedna hodina)?
It'll cost a hundred crowns [kraunz].	Bude to stáť sto korún.

It's five pence a piece.	Kus stojí päť pencí.

e) Vo väzbe **there is:**

There's a bookstall here.	Tu je stánok s knihami.
Is there a call-box?	Je tu telefónna búdka?

f) Vo väzbe so slovesom **to have:**

Have a drink.	Napi sa.
Let's have a talk.	Porozprávajme sa.

g) Vo výrazoch **a lot of, a great number of** *veľké množstvo,* **a little** *trochu,* **a few** *niekoľko:*

He has a lot of slides.	Má mnoho diapozitívov.
I have only a few.	Mám ich iba niekoľko.

h) Vo zvolaniach pred počítateľnými podstatnými menami v jednotnom čísle:

What a pretty girl.	To je pekné dievča!
What a nice picture.	To je pekný obrázok!
Such a long story.	Taký dlhý príbeh!

Neurčitý člen dávame až **za** *what* a *such.*

i) V spojení **very** + prídavné meno + podstatné meno:

She's a very nice girl.	Je to veľmi milé dievča.
He's a very pleasant young man.	Je to veľmi sympatický mladík.
Ale: It's very short.	Je to veľmi krátke.

B. Určitý člen používame:

a) Pred menami označujúcimi jedinečnú osobu alebo vec, ako **the sun** *slnko,* **the sky** *obloha,* **the sea** *more,* **the weather** *počasie,* **the President, the Queen** [kwi:n] kráľovná:

What was the weather like?	Aké ste mali počasie?
The sun was shining all the time.	Stále svietilo slnko.

The President visited our town.	Prezident navštívil naše mesto.

b) Ak ide o známu osobu alebo vec, ktorá bola už predtým v reči spomenutá:

They have **a house** in the country.	Majú dom na vidieku.
The house has a large garden.	Dom má veľkú záhradu.

c) Ak ide o podstatné meno bližšie určené prívlastkom, najmä nezhodným, vyjadreným pomocou **of, in, with** ap.:

Do you know the man in the dark suit?	Poznáte toho muža v tmavom obleku?
What's the colour of that wallpaper?	Akú farbu majú tie tapety?

d) Ak je podstatné meno bližšie určené celou vetou, spravidla **vzťažnou:**

The people who live next-door are very nice.	Ľudia, ktorí bývajú vedľa, sú veľmi milí.
Where's the newspaper I've brought?	Kde sú tie noviny, čo som priniesol?

e) Pred podstatným menom, ktoré je určené miestne, a preto predstavuje len jednu určitú vec:

He's in the garden. (= the garden of this house)	Je v záhrade.
It's on the shelf. (= the shelf in the room)	Je to na poličke.
Pass me the salt. (= the salt on the table)	Podaj mi soľ.

f) Pred 3. stupňom prídavných mien:

This is the highest mountain.	To je najvyššia hora.
This is the most important problem.	To je najdôležitejší problém.
Ale: It's a most important problem.	To je veľmi dôležitý problém.

g) Pred radovými číslovkami:

They live on the second floor.	Bývajú na druhom poschodí.
Today's the first of June.	Dnes je prvého júna.

h) Pred podstatným menom označujúcim celú triedu alebo druh:

The tape-recorder is a useful thing (= all tape-recorders are useful).	Magnetofón je užitočná vec.
The dog is an animal (= all dogs are animals).	Pes je zviera.

i) Pred časťami dňa s predložkou **in**:

Come in the morning.	Prídi ráno (dopoludnia).
It happened at five in the afternoon.	Stalo sa to o piatej popoludní.
Ale: At noon, at midnight.	Na poludnie, o polnoci.

j) Pred spodstatnenými prídavnými menami:

We must help the young.	Musíme pomáhať mladým (ľuďom).
The English drink a lot of tea.	Angličania pijú veľa čaju.

k) S niektorými vlastnými menami, pozri L 25, str. 374.

Poznámka: Pravidlá o tom, kedy nepoužívame člen, pozri v L 15, str. 224.

3. Rozdiel medzi „say“ a „tell“

	He **told me** the news.	Povedal mi, čo je nového.
	What did he say?	**Čo** povedal?
Sloveso	**tell** používame v spojení	**povedať niekomu**
	say	**povedať čo**

a) **Tell** stojí spravidla v nasledujúcich spojeniach:

Povedať komu	*čo*	**Tell me**	his name.	Povedzte mi jeho meno.
		Tell us	the news.	Povedzte nám tú správu.
Povedať komu	*o čom*	**Tell her**	**about** it.	Povedz jej o tom.
	o kom	**Tell him**	**about** Jane.	Povedzte mu o Jane.
Povedať komu,	*aby*	I **told you**	to wait.	Povedal som ti, aby si počkal.
	aby ne-	I **told them**	not to wait.	Povedal som im, aby nečakali.
	ako	I **told John**	**how to** do it.	Povedal som Jánovi, ako to má urobiť.

Poznámka: Len výnimočne je pri slovese *tell* predmet v 4. páde. Ide o ustálené väzby, ako napr. *to tell a story* – rozprávať príbeh, *to tell a lie* – luhať ap.

b) Sloveso **say** používame predovšetkým s priamou rečou a s predmetom v 4. páde. Môžeme ho použiť aj s predmetom v 3. páde, ale vtedy musí mať predložku **to:**

Povedať čo	**I said nothing.**			Nepovedal som nič.
	He	**said it.**		Povedal to.
Povedať čo ako		**Say it**	in English.	Povedz to po anglicky.
		Say it	slowly.	Povedz to pomaly.
Povedať komu čo	**I**	**said it**	to Peter.	Povedal som to Petrovi.
		Don't say anything to me.		Nič mi nevrav.

S priamou alebo nepriamou rečou:	"I must be off," **he said.**	„Už musím ísť", povedal.
	He says that he'll come.	Vraví, že príde.

Poznámka:
Rozlišujte trpné väzby: **She was said** – Vraveli o nej.
She was told – Povedali jej.

4. Rôzne významy „as", „since" a „for"

AS	**ako**	– She works as a private secretary.
	keďže, pretože	– As it was late, we didn't come.
	keď	– I met him as I was going home.
SINCE	**od**	– I haven't seen him since last week.
	(od toho času,) čo	– How long is it since you were in London?
	keďže	– Since we have no money, we cannot buy it.
FOR	**pre**	– This letter is for you. *Ten list je pre teba.*
	aby	– Is it necessary for him to do it? *Je potrebné, aby to urobil?*
	lebo	– I asked her to stay for I wanted to tell her something. *Požiadal som ju, aby zostala, lebo som jej chcel niečo povedať.*

Poznámka: *For* vo význame „lebo" nemôže stáť na začiatku vety a v hovorovej angličtine sa používa zriedkavo. Je to prevažne knižný výraz.

5. Nepravidelné slovesá

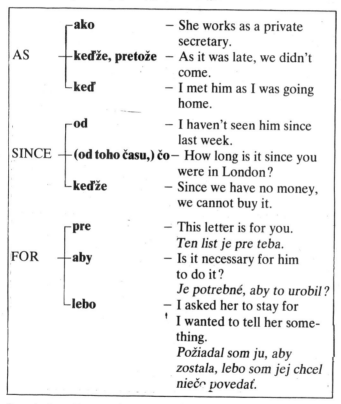

become [biˈkam] stať sa	**become** [biˈkeim]	**become** [biˈkam]
build up [bild] (vy)budovať	**built** [bilt] **up**	**built** [bilt] **up**

fight	[fait] bojovať	**fought** [fo:t]	**fought** [fo:t]
grow	[grəu] rásť, pestovať	**grew** [gru:]	**grown** [grəun]
rise	[raiz] zdvíhať sa	**rose** [rəuz]	**risen** [rizn]

CVIČENIA

1. Hrubo vytlačené slová nahraďte príbuznými výrazmi podľa vzoru:

He goes to school. – **He attends school.**

1. Various articles **were exhibited** there. 2. Have you **booked** the rooms? 3. He speaks Russian, **I think.** 4. She **went quickly** to the bus stop. 5. Please tell me **everything.** 6. What **kind of** car has he got? 7. They **went across** the bridge. 8. We **made a trip** on Sunday. 9. I **was at** the meeting.

2. Doplňte *to* podľa potreby:

1. I don't – think he'll – be surprised. 2. I haven't seen him – handle it. 3. They wanted – show you something. 4. Help me – carry these parcels, please. 5. He went – meet them at the airport. 6. I heard her – say it. 7. They were expected – arrive by plane. 8. Did they make you – promise it?

3. Odpovedzte s použitím trpného rodu podľa vzoru:

Have they sent you any magazines?
Yes, I was sent some magazines.

1. Have they told you to come back? 2. Have they shown you the latest models? 3. Have they offered you something to drink? 4. Have they offered him some refreshment too? 5. Have they paid you the money they promised to? 6. Did they tell her everything about the new job? 7. Did they ask Mr Blake to explain it? 8. Did anybody show you round the factory? 9. Did they give you two free tickets? 10. Did they promise him a better job?

4. Doplňte *as, than, for* **podľa potreby:**

1. My brother works – a bank clerk. 2. It's more – two pounds. 3. I have been married – ten years. 4. It isn't possible – me to do it. 5. It's more important – you think. 6. He's the same age – I am. 7. Is it further away – two miles? 8. Is it – bad – he thinks? 9. It's worse – he may think. 10. – I was tired I went to bed. 11. – a child he lived in London. 12. There's a letter – you. 13. We want to start – soon – possible.

5. Zvoľte vhodný začiatok vety s uvedením dôvodu, prečo ste to (ne)mohli urobiť, podľa vzoru:

As... I couldn't buy the newspaper.
As I had no money on me, I couldn't buy the newspaper.

1. As..., I couldn't wait any longer. 2. As..., I couldn't open the tin. 3. As..., I couldn't smoke. 4. As..., I couldn't see it well. 5. As..., I couldn't cut it. 6. As..., I was rather cold.

6. Spytujte sa a odpovedzte podľa vzoru:

difficult examination
Is it a very difficult examination? – Yes, the examination is very difficult.

1. large enterprise 2. very exciting story 3. important fact 4. very narrow street 5. dry country 6. long valley 7. very deep lake 8. high mountain 9. famous holiday resort.

7. Doplňte podľa potreby určitý alebo neurčitý člen:

1. Have you got – car? 2. – car standing in front of – house is mine. 3. My friend is – clerk, but he wanted to become – teacher. 4. It's – best you can do. 5. Is it – first or – second floor? 6. It's – world-famous resort. 7. Have you – younger brother? 8. What's – traditional dish of your country? 9. Can I have – folder which is on – counter? 10. There's – good film on television tonight. 11. Put it on – shelf. 12. He's – very pleasant man.

8. Odpovedzte na otázky:

1. What did you tell him? 2. What did she say? 3. Did he say it in Slovak or in English? 4. Did he say anything about the trip to the mountains? 5. Did you say it to him or to her? 6. What did he tell you? 7. What did Jane say about their arrival?

9. Doplňte príslušné tvary slovies *tell* alebo *say*:

1. Will you please – me the time? 2. He – nothing. 3. I – him something else. 4. I – you I'd need more time. 5. I don't – it won't be necessary. 6. Let's meet at the entrance, shall we – at 10? 7. – Jane to be in time. 8. I'd be glad if you could – us something about it. 9. He – he would be pleased. 10. What did they –?

10. Povedzte po anglicky:

1. Môj syn by sa chcel stať elektromechanikom. 2. Zaujíma sa o elektrotechniku. 3. To je zaujímavý odbor. 4. Povedali mi, aby som sa vás spýtal. 5. Hovorí sa o ňom, že je dobrým odborníkom. 6. Áno, patrí (= je) medzi najlepších, ktorých máme. 7. Je veľký rozdiel medzi životom vo veľkom meste a na vidieku. 8. Strávili sme dovolenku v prímorskom letovisku. 9. Ste za to, aby sme odišli (začali) zavčasu? Nie, sme proti. 10. Čítal som zaujímavý novinový článok o černochoch žijúcich v Kalifornii.

11. Odpovedzte:

1. Is the USA as large as Europe? 2. Where does it lie? 3. How long does it take for a a modern train to cross the States? 4. What is there in the western United States? 5. How high is Mount Whitney? 6. Does it often rain in this area? 7. Which was the first natural reservation in the world? 8. What is it famous for? 9. What are the traditional crops of the southern states? 10. Where's St. Louis?

11. Which are the two newest states? 12. How many states are there in the USA? 13. Which are among the largest? 14. How many people live in the States?

Konverzačné cvičenia

Find on the map the states you have read about and try to say something about each of them.

IN A BOOKSHOP

Shop Assistant: Can I help you, madam?
Miss Malá: May I have a guidebook to London?
Assistant: Here are some guidebooks. Make your choice, please.
Miss Malá: I'll have this one, I think. How much is it?
Assistant: Two pounds. – What else can I show you?
Miss Malá: What have you in the way of modern fiction?
Assistant: Will you please have a look at this book of short stories? It's a translation from French.
Miss Malá: I'd prefer a novel by an English author.
Assistant: What about this one? It's one of the season's bestsellers. The fourth edition was out of print in a month's time.
Miss Malá: Yes, I'll have it. By the way, do youp keep textbooks? I'd like to improve my knowledge of English.
Assistant: This textbook for advanced learners is the best one I can recommend. And here's a handbook of English conversation by the same author. It's the latest edition.
Miss Malá: I'll take both of them. How much do I pay you?

Assistant: Ten pounds and fiftypence. Here's your change. – Thank you, madam.

AT THE WATCHMAKER'S

B: I'd like to have my watch repaired. It doesn't keep good time.
A: What's wrong with it? Is it going slow or fast?
B: It looses about three minutes a day.
A: Well, it probably needs cleaning. Look – and the glass is broken.
B: Can you do it while I wait, please?
A: Certainly, madam. Will you take a seat, please. It's about twenty minutes' work.

AT THE CLEANER'S

B: I'd like to have this skirt cleaned.
A: Yes, madam. You can call for it in a week's time. Will that be all right?
B: Yes, thank you. I hope the skirt won't shrink after cleaning.
A: We'll take care of that.

AT THE CHEMIST'S

A: Are you being served?
B: No. May I have a colour cinefilm?
A: What size, please?
B: Six by nine.
A: Yes, of course. Anything else, madam?
B: I'd like to have this film developed and printed. Express, please. How long will it take?
A: We can have it ready for you at nine tomorrow morning, including enlargements. What name shall I put down?

AT THE BARBER'S

Barber: Good morning, sir. What will it be? A haircut or a shave?

Mr Brown: A haircut, but don't cut it too short, please.

AT THE HAIRDRESSER'S

Mrs Parker: Good morning. I have an appointment with Miss Young.

Hairdresser: Just a moment, madam. I'll call her.

Miss Young: Good morning, Mrs Parker. What will you have today? A shampoo and set as usual?

Mrs Parker: Yes, but look at my hair. It's beginning to go grey, but I wouldn't like to have it tinted. What do you advise me to do?

Miss Young: I'd recommend a light rinse.

AT A PETROL STATION

Joe: I'm afraid we've run out of petrol.

Anne: Oh, Joe, how could you be so careless, knowing how far we have to go? To leave without checking up on petrol! We must fill up somewhere.

Joe: Luckily there's a filling station quite near. It's only a one mile drive. – Well, here we are. – (To the attendant:) Eight gallons of petrol.

Attendant: Yes, sir. – Any oil?

Joe: Let me have a pint.

---

advanced [əd'va:nst] pokročilý
attendant [ə'tendnt] obsluhujúci (personál = osoba)
author [o:θə] autor
barber [ba:bə] holič
barber's holičstvo
bestseller [bestselə] bestseller, kniha, ktorá ide veľmi na odbyt
bookshop [bukšop] kníhkupectvo
break – broke – broken [breik – brəuk – brəukn] rozbiť, zlomiť
call for zastaviť sa po

careless [keəlis] nedbanlivý, ľahkomyseľný, bezstarostný
check up on sth. kontrola (čoho); kontrolovať čo
choice [čois] voľba, výber
cinefilm [sinifilm] kinofilm
cleaner's [kli:nəz] čistiareň
conversation [ˌkonvəˈseišn] konverzácia
develop [diˈvelop] vyvolať *(film)*, vyvinúť (sa)
drive [draiv] jazda *(autom)*, vychádzka
edition [iˈdišn] vydanie *(knižné)*
enlargement [inˈla:džmənt] zväčšenina
express [iksˈpres] narýchlo, expres
fiction [fikšn] beletria
fill up (on petrol) [fil] natankovať
filling station benzínová pumpa
gain [gein] získať, zrýchľovať sa *(o hodinkách)*
gallon [gælən] galón (= *asi 4 1/2 litra*)
hair [heə] *(len j. č.)* vlasy
haircut [heəkat] strihanie (vlasov)
hairdresser's [heədresəz] kaderníctvo
handbook [hændbuk] príručka
hurry [hari]
  be in a hurry ponáhľať sa
improve [imˈpru:v] zlepšiť, zdokonaliť
knowledge [nolidž] *(len j. č.)* znalosti
literature [litričə] literatúra
lose – lost – lost [lu:z – lost – lost] stratiť
mistake [misˈteik] chyba
novel [novl] román
once [wans] raz
petrol [petrəl] benzín
petrol station benzínová pumpa
pint [paint] pinta *(asi pol litra, pozri Kľúč str. 53).*
print [print] tlač; kopírovať
out of print rozobrané
  probably [probəbli] pravdepodobne
rinse [rins] preliv
run out of
  we ran out of petrol minul sa nám benzín
sell – sold – sold [sel – səuld – səuld] predávať
service station [sə:vis] autoservis
set vodová *(v kaderníctve)*
shampoo [šæmˈpu:] umytie (vlasov), šampón; umyť šampónom
shrink – shrank – shrunk [šriŋk – šræŋk – šraŋk] zbehnúť sa *(o látke)*
size [saiz] veľkosť, rozmer, číslo
skirt [skə:t] sukňa
short story poviedka
tint [tint] farbiť *(vlasy)*
translate [trænsˈleit] prekladať
translation [trænsˈleišn] preklad
turn [tə:n] obrátiť, otočiť
turn red sčervenieť
twice [twais] dvakrát
watch [woč] hodinky
watchmaker's hodinárstvo

DÔLEŽITÉ VÄZBY

Are you being served?	Už dostávate?
Do you keep foreign magazines?	Máte zahraničné časopisy?
What have you in the way of professional literature?	Čo máte z odboru odbornej literatúry?
I've read an interesting novel by Hemingway.	Čítal som zaujímavý román od Hemingwaya.
I'd like to improve my English.	Rád by som sa zdokonalil v angličtine.

Is this the latest edition?	Je to posledné vydanie?
It's out of print.	Je rozobrané.
It's sold out.	Je to vypredané.
How much do I pay you?	Koľko budem platiť?
Shall I make a parcel of them for you?	Mám vám ich zabaliť?
I'd like to have my watch repaired.	Chcel by som si dať opraviť hodinky.
What's wrong with it?	Čo im chýba? Čo im je?
It doesn't keep good time.	Nechodia dobre.
It's loosing (gaining).	Meškajú (ponáhľajú sa).
It needs cleaning.	Treba ich vyčistiť.
Can you do it while I wait?	Môžete to urobiť na počkanie?
When can I call for it?	Kedy si po to môžem prísť?
We'll take care of it.	Postaráme sa o to.
I'd like a pair of shoes.	Chcel by som pár topánok.
What size?	Akú veľkosť?
Can I try on this pair of shoes?	Môžem si vyskúšať tieto topánky?
Pay at the desk, please.	Zaplaťte pri pokladnici, prosím.
Here's your change.	Tu máte naspäť.

VÝSLOVNOSŤ A PRAVOPIS

Výslovnosť písaného *c*

Písané *c* sa číta:

[k]: pred písaným **a, o, u,** pred spoluhláskou a na konci slova:
I'll have a cup of coffee because I'm cold. – Come back quickly. – The carpet and the curtains are of the same colour. – I can recommend this camera.
The clock is in the factory hall. – The doctor is expected any minute now. – Have some cream in your tea. – How did you enjoy the music? – We had a picnic.

[s]: pred písaným **e, i:**
They decided to have a dance. – There are mainly offices in the centre of the city. – Where's the entrance to the cinema? – Will you have an ice or a piece of cake?

[č]: písané **ch** a **tch** sa číta obyčajne [č]. V cudzích slovách **ch** čítame ako [k]:

[č] : You must change at Manchester. – Did Charles catch the bus? – Which of you has watched the match? – Each of the children chose it. – Let's switch it off.

[k] : He speaks only Czech. – Last Christmas Mr Carter was down with bronchitis and earache. – Where's the chemist's? – That's the school I attended.

GRAMATIKA

1. Tvar na -ing

> Who is the gentleman **sitting** in the hall?
> Kto je ten pán **sediaci** (ktorý sedí) v hale?

V 4. lekcii ste sa oboznámili s tvorením tvaru na *-ing* a s jeho používaním pri tvorbe priebehových časov. V 19. lekcii ste sa stretli s gerundiom, ktoré sa tiež tvorí pomocou *-ing*.

A. Ďalšie funkcie prítomného tvaru na *-ing:*

a) Zodpovedá slovenskému prídavnému menu slovesnému:

sitting = sediaci
reading = čítajúci

b) Zodpovedá slovenskému prechodníku prítomnému:

sitting = sediac
reading = čítajúc

Vyjadruje dej, ktorý sa deje v prítomnosti alebo dej, ktorý prebieha **súčasne s iným dejom,** a to v hocktorom čase:

We sat waiting for the rain to stop.	Sedeli sme a čakali, až prestane pršať.
He was sitting in an armchair, smoking a cigarette.	Sedel v kresle a fajčil cigaretu.
We spend our evenings at home watching television.	Trávime večery doma a dívame sa na televíziu.

Poznámka: Tvar na *-ing* sa môže vyskytnúť aj v trpnom rode, ktorý sa tvorí pomocou *being* + minulé príčastie významového slovesa, napr. *being asked* – súc žiadaný.

B. Minulý tvar na *-ing*

Having finished his work, he went home.
Keď skončil svoju prácu, šiel domov.

a) **Tvorenie:**

Minulý tvar na *-ing* sa tvorí pomocou **having a minulého príčastia:**

having + minulé príčastie	
having	finished
having	seen

b) **Použitie:**

Minulý tvar na *-ing* vyjadruje dej, ktorý **predchádzal pred dejom určitého slovesa:**

Having said goodbye to everybody, he left. — Keď sa s každým rozlúčil, odišiel.

Having posted the letter, she returned home. — Keď podala list na pošte, vrátila sa domov.

Tento tvar sa vyskytuje aj v **trpnom rode,** ktorý sa tvorí pomocou **having been + minulé príčastie významového slovesa:**

HAVING BEEN +	minulé príčastie
having been	asked
having been	seen

Príklady:

Having been asked for help, he promised to come at once. — Keď bol požiadaný o pomoc, sľúbil, že hneď príde.

Having been told what to do, they left. — Keď sa už dozvedeli, čo majú urobiť, odišli.

Prehľad tvarov na -ing:

TVAR NA -ING		ČINNÝ ROD	TRPNÝ ROD
prítomný	kladný	**asking**	**being asked**
	záporný	**not asking**	**not being asked**
minulý	kladný	**having asked**	**having been asked**
	záporný	**not having asked**	**not having been asked**

2. Skracovanie viet tvarom na -ing

After he had finished the letter, **HAVING finished** the letter,	he went to post it.

Pomocou tvaru na *-ing* môžeme skracovať vety časové, príčinné a vety vyjadrujúce tzv. sprievodnú okolnosť. Ak sú oba deje **súčasné,** použijeme **prítomný tvar** (*setting, asking* ap.). Ak jeden z dejov **predchádzal,** použijeme minulý tvar na *-ing (having asked, having done).*

a) **Vety časové** (do slovenčiny ich prekladáme celou vetou so spojkou **keď**):

Having finished his work, he left. — Keď skončil prácu, odišiel.

How could you be so careless, knowing how far it is. — Ako si mohol byť taký ľahkomyseľný, keď si vedel, ako je to ďaleko.

Having come home, I made a cup of tea. — Keď som prišiel domov, urobil som si šálku čaju.

b) **Vety príčinné** (do slovenčiny ich prekladáme celou vetou so spojkou **keďže, pretože**):

Not knowing what to do, she asked me for help.	Keďže nevedela, čo má robiť, požiadala ma o pomoc.
Having missed the morning train, we had to wait two hours for the next one.	Pretože sme zmeškali ranný vlak, museli sme čakať dve hodiny na ďalší.

c) Vety vyjadrujúce tzv. sprievodnú okolnosť (do slovenčiny ich prekladáme **celou vetou so spojkou a)**:

I spend my evenings at home, reading books or studying.	Trávim večery doma čítaním kníh alebo štúdiom (a čítam alebo študujem).
He entered the room, leaving the door open.	Vstúpil do miestnosti a nechal dvere otvorené.

Z trpných prechodníkových väzieb často zostane iba minulé príčastie:

Helped (= being helped) by our colleagues, we finished in time.	Pretože nám spolupracovníci pomáhali, skončili sme včas.
Asked (= having been asked) if he knew about it, he said nothing.	Keď sa ho spýtali, či o tom vie, nepovedal nič.

V angličtine znejú vety s prechodníkmi prirodzenejšie než v slovenčine a možno ich používať aj vtedy, keď veta skrátená prechodníkom má iný podmet než veta hlavná, čo je v slovenčine vylúčené, napr.:

There being nothing else to do, we decided to leave.	Pretože už nebolo čo robiť, rozhodli sme sa odísť.

3. Skracovanie viet predložkovým gerundiom

He came to say goodbye **before leaving** for London.
Prišiel sa so mnou rozlúčiť pred odchodom do Londýna.

V 19. lekcii ste sa oboznámili s pravidlami, ako používať gerundium. Okrem prípadov, ktoré sú tam uvedené, môžeme gerundiom skracovať aj vety časové po predložkách **on** (pri, keď), **after** (potom, keď) a **before** (prv než):

Ring me up **before buying** the tickets.	Zatelefonuj mi prv než kúpiš lístky.
After coming home, he switched on the radio.	Po príchode domov zapol rádio.

4. Významový rozdiel slovies *to do* a *to make*

What are you doing?
I'm making the tea.

Sloveso **to do** sa používa ako **pomocné sloveso** pri tvorení otázky a záporu, ďalej ako **významové sloveso** *robiť* = konať, činiť niečo **v zmysle skôr abstraktnom,** na rozdiel od slovesa **to make,** ktoré má zmysel **konkrétny** a znamená robiť = vytvoriť, vyrobiť, pripraviť ap.

a) **Väzby so slovesom** *to do:*

to do *some work*	robiť nejakú prácu
the shopping	nakupovať
the housework	konať domáce práce
the cooking	variť
the cleaning	upratovať
the washing	prať
the washing up	umývať riad
one's best	vynasnažiť sa zo všetkých síl
an exercise	robiť cvičenie
That'll do.	To stačí.
What can be done?	Čo sa dá robiť?
There's nothing to be done.	Nedá sa nič robiť.

b) **Väzby so slovesom** *to make:*

to make *a cake*	robiť tortu
soup	variť polievku

(the) tea, coffee	variť čaj, kávu
a dress	ušiť šaty
a parcel	urobiť balíček
a list	urobiť zoznam
an inquiry	urobiť dotaz
a mistake	urobiť chybu
an appointment	dohovoriť schôdzku
Where are these machines made?	Kde sa vyrábajú tie stroje?
What is it made of?	Z čoho je to vyrobené?
It's made of wood.	Je to vyrobené z dreva.

5. Väzba „dať si niečo urobiť“

I'll **have** my hair **cut.**
Dám si ostrihať vlasy.

Väzbu „dať si niečo urobiť“ vyjadríme v angličtine takto:

HAVE / GET + 4. pád + minulé príčastie

I	**had**	**my coat**	**cleaned.**
Dal	som si		vyčistiť kabát.
He	**got**	**his watch**	**repaired.**
Dal	si		opraviť hodinky.

Príklady:

I must get the film developed.	Musím si dať vyvolať film.
I'd like to have that carpet cleaned.	Chcela by som si dať vyčistiť koberec.
We'll have our luggage sent in advance.	Dáme si batožinu poslať vopred.

6. Zmena stavu

The weather is **getting cold.**
Počasie sa ochladzuje.

Zmenu stavu vyjadríme v angličtine najčastejšie väzbou

to get + prídavné meno.

Môžeme použiť aj slovesá:

become (vo všeobecnom zmysle): become rich, poor
turn (ak ide o náhlu zmenu): turn red
go a **grow** (pomalá zmena): go grey, grow old.

Príklady:

Your coffee's getting cold.	Vychladne vám káva.
He became rich/poor.	Zbohatol/Schudobnel.
She turned red.	Sčervenela.
His parents have grown old.	Jeho rodičia zostarli.
My hair is beginning to go grey.	Začínajú mi šedivieť vlasy.

7. Privlastňovací pád neživotných podstatných mien

> **today's newspaper**
> dnešné noviny

Doteraz ste sa učili, že privlastňovací pád môžu mať len mená osôb. Avšak privlastňovací pád môžeme použiť aj s neživotnými podstatnými menami, ak označujú:

a) časové údaje alebo vzdialenosť
b) zemepisné názvy, ako mená miest a krajín
c) slová, ako *the world, the sun* a i.

Príklady:

a)	an hour's flight	hodinový let
	ten minutes' work	práca na desať minút
	a week's holiday	týždenná dovolenka
	yesterday's meeting	včerajšia schôdza
	in a month's time	v priebehu mesiaca
b)	England's greatest writer	najväčší spisovateľ Anglicka

London's traffic	londýnska doprava
c) the world's greatest port	najväčší prístav sveta

8. Zlomky

1/5 = **A FIFTH**

V zlomkoch čítame v čitateli číslovku základnú, v menovateli číslovku radovú. Iba pre polovicu a štvrtinu sú osobitné výrazy:

1/2	*one (a) half*	3/2	*three halves*
1/3	*one (a) third*	2/3	*two thirds*
1/4	*one (a) quarter, a fourth*	3/4	*three quarters*
1/5	*one (a) fifth*	4/5	*four fifths*
1/10	*one (a) tenth*	9/10	*nine tenths*
1/100	*one (a) hundredth*	8/100	*eight hundredths*

Poznámka: $\frac{72}{59}$ čítame *seventy-two over fifty-nine.*

9. Číslovky násobné

3 × = **THREE TIMES**

Pri čítaní násobných čísloviek v angličtine pridávame k základnej číslovke slovíčko **times.** Iba na „raz“ a „dvakrát“ sú osobitné výrazy:

raz	*once* [wans]
dvakrát	*twice* [twais]
trikrát	*three times*
štyrikrát	*four times*
desaťkrát	*ten times*
stokrát	*a hundred times*

Podobne:

niekoľkokrát	*several times*
mnohokrát	*many times*
koľkokrát?	*how many times?*

Ale:

tentokrát, tento raz	*this time*

Zapamätajte si aj:

a)	*for the first time*	po prvý raz
	for the second time	po druhý raz
	for the third time	po tretí raz atď.
b)	*first(ly)*	po prvé
	second(ly)	po druhé
	third(ly)	po tretie

10. Základné počtové úkony

Sčitujeme:

1 + 2 = 3 — *one* {*and* / *plus* [plas]} *two* {*is* / *equals* [i:kwəlz]} *three*

Odčitujeme:

4 − 2 = 2 — *four* {*less* / *minus* [mainəs]} *two* {*is* / *equals*} *two*

Násobíme:

3 × 2 = 6 — *three times two* {*is* / *equals*} *six*

Delíme:

4 : 2 = 2 — {*two into four goes twice* / *four divided by two* [di'vaidid] {*is* / *equals*} *two*}

Poznámka: Rozmery udávame pomocou *by*: 6 × 9 čítaj *six by nine.*

11. Ďalšie nepravidelné slovesá

break [breik] rozbiť, zlomiť	**broke** [brəuk]	**broken** [brəukn]
lay [lei] položiť	**laid** [leid]	**laid** [leid]

lie [lai] ležať	**lay** [lei]	**lain** [lein]
lose [lu:z] stratiť	**lost** [lost]	**lost** [lost]
shrink [šriŋk] zbehnúť sa	**shrank** [šræŋk]	**shrunk** [šraŋk]
sell [sel] predávať	**sold** [səuld]	**sold** [səuld]

CVIČENIA

1. Spytujte sa a odpovedajte podľa vzoru:

Who is the young lady? She's sitting by the window.
Who is the young lady sitting by the window? –
The young lady sitting by the window is Mr Brown's sister.

1. Who is the young lady? She's speaking to Mr Brown. 2. Who is the gentleman? He's greeting Mrs Black. 3. Who is the lady? She is standing at the desk. 4. Who is the young man? He's smoking a cigarette. 5. Who is the old lady? She's talking to John. 6. Who is the girl? She's looking at the photographs.

2. Odpovedzte podľa vzoru:

Do all the trains that go to Bratislava have sleeping cars?
Most of the trains going to Bratislava have sleeping cars.

1. Do all the visitors that come to your town stay at that hotel? 2. Do all the students that study English take this course? 3. Do all the buses that leave from the airport go to the centre of the town? 4. Do all the planes that fly on this line stop at Brno? 5. Do all the foreigners who visit Prague like the Old Town best of all? 6. Do all the students who enter the university take entrance examinations?

3. Skráťte vety minulým tvarom na *-ing* podľa vzoru:

I finished my breakfast and then left for work.
Having finished my breakfast, I left for work.

1. I finished my work and then I went for a walk. 2. I said good-bye to everybody and I left. 3. I booked my room by phone and then I began to pack. 4. I packed up my luggage and then I called for a taxi. 5. I arrived at the hotel and then

I rang up Mr Blake. 6. I did my shopping and then I went to a tearoom.

4. Spytujte sa, čo robili predtým alebo potom, s použitím tvaru na *-ing*:

They went to Italy.
What did they do before (after) going to Italy?

1. They came to Newcastle. 2. They visited the fair. 3. They returned to London. 4. They came back to Prague. 5. They spent a week in the mountains. 6. Jane finished commercial school. 7. Tom entered the university.

5. Spytujte sa pomocou *always* **podľa vzoru:**

I had breakfast at seven. – **Do you always have breakfast at seven?**

1. We had lunch at one o'clock. 2. Carrie had a cup of milk after supper. 3. I had two cups of coffee in the morning. 4. We had dinner at my aunt's on Sunday. 5. We had sandwiches and cold meat for supper.

6. Doplňte vhodné tvary slovies *to do* **alebo** *to make*:

1. What did you – last week? 2. We – a trip to Scotland. 3. What is your father – at present? 4. Will you – some tea? 5. I've – a mistake. 6. Does she – her dresses herself? 7. What kind of wood is the furniture – of? 8. It was probably –. 9. Will that –? 10. Are they – some important work? 11. I'll – the cleaning and you'll – the cooking. 12. That's the best you can –.

7. Povedzte, čo ste si dali alebo dáte urobiť, podľa vzoru:

I'll have my hair –. **I'll have my hair cut (washed, tinted).**

1. I'll have my watch –. 2. I'll have my skirt –. 3. You must have your pullover –. 4. I'd like to have a new dress –. 5. I had these films – at our chemist's. 6. He got his trousers –.

8. Doplňte vhodné tvary slovies vyjadrujúcich zmenu stavu:

1. The days – shorter now. 2. It – dark. 3. He – old. 4. It – much warmer. 5. He'll soon – well again. 6. His hair – white. 7. After hearing that she – red. 8. California – a rich country.

9. Povedzte po anglicky:

a) 2/3, 3/4, 6/8, 1/2, 1/4, 1/100, 7/10, 1/5.
b) 5 ×, 1 ×, 3 ×, 2 ×, 12 ×, 10 ×.

10. Počítajte po anglicky:

12 + 8 =	24 − 6 =	5 × 7 =	49 : 7 =
5 + 4 =	17 − 3 =	4 × 12 =	90 : 30 =

11. Povedzte po anglicky:

1. Koľkokrát si tam bol? 2. Musí sa to urobiť niekoľkokrát. 3. Tentoraz to nebude ľahké. 4. Môžete mi dať dva farebné filmy 6×9? 5. Prosila by som umyť vlasy a vodovú. 6. Čo je s tými hodinkami? Nechodia. 7. Ponáhľajú sa (meškajú). 8. Môžem si vyskúšať tento oblek (tieto šaty)? Akú máte veľkosť? Mám veľkosť... 9. Môžete to urobiť na počkanie? 10. Jana si dala ušiť dvoje šiat. 11. Čítali ste nejaký román od Hemingwaya? 12. Keď sme prišli na stanicu, vlak už odišiel. 13. Pretože si želal zdokonaliť sa v angličtine, kúpil si kurz angličtiny na magnetofónových páskach. 14. Keďže zmeškal posledný autobus, musel ísť domov peši.

12. Odpovedzte na otázky:

1. What can you buy in a bookshop? 2. Which do you like better, novels or short stories? 3. How do you like Hemingway's short stories? 4. Have you read any English book in the original? 5. Does your watch keep good time? What's

wrong with it? 6. Where can you have your suit cleaned? 7. How often do you go to the barber's (hairdresser's)? Must you make an appointment before going there? 8. What can you get at an English chemist's? 9. Where's the nearest petrol station? 10. How much is a litre [li:tə] of petrol in this country?

Konverzačné cvičenia

a) Informujte sa v kníhkupectve o učebniciach angličtiny pre pokročilých, o konverzačných príručkách, o sprievodcovi po Londýne, o mape Veľkej Británie, o románoch od...

Vzor: Have you got...?
Do you keep...?
I'm looking for a good...
May I have a look at...?
Can you show me some...?

b) Dajte si opraviť hodinky, pero, fotoaparát, topánky a opýtajte sa, (do)kedy to bude hotové, či to môžu urobiť na počkanie.

Vzor: I'd like to have... repaired.
When...?
Can you do it right now?
Will it be ready by...?

c) Ako by ste si kúpili v drogérii mydlo, zubnú pastu, zubnú kefku, prášok proti bolesti hlavy, a dali si vyvolať film?

Vzor: May I have...?
I'd like...
Let me have...
Can I have... developed?

d) Ako by ste si kúpili sveter, kabát, topánky? Udajte veľkosť, požiadajte, či si to môžete vyskúšať a spýtajte sa, či to nemajú v inej farbe. Spýtajte sa na cenu.

L 28

Vzor: I'd like…
My size…
May I…?
Have you got it in…?
How much…?

ONE COMMON LANGUAGE

English is spoken in many parts of the world, for example in India or in some of the developing countries in Africa, but mainly in Great Britain, the United States of America, Canada, Australia an New Zeland.

However, it can hardly be said that all the English speaking nations use the same language. An American from the north-west of the United States and an Englishman from the north of England are likely to have difficulties in understanding one another.

Let us consider here some of the differences existing between British and American English if we want to make ourselves understood in most everyday situations.

An English tourist is sure to find the American vocabulary rather confusing. Trams appear to have changed into street-cars, lifts into elevators, the underground into the subway, which in England is an underground passage. If he feels like a snack, they advise him to go to a drugstore, but no British chemist is likely to sell sandwiches or hot dogs.

American pronunciation is said to be even more trouble-some for Englishmen. Our British tourist happens to want some cake. He is told by the "clerk in the store": "We have not cake." But the Englishman seems to hear "We have nut cake", as the English "o" is pronounced like "a" in America. You see how a single sound may change the meaning of a whole sentence.

American spelling and grammar may appear unfamiliar to an Englishman, but he is certain to understand what he reads far more easily than what he hears. American spelling is a little simpler. As for grammar, the Americans, for example, don't use "shall" for the future, but say "I will" and use "do" with the verb "to have". For example, they ask: "Do you have a brother?"

WHAT TO SAY IF YOU DON'T UNDERSTAND

We give our students the following piece of advice. If you don't understand a foreigner, say, for example:
Sorry, I can't understand you. I can't follow you.
Sorry, I didn't get you. Will you please speak more slowly?
Would you mind repeating the sentence?
What did you say his name was?
Where did you say it was?
When did you say it had happened?

Americké výrazy v texte:

americký tvar	**britský tvar**	**preklad**
clerk [klə:k]	shop-assistant	predavač
drugstore [dragsto:]	chemist's	drogéria (a lekáreň)
elevator [eliveitə]	lift	výťah
gas [gæs]	petrol	benzín
store [sto:]	shop	obchod
streetcar [stri:tka:]	tram	električka
subway [sabwei]	the underground	podzemná železnica

Výslovnosť vlastných mien: **Africa** [æfrikə]; **Canada** [kænədə]; **Australia** [osˈtreiljə]; **New Zealand** [nju:ˈzi:lənd]; **India** [indjə].

---

as for čo sa týka
advice [ədˈvais] rada *(len jedn. č.)*
  a piece of advice jedna rada
advise [ədˈvaiz] poradiť
although [o:lˈðəu] hoci
appear [əˈpiə] objaviť sa, javiť sa, zdať sa, vyjsť *(o knihe)*
certain [sə:tn] istý
common [komən] spoločný, bežný, všeobecný
confusing [kənˈfju:ziŋ] zmätočný, mylný
consider [kənˈsidə] uvážiť, vziať do úvahy

correct [kəˈrekt] správny; opraviť
developing countries [diˈveləpiŋ] rozvojové krajiny
dictionary [dikšnəri] slovník
different [difrənt] rozdielny, odlišný
drugstore [dragsto:] americká lekáreň, drogéria
even [i:vn] i, ba i
everyday life každodenný život
exist [igˈzist] existovať
familiar [fəˈmiljə] známy
foreigner [forinə] cudzinec
future [fju:čə] budúci čas, budúcnosť
gas [gæs] plyn, *(am.)* benzín
grammar [græmə] gramatika
hot dogs horúci párok v rožku
happen [hæpn]
  I happen to know it náhodou to viem
likely [laikli] pravdepodobný
  I am likely to come pravdepodobne prídem
mainly [meinli] hlavne
meaning [mi:niŋ] význam
nation [neišn] národ
nut [nat] orech
one another [wan əˈnaðə] navzájom
passage [pæsidž] priechod
  underground passage podchod
pronounce [prəˈnauns] vyslovovať
pronunciation [prəˌnansiˈeišn] výslovnosť
repeat [riˈpi:t] opakovať
seem [si:m] zdať sa
sentence [sentəns] veta
simple [simpl] jednoduchý
sound [saund] zvuk
spelling [speliŋ] pravopis, hláskovanie
subway [sabwei] podchod pre chodcov, *(am.)* podzemná železnica
surprise [səˈpraiz] prekvapenie; prekvapiť
troublesome [trablsam] obťažný, únavný
understand
  make oneself understood dorozumieť sa
unfamiliar [ˈanfəˈmiljə] neznámy
unlikely [anˈlaikli] nepravdepodobný
what to čo
vocabulary [vəˈkæbjuləri] slovná zásoba
word [wə:d] slovo

DÔLEŽITÉ VÄZBY

Do you understand spoken English?	Rozumiete hovorenú angličtinu?
I can make myself understood.	Dorozumiem sa.
That very commonly happens.	To sa veľmi bežne stáva.
I happen to know him.	Náhodou ho poznám.
I happened to meet him yesterday.	Náhodou som ho včera stretol.
Follow me.	Poďte za mnou. Nasledujte ma.
I listen to the English course on the radio.	Sledujem (počúvam) rozhlasový kurz angličtiny.
I can't follow you.	Nerozumiem vám.
I'll look up the word in the dictionary.	Vyhľadám to slovo v slovníku.
What did you say his name was?	Ako ste hovorili, že sa volá?

Where did you say he lived?	Kde ste vraveli, že býva?
He's sure to come.	Iste príde.
I'm not quite sure about it.	Nie som si tým tak celkom istý.
I feel like a snack.	Niečo by som si zajedol.
I didn't get you.	Nerozumel som vám.
Would you mind repeating the sentence?	Zopakovali by ste láskavo tú vetu?
Where did you say it was?	Kde ste vraveli, že to je?
When did you say it had happened?	Kedy ste hovorili, že sa to stalo?
Did you understand what he said?	Rozumeli ste to, čo hovorí?

VÝSLOVNOSŤ A PRAVOPIS

Výslovnosť písaného g

Písané *g* sa číta [g] pred písaným *a, o* alebo *u*, pred *r, l* a na konci slov (okrem písaného *-ng*).

Pred písaným *e, i, y* sa *g* číta zvyčajne ako [dž]. V niektorých krátkych slovách a niektorých vlastných menách sa číta [g].

Všimnite si, že výslovnosť písaného *-augh* a *-ough* kolíše, je rozdielna od prípadu k prípadu: *caught* [ko:t], *laugh* [la:f], *cough* [kof], *enough* [iˈnaf], *though* [ðəu], *thought* [θo:t], *through* [θru:].

g + u: označuje výslovnosť [g], napr. *guide* [gaid].

g + e: označuje výslovnosť [dž], napr. *George* [džo:dž].

Pozor na pravopis a výslovnosť týchto slov: *design* [diˈzain], *foreign* [forin], *straight* [streit], *language* [læŋgwidž]

píšeme	čítame	príklady
g + a, o, u	[g]	*again* [əˈgen], *ago* [əˈgəu], *August* [o:gəst]
g + r	[gr]	*degree* [diˈgri:], *great* [greit], *grocer* [grəusə], *hungry* [haŋgri]
g + l	[gl]	*glad* [glæd], *glass* [gla:s], *glove* [glav]
koncové g	[g]	*bag* [bæg], *big* [big], *dog* [dog]
g + e, i, y	[dž]	*age* [eidž], *gentleman* [džentlmən], *German* [džə:mən]
	[g]	*begin* [biˈgin], *forget* [fəˈget], *get* [get], *gift* [gift], *girl* [gə:l]
prípona -age	[idž]	*cabbage* [kæbidž], *cottage* [kotidž], *luggage* [lagidž], *manage* [mænidž]
igh	[ai]	*high* [hai], *light* [lait], *night* [nait], *sight* [sait]
eigh	[ei]	*eight* [eit], *weigh* [wei], *weight* [weit]

Precvičujte výslovnosť písaného „g“:

I'll go to the gallery again. – I'll get some sugar and eggs at the grocer's. – That gentleman is an engineer. – Can you manage with so much luggage? – We had orange juice, porridge and sausages. Mr Wright was delighted at the sight. – It weighed eighty-eight pounds. – They bought a cottage. – I've brought the bag. – It's light enough. – Don't laugh. – I've caught a cold. – I thought it was a through train. – It was a guided tour. – Who was your guide? – What's your weight and height?

GRAMATIKA

1. Väzba 1. pádu s neurčitkom

A. Väzba podmetu s prítomným neurčitkom

We expect **him** **He is expected**	} **to arrive** today.
Očakáva sa (Dúfame), že dnes príde.	

Väzba 1. pádu s neurčitkom je v angličtine veľmi častá. Možno ju použiť:

a) **Pri slovesách s väzbou 4. pád + neurčitok** (pozri L 26, str. 394) premenou slovesa do **trpného rodu:**

They asked her **She was asked**	} **to come** at once.
	Požiadali ju, aby ihneď prišla.
They advised me **I was advised**	} **to handle** it with care.
	Poradili mi, aby som s tým zaobchádzal opatrne.
We know him **He is known**	} **to be** clever.
	Vie sa o ňom, že je múdry.

Poznámka: Po slovesách zmyslového vnímania *(see, hear)* a po *make* nasleduje **v trpnom rode neurčitok s „to“:**

He was seen **to get** on the bus.	Videli ho nastúpiť do autobusu.
She was made **to repeat** it.	Prinútili ju, aby to opakovala.

b) **Po slovesách to seem a appear.** Tieto väzby prekladáme do slovenčiny neosobnou väzbou **zdá sa, vidí sa,** (že...), napr.

John is ill.	Ján je chorý.
John seems to be ill.	Zdá sa, že Ján je chorý.
He has a lot of troubles.	Má mnoho nepríjemností.
He appears to have a lot of troubles.	Zdá sa, že má mnoho nepríjemností.
There is enough time.	Je dosť času.
There seems to be enough time.	Zdá sa, že je dosť času.

c) Po niektorých ďalších väzbách, ako: **I happen to** náhodou, so slovesom **to be + sure** iste, určite, **to be + likely** pravdepodobne, **to be + unlikely** je nepravdepodobné, že ap.

I happened to see him there.	Náhodou som ho tam videl.
Mary is sure to regret it.	Mária to bude určite ľutovať.
Do you happen to know where it is?	Neviete náhodou, kde to je?
The weather is likely to change.	Počasie sa pravdepodobne zmení. (Vyzerá to, že...)
He is unlikely to win.	Pravdepodobne nevyhrá. (Je nepravdepodobné, že vyhrá.)

B. Väzba podmetu s minulým neurčitkom

It seems that	**he has been** ill.
HE seems	**TO HAVE BEEN** ill.
Zdá sa, že bol chorý.	

Prítomný neurčitok *(to be, to know)* použijeme, keď sa **oba deje odohrávajú súčasne:**

He seems **to know** it.	Zdá sa *(teraz)*, že to vie *(teraz)*.
He seemed **to know** it.	Zdalo sa *(vtedy)*, že to vedel *(vtedy)*.

Ak sa dej vedľajšej vety odohral **skôr než neosobná väzba,** vyjadríme ho **minulým neurčitkom:**

He seems	**to have known** it.	Zdá sa *(teraz)*, že to vedel *(prv)*.
He seemed	**to have known** it.	Zdalo sa *(vtedy)*, že to vedel *(už predtým)*.

Príklady:

She seems to like it.	Zdá sa, že sa jej to páči.
She seems to have liked it.	Zdá sa, že sa jej to páčilo.
He is sure to understand everything.	Určite všetko rozumie.
He is sure to have understood everything.	Určite všetko rozumel.

2. Stupňovanie prísloviek

Come **sooner.**
Príď **skôr.**

Jednoslabičné príslovky sa stupňujú podobne ako jednoslabičné prídavné mená pomocou **-er** a **-est:**

1. stupeň	2. stupeň	3. stupeň
soon skoro	**sooner** skoršie	**soonest** najskoršie
late neskoro	**later** neskoršie	**latest** najneskoršie
fast rýchlo	**faster** rýchlejšie	**fastest** najrýchlejšie

Príslovky zakončené na **-ly** sa stupňujú pomocou **more** a **most**:

slowly pomaly	**more slowly** pomalšie	**most slowly** najpomalšie
quickly rýchlo	**more quickly** rýchlejšie	**most quickly** najrýchlejšie

Pozor! Jediná výnimka:

early včas	**earlier** včaššie	**earliest** najvčaššie

Príklady:

Speak more slowly, please.	Hovorte pomalšie, prosím.
Can you walk more quickly?	Môžete ísť rýchlejšie?
Sooner or later.	Skôr alebo neskôr.
They arrived earlier than she did.	Prišli skôr než ona.
This plane flies fastest.	Toto lietadlo lieta najrýchlejšie.

3. Zosilňovanie 2. stupňa prídavných mien

It's **much** more important.
Je to oveľa dôležitejšie.

Druhý stupeň zosilňujume pomocou prísloviek:

much – oveľa
even – ba i, ba ešte
far – zďaleka
still – ešte

Príklady:

This picture is much nicer.	Tento obrázok je oveľa krajší.

The book is even more interesting than the film.	Ba kniha je ešte zaujímavejšia než film.
He is tall but she's still taller.	Je veľký, ale ona je ešte väčšia.

4. Tvorenie slov

A. Záporné predpony

happy	šťastný
unhappy	nešťastný

a) Prídavné mená tvoria spravidla zápor pomocou predpony **un-**:

lucky	šťastný	**unlucky**	[anˈlaki] nešťastný
able	schopný	**unable**	[anˈeibl] neschopný
pleasant	príjemný	**unpleasant**	[anˈpleznt] nepríjemný
likely	pravdepodobný	**unlikely**	[anˈlaikli] nepravdepodobný
popular	populárny	**unpopular**	[anˈpopjulə] nepopulárny

b) Menej bežná je **záporná predpona in-**, ktorá sa mení v **im-**, ak sa slovo začína na **p-**, a v **ir-**, ak sa slovo začína na **r-**:

correct	správny	**incorrect**	[ˌinkəˈrekt] nesprávny
possible	možný	**impossible**	[imˈposəbl] nemožný
regular	pravidelný	**irregular**	[iˈregjulə] nepravidelný

Predpona **un-** sa používa i na tvorenie **záporu slovies,** napr.

dress	obliekať sa	**undress**	[anˈdres] vyzliekať sa
pack	baliť	**unpack**	[anˈpæk] rozbaliť, vybaliť

a u **prídavných mien slovesných:**

expected	očakávaný	**unexpected**	[ˈaniksˈpektid] neočakávaný
invited	pozvaný	**uninvited**	[ˈaninˈvaitid] nepozvaný
used	použitý	**unused**	[anˈjuːzd] nepoužitý.

B. Rozlišovanie podstatných mien a slovies

> **advice** rada — **to advise** radiť

V angličtine je niekoľko podstatných mien, ktoré majú tvar podobný tvaru príslušného slovesa. Líšia sa od slovesa:

a) **výslovnosťou koncovej spoluhlásky** — u podstatného mena je **neznelá,** u slovesa je **znelá:**

use [juːs] použitie	**use** [juːz] používať
excuse [iksˈkjuːs] ospravedlnenie, výhovorka	**excuse** [iksˈkjuːz] ospravedlniť

b) **prízvukom** — **podstatné meno** má prízvuk **na prvej slabike, sloveso na druhej:**

contact [kontækt] styk	**contact** [kənˈtækt] nadviazať spojenie
export [ekspoːt] export	**export** [iksˈpoːt] vyvážať
record [ˈrekoːd] platňa, záznam	**record** [riˈkoːd] zaznamenať

c) **výslovnosťou i pravopisom:**

advice [ədˈvais] rada	**advise** [ədˈvaiz] radiť
life [laif] život	**live** [liv] žiť

Príklady:

You must make good use [ju:s] of this opportunity.	Musíte dobre využiť túto príležitosť.
She always has plenty of excuses [iks'kju:siz].	Má vždy plno výhovoriek.
Excuse me, I'm in a hurry.	Prepáčte, ponáhľam sa.
Thank you for your kind advice.	Ďakujem vám za vaše láskavé rady.
I've never seen him in my life.	V živote som ho nevidel.
Where does he live?	Kde býva?

CVIČENIA

1. Odpovedzte s použitím slovies *seem, appear* podľa vzoru:

Is he ill? – **He seems to be ill.**

1. Is she all right? 2. Are they in a hurry? 3. Is he surprised? 4. Is she glad? 5. Is Miss Wright busy today? 6. Are they happy? 7. Is Mr Smith interested in literature? 8. Is Mary getting better?

2. Odpovedzte s použitím trpnej väzby podľa vzoru:

Did they tell you to ask at the travel agency?
Yes, I was told to ask at the travel agency.

1. Did they ask you to have a look at the translation? 2. Did they ask you to correct it? 3. Did they expect him to try his hand at repairing it? 4. Do people say that he is a very good expert? 5. Did they tell her to consider the offer? 6. Did anybody tell Mr Brown where to get the information he needed? 7. Did they invite you to come to dinner tonight?

3. Odpovedzte pomocou *likely* (pravdepodobne), *sure* (určite) **podľa vzoru:**

Will they win the match?
They're likely (sure) to win the match, I think.

1. Will the weather change? 2. Will they be ready by Friday? 3. Shall I find it in the dictionary? 4. Will she take his advice? 5. Will the new novel appear this month? 6. Will the Browns come to Czechoslovakia? 7. Will they need our help? 8. Will she manage all right? 9. Will the tickets be sold out?

4. Reagujte s použitím minulého neurčitku podľa vzoru:

She seems to know about it.
Yes, and she seems to have known about it for a long time (yesterday).

1. They seem to be busy. 2. They seem to know it. 3. He seems to expect it. 4. She seems to remember it. 5. The machine seems to be quite useful. 6. The problem seems to be of great importance. 7. They seem to be short of money. 8. He's likely to be worried about it. 9. He seems to be troubled with a bad cough.

5. Reagujte pomocou *Does anybody happen to* **(+ prítomný alebo minulý neurčitok) podľa vzoru:**

I don't know him. – **Does anybody happen to know him?**
I haven't seen the new play. – **Does anybody happen to have seen it?**

1. I don't use this handbook. 2. I don't know his address. 3. I haven't read the novel. 4. I haven't explained it to him. 5. I don't speak German. 6. I don't need the stamp. 7. I haven't found the road map. 8. I can't remember his telephone number. 9. I haven't seen him there.

6. Povedzte podľa vzoru:

He's speaking too quickly. – **Yes, I think he should speak more slowly.**

1. He's driving too carelessly. 2. You're walking too slowly. 3. She isn't working hard. 4. He came late. 5. We

arrived too soon. 6. The letter is too short. 7. The new building is rather low. 8. He isn't doing it well. 9. She isn't driving fast. 10. He doesn't get up early.

7. Odpovedzte podľa vzoru:

Is it good?
It's even (much, still) better than I thought.

1. Is it bad? 2. Is the TV film boring? 3. Is the latest model expensive? 4. Is she very young? 5. Is it far? 6. Is it near? 7. Is the book you are reading very exciting? 8. Did it cost much? 9. Did it take little time? 10. Was the story little interesting?

8. Reagujte záporom podľa vzoru:

Was it correct? – **No, it was quite incorrect.**

1. Was she happy about it? 2. Was he friendly? 3. Was it expected? 4. Was it important? 5. Is it possible to finish it in time? 6. Was the new book of short stories interesting? 7. Is it regular? 8. Is he likely to understand all of it? 9. Is thirteen a lucky number? 10. Was it necessary to call the doctor?

9. Povedzte po anglicky:

1. Rád by som mu zatelefonoval. Nepoznáte náhodou jeho telefónne číslo? Náhodou som si ho poznačil. 2. Dorozumiete sa po anglicky? 3. Počúvate rozhlasový kurz angličtiny? 4. Iste to budú opakovať. 5. Kedy ste hovorili, že to je? 6. To sa bežne nestáva. 7. Ste si tým celkom istý? 8. Bolo to oveľa ťažšie, než si myslel. 9. To je ešte rýchlejšie. 10. Zdá sa, že všetko zabudol. 11. Zdá sa, že (ona) je teraz v poriadku. 12. Poradili mi, aby som ta šiel podzemnou železnicou. 13. Nepovedali mi, aby som to urobil dnes. 14. Choďte prosím rýchlejšie. 15. Môžete to urobiť jednoduchšie. 16. Zajtra musím vstať skoršie. 17. Musí pracovať starostlivejšie.

10. Odpovedzte na otázky k textu:

1. In what countries is English spoken? 2. Have you been to any English-speaking country? 3. Are there many differences between British and American English? What are they? 4. Do you know the American word for tube (tram, lift, petrol, shop)? 5. Is it easy for an English tourist to understand an American from the south of the States? 6. Is American spelling simpler? 7. What do you say if you don't understand a foreigner speaking English too quickly? 8. Can you make yourself understood in Russian? In German or in French? 9. What foreign languages can you speak? (well? a little?) 10. When did you begin to learn English? 11. Have you ever read stories in simple English? By whom?

Konverzačné cvičenia

a) Vyjadrite súhlas s daným tvrdením podľa vzoru:
He spends a lot of money. –
Yes, he does.
Yes, I think so too.
Yes, I think he does.
I'm quite sure he does.

1. Mike likes driving best of all.
2. Mary prefers reading detective stories.
3. They live quite happily.
4. He has a lot of troubles now.
5. They enjoy trips.

b) Vyjadrite svoj súhlas a nesúhlas podľa vzoru:
Mrs Brown is fond of children. –
Yes, she is.
Yes, I suppose she must be.
No, I don't think she is.

1. Jane is a hardworking girl.
2. Peter is rather slow.
3. They are in a hurry.
4. His father is proud of him.
5. She's getting slimmer.

Poznámka: **I suppose** [səˈpəuz] predpokladám, myslím, domnievam sa.

WELCOME TO PRAGUE

Mr Nový: Welcome to Prague, Mr Lee. I hope you've had no difficulty in finding our factory.
Mr Lee: None at all. The taxi driver was very helpful.
Mr Nový: We're rather a long way from the centre, aren't we?
Mr Lee: Quite so. But I enjoyed my drive through the suburbs. I was surprised to see the vast housing estates. The new blocks of flats with balconies look very nice indeed.
Mr Nový: Yes, they do, don't they? I'm going to move into one of these flats next month.
Mr Lee: Oh, you're lucky. It's very pleasant to live in a modern flat. Your factory's of new too, I suppose.
Mr Nový: Only some of the buildings. The oldest part, the workshops, were built after World War I. On this wall you can see a photograph of the original works.
Mr Lee: Oh yes, I see. It was much smaller at that time.
Mr Nový: True. We had to extend it greatly. The office block with the research department, the assembly hall and the training workshops for apprentices were built in the seventies. At present we are planning a social centre with a new,

larger dining hall, and we need more garages too.

Mr Lee: How many employees are there?

Mr Nový: Over a thousand, including office staff and technical assistants. Now, I'm sure you'd like to look round our factory as you work in the same line of business.

Mr Lee: Yes, I'd welcome that. I'm especially interested in the manufacturing process, of course.

Mr Nový: My colleague will show you round the works. We've started planning a completely automated section.

Mr Lee: Is it difficult to get skilled workers?

Mr Nový: Well, yes. We employ quite a lot of women, of course.

Mr Lee: Yes, I suppose you do. Do they get the same pay?

Mr Nový: Certainly. Women like to work here, as they can work part-time, if they like, and they don't have to work on night shifts. There's a day nursery too. And the two year maternity leave is another great advantage.

Mr Lee: You seem to take good care of your workers.

— — — — —

Mr Nový: Before we go round the works, I'd like to discuss the programme of your stay in Prague. Is there anything you'd specially like to see?

Mr Lee: Well, I've only been to Prague Castle and St Vitus Cathedral so far.

Mr Nový: All right. I'll arrange for a guide to show you the old part of Prague. There are some very fine Baroque palaces and churches which are much admired by foreign visitors. What have you on for tonight?

Mr Lee: Nothing special.

Mr Nový: Then I'd like to invite you to the opera, or would you rather go to a concert at the Prague Spring Festival?

Mr Lee: I'd welcome that. To tell you the truth I don't care for opera very much.

Mr Nový: Well, that's settled, then. For Wednesday and Thursday we're planning a tour round the west Bohemian spas.

Mr Lee: It's very kind of you to take so much trouble on my behalf.

Mr Nový: It's no trouble at all. We all want you to enjoy your stay as much as possible. On Friday, I suppose, you'll prefer to have a rest before our farewell party. But we mustn't forget to take you to a typical Prague pub, or you can go to the Podolí Swimming Bath, if you like.

Mr. Lee: Well, I think I'll go round the shops in Wenceslas Square. I noticed Fashion House and the Slovak Shop with the lovely souvenirs from Slovakia. I must get some for my wife and the children.

AN INVITATION TO BRATISLAVA

Bratislava, the capital of the Slovak Socialist Republic, has many interesting sights which no visitor should miss:

The Old Town Hall with the Municipal Museum and the Viticulture Museum, the Archbishop's Palace in classical style and its Hall of Mirrors, St Martin's Cathedral and its gothic architecture, Michael's Gate, The Slovak National Gallery, Bratislava Castle, The Slavín Memorial, the Bridge of the Slovak National Uprising.

In the Archbishop's Palace the Peace of Bratislava was signed in 1805 between the emperors Napoleon and Franz I.

Since time immemorial the Castle Hill has been a strategic point guarding the important way across the Danube. Bratislava Castle entered history in 907. This was the beginning of the rich history of Bratislava. In the 15th century – in 1465 – Academia Istropolitana, the first humanistic university was established here by the emperor Mateus Corvinus. Bratislava became the capital and the coronation town of the

Kingdom of Hungary for three centuries, in the time of the Turkish occupation of Buda.

With the development of technology and industry the town grew and in 1830 it had its first ship link and in 1848 its first railway link with Vienna. After the establishment of the First Czechoslovak Republic Bratislava became gradually an important commercial, cultural and industrial centre. Its greatest development began after the liberation in 1945. The number of inhabitants doubled in twenty years. It is the centre of chemical and engineering industries. In Bratislava there are several faculties of the Comenius University, the Slovak Technical University and other universities.

The three chief remarkable sights of Bratislava are inviting you to come and have a look at the capital of Slovakia: Bratislava Castle, the Bridge of the Slovak National Uprising and the Slavín Memorial built in memory of the heroes of the Soviet army who lost their lives for the liberation of our country.

Výslovnosť vlastných mien: **Bohemia** [bəuˈhi:mjə] Čechy; **Bohemian** [[boˈhi:mjən] český; **Bridge of the Slovak National Uprising** [bridž əv sləuvək næšənəl apˈraiziŋ] Most Slovenského národného povstania; **Buda** [bju:də] Budín; **Lee** [li:]; **the Podolí Swimming Baths** plavecký štadión v Podolí; **Archbishop's Palace** [a:čbišops pælis] Primaciálny palác; **Slavín Memorial** [slævi:n mimo:riəl] Pamätník na Slavíne; **Slovak** [sləuvæk] slovenský; **Slovakia** [sləˈvækiə] Slovensko; **St. Vitus Cathedral** [snt vaitəs kəˈθi:drəl] Katedrála sv. Víta; **St. Martin's Cathedral** [snt ma:tinz kəˈθi:drəl] Dóm sv. Martina; **Wenceslas Square** [wensisləs skweə] Václavské námestie; **Vienna** [vienə] Viedeň.

---

admire [ədˈmaiə] obdivovať
advantage [ədˈva:ntidž] výhoda, prednosť
apprentice [əˈprentis] učeň
assembly hall [əˈsembli ho:l] montážna hala
assistant [əˈsistənt] asistent, pomocník
  technical [teknikəl] **assistant** pomocný technik
automated [ˌo:təˈmeitid] automatizovaný
balcony [bælkəni] balkón
baroque [bəˈrok] barokový
behalf [biˈha:f]
  on my behalf v mojom záujme, v môj prospech, kvôli mne
canteen [kænˈti:n] závodná jedáleň
care: take care of starať sa o
care for stáť o čo, záležať na čom
church [čə:č] kostol
classicist [klæsisist] klasicistický

completely [kəm'pli:tli] celkom, úplne
coronation town [koro'neišn taun] korunovačné mesto
cut down znížiť
day nursery [nə:səri] jasle
efficiency [i'fišnsi] výkonnosť
employ [im'ploi] zamestnať
employee [ˌemploi'i:] zamestnanec
establishment [is'tæblišmənt] založenie
estate [is'teit]
housing estate sídlisko
extend [iks'tend] rozšíriť
farewell party [feəwel pa:ti] rozlúčkový večierok
fashion [fæšn] móda
Fashion House Dom módy
festival [festivl] festival
flat [flæt] byt
block [blok] **of flats** činžiak
garage [gæra:ž] garáž, autoservis
gothic [goθik] gotický
Hall of Mirrors [ho:l əv mirəz] Zrkadlová sieň
helpful [helpfl] ochotný pomôcť
historical [hi'storikl] historický
history [histəri] dejiny, história, dejepis
humanistic [ˌhju:mæ'nistik] humanistický
leave [li:v] dovolenka
maternity [mə'tə:niti] **leave** materská dovolenka
municipal [mju:'nisipl] mestský
line [lain] línia, čiara, odbor
link [liŋk] spojenie
look round prezrieť si
manufacture [ˌmænju'fækčə] vyrábať
memorial [mi'mo:riəl] pamätník
Slavín Memorial Pamätník na Slavíne
move in [mu:v] nasťahovať sa
notice [nəutis] všimnúť si
office block [blok] administratívna budova
opera [opərə] opera
part-time job práca na znížený úväzok
pay [pei] plat
plan [plæn] *(nn)* plán; plánovať
process [prəuses] postup, proces
(public) inn [pablik in]; **pub** [pab] hostinec, krčma
recent [ri:snt] nedávny, najnovší
research [ri'sə:č] výskum
rest [rest] odpočinok, zbytok
have a rest oddýchnuť si
section [sekšn] úsek, diel, časť
shift [šift] smena
show round previesť po, poukazovať čo
sick-leave [sikli:v] zdravotná dovolenka
sixties [sikstiz]
the sixties šestdesiate roky
skilled workman [skild wə:kmən] kvalifikovaný robotník
so far doteraz
social [səušl] spoločenský, sociálny
spa [spa:] kúpele
staff [sta:f] personál, štáb
style [stail] štýl, sloh
suburb [sabə:b] predmestie
in the suburb na predmestí
suppose [sə'pəuz] predpokladať, myslieť si, domnievať sa
swimming baths [ba:ðz] kúpele
swimming-pool [pu:l] plavecký bazén
technology [tek'nolədži] technika
training workshop učňovská dielňa
truth [tru:θ] pravda
tell the truth povedať pravdu
typical [tipikl] typický
vast [va:st] rozsiahly, široký
viticulture [vitikalčə] vinohradníctvo
war [wo:] vojna
welcome [welkəm] privítanie; vítať; vítaný
you are welcome prosím, môžete si to vziať (použiť)
works [wə:ks] závod, podnik
workshop [wə:kšop] dielňa

DÔLEŽITÉ VÄZBY

Welcome to Prague.	Vitajte v Prahe.
I'd welcome that.	To by som privítal.
May I have it? – You're welcome.	Môžem si to vziať? – Nech sa páči.
Thank you. – You're welcome.	Ďakujem. – Niet za čo.
Did you have any troubles?	Mali ste nejaké ťažkosti?
None at all.	Vôbec nijaké.
In which part of Prague do you live?	V ktorej štvrti Prahy bývate?
We live in the suburbs.	Bývame na predmestí.
This new block of flats looks nice.	Tento nový činžiak vyzerá pekne.
We've only just moved in.	Len teraz sme sa nasťahovali.
You take a good care of it.	Staráte sa o to dobre.
I don't care for television much.	Nestojím veľmi o televíziu.
That's settled then.	To je teda vybavené.
We'll go on a tour round Slovakia.	Pôjdeme na zájazd po Slovensku.
If you like.	Ak chcete.
Quite so.	Presne tak.
Is there time to look round the town?	Máme čas prezrieť si mesto?
We'll go round the shops.	Prezrieme si obchody.
I'll get some souvenirs.	Kúpim si nejaké suveníry.
Do you have your meals at a canteen?	Stravujete sa v závodnej jedálni?
I've taken a part-time job.	Pracujem na znížený úväzok.
Monday is payday.	Pondelok je deň výplaty.
I'm working in the same line.	Pracujem v tom istom odbore.
Do you work on the night shift?	Pracujete na nočné smeny?
You are taking too much trouble on my behalf.	Robíte si so mnou priveľa starostí.
It's no trouble at all.	To nie je vôbec nijaká starosť.

VÝSLOVNOSŤ A PRAVOPIS

Prízvuk v dlhších slovách

a) **Prízvuk na prvej slabike:**

1. Who's in this photograph? 2. What can you recommend? 3. Do you find it interesting? 4. Are you interested in literature? 5. That's different. 6. I had some difficulties. 7. Can you tell the difference? 8. It's a detailed plan. 9. Is it necessary? 10. I feel comfortable.

b) **Prízvuk na druhej slabike:**

1. Is it correct? 2. Has he made any arrangements? 3. It's a great advantage. 4. I quite admire him. 5. He's an apprentice. 6. That's a historical museum. 7. Is it important? 8. It's an original idea. 9. He is a laboratory assistant. 10. It's especially exciting. 11. How about this material? 12. Come tomorrow.

c) **V slovách zakončených na** *-ation, -ition* **je vždy hlavný prízvuk na predposlednej slabike:**

1. What's your explanation? 2. Can you give me some information? 3. What's the correct pronunciation? 4. Where's the invitation card? 5. We've made preparations for the tour. 6. The organization [o:gənaiˈzeišn] was good. 7. Congratulations! 8. Where's your registration card? 9. It's a difficult situation. 10. Who opened the exhibition?

GRAMATIKA

Prehľad predložiek označujúcich miesto, smer a čas

1. Miesto

AT (= *tesne pri niečom*)

The chair is at the desk.	Stolička je pri písacom stole.
She's standing at the window.	Stojí pri okne *(díva sa z neho).*
The shop is at the corner.	Obchod je na rohu.

Označuje miesto spojené s istou praktickou činnosťou:

He's at the office.	Je v kancelárii *(pracuje).*
He's at a conference.	Je na konferencii *(zúčastňuje sa na prednáškach).*
He's at his uncle's.	Je u strýka *(na návšteve).*
They're at the seaside.	Sú pri mori.
She's at the cinema.	Je v kine.
Ale: She isn't at the entrance, she's in the cinema.	Nie je pri vchode, je v kine (= vnútri).

V niektorých týchto spojeniach **nebýva člen,** ak je **dôraz na činnosti** spojenej s miestom:

He's at school.	Je v škole (učí sa).
She's at university (at college).	Je na univerzite (študuje).

They're at work (at home). — Sú v práci (doma).
Ale: They aren't outside, they're in the school *(building).* — Nie sú vonku, sú v škole (=*v budove školy*).

Poznámky: 1. Pred menšími mestami (osadami) používame predložku **at**: at Piešťany. Pred veľkými mestami používame **in**: in London, in New York.

2. Namiesto **at the office** môžeme povedať (ak sme v tej istej budove) **in the office.**

AMONG (= *medzi viacerými osobami, predmetmi)*

It must be among the things on the desk. — Musí to byť medzi vecami na písacom stole.

BETWEEN (= *medzi dvoma osobami, predmetmi*)

He was sitting between his father and mother. — Sedel medzi otcom a matkou.

ABOVE nad (= *vyššie*)

We are flying above the clouds. — Letíme nad oblakmi.
It's five degrees above zero. — Je päť stupňov nad nulou.

BELOW pod (=*nižšie*)

The flat below (us) is vacant. — Byt pod nami je voľný.
It's ten degrees below zero. — Je desať stupňov pod nulou.

BEHIND za

The museum is behind the church. — Múzeum je za kostolom.
Someone's behind the door. — Niekto je za dverami.

IN FRONT OF pred

The bus stops in front of the railway station. — Autobus stojí pred železničnou stanicou.

BY pri (= *vedľa, blízko*)

The bookcase is by the door. — Knižnica je pri dverách.
He has a house by the river. — Má domček pri rieke *(v blízkosti).*

IN (= *vnútri, vo vymedzenom priestore*)

It's in the middle of the room. — Je to uprostred izby.

The smaller table is in the corner.	Menší stôl je v rohu.
They aren't in the street, they're in the garden.	Nie sú na ulici, sú v záhrade.

U svetových strán:

It's in the south of Slovakia.	Je to na juhu Slovenska.

U mien veľkých miest, krajín a zemí:

We were in England.	Boli sme v Anglicku.
It's in the Atlantic Ocean.	Je to v Atlantickom oceáne.

Ak je dôraz na činnosti spojenej s podstatným menom, člen nebýva:

He must stay **in bed.**	Musí zostať v posteli (= ležať).
He is **in hospital.**	Je v nemocnici (= na liečení).

Poznámka: Pred menami veľkých miest a krajín používame predložku **in,** ale **po predprítomnom čase slovesa „be"** je vždy **to:**

Have you been to London?	Boli ste v Londýne?
I've never been to France.	Nebol som nikdy vo Francúzsku.

ON (= *na zvislej alebo vodorovnej ploche*)

The book is on the top shelf.	Kniha je na hornej polici.
Oxford is on the Thames.	Oxford leží na Temži.
It is written on the blackboard.	Je to napísané na tabuli.
We live on the fifth floor.	Bývame na piatom poschodí.

V prenesenom význame:

I heard it on the radio.	Počul som to v rádiu.
What's on television?	Čo dávajú v televízii?
He's on leave/on holiday.	Je na dovolenke.
They're on a tour (on a business trip).	Sú na zájazde (na služobnej ceste).

OPPOSITE naproti

The bank is opposite the post-office.	Banka je naproti pošte.

OVER (= *bezprostredne nad*)

The lamp is over the table.	Lampa je nad stolom.
The picture is over the fireplace.	Obraz je nad kozubom.

(= *na všetkých častiach povrchu alebo z miesta na miesto*)

He's famous all over the world.	Je slávny po celom svete.
They travelled all over the country.	Precestovali celý kraj.

UNDER (= *bezprostredne pod*)

There's a carpet under the table.	Pod stolom je koberec.

2. Smer *(kam? kadiaľ?)*

ACROSS cez, po (= *z jednej strany na druhú*)

You must go across the bridge.	Musíte prejsť cez most.
Go across the street, across the square.	Prejdite cez ulicu, námestie.
We went across the fields.	Šli sme cez pole.
He swam across the river.	Preplával rieku.

ALONG po, pozdĺž

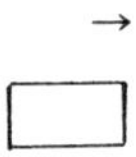

We walked along the river.	Šli sme pozdĺž rieky.
Walk along this street.	Choďte touto ulicou.

INTO do (= *smerom dnu*)

Come into the house.	Poď do domu.
Carry it into the kitchen.	Odnes to do kuchyne.
Put it into your bag.	Daj si to do tašky.
Let's get into the tram.	Nastúpme do električky.

OUT OF (= *von z*)

Look out of the window.	Pozri sa z okna!
Take it out of your bag.	Vyber to z tašky!

Mimo (= *nie vo vnútri*)

Mr Nový is out of Prague (out of town).	Pán Nový je mimo Prahy.

TO (= *smerom k, na miesto určenia*)

He went to the bridge.	Šiel k mostu.
We must go to the right.	Musíme ísť doprava.
She went to the hairdresser's.	Šla ku kaderníčke.
They want to go to the seaside.	Chcú ísť k moru.

We'll go to Granny's.	Pôjdeme k starej mame.
Come to the mountains with us.	Poďte s nami do hôr.
Let's go to the pictures.	Poďme do kina.

Poznámka: Sloveso *go* sa vždy spája s **to,** ale: *Go home.* – Choď domov.

V nasledujúcich spojeniach je podstatné meno bez člena, lebo ide o účel, ktorému príslušné miesto slúži:

John must go to school.	Ján musí ísť do školy.
I'll go to bed.	Pôjdem spať.
He must go to hospital for a week.	Musí ísť na týždeň do nemocnice.
I'll not be able to go to work.	Nebudem môcť ísť do práce.
Let's go to town.	Poďme do mesta.

Poznámka: *Go to town* (bez člena) znamená ísť do stredu mesta alebo do najbližšieho veľkého mesta z vidieka.

3. Čas

AT (= *v istom časovom momente*)

The train will arrive at six.	Vlak príde o šiestej.
It happened at two o'clock at night.	Stalo sa to o druhej v noci.
The bus will come at any moment.	Autobus príde každú chvíľu.
I'll be seeing him at midday (at noon).	Uvidím ho na poludnie.

cez (= *v istom časovom období*)

What did you do at the weekend?	Čo ste robili cez víkend?
We were there at Christmas.	Boli sme tam cez Vianoce.

IN (= *v istom časovom období, v spojení s* **časťami dňa, s mesiacmi, ročnými obdobiami, rokmi** atď.)

Come in the afternoon (in the morning).	Prídi popoludní (dopoludnia).
He sleeps in the (by) day and works in the (by) night.	Vo dne spí a v noci pracuje.
I was born in July.	Narodil som sa v júli.
It's very hot there in summer.	V lete je tam veľmi horúco.
We were there in the summer.	Boli sme tam tohto leta.
He returned to Prague in 1974.	Vrátil sa do Prahy v r. 1974.

Poznámky: 1. Člen s ročnými obdobiami použijeme vtedy, ak ide o isté ročné obdobie, napr. tohtoročné leto.
2. Na rozdiel od slovenčiny sa v angličtine nepoužíva nijaká predložka: It was this week (last month, last summer). Bolo to v tomto týždni (v minulom mesiaci, cez minulé leto).

It will take place next year.	Bude sa to konať v budúcom roku.

IN (= *vo význame o isté časové obdobie*)

It'll be ready in a moment (in an hour, in two days).	Bude to hotové o chvíľu (o hodinu, o dva dni).

ON (=*v istý deň*)

It was on my birthday.	Bolo to na moje narodeniny.
He usually comes on Sunday.	Obyčajne chodieva v nedeľu.
He arrived on Saturday evening.	Prišiel v sobotu večer.
I received the letter on the fifth of March.	Dostal som ten list piateho marca.
What did you do on that day (on New Year's Day)?	Čo si robil v ten deň (na Nový rok)?

Poznámka: Pri dňoch týždňa a sviatkov nebýva člen.

BY (= *do konca istého obdobia*)

I must collect it by 4 o'clock.	Musím si to vyzdvihnúť do štvrtej hodiny.
Be here by 8 o'clock at the latest.	Buď tu najneskoršie do ôsmej hodiny.
Will it be ready by tomorrow?	Bude to hotové do zajtra?
I'll do it by the end of the week.	Urobím to do konca týždňa.

DURING (=*v priebehu daného, spravidla celého časového obdobia*)

What did you do during your holiday?	Čo ste robili cez dovolenku?

FOR (=*ako dlho dej trvá*)

He stayed there for a week.	Zostal tam týždeň.
I've been married for two years.	Som ženatý dva roky.
We'll go there for two days.	Pôjdeme tam na dva dni.

FROM – TO (= *od istého času do istého času*)

He worked from 8 to 4.	Pracoval od 8. do 4.
I worked from morning to night.	Pracoval som od rána do noci.
It lasted from Monday to Saturday.	Trvalo to od pondelka do soboty.
He lived from 1920 to 1970.	Žil od roku 1920 do 1970.

SINCE (= *od istého daného času až doteraz*)

He's been with us since 2 o'clock.	Je u nás od druhej hodiny (doteraz).
I haven't seen him since Monday.	Od pondelka som ho nevidel.
I've been learning English since 1970.	Učím sa angličtinu od roku 1970.

TILL, UNTIL [anˈtil] (= *až do daného času a po celý čas predtým*)

Can you stay until Monday?	Môžete zostať do pondelka?
I'll wait for you till seven.	Počkám na vás do siedmej.
You'd better wait till his arrival.	Mali by ste radšej počkať až do jeho príchodu.
Goodbye till tomorrow.	Do videnia do zajtra! Do videnia zajtra!

CVIČENIA

1. Reagujte na dané vety pomocou *just now, at present* (pozri prítomný priebehový čas, L 4, str. 58) **podľa vzoru:**

They must prepare the programme for him. – **Yes, they're preparing it just now (at present, this year).**

1. Mike wanted to study engineering. 2. They want to extend the factory. 3. She must do some shopping. 4. He must take a year's practice in a factory. 5. Sue wanted to attend an advanced course of English. 6. He always spend his holiday in the mountains. 7. Peter wanted to speak to them. 8. They wanted to move in the new flat this week.

2. Zopakujte si tvorenie otázky s *do, did* (pozri L 6 a 14) **a spytujte sa podľa vzoru:**

He makes a lot of mistakes. – **Why does he make so many mistakes?**

1. I want to improve my English. 2. They prefer to speak French. 3. I admire him. 4. He wants to change his job. 5. They decided to leave earlier. 6. She takes a lot of pills. 7. He left without saying anything to me. 8. I had to work till late at night.

3. Doplňte predložky *at, in* **a prípadne aj člen:**

1. I get up – six – morning. 2. My son is – school now. 3. Both his daughters are – university. 4. It will take place – beginning of May. 5. Are they staying – Yałta Hotel? 6. – afternoon it got very dark. 7. I've never been – Wales. 8. John is – his aunt's now. 9. What did you do – that time? 10. Was it – August? 11. He's – hospital, he's broken his leg. 12. I'll be meeting you – railway station. 13. She's – hairdresser's. 14. The bus stop is – corner. 15. Come – half past six – evening. 16. We finished – noon.

4. Odpovedzte najprv stručne *(Yes, I did)* **a v druhej vete udajte čas, v ktorom sa dej odohrával podľa vzoru:**

Did you listen to the radio yesterday? – **Yes, we did.**
We were listening to the radio the whole evening (all the time, from 6 to 10).

1. Did he smoke a lot? 2. Did you wait long? 3. Did you pack your suitcase? 4. Did Charles watch the football match yesterday? 5. Did it rain much in the mountains? 6. Did you have plenty of sunshine? 7. Did you play basket-ball on Saturday? 8. Did you show them round the works yesterday?

5. Doplňte *in, on* **a prípadne aj člen:**

1. I was – country – Saturday. 2. Did you work – garden – Sunday afternoon? 3. He's – holiday this week. 4. Is it – desk or – book-shelf? 5. The girl – picture is very pretty. 6. – which floor do you live? 7. There are a lot of cars parking – street. 8. Who's – photograph hanging – wall? 9. Did you hear it – radio or was it – television? 10. He worked – farm – summer. 11. We are always – mountains – winter. 12. They are – sight-seeing tour at present. 13. We saw only a few farmers working – fields. 14. There are some very nice shops – square. 15. We had visitors – New Year's Day. 16. Will you ring me up – afternoon? 17. They'll be back – hour.

6. Odpovedzte s použitím predprítomného času (jednoduchého alebo priebehového) podľa vzoru:

Do you work in Prague? – **Yes, I do. I've been working here for ten years (since 1970, for a long time** ap.).

1. Do you live in Prague? 2. Do you collect gramophone records? 3. Do you smoke? 4. Do you know Mr Black? 5. Does Mr Miller teach German? 6. Do you work as a secretary? 7. Are you interested in history? 8. Does she take French lessons? 9. Do they always spend their holidays abroad?

7. Použite predložku opačného významu podľa vzoru:

It's 25 degrees **below** *zero.* – **It's 25 degrees above zero.**

1. What is there in front of the house? 2. It's over the desk. 3. He went out of the house. 4. They're living in the flat below us. 5. Who's sitting behind you? 6. Where shall I get off the tram? 7. Let's walk up Wenceslas Square. 8. We saw some hills above us. 9. Come in. 10. Will you take it out of the car? 11. She's over fifty. 12. Put your coat on. 13. Children under 14 are allowed to see the film. 14. Will you, please, switch off the radio?

8. Doplňte podľa potreby *since, for, during* **alebo** *till:*

1. I stayed there – seven o'clock. 2. I have known him – my school days. 3. What did you do – last week? 4. I haven't been to the pictures – a long time. 5. She slept – noon. 6. Where have you been – all that time? 7. There was no snow – Christmas. 8. I have been busy – Monday. 9. I'll be busy – Monday. 10. He has been here – the beginning. 11. I haven't seen him – yesterday morning. 12. I shall keep the book – three days.

9. Odpovedzte na otázky podľa vzoru:

What was Mary doing when you met her?
Mary was walking in the park when I met her.

1. What were you doing when John came in? 2. What

were they discussing when you entered the room? 3. What was she doing in the kitchen when the phone rang? 4. What were you speaking about when they came? 5. What were you doing while she was preparing supper? 6. What were the children doing when you arrived?

10. Povedzte pomocou *He wanted to know* **podľa vzoru:**

Have they arrived? – **He wanted to know whether they had arrived.**

1. Are they here? 2. Were they shown round the laboratories? 3. Are they going to visit the National Gallery? 4. Did they see our latest machines? 5. Do they prefer to go to a pub? 6. How did they enjoy the sightseeing tour? 7. Will they stay for another week? 8. Do they like our new canteen? 9. Are they interested in historical sights?

11. Doplňte tvary predprítomného alebo minulého času:

1. I (to be) born in May. 2. He (to know) her since 1970. 3. He (to come) a few minutes ago. 4. He (to come) not yet. 5. They (to begin) yesterday. 6. I (to be) never in hospital. 7. We (to live) in this house for seven years. 8. They (to marry) in 1974. 9. I (to receive) a long letter from Mother this week. 10. He (to bring) the photographs. Will you have a look?

12. Povedzte, kam kto šiel podľa vzoru:

Is she at the hairdresser's? – **Yes, I think she went to the hairdresser's.**

1. Are they at the bus stop? 2. Are they at the theatre? 3. Is she at home? 4. Are they at the seaside? 5. Is Tom at a concert? 6. Are they in the High Tatras? 7. Is she at the barber's? 8. Are they in Britain? 9. Are your children at Granny's? 10. Is Peter in the garden?

13. Povedzte v budúcnosti, prítomnosti a minulosti podľa vzoru:

If he (to ask) me, I'll come. – **If he asked me, I'd come. If he had asked me, I'd have come.**

1. If I (to meet) him, I (to tell) him about it. 2. Tom (to do) it if he (to be) well. 3. If you (to give) me the letter, I (to post) it for you. 4. If he (to be) in my place, he (to do) the same. 5. Jane (to help) us, if we (to ring her up). 6. If I (not to know) how to do it, I (to ask) his advice. 7. He (to buy) a new car if he (to save up) enough money.

14. Spytujte sa pomocou *What will you do if...?* **a odpovedzte podľa vzoru:**

If it's fine on Sunday? – **What will you do if it's fine on Sunday? If it's fine on Sunday, I'll work in the garden (go for a trip** atď.).

1. If it rains on Saturday? 2. If you don't get the tickets to the cinema? 3. If the bus is too crowded? 4. If you don't get any letter from her by Saturday? 5. If you can't come on Monday? 6. If the train is late? 7. If you are free tomorrow evening?

15. Povedzte po anglicky:

1. Bývame na predmestí. 2. Máme trojizbový byt. 3. Náš balkón je nad vchodom. 4. Kedy sa budete sťahovať? – Nasťahovali sme sa pred mesiacom. 5. Nebývame vo vile, bývame v činžiaku. 6. Vitajte u nás (doma). Chceli by ste, aby som vám ukázal náš byt (= previedol po byte?) – Áno, prosím. 7. Môžem si to prezrieť? – Nech sa páči. 8. Prevediem vás po Bratislave, ak chcete. 9. Kam chodievate na obedy? – Do závodnej kuchyne. 10. Pán Nový je mimo Prahy (= mesta), je na služobnej ceste.

16. Odpovedzte na otázky:

1. How did Mr Lee get to the factory? 2. What did he notice on his way there? 3. Where's the factory? 4. When was its oldest part built? 5. Which of the factory buildings

are of recent date? 6. How many employees are there? 7. What are they planning to build at present? 8. What advantages are there for the women who work in the factory? 9. Who's going to show Mr Lee round? 10. Is the manufacturing process fully automated?

Konverzačné cvičenia

Try to tell an English visitor about each of the sights given in the list below.

Wenceslas Square:

The National Museum – collections of animals, birds, minerals [minərəlz] minerálie, historical collections. **The Food Mart** [ma:t] Dom potravín, **Fashion House, the Slovak Shop, the Statue** [stætju:] **of St. Wenceslas, the Yalta (Hotel).**

The Old Town Square Staromestské námestie:

The Old Town Hall Staromestská radnica, **the Astronomical Clock** [ˌæstroˈnomikl klok] orloj, **the Hus Monument by Šaloun** [has monjumənt] Husov pomník od Šalouna, **the Týn Church (built in the gothic style), the Powder Tower** [paudə tauə] **in late gothic style** Prašná brána v neskoro gotickom slohu, **Charles University established** [isˈtæblišt] **in 1348** Karlova univerzita založená v r. 1348, **the Carolinum** [ˌkærəˈlainəm] Karolínum, **the University Library** [laibrəri] Univerzitná knižnica, **The Charles Bridge built in the 14th century** [senčəri] Karlov most postavený v 14. storočí, **statue** [stætju:] socha, **the Bridge Tower** Mostecká veža.

The Lesser Town Malá Strana:

St. Nicolas's Church [snt ˈnikələsiz] **built in the baroque style** chrám sv. Mikuláša postavený v barokovom slohu, **the Castle Gardens** zámocké záhrady, **the Wallenstein Palace** [wolnstain pælis] Valdštejnský palác.

Prague Castle:

St. George's Church in the Romanesque [rəuməˈnesk] **style** kostol sv. Juraja v románskom slohu, **St. Vitus's Cathedral** [snt ˈvaitəsiz kæˈθi:drəl], **the National Gallery with paintings** [peintiŋz] **by old masters** [ma:stəz] Národná galéria s obrazmi starých majstrov, **Queen** [kwi:n] **Anne's Summer House in the renaissance style** [rəˈneisns] Letohrádok kráľovnej Anny v renesančnom slohu.

Vzor:

Now we are in... (Wenceslas Square).
The... (large) building in front of us is...
It's famous for its...
It was built in the... (last century).
To the left (right) you can see a...
This is... It was built in the... style.

OBSAH

KĽÚČ

DODATOK

OBSAH ZVUKOVEJ NAHRÁVKY NA KAZETE

KĽÚČ

1. lekcia

Text:

Kto ste?

A: Dobré ráno! Menujem sa Peter Black. Som váš učiteľ angličtiny. Ste pán Nový?
B: Áno, som. Ste z Londýna, pán Black?
A: Nie, nie som. Som z Oxfordu. A vy? Ste z Bratislavy?
B: Áno, som. Som slovenský študent.
A: Tak čo, ste pripravený?
B: Áno, som.

Čo je to?

Čo je to? To je kniha. Áno, to je kniha. Je stará? Áno, je. Je to stará kniha.

Je to klobúk? Áno, je. To je klobúk. Je nový? Ale nie, nie je. Je starý. Je to starý klobúk.

Čo je to? To je jablko. Áno, to je jablko. Je dobré? Áno, je. Je to veľmi dobré jablko.

Je to pomaranč? Áno, je. Áno, to je pomaranč. Je to veľký pomaranč.

Ako sa máš?

B: Ahoj, Anna. Ako sa máš?
A: Mám sa dobre.
B: Je Ján doma?
A: Nie, nie je. Je v kancelárii, ale Mišo je doma.
B: Ako sa má?
A: Nemá sa dobre, je chorý.
B: Ach, je mi ľúto. A ako sa má slečna Blacková? Je v Londýne?
A: Áno, je. Má teraz v škole veľa roboty.

Cvičenia:

2.
1. Yes, it's a hat. 2. Yes, it's new. 3. Yes, it's from Prague. 4. Yes, it's a Slovak book. 5. Yes, it's good. 6. Yes, it's old.

4.
1. I'm from ... (Brno). 2. He's a student. 3. I'm well (I'm ill). 4. I'm Mr N. (I'm Miss N.). 5. I'm Slovak. 6. I'm... (Pavel). 7. I'm a Slovak student (a Slovak teacher).

5.

1. aren't 2. isn't 3. aren't 4. isn't 5. isn't 6. isn't 7. isn't 8. aren't

8.

1. Is she sorry? 2. Is he in Prague? 3. Is she a teacher? 4. Is he a student? 5. Is she from London? 6. Is he ready? 7. Is he at home? 8. Is he at school?

9.

1. No, he isn't. 2. Yes, he is. 3. No, he isn't. 4. Yes, it is. 5. No, she isn't. 6. Yes, it is. 7. Yes, he is. 8. Yes, she is. 9. No, he isn't. 10. Yes, she is. 11. No, it isn't. 12. No, I'm not.

10.

1. Good morning, Mr Miller. 2. How are you? 3. Are you well? 4. How is Anne? 5. Is she well? 6. Yes, she is. 7. She is in Oxford now, and she is very busy at school. 8. Is John at home? 9. I'm sorry, he isn't. 10. He is in his office.

12.

Who are you? I am a Slovak student. My name is P. N. I am from Bratislava. Mr Miller is my English teacher. Miss Anne Young is an English student from London. She is in Bratislava now.

2. lekcia

Text:

ˈmai ˈrum

ðis‿iz mai ˈrum. its ˈveri ˈnais. ðə ˈwindəu‿is ˈla:dž. ˈðis iz ˈmai desk. ˈðæt‿iz əˈbukkeis. its‿ə ˈnju: ˈbukkeis. ˈðiz ˈsmo:l ˈteibl iz ˈəuld. ˈði:z ˈčeəz‿a:r ˈəuld ˈtu:, bət ˈðəuz ˈtu: ˈa:mčeəz‿a: ˈnot ˈəuld. ˈðei‿a: ˈnju:. ˈwots ˈðis? ˈðis‿iz‿ə ˈnju: ˈpikčə. ænd ˈwots ˈðæt? ˈəu ˈjes, ðæts‿ə ˈlæmp.

ðə ˈdesk‿ənd ðə ˈbukkeis a: ˈbraun, ðə ˈteibl‿ənd ðə ˈčeəz‿a: ˈgri:n. ði‿ˈa:mčeəz‿a: ˈred. ˈwot ˈkalər‿iz ðəˈka:pit? it‿iz ˈda:k ˈblu:. its ˈveri ˈθik. ˈwot ˈkalər‿a: ˈðəuz ˈθin ˈkə:tinz? ðəi‿a: ˈwait.

həˈləu, ˈboiz!

ˈði:z ˈθri: ˈboiz‿a: ˈmai ˈfrendz. ðeiə ˈpi:tə ˈbraun, ˈfred ˈmilə ˈænd ˈhæri ˈsmiθ. ˈpi:tər‿ənd ˈhæri‿a: ˈstju:dnts, ˈfred‿iz‿ə ˈkla:k‿in‿ə ˈfæktəri.

"həˈləu, ˈboiz! hau‿ˈa: ju:?"

"həˈləu, ˈbob! wiə ˈfain, ˈθæŋks. ənd ˈhau‿a: ˈju:?"

"aim‿o:l ˈrait."

Moja izba

Toto je moja izba. Je veľmi pekná. Okno je veľké. To je môj písací stôl. Tamto je knižnica. Je to nová knižnica. Tento malý stôl je starý. Tieto stoličky sú tiež staré, ale tamtie dve kreslá nie sú staré. Sú nové. Čo je toto? To je nový obraz. A čo je tamto? Ale áno, to je lampa.

Písací stôl a knižnica sú hnedé, stôl a stoličky sú zelené. Kreslá sú červené. Akú farbu má koberec? Je tmavomodrý. Je veľmi hrubý. Akú farbu majú tamtie tenké záclony? Sú biele.

Ahoj, chlapci!

Títo traja chlapci sú moji priatelia. Sú to Peter Brown, Fred Miller a Harry Smith. Peter a Harry sú študenti, Fred je úradníkom v továrni.
„Ahoj, chlapci! Ako sa máte?"
„Ahoj, Bob! Máme sa dobre, vďaka. A ako sa máš ty?"
„Mám sa dobre."

Cvičenia:

3.
1. We're Slovak too. 2. We're from Bratislava too. 3. We're teachers too. 4. We're busy too. 5. We're very well too. 6. We're fine too.

4.
1. Oh no, they aren't at home. 2. Oh no, they aren't clerks. 3. Oh no, they aren't in the office now. 4. Oh no, they aren't in the factory. 5. Oh no, they aren't busy. 6. Oh no, they aren't ready.

9.
1. Who are these boys? 2. This is John and that's Bob. 3. They're my friends. 4. That's Fred Brown. 5. He's my friend too. 6. Hello, Fred. 7. How are you, Mr Young? 8. I'm well (fine), thank you. 9. How's Mr Miller? 10. He's well.

11.
My room. My room is nice. The window is large, and the curtains are white. This is my bookcase. These are Slovak books. Those are English books. That is my old desk. This small table is old too, but those red armchairs are new. The lamp is new too. The carpet is dark green. Those two pictures are very old.

3. lekcia

Text:

ˈHu:z ˈðæt?
A: iz ˈðæt jo: ˈbraðə?
B: ˈnəu, ðis ˈiznt mai ˈbraðə, ˈðis‿iz mai ˈfrend.
A: ˈwots hiz ˈneim?
B: hiz ˈneim‿iz ˈpætrik, ənd ˈθæt‿iz hiz ˈgə:l ˈfrend.
A: ˈwoths hə ˈneim?
B: hə ˈneimz ˈdžəun ˈbeikə.
A: ˈhæz ši:‿ə ˈsistə?

B: nəu, ši: hæznt. ði:s‿iz hə maðər‿ənd ðis‿iz hə fa:ðə.
A: gud‿ˈi:vniŋ, misiz ˈbeikə. gud ˈi:vniŋ, mistə ˈbeikə.
B: gud‿i:vniŋ. iz ˈðis ˈjo: ˈka:?
A: ˈnəu, wi ˈhævnt‿ə ˈblu: ˈka:. ˈauə ˈka:z‿əuvə‿ðeə. wi həv‿əˈredˈka:.
B: ənd ˈweər‿a: ðə ˈbraunz?
A: ðei‿a:r‿in ðeəˈka:.

2.

maðə:	keit, briŋ ðəˈrəud mæp, ˈpli:z, ənd ˈput it‿in mai ˈbæg.
keit:	weər‿iz‿it?
maðə:	its‿on ðə ˈteibl. – ˈdžəun, ˈteik jo ˈwo:m ˈkəut. its ˈkəuld autˈsaid.
džəun:	ˈmam, ˈweəz mai ˈpuləuvə?
maðə:	its ˈhiə, ənd jo ˈbægz ˈəuvəðeə. – ˈtom!
tom:	jes, ˈmam?
maðə:	əupn ðə do:r‿ənd ˈteik ˈðis ˈbæg.
tom:	iz ˈðis ˈjo: ˈbæg?
maðə:	jes, ˈput‿it‿inˈsaid, ˈpli:z. – ˈsəu, wiə ˈredi. ˈpæt, get‿ˈin ˈfə:st.
tom:	ˈkam‿ˈon, ˈkeit, wiə ˈleit.

Poznámka k výslovnosti osobných a privlastňovacích zámen:

Všimnite si výslovnosť osobných a privlastňovacích zámen v nedôraznej pozícii vo vete. Ak nie je na nich dôraz, vyslovíme ich krátko, teda:

you [ju], he [hi], she [ši], we [wi]
your [jo], her [hə]

Kto je to?

A: Je to tvoj brat?
B: Nie, to nie je môj brat, to je môj priateľ.
A: Ako sa volá?
B: Volá sa Patrick a to je jeho priateľka.
A: Ako sa volá?
B: Volá sa Joan Bakerová.
A: Má sestru?
B: Nie, nemá. Toto je jej matka a otec.
A: Dobrý večer, pani B. Dobrý večer, pán B.
B: Dobrý večer. Je to vaše auto?
A: Nie, nemáme modré auto. Naše auto je tam. Máme červené auto.
C: A kde sú Brownovci?
A: Sú vo svojom aute.

2.

Matka:	Katka, prines, prosím ťa, automapu a daj mi ju do tašky.
Katka:	Kde je?
Matka:	Je na stole. – Jana, vezmi si teplý kabát. Vonku je zima.
Jana:	Mami, kde mám pulóver?
Matka:	Je tu a (tvoja) taška je tam. – Tomi!
Tom:	Áno, mami?

Matka: Otvor dvere a vezmi si túto tašku.
Tom: To je tvoja taška?
Matka: Áno, daj ju, prosím ťa, dnu. – Tak, sme hotoví. Pat, nastúp prvá (najsamprv).
Tom: Tak poď, Katka, ideme neskoro.

Poznámky k textu:

Všimnite si predovšetkým, ako často používajú Angličania privlastňovacie zámená, hlavne ak ide o osobné veci *(Take your coat.* Vezmi si kabát.), členov rodiny *(My brother is a clerk.* Brat je úradníkom.) a časti tela *(What have you in your hand?* Čo máš v ruke?).

The *Browns* – Brownovci: vlastné mená osôb nemajú člen, ale ak ich použijeme v množnom čísle, majú člen.

Cvičenia:

4.
You (I) have a new bag (a nice coat).
Mr Brown (Joan) has an old (English) car (friend).

5.
Pozor pri 6. vete: but Mike hasn't.

6.
Pozor! Ak použijeme privlastňovacie zámeno, nedávame člen.
1. This is my sister. 2. This is my new car. 3. This is her friend. 4. This is your map. 5. This is their girl. 6. This is his desk. 7. This is her pullover. 8. This is our bookcase. 9. This is his factory. 10. This is their old car.

7.
1. my 2. her 3. his 4. its 5. our 6. his (her) 7. your 8. his 9. their 10. her.

9.
1. What is her name? 2. What is your name? 3. What is his name? 4. What are their names? 5. What are your names? 6. What is your name? 7. What is his name? 8. What are their names?

11.
1. Yes, I am. (No, I'm not.) 2. Yes, he is. (No, he isn't.) 3. Yes, I am. (No, I'm not.) 4. Yes, they are. (No, they aren't.) 5. Yes, she is. (No, she isn't.) 6. No, she isn't. 7. No, they aren't. 8. Yes, they are. 9. Yes, we are. 10. Yes, it is. 11. Yes, it is. 12. Yes, they are.

12.
1. You're late. 2. I'm sorry I'm late. 3. What is her name? 4. Her name is Pat. 5. It's cold outside. 6. It's warm inside. 7. Are you warm? 8. No, I'm cold. 9. Take your pullover. 10. Shut the door and open the window, please.

14.

Who is this?

This is my brother Patrick and that is Kate Brown. She is his girlfriend. These are her father and mother. Mr Baker is a clerk, Mrs Baker is a teacher.

This is Kate and that is her sister Anne. Anne has a boyfriend too. His name is Tom Black. Tom has two brothers. He and his brothers are students.

4. lekcia

Text:

ˈwot a: ðei ˈdu:iŋ?

it‿iz ˈsandei. ˈmisiz ˈbeikər‿iz‿in ðəˈkičin, ši‿iz ˈkukiŋ. ši‿iz ˈstændiŋ ət ðəˈteibl‿ənd ši‿iz ˈmeikiŋ‿ə ˈkeik.

wot‿iz ˈsu:zn ˈdu:iŋ? ši‿iz ˈputiŋ ðə ˈpleits‿on ðə ˈteibl. litl ˈlu:si‿iz ˈhelpiŋ hə. ši‿iz ˈbriŋiŋ ðə ˈgla:siz. ši‿iz ˈkæriiŋ ðem ˈveri ˈkeəfli.

mistə ˈbeikər‿iz ˈwə:kiŋ in ðəˈga:dn. hi‿iz ˈwo:təriŋ ðə ˈflauəz. ˈpi:tər‿iz ˈhelpiŋ him.

it‿iz faiv‿əˈklok. mistə ˈbeikər‿iz‿in ðə ˈliviŋ rum. hi‿iz ˈri:diŋ hiz ˈnju:sˌpeipə. misiz ˈbeikər‿iz ˈnitiŋ‿ə ˈpuləuvə. ˈpi:tər‿iz ˈlə:niŋ hiz ˈlesnz. ˈsu:zn‿ənd ˈlu:si‿a: ˈpleiiŋ.

2.

misiz smiθ:	wot‿a: juˈdu:iŋ, ˈtom?
tom:	aim ˈlə:niŋ ˈfrenčˈwə:dz.
misiz smiθ:	wots ˈkeit ˈdu:iŋ? iz šiˈwə:kiŋ ˈtu:?
tom:	əu ˈnəu. ši:z ˈpleiiŋ. ˈsu:zns ˈlə:niŋ hə ˈlesnz wið ˈmi:.

3.

mistə beikə:	weəz ðə ˈnju:sˌpeipə? a: ju ˈri:diŋ‿it?
misiz beikə:	aim ˈnot ˈri:diŋ. lu:si‿ənd‿ai a: ˈmekiŋ ðəˈti:. ˈkam‿ənd help‿as.

4.

misiz smiθ:	weəz misiz ˈbeikə?
džon:	ši:z ˈsitiŋ ˈhiər‿ənd ši:z ˈnitiŋ‿əˈpuləuvə. ˈlu:si‿iz ˈhiə ˈtu:. ši:z ˈlukiŋ‿ət ðə ˈpikčəz‿in həˈnju: ˈbuk.

Čo robia?

Je nedeľa. Pani Bakerová je v kuchyni, varí. Stojí pri stole a robí koláč (tortu).

Čo robí Zuzana? Dáva (prestiera) taniere na stôl. Malá Lucia jej pomáha. Prináša poháre. Nesie ich veľmi opatrne.

Pán Baker pracuje v záhrade. Polieva kvetiny. Peter mu pomáha.

Je päť hodín. Pán Baker je v obývačke. Číta noviny. Pani Bakerová pletie pulóver. Peter sa učí. Zuzana a Lucia sa hrajú.

2.

Pani S.:	Čo robíš, Tom?
Tom:	Učím sa francúzske slovíčka.
Pani S.:	Čo robí Katka? Aj ona pracuje?
Tom:	Ale nie, hrá sa. Zuzana sa učí so mnou.

3.

Pán B.:	Kde sú noviny? Čítaš ich?
Pani B.:	Nečítam. Lucia a ja pripravujeme olovrant (robíme čaj). Poď nám pomôcť.

4.

Mrs Smith:	Kde je pani Bakerová?
Ján:	Sedí tu a pletie pulóver. Lucia je tiež tu. Díva sa na obrázky vo svojej novej knihe.

Poznámky k textu:

Pozor! Slovenskému slovesu „robiť" zodpovedajú v angličtine dve slovesá *to do* a *to make*. Sloveso *to do* použijeme vtedy, keď nehovoríme o nijakej určitej práci, teda v otázkach typu: *What are you doing?* alebo vo väzbách *to do some work* = robiť nejakú prácu, *do it* = urob to ap.

Sloveso *to make* použijeme v spojení s konkrétnym predmetom, napr. *to make a cake (a pullover)* alebo v spojení *to make tea* = robiť (variť, pripravovať) čaj (olovrant).

Sloveso *to learn* sa v angličtine nepoužíva bez predmetu; teda učím sa = *I am learning my lessons.*

Cvičenia:

2.

1. He's learning French words. 2. She's playing with Tom. 3. He's watering the flowers. 4. She's making the tea. 5. They're working in the kitchen. 6. I'm reading an English book. 7. He's helping Kate. 8. They're making cakes.

4.

1. What is she knitting? 2. What is he doing? 3. What are you playing? 4. What is she cooking? 5. What is he reading? 6. What books are they carrying? 7. What newspapers is she bringing? 8. What are you learning?

6.

1. it 2. with her 3. at it 4. with them. 5. him 6. with her 7. with them 8. them. 9. me.

7.

1. me 2. him 3. her 4. us 5. them 6. it 7. her 8. them 9. it.

8.

1. What are you doing, Lucy? 2. I'm making a new dress. 3. Make the tea, please. 4. Mother's making a cake and Susan's helping her. 5. Tom's doing

some work in the garden. 6. Pat's working with him. 7. Are you looking at them? 8. Come and help me, please. 9. Do it, please. 10. Peter's learning French.

10.
What are the Browns doing?

It is Sunday morning. Mrs Brown is cooking in the kitchen. Mr Brown is not at home. Little Peter is playing with Lucy in the garden.

It is one o'clock. Mr Brown is coming home. Lucy is helping mother in the kitchen. Tom is reading a newspaper.

It is three o'clock. Mr Brown is sitting in his car. He is looking at his new road map. Mrs Brown is coming with Peter and Lucy.

5. lekcia

Text:

auə ˈhaus

džon:	ju ˈliv‿in‿ə ˈnais ˈpleis.
tom:	aim ˈglæd ju ˈlaik it. ðə ˈhaus‿iz smo:l, bət ðə ˈga:dnz ˈkwait la:dž.
džon:	ˈhæv ju ˈmeni ˈtri:z?
tom:	not ˈmeni, ˈriəli.
džon:	bət ju həv əˈlot‿əv ˈlavli ˈflauəz.
tom:	əu ˈjes, džein ˈlaiks ðem ˈveri mač. ši ˈwə:ks in ðə ˈga:dn evri ˈdei. ai ˈhævnt mač ˈtaim, ju ˈnəu. – ˈəu, ši:z ˈdžast ˈkamiŋ.
džein:	həˈləu, ˈdžon. kam‿ˈin, ˈpli:z, ənd ˈteik ˈof ˈjo: ˈkəut.
tom:	wel, ˈðis‿iz auə ˈliviŋ rum. ðə ˈdainiŋ rum‿zˈnekst ˈdo:. maiˈstadi, ðə ˈbedrumz‿ənd ðə ba:θrumz‿a:r‿ˈapsteəz.
džein:	ˈpli:z ˈsit ˈdaun, ənd ˈhæv səm ˈsænwidžiz. ənd ˈhiəz ˈjo ˈri:.
džon:	ˈθæŋk ju. – wel, ˈhau‿a: ju‿ˈo:l ˈgetiŋ‿ˈon?
tom:	wiə ˈveri ˈbizi‿o:l ðə ˈtaim.
džon:	əu ðæts ˈbæd.
tom:	bət džein ˈsez ši ˈlaiks it.
džon:	ðə ˈboiz ˈhelp hə, ˈai ˈhəup.
džein:	ˈəu ˈjes. bob ˈwošiz ðə ˈdišiz‿ənd ˈfred ˈgəuz ˈšopiŋ.
džon:	ˈðæts ˈnais. ˈweər‿a: ðə ˈboiz ˈnau?
džein:	ˈbobz‿ət‿ə ˈkæmərə ˈklab. hi ˈwonts tə ˈbai‿ə nju: kæmərə. fredz apˈsteəz. hiz ˈwočiŋ ˈteliˌvižn.
tom:	ˈfred, ˈkam ˈdaun fo:r‿əminit. ˈdžonz ˈhiə.
fred:	ˈjes, aim ˈkamiŋ.
Pozor!	Rozlišujte výslovnosť: *of* [əv] a *off* [of]: *a lot of tea* _ *take off.* *House* [haus] má v množnom čísle výslovnosť *houses* [hauziz].

Náš dom

Ján:	Bývate na peknom mieste.
Tom:	Som rád, že sa ti tu páči. Dom je malý, ale záhrada je dosť veľká.
Ján:	Máte mnoho stromov?
Tom:	Ale, ani nie.

Ján: Ale máte tu plno nádherných kvetov.
Tom: Áno, Jana ich má veľmi rada. Pracuje každý deň v záhrade. Ja nemám veľa času, vieš. – Ale práve prichádza.
Jana: Ahoj, Jano. Poď ďalej, prosím ťa, a zlož si kabát.
Tom: Tak, to je naša obývačka. Jedáleň je vedľa. Moja pracovňa, spálne a kúpeľne sú hore.
Jana: Sadni si, prosím, a vezmi si sendviče. – A tu máš čaj.
Ján: Ďakujem. – Nuž, ako sa všetci mávate?
Tom: Máme stále veľa roboty.
Ján: Nuž, to je zlé.
Tom: Ale Jana vraví, že to má rada.
Ján: Dúfam, že jej chlapci pomáhajú.
Jana: Ale áno. Bob umýva riad a Fred chodí nakupovať.
Ján: To je pekné. Kde sú chlapci teraz?
Jana: Bob je vo fotografickom krúžku (klube). Chce (praje) si kúpiť nový fotoaparát. Fred je hore. Pozerá televíziu.
Tom: Fred, poď na chvíľku dole. Je tu Ján.
Fred: Áno, už idem.

Poznámky k textu:

Väčšina Angličanov radšej býva v rodinných domčekoch so záhradkami. Domčeky sú zvyčajne jednoposchodové. Na prízemí *(downstairs)* je obyčajne kuchyňa, jedáleň a obývačka, na poschodí *(upstairs)* sú spálne, kúpeľňa a hosťovská izba. Miestnosti sú menšie, okná bývajú jednoduché spúšťacie *(sash* [sæš] *windows).*

Pred domom je kvetinová záhradka s hortenziami, ružami, pelargóniami a za domom pestovaný trávnik (*lawn* [lo:n]), ktorý je pýchou majiteľa, s okrasnými stromami a kríkmi.

Sendvič – dva trojuholníkové krajčeky bieleho chleba s maslom a náplňou, ako šunka, rybacia nátierka, syr alebo šalát, rajčiny, uhorky, banány ap.

Čaj – anglický čaj je veľmi silný. Na šálku sa dáva jedna plná lyžička čaju. Do čaju sa zvyčajne dáva smotana alebo mlieko, no pije sa i čistý.

Pozor na výslovnosť mn. č. slova *house* [haus] *houses* [hauziz].

Cvičenia:

3.
1. He's reading in his study. 2. She's playing in the... 3. He's working in... 4. She's going to... 5. She's learning... 6. She's washing... 7. He's going... 8. It's standing...

4.
1. ...but I haven't many... 2. we haven't many... 3. he hasn't much... 4. they haven't many... 5. I haven't much... 6. we haven't many... 7. they haven't much... 8. we haven't many...

5.
Jane (John) has a lot of... They (I) haven't many friends (English books). Jane (John) hasn't much work (time).

6.
1. Tom comes at four too. 2. Miss Young studies English too. 3. Mr Brown goes there every day too. 4. Peter does it very well too. 5. Mr Black works here too. 6. Mrs Miller knows Slovak too. 7. Kate watches television every evening too. 8. She says [sez] it... 9. He likes... 10. My brother wants... 11. She goes... 12. Anne washes...

8.
now 1., 3., 4 6., 7., every day 2., 4., 5., 8., 9., 10.

9.
in the garden, factory; at home, work, school.

10.
1. He comes home at five. 2. She studies English every day. 3. We go shopping every morning. 4. He buys newspapers every day. 5. He takes his books to school every day. 6. We have a lot of apples in our garden now. (Now we have...) 7. They are watching television in the living-room now. (Now they are...) 8. I have some English books in my bookcase.

12.
1. works 2. live 3. learns 4. read 5. likes 6. work 7. watches [wočiz] 8. has.

13.
Pozor pri prekladaní slovenského „rád"! Mám rád brata = *I like (my brother).* Som rád, že... = *I am glad (that).* Rád niečo robím = *I like to (do something).*

1. I like your house. 2. I'm glad (that) you like it. 3. My mother likes flowers. 3. I haven't got much time. 4. He has (got) a lot of work now. 5. Sit down, please. 6. Here's your tea. 7. Have a sandwich. 8. Come here. 9. Go there. 10. Come at ten.

15.
Our house

We live in a very nice place. Our house is not too large, but it is new. We have a small kitchen, a large living-room, two bedrooms and a bathroom. The kitchen and the living-room are downstairs, the bathroom and the bedrooms are upstairs. The house has a garden too. My wife likes flowers and so we have a lot of flowers in our garden.

6. lekcia

Text:

Môj denný program

– Vstávaš včas?
– Áno, vstávam o šiestej, ale nepáči sa mi to. Kedy vstávaš ty?

– O piatej hodine.
– Ach, to je veľmi zavčasu. Kedy začínaš pracovať?
– Môj pracovný čas je od šiestej do dvoch.
– V našej továrni začíname o siedmej.
– Kedy sa dostaneš domov?
– Asi o štvrtej. Idem peši celou cestou, ale nie veľmi rýchlo. Cestou nakupujem.
– Som doma dosť zavčasu. Ale každú stredu a piatok chodím veľmi neskoro, lebo mám popoludní kurzy.
– Kedy chodí tvoja manželka domov z práce?
– O piatej. Pracuje od ôsmej do štvrtej.
– Pracujete v sobotu?
– V sobotu nepracujeme. Víkendy trávim s rodinou na vidieku.
– V nedeľu radšej zostávam doma. Rád čítam a pokojne študujem celé popoludnie.
– V nedeľu si beriem chlapcov na prechádzku do lesa, pomaly sa prechádzame a mám čas hovoriť vážne o ich práci v škole.
– Čo robievaš večer? Pozeráš televíziu?
– Moja manželka nemá rada televíziu, radšej chodí do kina. Chodievame tam pravidelne, obyčajne v utorok. V pondelok navštevujeme rodičov (mojich rodičov).

Cvičenia:

1.

1. good 2. old 3. a new book 4. young 5. light 6. large 7. slow 8. fast (quick) 9. early. 10. thin 11. well.

2.

1. I'm not 2. he isn't 3. she isn't 4. we aren't 5. it isn't 6. they aren't 7. that isn't 8. we haven't 9. she hasn't.

5.

1. What does she knit? 2. What do you watch? 3. What does she know? 4. What does she like? 5. What do they learn? 6. What does she do every day? 7. What do they like? 8. What does he read? 9. What do you put there every day?

8.

1. Yes, I do. (No, I don't.) 2. Yes, I do. 3. Yes, he does. (No, he doesn't.) 4. Yes, he does. 5. Yes, she does. 6. Yes, I do. 7. Yes, she does. 8. Yes, they do. 9. Yes, he does. 10. Yes, they do. 11. Yes, she does.

9.

1. But Mrs S. doesn't speak Slovak well. 2. But my wife doesn't work... 3. But he doesn't like to... 4. ...we don't live... 5. Sue doesn't go... 6. His friends don't know... 7. Peter doesn't learn... 8. She doesn't go out. 9. Tom doesn't like... 10. Mary doesn't go...

13.

1. Do you speak English? Yes, I do. 2. Does your wife speak English? No, she doesn't. 3. What do you do on Sundays? 4. We go to the theatre. 5. Where do you live? 6. He doesn't live in Bratislava. 7. Where does Mr Parker work? 8. He works in London. 9. Speak slowly, please. 10. Come and see us on Sunday.

7. lekcia

Text:

Spytujeme sa na cestu

Pán oslovuje strážnika:

Pán: Prepáčte, môžete mi ukázať cestu na stanicu?

Strážnik: Áno (pane). Choďte rovno touto ulicou až na križovatku, potom zabočte doprava.

Pán: Je to odtiaľto ďaleko? Nesmiem zmeškať vlak.

Strážnik: Nemusíte sa ponáhľať. Je to celkom blízko. Pred stanicou je malý park. Nemôžete zablúdiť.

Pán: Ďakujem vám.

Na ulici

A: Môžem vám pomôcť?

B: Ďakujem vám. Hľadám Park Hotel.

A: Aká je adresa?

B: Je to Hill Street, číslo 10.

A: To je pri Viktóriinej stanici. Žiaľ, idete zle.

B: Ako sa ta dostanem?

A: Môžete ísť autobusom alebo podzemnou železnicou. Je to odtiaľto ďaleko. Nemôžete ísť peši tak ďaleko.

B: Je na tejto ulici autobusová zastávka?

A: Nie, nie je, ale za rohom je stanica podzemnej železnice. Len prejdite ulicu a zabočte doľava.

B: Veľmi vám ďakujem.

Na križovatke

A: Zastav sa. Daj pozor na tamto auto. – Tak, teraz môžeme prejsť.

B: Ale nie, nemôžeme. Pozri sa na (dopravné) svetlá. Musíme čakať.

Poznámky k textu:

madam = pani, slečna – používa sa pri zdvorilom oslovení neznámych osôb.

The Park Hotel – mená hotelov majú v angličtine spravidla určitý člen.

Number 10 Hill Street – všimnite si, že pri udávaní adresy sa uvádza najprv číslo domu a až potom meno ulice: *I live at 8 Oxford Street.* Bývam na Oxfordskej ulici číslo 8. V písme sa často používa skratka *No. (= Number)* = číslo.

Victoria Station – jedna z hlavných londýnskych staníc v strede mesta.

far = ďaleko – možno použiť v otázke alebo v zápornej vete, napr. *It isn't far.* Nie je to ďaleko. V kladnej vete treba použiť výraz *a long way* = ďaleko, napr. *It's a long way from the station.* Je to ďaleko od stanice.

excuse me = prepáčte – použijeme pri oslovení neznámych osôb.

sir – tento výraz v oslovení radšej nepoužívajte. Len vtedy, ak ide o osobu oveľa staršiu a vyššie postavenú, môžete použiť toto oslovenie ako prejav úcty. Ženy spravidla tento výraz nepoužívajú.

I am wrong = nemám pravdu, mýlim sa. Je nezdvorilé použiť túto väzbu v druhej osobe. Namiesto toho použijeme: Mýlite sa. = *You are mistaken* [misˈteikn].

Cvičenia:

2.
1. he likes them 2. he speaks 3. she knows 4. she studies 5. he has 6. she is staying 7. he can be 8. she takes

3.
What does Peter (she) do…? What do you (they) do…?

4.
1. Don't help her. 2. Don't stay 3. Don't come 4. Don't open atď.

5.
1. No, he mustn't watch… 2. No, they mustn't look… 3. he mustn't talk… 4. she mustn't go 5. you mustn't take 6. he mustn't 7. you mustn't 8. they mustn't 9. they mustn't.

6.
There's (There is) a newspaper (an orange, an apple)… – There are some plates (dishes, glasses) on the table.

7.
1. Can John come at five? 2. Must John bring it too? 3. Can John go with us?…

8.
1. No, you needn't wash them now. 2. No, he needn't work… 3. No, she needn't make them now…

10.
1. Yes, there is. 2. Yes, there are. (No, there aren't.) 3. Yes, there are. 4. Yes, there is. 5. No, there isn't. 6. Yes, there are. 7. No, there isn't. 8. Yes, there is. (No, there isn't.)

11.
Pozor na výslovnosť skráteného tvaru can't [ka:nt].

13.

1. Can I help you, madam? 2. What can I do for you, madam? 3. Am I right or am I wrong? 4. Don't worry. 5. You can't miss your way. 6. Mind the car. 7. Is there a bus stop in this street? 8. You mustn't do it. 9. You must come too. 10. You needn't go there.

8. lekcia

Text:

Priateľský rozhovor

F: Ahoj, Peter.
P: Ahoj, Fred. To je pekný deň, pravda?
F: Prekrásne počasie na toto ročné obdobie. Ako sa máš?
P: Ďakujem, celkom dobre, a ty?
F: Mám sa dobre. Som rád, že ťa zasa vidím. Čo je nového?
P: Mám nové zamestnanie. Pracujem teraz v Lloydovej banke.
F: Nie si s Jackom Brownom v tej istej kancelárii?
P: Ale áno. Ty ho poznáš?
F: Niekedy sa stretávame pri služobných záležitostiach. Mimochodom, čo robí Karol?
P: Ešte stále pracuje v Sharpovej továrni. Ale moja sestra je najlepšia priateľka jeho ženy. Často ich chodí navštevovať a rozpráva mi všetko o Karolovej rodine.
F: Karol má dvoch chlapcov, pravda?
P: Áno, má. A čo ty? Pracuješ v Londýne, pravda?
F: Ale nie. Teraz pracujem v Birminghame a obyčajne prichádzam do Londýna každý týždeň.
P: Nuž, tak musíme zorganizovať schôdzku všetkých našich starých priateľov. Nepoznáš adresu Franka Petersa?
F: Žiaľbohu nie. Zriedka ho teraz vidím. Musím napísať Jánovi a spýtať sa ho na ňu. Ale tá schôdzka je dobrý nápad. Môžeš to zariadiť, pravda?
P: Pravdaže môžem. Dúfam, že všetci môžu prísť. Musíš priviesť aj svoju manželku.
F: Už sa na to teším. Som vždy rád, keď vidím svojich priateľov.

Poznámky k textu:

Pozor na výslovnosť: *Charles's family* [ča:lziz], *Peters's new address* [pi:təziz] – obe slová sa končia sykavkou.

I am looking forward to it. Už sa na to teším. – Sloveso *to look forward to* sa používa v priebehovom tvare.

news – (správa i správy) je v angličtine nepočítateľné, preto je vždy v spojení so slovesom v jednotnom čísle, napr. *This is good news.* To sú dobré správy. (Je to dobrá správa.)

Cvičenia:

1.

1. It's Patrick's picture. 2. It's Susan's room. 3. This is my sister's address. 4. This is my father's car. 5. It's Charles's [ča:lziz] hat. 6. It's our teacher's book. 7. It's Mr Brown's house.

2.

The weather's lovely, isn't it? They're going home, aren't they? Your house isn't large, is it? She's cooking, isn't she? Tom's at home, isn't he? Pat lives..., doesn't she? Mrs B. isn't..., is she?

3.

1. do you? 2. are they? 3. does she? 4. is he? 5. have you? 6. does she? 7. do they? 8. can he? 9. does it?

4.

1. isn't 2. isn't 3. doesn't 4. hasn't 5. don't 6. can't 7. isn't 8. hasn't 9. can't 10. doesn't.

5.

1. Why are you working with him? 2. Why are you looking for it? 3. Why are you waiting for them? 4. Why are you bringing them? 5. Why are you writing to her? 6. Why are you reading it? 7. Why are you waiting for him? 8. Why are you studying it?

6.

1. Help me 2. them 3. him 4. us 5. me 6. him 7. us 8. them 9. her 10. him.

7.

1. I'm seldom in a hurry. 2. I seldom watch... 3. I seldom go... 4. I seldom play... 5. I seldom go... 6. I seldom get... 7. I can seldom come...

8.

1. Does she usually talk... 2. Does he often come...3. Does he always stay... 4. Is he still... 5. Must they often go... 6. Do you still work... 7. Do you usually come... 8. Are they often...

9.

1. "You know Mr Jenkins, don't you?" "Yes, I do. I often meet him in our street." 2. "Mary is a clerk, isn't she?" "Yes, she is." 3. "Do you often see John?" "Yes, he sometimes goes to the pictures with me." 4. "You often go to Brno, don't you?" "Yes, I do. I always stay at the same hotel." 5. "You get up early, don't you?" "Yes, I do." 6. "Peter can come with us, can't he?" "Of course, he can." 7. Mr Brown's still waiting for me, isn't he?" "Yes, he is. He's still in his office."

11.

My friends

I have some good friends. I am always glad to see them. Tom is working in the same factory as I am. I sometimes meet Frank on business. I often meet

Peter on my way home. We talk about our work and about our families. By the way I seldom see Fred these days. He has a new job and lives a long way from our place.

9. lekcia

Poznámky k textu:

Game = športová alebo spoločenská hra. *Play* = divadelná hra.

sport – game: Angličania rozlišujú šport ako taký (atletika, plávanie, box, lyžovanie a i.) od ostatných športových hier *games*, ako futbal, tenis, hokej ap. Anglickým slovom *sport* nemôžeme teda označovať futbal alebo tenis ap. Ide vždy o *game*. Porovnaj slovenské loptové hry.

football = Angličania rozlišujú dva typy futbalu: hru podobnú nášmu futbalu, ktorú hovorove nazývajú *soccer* [sokə], pri ktorej hrá 11 hráčov s guľatou loptou, a *rugby*, kde hrá 15 hráčov s oválnou loptou podľa iných pravidiel, než má náš futbal.

TV [ti:vi:] = *television*.

tall – znamená veľký postavou, vysoký, napr. *Tom is a tall boy*.

great [greit] = veľký významom, napr. *He is a great man.* Je to veľký (významný) človek.

large = veľký čo do plochy – *a large room* = veľká izba.

I can't see him. = Nevidím ho. K slovesám zmyslového vnímania Angličania často pripojujú sloveso *I can*, ktoré do slovenčiny neprekladáme.

Cvičenia:

2.

1. Which of them is working in the garden? 2. Which of them is cooking? atď.

4.

1. Which is your cup, Tom? 2. Which is your glass, Tom? atď.

6.

1. Whose house is it? It's Mr Miller's house. 2. Whose office is it? It's Miss Miller's office. 3. Whose study is it? It's father's study. 4. Whose bookcase is it? It's Peter's bookcase...

7.

how much tea, coffee, sugar, water

9.

1. Which of you works... 2. Which of you gets up... 3. Which of you starts work at six? 4. Which of you usually goes to work by tram?

10.

1. Where do you live? 2. What is your address? 3. What are you? (What is

your job?) 4. When do you start work? 5. Who starts work at 8? 6. Which of you gets home at 3? Which of you comes at 4? 7. How many hours does she work a day? 8. What do you like? 9. Which does your wife prefer, tennis or table-tennis? 10. Whose picture is this?

12.
1. What's the matter? 2. What's on television today? 3. There's a football match at six. 4. Who's playing who? 5. Manchester United are playing Czechoslovakia. 6. I like table tennis very much. 7. Charles is good at volleybal. 8. George is very good at skiing. 9. I prefer swimming to tennis. 10. You play golf too, don't you?

10. lekcia

Poznámky k textu:

long vo význame „dlho" používame spravidla iba v zápornej vete, napr. *I can't wait long.* Nemôžem dlho čakať. V kladnej vete použijeme *for a long time.*

Ak hovoria Angličania o členoch vlastnej rodiny, nepoužívajú člen, napr. *Where's Father?* a píšu tieto mená s veľkým písmenom.

little girl = dievčatko; slovo *little* sa používa pre zdrobneniny, napr. *little house* = domček.

Cvičenia

1.
Znelé „th": father, brother, grandmother, together, they, there, with, mother, their, them, this, that, these, those, the.
Neznelé „th": three, thirteen, thank, thin, thick, Thursday, think.

4.
1. Where is Tom working? 2. Where are the girls playing? 3. Where is Pat going? 4. Where are they waiting? 5. Where is she going? 6. Where is he reading? 7. Where are they doing their homework? 8. Where is Tom preparing it?

6.
1. Tom is as tall as Tony. 2. The living-room is as large as the...

7.
1. Her sister's younger than she. (Pozor na výslovnosť: younger [jaŋgə], stronger [stroŋgə] a longer [loŋgə]. 2. Mr Brown's older than Mr S...

8.
1. It's more interesting than you think. 2. It's more popular than you think...

9.
1. worse 2. better 3. more 4. worse 5. more 6. worse 7. better

10.
1. large (big) 2. old 3. there 4. that 5. small 6. short 7. worse 8. young (new) 9. easy 10. hardworking 11. short 12. morning 13. outside 14. downstairs.

11.
1. Yes, she's the happiest (of all). 2. Yes, he's the laziest... 3. the worst 4. the best 5. the largest 6. the tallest 7. the youngest 8. the most popular 9. the most important 10. the easiest 11. the most difficult 12. the most interesting 13. the oldest 14. the nicest.

12.
1. How many women are working there? 2. How many gentlemen are waiting outside? 3. How many Englishwomen are here? 4. How many men are sitting there? 5. How many Englishmen are coming? 6. How many workmen are coming? 6. How many workmen are doing this work? 7. How many grandchildren has she?

15.
My brother's family
My brother is much older than I (am). His name is Peter Smith. He is a bank clerk. He has a big family. There are five of them and so his wife does not go out to work. She is very busy with her household. The Smiths have three children: two sons and a daughter. My brother is proud of Charles because he is the best pupil in the class. Charles is fourteen. Tom is three years younger than Charles. He is a strong and clever boy too. He is very tall for his age. Most boys like sports. Charles is fond of swimming. Tom likes cricket best of all. Little Kate is the baby of the family. She is three.

11. lekcia

Poznámky k textu:

Všimnite si anglický spôsob telefonovania. Do telefónu sa ohlasujeme: *Hello, hallo* alebo *Hullo,* [ˌhaˈləu] *this is John Brown. John Brown speaking.* Angličania sa často predstavujú so slovami *Mr, Mrs, Miss* pred menom: *Mrs Clark speaking. – This is Miss Clark.*

Telefónne čísla čítame jednotlivo, napr. *two, seven, eight, five* = 2785. Nulu v telefónnom čísle čítame ako *o* [əu], dve rovnaké čísla na začiatku alebo na konci telefónneho čísla sa čítajú *double two, double three* atď.

Telefónne číslo v texte 6607 81 sa číta: [dabl siks, əu, sevn atď.]. Vo Veľkej Británii sú teraz všetky telefónne čísla sedemmiestne a spojenie medzi mestami je automatické, takže stačí vytočiť kódové číslo mesta a číslo telefónnej stanice volaného. Ak chceme napr. volať medzimestsky Londýn, vytočíme 01 a číslo telefónneho účastníka.

Cvičenia:

2.
Pozor na výslovnosť skráteného tvaru *will not* = *won't* [wəunt].

10.

1. This one is. That one is small. 2. This one is. That one is wrong. 3. This one is. That one is old. 4. This one is. That one is longer. 5. This one is. That one is difficult. 6. This one is. That one is colder. 7. This one is. That one is wrong.

11.

1. Joan likes the English ones. 2. Mother likes the old ones. 3. He has a light one. 4. I like long ones. 5. His brother prefers the smaller one. 6. He has an English one. 7. They have a large one.

12.

1. Pass it to Miss Miller, please. 2. Give it to John. 3. Offer some to Jack and his friends. 4. Show them to Mr Brown. 5. Give it to Jane. 6. Offer one to Peter. 7. Show it to Mrs Brown.

13.

1. Yes, of course, I'll show her her room. 2. Yes, of course, I'll offer him... 3. Yes, of course, I'll give her... 4. ...I'll show him. 5. I'll tell him. 6. I'll bring her... 7. I'll bring them some oranges.

14.

a) pi:-a:-ei-eič-ei; bi:-a:-en-əu; bi:-a:-ei-ti:-ai-es-el-ei-vi:-ei; si:-es-es-a:; dži:bi:; ju:-es-ei; en-i:-dablju: wai-əu-a:-kei; əu-eks-ef-əu-a:-di:.

15.

1. Ring me up before ten o'clock tomorrow. 2. Where can I phone? 3. May I use your phone? – Of course. (Certainly.) 4. Who's speaking? – (This is) Tom Clark speaking. 5. Can I speak to Mrs Young, please? – Yes, one moment, please. I'll call her. 6. See you tomorrow. 7. Thank you for the invitation. 8. Will you help me, please? 9. Give John this book. 10. Show Mary our slides. 11. Tell Father about it.

12. lekcia

Poznámky k textu:

Všetky anglické vlaky sú elektrifikované. Cestovné lístky (1. a 2. triedy) sa zvyčajne kontrolujú až pri východe zo stanice, kde sa odovzdávajú výbercom *(ticket collectors)*. Je výhodné kúpiť si spiatočný lístok, lebo ten má niekedy zľavu. Vo vlakoch sú jedálne vozne, a to alebo *dining car* [dainiŋ ka:] alebo *buffet* [bufei] *car*, kde si možno kúpiť občerstvenie. Vo vozňoch býva oddelenie *Ladies Only*, určené pre ženy a matky s deťmi.

fast train [fa:st trein] – zrýchlený vlak, ktorý stojí len na dôležitejších staniciach.

Cvičenia:

1.

1. No, it isn't. 2. No, he doesn't. 3. No, I haven't. 4. No, I don't. 5. No, I can't [ka :nt]. 6. No, they needn't. 7. No, he hasn't. 8. No, I shan't [ša :nt]. 9. No, I needn't. 10. No, he won't [wəunt]. 11. No, they won't. 12. No, she mustn't.

2.

1. can't he? 2. won't they? 3. aren't they? 4. haven't you? 5. won't they? 6. isn't it? 7. won't you? 8. don't they?

3.

1. He is never busy. 2. He never comes... 3. She has no English books. 4. He's never lazy. 5. He has no tickets. 6. She's never ready in time. 7. There are no vacant seats... 8. You can never meet him there.

4.

1. Have you got any English books? 2. Do you know any English games? 3. Do you know any English songs? 4. Do you need any small change? 5. Have you got any road maps? 6. Do you know any people there? 7. Have you any sisters? Have you got any sisters? 8. Have you got any English textbooks?

5.

1. No, they haven't any children. 2. No, I haven't got any notebooks. 3. No, they haven't got any red pencils. 4. No, I haven't got any... 5. No, I haven't any... 6. No, I don't know any...

6.

1. Yes, they've got some. (No, they haven't got any.) 2. Yes, I know some. (I don't know any.) 3. Yes, I've got some. (No, I haven't got any.) 4. Yes, I know some. (I don't know any.) 5. Yes, I'll buy some. (No, I won't buy any.) 6. Yes, I've got some. (No, I haven't got any.) 7. Yes, they've got some. (No, they haven't got any.)

8.

a) 1. There are two hundred and sixty books... 4. There are hundreds of factories... 6. There is only one... 9. There are thousands of football fans...

b) It's a quarter past one. c) It's a quarter to eight.

10.

1. at a quarter to seven 2. at half past seven 3, at a quarter past ten 4. at half past four 5. at half past six 6. at six thirty-five 7. at ten to ten 8. at a quarter past nine... 9. at half past eleven.

12.

1. What's the time? 2. It's about half past six by my watch. 3. What time (When) does the Oxford train leave? 4. Where do I get the tickets? 5. How much is a return ticket? 6. Shall I ask at the inquiry office? 7. This is my luggage. 8. Is this seat free/vacant, please? – Sorry, it's occupied (taken). 9. Have you got any small change? – No, I haven't got any. 10. Shall we take a taxi? – No, we'll go by tram.

Poznámky k textu:

75 penny – jedna libra (1 £) má 100 penny. Šilingy celkom zmizli z obehu. Nová penny sa označuje *p* (pozri Kľúč, str. 53).

three yards = pozri tabuľku mier a váh, Kľúč, str. 53.

a pound of meat = libra mäsa, asi 0,45 kg (pozri tabuľku, str. 53).

Cvičenia:

1.

Pozor! Pri druhom dosadzovanom výraze musí byť vždy neurčitý člen: *a cup of coffee, a glass of water* atď.

2.

There aren't many stamps (oranges). There isn't much time (bread, money, luggage).

3.

1. Let her write it. 2. Let us (let's) go... 3. Let them use it. 4. Let them... 5. Let him do it. 6. Let her help... 7. Let him speak... 8. Let us stay...

4.

1. Don't let them do it. 2. Don't let them have... 3. Don't let her... 4. Don't let us forget it. 5. Don't let them... 6. Don't let her... 7. Don't let us go... 8. Don't let her... 9. Don't let her tell him...

5.

1. I know somebody. 2. I need something. 3. I want to stop somewhere. 4. I'll speak to somebody about it. 5. I'll ask somebody. 6. I'll buy something. 7. I'll get it somewhere. 8. I'll choose something. 9. I'm expecting somebody.

6.

1. never 2. nobody 3. nothing 4. nowhere 5. nothing 6. none 7. nobody 8. nothing 9. none 10. nowhere

7.

1. He isn't writing anything. 2. They don't need anything. 3. I can't see there anything. 4. I shan't ask anybody. 5. He can't get it anywhere. 6. She won't bring anything. 7. I don't know anybody...

8.

1. potatoes 2. tomatoes 3. shelves 4. leaves 5. knives 6. lives [laivz] 7. wives 8. men 9. sportsmen 10. feet 11. women [wimin].

9.

1. How much does it cost? Fifty pence. 2. Where do I get it? At the butcher's. 3. I must go to the doctor's. 4. He's at Granny's. 5. I need two book-shelves. 6. I haven't much time. 7. What's the news? (What's new?)

8. Where's your luggage? 9. I don't need anything else. 10. Who else is coming? Nobody else. 11. I don't know anything about it. 12. Do you know anybody here?

Poznámky k textu:

Vo Windsore je jeden z najstarších kráľovských hradov *Windsor Castle* založený v 11. storočí na brehu rieky Temže, asi 40 km na západ od Londýna. V 14. storočí ho značne prestavali za vlády Eduarda III., ktorý tu založil jeden z najvyšších britských radov, tzv. Podväzkový rad *Order of the Garter* [o:də əv ðə ga:tə].

Cvičenia:

2.
I (Mr Parker, she) was; we (they) were

5.
1. I wasn't. 2. She wasn't. 3. They weren't. 4. I wasn't. 5. She wasn't. 6. I wasn't. 7. They weren't.

9.
1. He waited [weitid] 2. I phoned... 3. He played 4. He studied 5. She invited [inˈvaitid] 6. He needed [ni:did] 7. They helped 8. He smoked 9. I stopped 10. I worked 11. It arrived.

11.
1. What did she say? 2. What did he give you? 3. What did you read? 4. What did they buy? 5. What did you bring? 6. What did you do? 7. What did he do...? 8. What did you get? 9. What did you see? 10. What did they know about it? 11. What did he put there?

12.
1. left 2. went 3. did 4. met 5. said 6. came 7. brought 8. spoke 9. took 10. wrote 11. saw 12. rang him up.

13.
Pozor! Sloveso po *did* je v neurčitku; did you like (work, arrive, return, have, watch, like, want)?

14.
1. I didn't need (ask, wait, want, start, have, read [ri:d], walk).

15.
I didn't buy (take, come, walk, help, meet, take, go).

16.
1. He did. 2. She didn't. 3. They hadn't. 4. She did. 5. Yes, I could. 6. Yes, I was. 7. No, they didn't. 8. Yes, she was.

17.

a) 1. couldn't she? 2. wasn't it? 3. weren't they? 4. wasn't she? 5. hadn't you? 6. weren't they? 7. couldn't he?
b) 1. didn't it? 2. didn't we? 3. didn't they? 4. didn't he? 5. didn't she? 6. didn't they? 7. didn't you?

18.

1. Where were you yesterday? 2. We weren't at home, we were in the country. 3. We didn't go by car, we went by bus. 4. We liked it very much. 5. Auntie invited us to lunch. 6. We couldn't bathe, the water was too cold. 7. We were lucky. 8. We stayed (were) at a camp by the river. 9. How did you like the castle? 10. When did you return? We returned after ten o'clock in the evening.

15. lekcia

Poznámky k textu:

Vo Veľkej Británii majú zvyčajne štyri denné jedlá: raňajky *(breakfast)*, poludňajšie jedlo *(lunch* alebo *dinner)*, olovrant *(tea)* a večeru *(dinner* alebo *supper)*. Raňajky sú v porovnaní s našimi oveľa hojnejšie. Zvyčajne sa začínajú obilnými vločkami *(cornflakes)* s cukrom a so smotanou (mliekom) alebo (hlavne v Škótsku) ovsenou kašou s varenými sušenými slivkami, cukrom a mliekom, potom nasleduje opekaná anglická slanina *(bacon)* s vajíčkom, čaj alebo káva, hrianky *(toast)* s maslom a pomarančovým džemom. Poludňajšie jedlo *(lunch)* je pomerne ľahké – sendviče so syrom alebo párkom, alebo omeleta, ryba, studené mäso obložené zeleninou ap.

Dinner je hlavné jedlo dňa. Začína sa polievkou alebo predjedlom a má niekoľko chodov. Ku každému mäsu sa podáva niekoľko druhov zeleniny varenej v slanej vode. Obľúbeným múčnikom je kompót s vanilkovým krémom *(custard)* alebo rozličné druhy pudingov. K syru sa podávajú keksy *(biscuits)*.

V rodinách vyšších spoločenských vrstiev sa podáva na poludnie *lunch*, večer *dinner* a po návrate z večernej zábavy *supper* (studená večera). Ľudia, ktorí prichádzajú domov zo zamestnania neskoro popoludní, mávajú *high tea* (t. j. olovrant spojený s večerou).

Strava v reštauráciách je veľmi drahá. Pomerne lacno sa však možno najesť v automatoch so samoobsluhou, ako je napr. *ABC* alebo *Whimpy Bar*, ktoré nájdete po celom Anglicku.

Cvičenia:

2.

a) 1. Yes, this is the camera used by my father. 2. Yes, this is the map drawn by my... 3. Yes, this is the list checked by... 4. Yes, this is the film recommended by... 5. Yes, this is the material bought... 6. Yes, this is the pullover made by my wife.

b) 1. Yes, this is the house bought by my parents. 2. This is the letter written by my mother. 3. This is the cake made by my grandmother. 4. ...the dress chosen by... 5. ...the book brought by... 6. ...the address left by Mrs Stevens.

3.
1. Sunday trips are organized... 2. The lists are checked 3. Football is played 4. Cricket is preferred to 5. These things are respected 6. That news is known 7. English is spoken there.

4.
1. All the work was done... 2. The luggage was brought 3. It was put 4. It was left 5. It was taken 6. It was paid 7. They were bought 8. The letter was written.

5.
1. Yes, everything will be prepared. 2. A list will be made. 3. The flowers will be bought. 4. Dinner will be served at seven. 5. Drinks will be offered too. 6. The slides of England will be shown...

6.
1. The book was returned yesterday. 2. They were asked... 3. She was invited... 4. Everything was prepared... 5. They were bought... 6. He was called... 7. It was written...

8a.
There's little beer, butter, salad, coffee; there are few apples, glasses, people, places

8b.
a little water, cheese, bread, salt, rice

9.
Yes, there are few children in the park.

10.
1. a few 2. a few 3. a little 4. a few 5. a few 6. a few 7. a little

11.
5. a little 8. a little

12.
1. –, –, the, –, –, –, –, the, the, the, –, –, –. 2. –, the, –. 3. –, –. 4. –, –. 5. –, the, the. 6. –. 7. – (the). 8. –, –, –, –, the (alebo –,) –, –, –.

14.
1. Are you hungry? 2. I'm a little thirsty. 3. We'll have breakfast at half past seven. 4. What shall we have for breakfast? 5. We usually have lunch at noon. 6. We can have supper at a restaurant. 7. How do you like it here? 8. Will you have something to drink? (What will you drink?) 9. Do you put sugar in your coffee? 10. Afternoon tea is served at five. 11. We must leave now. 12. Waiter, the bill, please!

Poznámky k textu:

Have you been **to** *England?* – v spojení s predprítomným časom je predložka **to** častejšie než **in.**

the City – stará, historická časť Londýna, teraz stredisko britského obchodu, sídlo bánk a obchodných firiem.

Stratford – mestečko severozápadne od Londýna, Shakespearovo rodisko.

Brighton – prímorské kúpeľné miesto na juhu Anglicka.

Hyde Park – najväčší londýnsky park. *Hyde Park Corner* – miesto v Hyde Parku, kde možno počúvať najrozličnejších rečníkov a debaty.

St. Paul's Cathedral [kəˈθi:drəl] – Katedrála Sv. Pavla, najväčší kostol v Londýne, postavený v 2. polovici 17. storočia. Jeho staviteľom je významný architekt Christopher Wren [kristofə ren].

the Tower of London – najstarší londýnsky hrad na brehu Temže, neskôr väznica, dnes múzeum.

The British Museum – Britské múzeum, v ktorom sú rozsiahle zbierky najmä antického umenia, ktoré Briti doviezli z Grécka, egyptského umenia a i.

Cvičenia:

1.
1. I've visited [vizitid]... 2. I've helped [helpt] 3. I've washed [wošt] 4. I've answered [a:nsəd] 5. I've thanked [θæŋkt] 6. I've used [ju:zd] 7. I've invited [inˈvaitid] 8. I've started [sta:tid] 9. I've changed [čeindžd] it.

2.
1. I've never seen that film. 2. I've never read [red]... 3. I've never written... 4. I've never been 5. I've never heard [hə:d] 6. I've never done [dan] 7. I've never spoken 8. I've never met 9. I've never bought [bo:t] 10. I've never said [sed] that.

3.
1. Yes, I have. (No, I haven't.) 2. Yes, she has. 3. Yes, they have. 4. Yes, he has. 5. No, we haven't. 6. No, they haven't. 7. Yes, it has. 8. No, she hasn't. 9. Yes, you have. 10. Yes, he has.

4.
1. Have you seen the film? Has he seen it?

6.
1. I haven't done it. (Tom hasn't done it.) 2. I haven't seen it. 3. I haven't met them. 4. I haven't been there. 5. I haven't read [red] it. 6. I haven't said that. 7. I haven't written it. 8. I haven't heard it.

7.
1. haven't you? 2. have you? 3. haven't they? 4. have they? 5. hasn't it? 6. has it? 7. hasn't she? 8. has she? 9. hasn't it? 10. has it?

8.
1. He hasn't played football since he was... 2. He hasn't worked... since he came... 3. She hasn't written... 4. They haven't invited... 5. We haven't been... 6. The team hasn't won... 7. He hasn't spoken... 8. I haven't spoken to my...

10.
1. ...from nineteen fifty-seven to nineteen sixty-four. 2. the first, nineteen sixty-nine 3. nineteen forty-five to nineteen forty-seven... 4. fifteen sixty-four to sixteen sixteen. 6. on the fifth [fifθ] of ... 7. on the ninth of... 8. on the third of...

12.
1. Have you been to London? 2. I've never been to England. 3. Have you seen the film? No, I haven't. 4. Have you done any sightseeing? 5. I've (already) visited the castle, the museum and the gallery. 6. I took part in a sightseeing tour yesterday. 7. We returned on the fifth of May. 8. We've just arrived. 9. I haven't seen him yet. 10. Have a good time.

17. lekcia

Poznámky k textu:

Všimnite si niektoré spoločenské zvyklosti. Pri formálnom predstavovaní použijeme: *Allow me (let me, may I) introduce Mr N.* a odpoveď bude: *How d'you do.* Pri priateľskom predstavovaní stačí povedať: *Meet my friend, Mr N.* a odpovieme celkom neformálne: *Good evening* alebo *Hello.* Pri predstavovaní si Angličania podávajú ruky, ale pri ďalšom stretnutí už len zriedka.

Na poďakovanie *Thank you* sa obyčajne neodpovie, alebo sa odpovedá: *You are welcome. (Not at all. That's all right. It's nothing at all* ap.*)*

Pozor na použitie slova *please.* Použijeme ho len vtedy, ak naozaj o niečo prosíme: *Shut the door, please.* Pri podávaní niečoho povieme: *Here you are.* Ako odpoveď na žiadosť o dovolenie: *May I shut the door?* – povieme: *Certainly. Of course.* Na začiatku žiadosti o niečo použijeme namiesto nášho „prosím" slová: *Excuse me.*

Cvičenia:

1.
1. brought [bro:t] 2. felt 3. bought 4. got 5. did 6. cost 7. chose 8. drank 9. knew 10. heard 11. took 12. saw 13. thought 14. read [red]

3.
1. Who wrote that? 2. Who said... 3. Who spoke... 4. paid 5. left 6. gave 7. told 8. won 9. Who did it? 10. went

6.
1. I'd like to play golf (I should like to...) 2. I'd like to go... 3. I'd like to

return… 4. I'd like to come… 5. I'd like to go… 6. I'd like to see it. 7. I'd like to go shopping. 8. I'd like to speak…

8.

1. Yes, I'd like to. 2. Yes, he'd like to. 3. Yes, she'd like to. atď.

10.

1. Would you like to spend the weekend with me… 2. Would you like to come to the cinema…

11.

1. Who did you work with? 2. Who did they speak about? 3. Who are you waiting for? 4. Who is she speaking to? 5. Who is she looking for? 6. What did he write about? 7. What did they speak about? 8. Where does he come from? 9. What are you looking for? 10. What is he fond of? 11. What are they looking forward to?

13.

1. Tom prepared it himself. 2. Pat heard it herself. 3. I enjoyed myself. 4. The girls helped themselves to… 5. We did it ourselves. 6. Mr Parker himself knew… 7. I paid for it myself. 8. They went there themselves. 9. She herself told them to come.

14.

1. wrong 2. before 3. late 4. answer 5. leaves 6. short 7. full 8. easy 9. slow 10. light 11. light 12. under 13. right 14. large 15. everything (all) 16. interesting.

15.

1. I'm sorry to trouble you. 2. Would you kindly pass me the newspaper? 3. May I have a cup of coffee? 4. Will you shut the door, please? 5. Could you return the records in a week? 6. Excuse me, is this your book? 7. Will you excuse me for a moment, please? 8. Would you like to see the film? Yes, I'd like to. 9. Have you met Mr Miller? 10. How did you enjoy yourself?

18. lekcia

Poznámky k textu:

pillar-box – poštová schránka, ktorá stojí na chodníku a má tvar nízkeho, červeno natretého stĺpa.

stamps – známky; možno ich dostať v automatoch umiestených nielen na pošte, ale i na uliciach. Pošta má svoje filiálky aj v obchodoch, kde nielen možno dostať známky, ale i podať listy a balíčky.

Cvičenia:

5.

1. mine 2. his 3. hers 4. ours 5. theirs 6. yours

6.

1. I'll have another postcard. 2. I'll use another textbook. 3. I'll have another pen. 4. I'll need another map. 5. I want another slide. 6. I prefer another picture. 7. I'll watch another programme.

7.

1. Yes, the others are coming. 2. Yes, the others are going there atď.

8.

1. Can you show me another English textbook, please? 2. Have you got any other postcards? 3. May I have another cup of tea? 4. Pass me the other parcel, please. 5. Some boys prefer football, others basketball. 6. Where are the others? 7. When they arrived (came), I was having breakfast. 8. We were playing wolleyball the whole morning. 9. What were you doing at five yesterday? 10. We were watching television. 11. That's true. He's right.

19. lekcia

Poznámky k textu:

V texte si všímajte predovšetkým gerundiálne väzby (tvary na *-ing*) a podčiarknite všetky slovesá a predložkové väzby, po ktorých sa gerundium vyskytuje.

Cvičenia:

1.

1. I haven't heard the news. 2. I haven't kept... 3. I haven't begun 4. I haven't understood 5. I haven't sent 6. I haven't spoken 7. I haven't read [red] 8. I haven't rung them up.

2.

1. leaving (going) 2. finishing 3. working 4. switching off 5. forgetting 6. getting up 7. being early 8. going down 9. answering [a:nsəriŋ] 10. being well.

3.

1. Who is he speaking to? 2. What are they listening to? 3. Where are they coming from? 4. Who is she dancing with? 5. What are you interested in? 6. What are you looking forward to? 7. Who are they talking about?

4.

Do you (they) like...? Does Mike enjoy...?

5.

1. Yes, they're thinking of buying a car. – No, they're thinking of buying a good camera. 2. Yes, I'm thinking about buying a new tape-recorder atď.

7.

1. Do you mind my switching on the light? – Would you mind my switching on the light? 2. Would you mind my smoking here? atď.

9.

1. Yes, I'm going to be ready with it in a week. 2. Yes, I'm going to repair it in an hour. 3. Yes, they're going to return in three weeks. atď.

10.

1. Mr Parker left before lunch. 2. They arrived a week ago. atď.

11.

1. I'll buy some fruit before they come. 2. I'll get some biscuits before they come atď.

12.

1. If I miss the buss, I'll go by tram (by car, by train). 2. If I'm free tomorrow, I'll ring you up. 3. If she doesn't phone, I'll try to phone her. atď.

13.

1. He came an hour ago. 2. Come before lunch. 3. I came after you. 4. We finished ten minutes ago. 5. They arrived three days ago. 6. What were you doing before your holiday? 7. I'll be ready in a few minutes. 8. I'll ring you up as soon as I get an answer. 9. If it's fine (nice) on Sunday, I'll work in the garden. 10. Will you help me if Tom doesn't come?

20. lekcia

Cvičenia:

1.

1. No, I can't [ka:nt]. 2. No, you mustn't. 3. they needn't. 4. you needn't. 5. he can't. 6. you needn't.

2.

1. Why did you have to wait there? 2. Why did you have to...?

3.

1. No, but I'll be able to do it tomorrow. 2. No, but I'll be able to...

4.

1. Will you be able to arrange it? 2. Will they be able to...?

7.

1. It may rain tomorrow. 2. They may be back... 3. It may change. 4. I may see him... 5. They may leave... 6. He may be ready.

8.

1. No, I wasn't allowed to drink... 2. No, they weren't allowed to... 3. they weren't... 4. he wasn't... 5. we weren't... 6. they weren't allowed to use it.

9.

1. He must be right. 2. They must change it. 3. She must return them. 4. They must be back. 5. He must be all right now.

10.
1. They may have met there. – They must have met there. 2. She may have spoken... – She must have spoken... 3. He may have tried to... – He must have tried to... 4. They may have quarrelled. – They must have quarrelled. 5. They may have left. – They must have left. 6. He may have asked them. – He must have asked them. 7. They may have stopped...

11.
1. each 2. every 3. each 4. every 5. every 6. each 7. each.

12.
1. So do I. 2. So am I. 3. So did I. 4. So did I. 5. So have I. 6. So shall I. 7. So do I. 8. So do I.

13.
1. Neither did I. 2. Neither have I. 3. Neither can I. 4. Neither do I. 5. Neither have I. 6. Neither am I. 7. Neither am I.

14.
1. We didn't have to wait. 2. I wasn't allowed to speak about it. 3. You needn't worry. 4. Will you be able to arrange it? 5. Have you got everything? 6. Everybody needs it. 7. He gave one pound to each of the boys. 8. I couldn't get the tickets. – Neither could I. 9. We decided to leave on Monday. – So did we. 10. I'll take part in it. – So will I. 11. We prefer going to the theatre. – So do I. 12. I may come tomorrow. 13. They may have done it. 14. He must have received your telegram. 15. It must be all right.

21. lekcia

Poznámky k textu:

V lekárňach *(the chemist's)* v Británii možno dostať nielen lieky, ale i rozličný iný tovar (ako v našich drogériách) a možno si tam dať aj vyvolať filmy. Americký výraz pre lekáreň je *drugstore* [dragsto:]; možno tam dostať aj občerstvenie, kúpiť si knihy a iný tovar.
(the) flu – mená chorôb sú spravidla bez člena, ale *flu* možno použiť s členom i bez člena.

Cvičenia:

1.
fewer books, rooms, classes, lessons

1. I've been working in this factory since 1963. 2. I've been learning English for three years atď.

3.
1. Yes, they are to wait for her. 2. Yes, I am to try it again. 3. Yes, she is to go to hospital. 4. Yes, you are to park here. 5. Yes, we are to go back... 6. Yes, she is to go... 7. Yes, you are to... 8. Yes, she is to go to... 9. Yes, he is to stop smoking.

4.

1. But you should to see him. 2. But she should go... 3. She should take... 4. They should wait... 5. He should be interested in... 6. They should drink... 7. He should go for a walk.

5.

1. His brother will come later. 2. That one costs more. 3. Pat has less time. 4. The others have more... 5. That one is worse (better). 6. The S. Hotel is further away. 7. His wife speaks English better.

6.

1. How long have you been reading? 2. How long has he been learning French? 3. How long have they been working...? 4. How long has he been staying...? 5. How long have they been living...? 6. How long has the doctor been examining him?

7.

1. I need three tickets at least. 2. It'll take three hours at least. 3. three days at least. 4. A good car costs... at least. atď.

8.

1. Yes, I've seen his latest film. 2. Yes, I've read her latest short stories. 3. I've listened to his latest records. 4. I've watched his latest play on television. 5. They've checked our latest results. 6. I've taken part in their latest meeting. atď.

11.

1. Is there a chemist's around here? 2. I've got a headache and toothache. 3. Are you feeling better? 4. Don't worry about that. 5. You should take some medicine for the cough. 6. How long will it take? Three days at least. 7. Last week I was down with flu. 8. How long have you been working at (in) the laboratory? 9. What's the matter with him? 10. He's sick.

22. lekcia

Poznámky k textu:

Všimnite si úpravu anglického listu. Do pravého horného rohu sa píše adresa odosielateľa a pod ňu dátum. V adrese píšeme najprv číslo domu a až za ním meno ulice (za ním je čiarka), potom meno mesta (za ním je čiarka). Po oslovení sa píše čiarka, nie výkričník. Text listu začíname vždy písať s veľkým začiatočným písmenom. Záverečný pozdrav sa píše s veľkým začiatočným písmenom a na nový riadok, napr.

With much love,

Yours sincerely,

John.

Pozor! Zámená Ty, Tvoj, Váš, Vy ap. sa v anglických listoch píšu vždy s malým začiatočným písmenom, napr. *Thank you for your letter.* Ďakujem Vám (Ti) za Váš (Tvoj) list. Výnimkou je záverečný pozdrav *Yours.*

Cvičenia:

1.
1. I have been working for two hours. 2. He has been waiting for...

2.
1. Do you know the young lady who is waiting outside? 2. Do you know the old gentleman who was speaking to them? 3. Do you know the boy who has brought this? 4. Do you know the doctor who examined him? 5. Do you know the lady who has just left? 6. Do you know the English teacher who taught this class last year? 7. ... the French student who...? 8. Do you know the girl who attends this course?

3.
1. This guidebook, which is quite nice, costs only... 2. This magazine, which brings information..., isn't mine. 3. The examinations, which we took yesterday, weren't... 4. This way, which is shorter, will... 5. Their house, which stands... is quite small. 6. Our factory, which makes cars, is... 7. This detective story, which is very thrilling, was written by A. Ch.

5.
1. John, whose wife isn't feeling well today, won't come. 2. Mrs Parker, whose children are ill, must... 3. My daughters, whose names are... atend secondary school. 4. Miss N., whose father was taken... won't be able to... 5. Mr Brown, whose wife is French, speaks...

6.
1. Is this the tape-recorder you have used? 2. Is this the booklet you have read? 3. Is this the English magazine you've bought? 4. Is this the folder she has brought? atď.

7.
1. At ten past six I'll be preparing breakfast. 2. At half past six I'll be having breakfast. 3. At a quarter to seven I'll be leaving home. 4. At seven thirty I'll be working in my office. 5. At ten I'll be having a cup of coffee. atď.

8.
1. Is this the information booklet you were asking about? 2. Are these the photographs they were looking at? 3. Is this the lady you were talking to? 4. Is this the young girl you were working with? 5. Is this the old house they lived in? 6. Is this the young man they talked about?

9.
1. What else will you need? 2. Who else will help us? 3. Who else will be there? 4. What else will you bring? 5. Who else can speak German? 6. Who else was there? 7. What else will you buy?

10.
a) 1. It isn't too late. 2. It isn't very near. atď.
b) 1. Yes, it's nearly ready. 2. It's nearly twelve. 3. It's nearly at the end...
c) 1. I can hardly understand. 2. I can hardly help you... 3. He can hardly

do it. 4. He will hardly find it. 5. I hardly know her. 6. He has hardly ever been there. (Sotva tam kedy bol.) 7. I can hardly hear you.

11.
1. near – nearly 2. hardly – hard 3. late – lately 4. high – highly 5. fast – fast.

12.
1. He became a... 2. He taught me last year. 3. He drove me there last month. 4. He found it last week. 5. They ran two-day trips last year. 6. I slept well last week. 7. They began last month.

13.
1. Have you read his latest book? No, I haven't read [red] it yet. 2. Have you seen the film? Yes, I've seen it. 3. Have they answered? No, they haven't answered yet. 4. Have you posted the letter yet? Yes, I've sent it already. (Yes, I've posted it already.) 5. Who else could come? 6. What else do you want to do? 7. Peter is still at school. 8. May I have another piece of cake? 9. How long have you been learning Russian? 10. It's nearly half past six. 11. We can hardly finish it today.

23. lekcia

Poznámky k textu:

V Británii sa môžete ubytovať aj v penzionátoch *boarding-house* [bo:diŋhaus] alebo v turistických ubytovniach pre mladých ľudí, tzv. *youth hostel* [ju:θ hostl].

Cvičenia:

1.
1. I didn't know (that) she had been late. 2. I didn't know he had bought the tickets. 3. ...you had sent... 4. you had been 5. she had returned 6. you hadn't told 7. he hadn't promised 8. she had seen 9. you had received...

2.
1. Because Peter had already bought it. 2. Because Mother had already phoned them. 3. Because my wife had already invited them. 4. Because Mother had already made the tea. 5. Because Miss Lewis had already booked... 6. ...Peter had already shown... 7. Father had already done it. 8. My brother had already written to that hotel.

3.
1. After I had done my shopping, I stopped at my mother's. 2. After they had been waiting for..., they returned home. 3. After he had been learning English..., he took... 4. After I had been doing..., I watched... 5. After we had been playing records..., we listened to... 6. After they had been living in B. ..., they came... 7. After I had been working there..., I applied for another post.

4.

1. I'd been learning English for two years before I came to London. 2. He'd been working in that office for... before he started to work. ... 3. I'd been looking for my notebook for... 4. I'd been living in the country for... 5. I'd been learning to drive for... 6. I'd been waiting for Jane for... before she came.

5.

1. Yes, I heard (that) they were... 2. I heard that they were going to... 3. I knew that she didn't go out to work. 4. I knew they met... 5. We thought he was going to. 6. I heard he was. 7. I heard they were staying at the Palace Hotel.

6.

1. She said she would explain it to me. 2. He thought it would be all right. 3. She said she would invite them. 4. Mike said he would go. 5. He said he would speak to her. 6. He said he would phone. 7. They said it would be possible.

7.

1. They asked me what schools I had attended. 2. They asked where I lived. 3. ...what my father's name was. 4. ...where I worked. 5. ...what foreign languages I could speak. 6. ... how many children we had. 7. ... whether I liked my present work. 8. ... whether I had done this work before. 9. ... whether I could speak German well. 10. ... whether I was staying.

8.

1. She told me to go and buy another one. 2. They told me to do it... 3. She asked me to show her how to do it. 4. They told me to bring it... 5. He asked me to see... 6. He told me not to send... 7. She told me not to wait.

9.

1. Let's have a try. Will you have a try? 2. Let's have a dance. 3. Let's have a swim. 4. Will you have a wash? 5. Let's have a drink. Will you have a drink? 6. Will you have a bath? 7. Let's have a shower. 8. Let's have a look at the photographs. Will you have a look?

10.

1. We had been walking for half an hour before it started to rain. 2. When we came to the bus stop, the bus had already left. 3. When I wanted to buy it, the shops had been closed. 4. How long had you been waiting at the railway station before the train came in (arrived)? 5. He told me to be there at seven. 6. She asked me to explain it to her again. 7. He said he would be there. 8. She said she had been there. 9. They said they were very busy. 10. I thought Peter had brought it. 11. He asked me if I should be in my office at midday. 12. I asked how much it cost. 13. They told me not to wait. 14. Let's have a look at it. 15. Will you have a smoke? 16. I've left my glasses behind. 17. I've forgotten to give him the key. 18. I must buy (myself) a pair of trousers, two pairs of socks and a pair of brown shoes.

Poznámky k textu:

free shop – obchod na letisku, na lodi alebo v prístave, kde možno nakúpiť určité druhy tovaru bez daňovej prirážky.

Cvičenia:

1.
1. You'd [ju:d] better... 2. I'd [aid] 3. We'd [wi:d] 4. He'd [hi:d] 5. She'd [ši:d] 6. They'd [ðeid] atď.

2.
1. Yes, I'll be back before he posts... 2. I'll speak to him before I go home. 3. He'll come to see us before he leaves... 4. I'll let you know as soon as I get... 5. If it's necessary, I'll go there. 6. No, we shan't go... if it rains. 7. If they ask me, I'll help. 8. If it's too late, I shan't walk home.

3.
1. I'm sure you would have written. 2. I'm sure you would have understood. 3. ... you would have used 4. you would have tried 5. you would have liked 6. you would have enjoyed yourself/selves 7. you would have invited us.

4.
1. If they arrived..., I'd phone your office. 2. If I was in a hurry, I'd take a taxi. 3. If I had enough money, I'd buy... 4. If he rang me up, I'd explain it to him. 5. If it was necessary, I'd do it. 6. If they needed help, I'd come. 7. If they arrived..., I'd meet them... 8. I'd try to repair it if I had time.

5.
1. If I were you, I would speak to them. 2. If I were in his place, I would learn French. 3. If I were you, I would go... 4. If I were you, I'd take... 5. If I were you, I'd wait. 6. If I were in his place, I'd go by plane. 7. If I were you, I'd promise it.

6.
1. Yes, if they'd stayed longer, I'd have been glad. 2. If they hadn't been so busy, they'd have come. 3. If I'd taken a taxi, I'd have cought the train. 4. If it had cost less..., I'd have bought it. 5. If I'd had more..., I'd have gone to... 6. If I'd known about..., I'd stayed at home.

7.
1. I'd rather have a cake. 2. I'd rather go to the theatre. 3. I'd rather watch... 4. I'd rather go swimming. 5. I'd rather have orange juice. 6. I'd rather buy something else. 7. I'd rather send a wire. 8. I'd rather pay in cash. 9. I'd rather have a look at your records.

8.
1. You'd better give her... 2. You'd better stay... 3. You'd better pay... 4. You'd better take... 5. You'd better put it on. 6. You'd better ask. 7. You'd better ring them up.

9.
1. come in 2. go up the... 3. out of the building 4. Take them upstairs. 5. out 6. above 7. under 8. below 9. over 10. put in.

10.
1. When will the plane for Glasgow leave? 2. The plane from Edinburgh is just landing. 3. The Liverpool express will arrive in ten minutes. 4. Will you pay in cash or by cheque? I've got traveller's cheques. 5. Have you missed your train? 6. I flew to London last month. 7. The flight took (lasted) about two hours. 8. If it rained, we'd go by bus. If it didn't rain, we'd walk. 9. If we had arrived at the station before six, we'd have caught the express. 10. We'd better get ready. 11. I'd rather have fruit juice.

25. lekcia

Poznámky k textu:

Vyhľadajte si na mapke na str. 371 všetky zemepisné názvy, o ktorých sa dočítate v texte.

Cvičenia:

1.
1. I saw the play a week ago. 2. They let me know... 3. he drove me... 4. I found 5. he flew 6. she broke 7. they sang 8. it fell down... 9. I showed.

2.
1. I had breakfast at half past 7. 2. I had to hurry... 3. I had to... 4. I was... 5. I left 6. I was 7. I ran 8. I had 9. I went and read [red].

3.
1. _ 2. _, _ 3. the 4. _ 5. the 6. the 7. the 8. _, _, _ 9. the 10. the 11. the 12. _ 13. the 14. the.

4.
1. She's a good writer. 2. He's a careful driver. 3. She's a fast reader. 4. She's a good teacher. 5. He's a bad dancer. 6. He's a good player. 7. She's a slow worker. 8. He's a fast driver. 9. He's a careful listener. 10. He's a slow learner.

5.
1. No but it was snowing an hour ago. 2. No, but it was working a few minutes ago. 3. No, but it was lying there... 4. No, but she was reading it... 5. No, but he was... 6. No, but they were working...

6.
1. I haven't known anything about it. 2. I haven't read anything... 3. I haven't heard anything... 4. I haven't gone anywhere. 5. I haven't

eaten anything. 6. I haven't sent her anything. 7. I haven't given her anything.

7.

1. If I knew how to repair it, I'd be glad. 2. If I played tennis well, I'd be glad. 3. If I could dance... 4. If I spoke... 5. If I worked... 6. If I received 7. If I got...

9.

policeman – strážnik, *Frenchman* – Francúz, *postman* – poštár atď.

10.

a) *building* – budova, *farming* – poľnohospodárstvo, *landing* – pristátie, *gardening* – práca v záhrade, *cooking* – varenie, *teaching* – vyučovanie, *travelling* – cestovanie, *fishing* – rybolov, *feeling* – cítenie, pocit

b) *loveliness* – milota, pôvab, *readiness* – pohotovosť, *greatness* – veľkosť, *happiness* – šťastie, blaženosť, *thickness* – hrúbka, *sickness* – nevoľnosť, *illness* – choroba, *seriousness* – vážnosť

c) *organization* [ˌo:gənaiˈzeišn], *invitation* [ˌinviˈteišn], *information* [ˌinfəˈmeišn], *reservation* [ˌrezəˈveišn], *preparation* [ˌprepəˈreišn], *explanation* [ˌeksplәˈneišn], *declaration* [ˌdekləˈreišn].

d) *cloudless* – bezoblačný, *childless* – bezdetný, *motherless* – bez matky, *workless* – bez práce, *painless* – bezbolestný, *careless* – nedbanlivý, *moneyless* – bez peňazí, *endless* – nekonečný, *hopeless* – beznádejný.

11.

1. Do you go to the mountains in autumn? 2. How do you like the High Tatras? 3. What's the weather like in Great Britain? Rainy. 4. It was foggy in the morning. 5. Nice (lovely) weather, isn't it? 6. It's twenty-five degrees (above zero). 7. We spent our holiday at the seaside. 8. We were at the Black Sea. 9. It often rains here in spring. 10. There wasn't much snow last year. 11. The Krkonoše Mountains are famous for their beauty spots. 12. Are they in the north? No, they're northeast of Prague.

26. lekcia

Poznámky k textu:

enough – ak je spojené s prídavným menom, dávame *enough* až zaň, napr. *He's* **old enough** *to know what to do.* Je **dosť starý,** aby vedel, čo má robiť.

V spojení s podstatným menom dávame *enough* pred podstatné meno, teda ako v slovenčine: *There's* **enough food.** Máme **dosť jedla.**

Cvičenia:

1.

1. How often does he attend...? 2. Why does she want to...? 3. How much money did you spend? 4. When did they arrive? 5. In what musical did she

sing? 6. How many letters did you write? 7. When did they hold the conference?

2.

1. Yes, some new machines have been bought. 2. Yes, a new hospital has been built. 3. Yes, the meeting has been held. 4. Yes, the telegrams have been sent. 5. Yes, the tests have been made. 6. Yes, everything has been eaten. 7. Yes, the keys have been found.

3.

1. If he was in Bratislava, he'd come. 2. If I knew his telephone number, I'd ring him up. 3. If he let them know, they'd come. 4. If I sent them a telegram, they'd meet me at the airport. 5. If he was here, we'd start. 6. If he needed it, he'd buy it.

4.

1. She may have promised something. 2. He may have made an appointment with them. 3. They may have noticed some changes. 4. They may have offered him a job. 5. He may have read something about it. 6. They may have been somewhere else. 7. He may have bought something.

5.

1. Nobody asked me to book the seats. 2. Nobody told me to... 3. Nobody asked me to... 4. Nobody asked me to... 5. Nobody asked me to... 6. Nobody told me how to do it. 7. Nobody showed me how to handle it.

6.

1. Tell her not to prepare them. 2. Tell her not to use it. 3. Tell her not to go there. 4. Tell him not to forget... 5. Tell them not to... 6. Tell her not to worry about him. 7. Tell them not to wait for him.

7.

1. Why do you want Dick to arrange it? When do you want him to arrange it? 2. When did you ask him to see to it? 3. When do you expect them to arrive? 4. When did you see him leave his office? 5. When did you hear them come in? 6. When did you show him how to use it? 7. When did she invite them to stay at her house?

8.

1. Yes, I asked them to come here to show them the photographs. 2. He went abroad to attend a conference. 3. She attends evening courses to... atď.

9.

1. We'll meet at the entrance. 2. Where can I get the entrance tickets? The ticket office is at the main entrance. 3. What's on show here? 4. Shall we walk round the fair? 5. Let's discuss a few important things. 6. Would you like me to show you round the exhibition? 7. He wanted me to show him our latest models. 8. What make is your car? It's a 1982 Fiat. 9. What's your opinion? In my opinion it's very useful. 10. Is it all right? Yes, I think so. We have already discussed it.

Poznámky k textu:

The United States – všimnite si, že sloveso je v jednotnom čísle, lebo ide o Spojené štáty ako jeden pojem (celok).
Mount Whitney – 14,000 ft = 4.418 metrov (pozri Kľúč, Britské miery, str. 53).
railroad – americký výraz na *railway* = železnica.
highway – americký výraz na diaľnicu, *motorway* – v britskej angličtine.
corn – americký výraz na kukuricu, v britskej angličtine = *maize* [meiz]. Ďalšie amerikanizmy pozri v 29. lekcii.
Washington, D. C. – District of Columbia [distrikt əv kəˈlambiə] – Washington s okolím tvorí samostatné územie.

Cvičenia:

1.
1. on show 2. reserved 3. I suppose 4. ran 5. all 6. What make is his car? 7. crossed 8. went for a trip 9. took part in, attended.

2.
1. –, – 2. – 3. to 4. (to) 5. to 6. – 7. to 8. –.

3.
1. I was told to come back. 2. I was shown the... 3. I was offered... 4. He was offered... 5. I was paid... 6. She was told... 7. He was asked to... 8. I was shown round. 9. I was given... 10. He was promised...

4.
1. as 2. than 3. for 4. for 5. than 6. as 7. than 8. as bad as 9. than 10. as 11. as 12. for 13. as soon as.

5.
1. As I had no time 2. As I had no tin-opener 3. As I had no cigarettes (lighter) 4. As I had no glasses 5. As I had no knife 6. As I had no coat, I was rather cold.

6.
1. Is it a large entreprise? Yes, the entreprise is very large. 2. Is it a very exciting story? Yes, the story is very exciting. 3. Is it an important fact? Yes, the fact is very important. atď.

7.
1. a 2. the, the 3. a, a, 4. the 5. the, the 6. a 7. a 8. the 9. the, the 10. a 11. the 12. a.

8.
1. I told him to come at three. 2. He said that he was very busy. 3. He said it in... atď.

9.
1. tell 2. said 3. told 4. told 5. say 6. say 7. tell 8. tell 9. said 10. say.

10.
1. My son would like to become an electrical engineer. 2. He is interested in electrical engineering. 3. It's an interesting field. 4. They told me to ask you. 5. He is said to be a good expert. 6. Yes, he is among the best we have. 7. There's a great difference between the life in a large city and in the country (between town life and country life). 8. We spent our holiday at a seaside resort. 9. Are you for an early start? No, we're against (it). 10. I've read [red] an interesting newspaper article about the Negroes living in California.

28. lekcia

Poznámky k textu:

Pozor! *Watch, clock, door, newspaper* majú v angličtine jednotné i množné číslo: *a watch – two watches* jedny hodinky – dvoje hodiniek.

Cvičenia:

1.
1. Who's the young lady speaking to Mr B.? 2. Who's the gentleman greeting Mrs B? atď.

2.
1. Most of the visitors coming to our town stay at that hotel. 2. Most of the students studying English take this course. atď.

3.
1. Having finished my work, I went for a walk. 2. Having said goodbye to everybody, I left. 3. Having booked my room, I began to pack. 4. Having packed up my luggage, I called... atď.

4.
1. What did they do before going to N.? 2. What did they do after visiting the fair? atď.

5.
1. Do you always have lunch at one? 2. Does she always have a cup of milk after supper? 3. Do you always have two cups...?

6.
1. do 2. made 3. doing 4. make 5. made 6. make 7. made 8. done 9. do 10. doing 11. do, do 12. do.

7.
1. repaired, cleaned 2. cleaned, shortened, washed 3. washed, cleaned 4. made 5. developed 6. pressed.

8.

1. are getting 2. is getting, got 3. has grown 4. got, is getting 5. got 6. went, turned (zrazu) 7. turned 8. became.

a) two thirds, three quarters (fourths), six eights, a half, a quarter (fourth), a hundredth, seven tenths, a fifth.
b) five times, once, three times, twice, twelve times, ten times.

11.

1. How many times have you been there? 2. It must be done several times. 3. It won't be easy this time. 4. May I have two colour films 6 by 9? 5. A shampoo and set, please. 6. What's wrong with this watch? It won't go. 7. It's gaining (losing). 8. May I try on this suit (this dress – dámske šaty)? What's your size? My size is... 9. Can you repair (do) it right now? 10. Jane had two dresses made. 11. Have you read any novel by Hemingway? 12. When we arrived at the station, the train had already left. 13. Wishing to improve his English, he bought a course of English on tapes. 14. Having missed the last bus, he had to walk home.

29. lekcia

Poznámky k textu:

We have not cake – nemáme tortu (koláč). Američania vyslovujú „o" skoro ako „a"; preto Angličan rozumie *We have nut* [nat] *cake* – máme orechovú tortu (koláč). Ďalšou typickou črtou americkej výslovnosti je napr. to, že vyslovujú „r" po samohláske: *hard* [ha:rd], *Parker* [pa:rkə], *first* [fə:rst] ap. Dlhé „a" vyslovujú ako [æ] v slovách, ako *answer* [ænsə], *half* [hæf], *past* [pæst].

Z troch hlavných typov americkej výslovnosti sa od britskej najväčšmi líši severozápadný. Americký pravopis je jednoduchší, napr. koncové *-our* sa píše *-or*, napr. *color*.

Cvičenia:

1.

1. She seems to be all right. 2. They seem to be in a hurry. 3. He seems to be surprised. 4. She seems to be glad. 5. Miss Wright seems to be busy today. 6. They seem to be happy. 7. Mrs Smith seems to be interested.

2.

1. Yes, I was asked to have a look at the translation. 2. Yes, I was asked to correct it. 3. Yes, he was expected to try his hand at repairing it. 4. Yes, he is said to be a... 5. Yes, she was told to consider the offer. 6. Yes, Mr Brown was told where to get... 7. Yes, I was invited to come to dinner tonight.

3.

1. The weather is likely to change. 2. They are sure to be ready... 3. You are sure to find it... 4. She is likely to take his advice. 5. The new novel is likely

to appear... 6. They are sure to come. 7. They are likely to need... 8. She is sure to manage all right. 9. The tickets are likely to be sold out.

4.

1. Yes, and they seem to have been busy yesterday, too. 2. Yes, and they seem to have known it for a long time. 3. Yes, and he seems to have expected it for a long time. 4. Yes, and she seems to have remembered it for a long time. 5. Yes, and it seems to have been quite useful for a long time. 6. Yes, and it seems to have been of great importance for a long time. 7. Yes, and they seem to have been lacking it for a long time. 8. Yes, and he's likely to have been worried about it yesterday. 9. Yes, and he seems to have been troubled with it for a long time.

5.

1. Does anybody hapen to use this handbook? 2. Does anybody happen to know his address? 3. Does anybody happen to have read the novel? 4. Does anybody happen to have explained it to him? 5. Does anybody happen to need it? 7. Does anybody happen to have found it? 8. Does anybody happen to remember it? 9. Does anybody happen to have seen him there?

6.

1. I think he should drive more carefully. 2. We should walk more quickly. 3. She should work harder. 4. He should have come earlier. 5. We should have arrived later. 6. It should be longer. 7. It should be higher. 8. He should do it better. 9. She should drive faster. 10. He should get up earlier.

7.

1. It's even worse than I thought. 2. It's even more boring than I thought. 3. It's much more expensive than I... 4. She's much younger than... 5. It's even further... 6. It's much nearer... 7. It's still more exciting... 8. It cost much more. 9. It took even less time. 10. It was even less interesting than I thought.

8.

1. She was quite unhappy about it. 2. He was quite unfriendly. 3. It was quite unexpected. 4. It was quite unimportant. 5. It is quite impossible to... 6. It was quite uninteresting. 7. It is irregular. 8. He's unlikely to... 9. It's an unlucky number. 10. It was unnecessary.

9.

1. I'd like to ring him up. Do you happen to know his telephone number? I happened to put it down. 2. Can you make yourself understood in English? 3. Do you listen to the English course on the radio? 4. They are sure to repeat it. 5. When did you say it was? 6. That doesn't happen very commonly. 7. Are you quite sure about it? 8. It was more difficult than he had thought. 9. It is even quicker. 10. He seems to have forgotten all about it. 11. She seems to be all right now. 12. I was advised to go there by tube. 13. I wasn't told to do it today. 14. Go more quickly (go faster), please. 15. You can do it more simply. 16. Tomorrow I have to get up earlier. 17. He must work more carefully.

Poznámky k textu:

World War I – čítame *the first world war*; podobne *World War II* čítame *the second world war.*

Cvičenia:

1.
1. Yes, he's studying engineering at present. 2. Yes, the're extending it this year. 3. Yes, she's doing shopping at present. 4. He's doing… 5. She's attending… 6. He's spending… 7. He's speaking… atď.

2.
1. Why do you want to improve…? 2. Why do they prefer…? 3. Why do you admire him? 4. Why does he want to…? 5. Why did they decide…? 6. Why does she take so many pills? 7. Why did he leave…? 8. Why did you have to work so late?

3.
1. at, in the 2. at 3. at 4. at the 5. at the 6. In the 7. in (to) 8. at 9. at 10. in 11. in 12. at the 13. at the 14. at the (on the) 15. at, in the 16. at.

4.
1. Yes, he did. He was smoking all the time. 2. Yes, I did. I was waiting the whole afternoon. 3. I was packing the whole evening. 4. He was watching… 5. It was raining… 6. We were having… atď.

5.
1. in the, on 2. in the, on 3. on 4. on (in) the, on the 5. in the 6. on 7. in the 8. in the, on the 9. on the, on 10. on a, in the 11. in the, in 12. on a 13. in the 14. in (on) the 15. on 16. in the 17. in an hour.

6.
1. Yes, I do. I've been living in P. for five years. 2. I've been collecting… for a long time. 3. I've (I haven't) beén smoking for a long time. 4. I've known (nemožno použiť priebehový tvar)… 5. He's been teaching… 6. I've been working… 7. I've been interested in… 8. She's been taking… 9. They've always been spending… (They have always spent…)

7.
1. behind the… 2. under 3. into the… 4. above 5. in front of 6. get on (into) the tram 7. down 8. below 9. out 10. put it in (into) 11. under 12. Take it off. 13. over 14. on.

8.
1. until (till) 2. since 3. during 4. for 5. till 6. during 7. at (during) 8. since (predprítomný čas vo vete ukazuje, že dej trvá doteraz) 9. till (on) 10. since 11. since 12. for.

9.
1. I was just phoning him when he came in. 2. They were discussing their plans (what to do) atď.

10.
1. He wanted to know whether they were there. (Pozor na súslednosť časov.) 2. ...whether they had been shown round... 3. they were going to... 4. they had seen... 5. they preferred... 6. ...how they had enjoyed... 7. they would stay... 8. they liked... 9. they were interested.

11.
1. I was born... 2. He has known... 3. He came... 4. He hasn't come yet. 5. They began 6. I have never been to (in) hospital. 7. We have lived (have been living) 8. They married 9. I have received 10. He has brought.

12.
1. Yes, I think they went to the bus stop. 2. Yes, I think they went to the theatre. 3. Yes, I think she went home. 4. They went to the... 5. He went to a concert. 6. They went to the... atď.

13.
Zopakujte si tvorenie podmienkových viet v 24. lekcii, str. 361.

1. If I meet him, I'll tell him. If I met him, I'd tell him. If I had met him, I'd have told him. 2. Tom will do it if he's well. Tom would do it if he was (were) well. He would have done it if he had been well. 3. If you give me the letter, I'll post it for you. If you gave me... I'd post it... If you had given me... I'd have posted it. 4. If he is..., he'll do... If he were in my place, he'd do the same atď.

15.
1. We live in the suburbs. 2. We have a three-room flat. 3. Our balcony is over the entrance. 4. When are you going to move in? – We moved in a month ago. 5. We don't live in a house, we live in a block of flats. 6. Welcome to our home (place). Would you like me to show you round our flat? – Yes, I' like that. 7. May I have a look at it? – You're welcome. 8. I'll show you round Prague if you like. 9. Where do you have your lunch(es)? – At the works canteen. 10. Mr Nový is out of town, he's on a business trip.

DODATOK

I. PREHĽAD ČASOV A TVAROV SLOVIES

1. Prítomný čas:

a) jednoduchý	**I**			**ask**
	he			**asks**
b) priebehový	**I**	**am**		**asking**
	you	**are**		**asking**
c) trpný jednoduchý	**I**	**am**		**asked**
d) trpný priebehový	**I**	**am**	**being**	**asked**

2. Minulý čas:

a) jednoduchý	**I**			**asked**
b) priebehový	**I**	**was**		**asking**
	you	**were**		**asking**
c) trpný jednoduchý	**I**	**was**		**asked**
d) trpný priebehový	**I**	**was**	**being**	**asked**

3. Predprítomný čas:

a) jednoduchý	**I**	**have**		**asked**
	he	**has**		**asked**
b) priebehový	**I**	**have**	**been**	**asking**
c) trpný jednoduchý	**I**	**have**	**been**	**asked**

4. Predminulý čas:

a) jednoduchý	**I**	**had**		**asked**
b) priebehový	**I**	**had**	**been**	**asking**
c) trpný jednoduchý	**I**	**had**	**been**	**asked**

5. Budúci čas

a) jednoduchý	**I**	**shall**		**ask**
	you	**will**		**ask**
b) priebehový	**I**	**shall**	**be**	**asking**
c) trpný jednoduchý	**I**	**shall**	**be**	**asked**

6. Podmieňovací spôsob:

a) prítomný	**I**	**should**		**ask**
	you	**would**		**ask**
b) prítomný trpný	**I**	**should**	**be**	**asked**
c) minulý	**I**	**should have**		**asked**
d) minulý trpný	**I**	**should have**	**been**	**asked**

7. Neurčitok:

a) prítomný jednoduchý	**to**		**ask**
b) prítomný priebehový	**to**	**be**	**asking**
c) prítomný trpný	**to**	**be**	**asked**
d) minulý jednoduchý	**to have**		**asked**
e) minulý priebehový	**to have**	**been**	**asking**
f) minulý trpný	**to have**	**been**	**asked**

8. Tvar na -ing:

a) prítomný			**asking**
b) prítomný trpný		**being**	**asked**
c) minulý	**having**		**asked**
d) minulý trpný	**having**	**been**	**asked**

II. PREHĽAD NAJDÔLEŽITEJŠÍCH NEPRAVIDELNÝCH SLOVIES

neurčitok	*minulý čas*	*minulé príčastie*
be [bi:] byť	**was, were** [woz, wə:]	**been** [bi:n]
bear [beə] niesť, rodiť	**bore** [bo:]	**borne** [bo:n] nesený **born** [bo:n] narodený
become [biˈkam] stať sa	**became** [biˈkeim]	**become** [biˈkam]
begin [biˈgin] začať sa	**began** [biˈgæn]	**begun** [biˈgan]
break [breik] rozbiť	**broke** [brəuk]	**broken** [brəukn]
bring [briŋ] priniesť	**brought** [bro:t]	**brought** [bro:t]
broadcast [bro:dka:st] vysielať (rozhlasom)	**broadcast(ed)** [bro:dka:stid)]	**broadcast(ed)** [bro:dka:st(id)]
build [bild] stavať	**built** [bilt]	**built** [bilt]
burn [bə:n] spáliť	**burnt** [bə:nt]	**burnt** [bə:nt]
buy [bai] kúpiť	**bought** [bo:t]	**bought** [bo:t]
catch [kæč] chytať	**caught** [ko:t]	**caught** [ko:t]
choose [ču:z] vybrať	**chose** [čəuz]	**chosen** [čəuzn]
come [kam] prísť	**came** [keim]	**come** [kam]
cost [kost] stáť (cenove)	**cost** [kost]	**cost** [kost]
cut [kat] krájať	**cut** [kat]	**cut** [kat]
do [du:] robiť	**did** [did]	**done** [dan]
draw [dro:] kresliť	**drew** [dru:]	**drawn** [dro:n]
drink [driŋk] piť	**drank** [dræŋk]	**drunk** [draŋk]
drive [draiv] jazdiť (autom)	**drove** [drəuv]	**driven** [drivn]
eat [i:t] jesť	**ate** [et]	**eaten** [i:tn]
fall [fo:l] padať	**fell** [fel]	**fallen** [fo:ln]

feel [fi:l] cítiť	**felt** [felt]	**felt** [felt]
fight [fait] bojovať	**fought** [fo:t]	**fought** [fo:t]
find [faind] nájsť	**found** [faund]	**found** [faund]
fly [flai] letieť	**flew** [flu:]	**flown** [fləun]
forget [fəˈget] zabudnúť	**forgot** [fəˈgot]	**forgotten** [fəˈgotn]
freeze [fri:z] mrznúť	**froze** [frəuz]	**frozen** [frəuzn]
get [get] dostať	**got** [got]	**got** [got]
give [giv] dať	**gave** [geiv]	**given** [givn]
go [gəu] ísť	**went** [went]	**gone** [gon]
grow [grəu] rásť	**grew** [gru:]	**grown** [grəun]
hang [hæŋ] zavesiť	**hung** [haŋ]	**hung** [haŋ]
have [hæv] mať	**had** [hæd]	**had** [hæd]
hear [hiə] počuť	**heard** [hə:d]	**heard** [hə:d]
hold [həuld] držať	**held** [held]	**held** [held]
hurt [hə:t] bolieť	**hurt** [hə:t]	**hurt** [hə:t]
keep [ki:p] podržať, nechať si	**kept** [kept]	**kept** [kept]
know [nəu] vedieť	**knew** [nju:]	**known** [nəun]
lay [lei] položiť	**laid** [leid]	**laid** [leid]
lead [li:d] viesť	**led** [led]	**led** [led]
leave [li:v] odísť	**left** [left]	**left** [left]
lend [lend] požičať	**lent** [lent]	**lent** [lent]
let [let] nechať	**let** [let]	**let** [let]
lie [lai] ležať	**lay** [lei]	**lain** [lein]
lose [lu:z] stratiť	**lost** [lost]	**lost** [lost]
make [meik] robiť	**made** [meid]	**made** [meid]
meet [mi:t] stretnúť	**met** [met]	**met** [met]
pay [pei] platiť	**paid** [peid]	**paid** [peid]
put [put] položiť	**put** [put]	**put** [put]
read [ri:d] čítať	**read** [red]	**read** [red]
ring [riŋ] zvoniť	**rang** [ræŋ]	**rung** [raŋ]
run [ran] bežať	**ran** [ræn]	**run** [ran]
say [sei] povedať	**said** [sed]	**said** [sed]
see [si:] vidieť	**saw** [so:]	**seen** [si:n]
sell [sel] predať	**sold** [səuld]	**sold** [səuld]
send [send] poslať	**sent** [sent]	**sent** [sent]
shine [šain] svietiť	**shone** [šon]	**shone** [šon]
show [šəu] ukázať	**showed** [šəud]	**shown** [šəun]
shrink [šriŋk] zbehnúť sa, zraziť sa	**shrank** [šræŋk]	**shrunk** [šraŋk]
shut [šat] zatvoriť	**shut** [šat]	**shut** [šat]
sing [siŋ] spievať	**sang** [sæŋ]	**sung** [saŋ]
sit [sit] sedieť	**sat** [sæt]	**sat** [sæt]
sleep [sli:p] spať	**slept** [slept]	**slept** [slept]
speak [spi:k] hovoriť	**spoke** [spəuk]	**spoken** [spəukn]
spend [spend] tráviť (čas, peniaze)	**spent** [spent]	**spent** [spent]
spring [spriŋ] skákať	**sprang** [spræŋ]	**sprung** [spraŋ]

stand [stænd] stát	**stood** [stud]	**stood** [stud]
swim [swim] plávať	**swam** [swæm]	**swum** [swam]
take [teik] vziať	**took** [tuk]	**taken** [teikn]
teach [ti:č] učiť	**taught** [to:t]	**taught** [to:t]
tell [tel] povedať	**told** [təuld]	**told** [təuld]
think [θiŋk] myslieť	**thought** [θo:t]	**thought** [θo:t]
understand rozumieť [ˌandəˈstænd]	**understood** [ˌandəˈstud]	**understood** [ˌandəˈstud]
write [rait] písať	**wrote** [rəut]	**written** [ritn]

III. PREHĽAD ZÁMEN

A. Osobné, privlastňovacie, zdôrazňovacie a zvratné

Osobné		Privlastňovacie		Zdôrazňovacie a zvratné
1. p.	4. p.	pred podst. menom	samostatné	
I	me	my	mine	myself
you	you	your	yours	yourself
he	him	his	his	himself
she	her	her	hers	herself
it	it	its	its (own)	itself
we	us	our	ours	ourselves
you	you	your	yours	yourselves
they	them	their	theirs	themselves
				oneself (pri neurč. podmete)

B. Ukazovacie

this	tento	**that**	tamten, onen
these	títo	**those**	tamtí, oni

C. Opytovacie

	who	kto?	**which of**	ktorý (z)?	**what**	čo? aký? ktorý?
	whose	čí?				
to	**whom**	komu?				
	who(m)	koho?				

D. Vzťažné

who	ktorý	which	ktorý	what =
whose	ktorého			that which to čo
to whom	ktorému	that	ktorý	
who(m)	ktorého			

E. Neurčité

many	(s mn. č.)	mnoho	much	(s j. č.)	mnoho
few	(s mn. č.)	málo	little	(s j. č.)	málo
a few	(s mn. č.)	niekoľko	a little	(s j. č.)	trocha

every (s podst. menom) každý	each (of) každý (z obmedze-
everybody, everyone každý	ného počtu, každý
everything všetko	jednotlivo)

some	nejaký, niektorý,	no (s podst. m.)	žiadny
(v kladnej vete)	niekoľko, trochu	none (bez	žiadny
		podst. m.)	
		none of (us)	ani jeden,
			žiaden z (nás)
somebody	niekto	nobody	nikto
someone	niekto	no one	nikto, žiaden
something	niečo	nothing	nič

tvary s „any"	v kladnej vete	v otázke	v zápornej vete
any	hocaký	nejaký	nijaký, žiadny
anybody, anyone	hockto	niekto	nikto
anything	hocčo	niečo	nič
anywhere	hockde,	niekde,	nikde, nikam
	hockam	niekam	

another	iný, ešte jeden	other (boys)	iní (chlapci)
		others	iní
the other	(ten) druhý	the other (boys)	ostatní (chlapci)
		the others	ostatní

else iný, ešte	who	else?	kto ešte?
	what	else?	čo ešte?
	nobody	else	nikto iný, už nikto
	anything	else?	ešte niečo?
	something	else	niečo iné

IV. PREHĽAD PRAVIDIEL ANGLICKÉHO SLOVOSLEDU

1. Umiestenie podmetu:

a)		Anne	has	a book.
		The book	is	on the desk.
b) There is		a book		on the desk.
There are	(some)	books		there.
There aren't	many	books		there.
c) There was		a meeting		yesterday.

a) Základný anglický slovosled: podmet + určité sloveso + ostatné vetné členy. Podmet (na otázku *kto?, čo?*) stojí pred slovesom.

b) Výnimkou z tohto pravidla je väzba **there is + podmet + príslovkové určenie miesta/času.**

c) Väzbu „there is" možno použiť vo všetkých časoch, ale nie v trpnom rode.

2. Umiestenie predmetu:

a)	Anne	bought		some	books.	
b)	She	gave	**Jane**	two	books.	
	She	gave	**her**	the	books.	
c)	She	gave		the	books	**to** Jane and her friend.
d)	She	gave			them	**to me.**

a) Predmet stojí vždy za určitým slovesom.

b) Ak sú vo vete dva predmety, predmet v 3. p. *(komu?)* má prednosť (ak je vyjadrený jedným slovom alebo zámenom) pred predmetom v 4. p.

c) Ak je však predmet v 3. p. dlhší alebo je na ňom osobitný dôraz, dávame ho za predmet v 4. p. a je pred ním *to (to Jane and her friend).*

d) Ak sú oba predmety vyjadrené zámenami *(them, me),* dáva sa prednosť predmetu v 4. p.

3. Umiestenie príslovkového určenia miesta a času:

a)	Anne			bought	some	books.		
	She			bought		them	in London.	
	She			bought		them		yesterday.
b)	She			bought		them	in London	yesterday.
c)	We			had		coffee		after supper.
After supper	we			had		coffee.		
d)	She		often	buys		books.		
e)	She	has	often	bought		them.		
	She	can	hardly	read	all	of them.		
	She	would	never	find	enough	time.		
	She	will	always	buy		them.		

a) Za určitým slovesom stojí predmet a za ním príslovkové určenie miesta alebo času.

b) Ak sú vo vete dve príslovkové určenia (miesta i času), má vždy príslovkové určenie miesta prednosť pred príslovkovým určením času.

c) Príslovkové určenie času môžeme predsunúť pred podmet na znak dôrazu. Základný slovosled (podmet + sloveso + predmet) zostáva nezmenený.

d) Krátke príslovkové určenie času (vyjadrené jedným slovom), ktoré presne neurčujú trvanie, umiestime vždy pred tvar určitého slovesa.

e) Ak je vo vete pomocné alebo spôsobové sloveso *(can, may, must)*, príslovkové určenie času príde až po týchto slovesách.

4. Slovosled v otázke:

a)		Do	you		speak	English?
		Does	he		speak	Russian well?
		Did	they		speak	Slovak or English?
b)		Can	you		speak	French?
		Must	she		study	German?
		Are	you		learning	English?
		Will	you		study	foreign languages?
		Would	English		be taught	there too?
		Has	he		studied	French?
c)	Why	do	you		learn	English?
	Why	don't	they		learn	French?
	What languages	will	you		study?	
	How long	have	you		been	learning English?
d)		Has	he	ever	been	to England?
		Have	you	also	spoken	to him?
		Do	you	often	speak	English?
		Will	he	always	speak	like that?
e)	Who	did	you		speak	to?
	What	were	they		talking	about?
	Where	did	he		come	from?
f)	Who				told	you that?
	What courses				start	next week?
	Which of you				studies	English?
	How many girls				attend	this course?

a) Základný slovosled anglickej otázky: **pomocné sloveso** + **podmet** + **významové sloveso.** Všetky významové slovesá tvoria otázku v jednoduchom prítomnom a minulom čase pomocou *do/does/did.* Výnimka z tohto pravidla – pozri f).

b) Spôsobové slovesá *(can, may, must, need)* a pomocné slovesá *(be, have, shall, will, should, would)* tvoria otázku zámenou slovesa (prísudku) a podstatného mena (podmetu).

c) Opytovacie častice *(what, why, when, where* ap.) stoja vždy na začiatku otázky pred pomocným slovesom. Základný slovosled otázky zostáva nezmenený.

d) Krátke časové určenia *(often, just, never* ap.) majú svoje pevné miesto za podmetom otázky, teda pred tvarom významového slovesa ako v oznamovacej vete.

e) Predložky dávame na koniec otázky.

f) Pomocné sloveso *do/does/did* v otázke nedávame, ak je podmetom otázky *who, what, which, how much* alebo *how many.*

V. VÝZNAMOVÝ ROZDIEL NIEKTORÝCH PODOBNÝCH SLOVENSKÝCH A ANGLICKÝCH SLOV

Keď ste sa učili slovíčka v tejto učebnici, iste ste si všimli, že mnoho anglických slov má ten istý význam ako podobné slová v slovenčine.

Pravda, niekedy je táto zhoda tvaru mylná, napr. *traffic* – doprava, nie trafika (= *tobacconist's* [tə'bækonists]). Všimnite si ďalšie podobné slová a zapamätajte si ich:

actual [æktjuəl] skutočný	**aktuálny** topical [topikl]
blanket [blæŋkit] prikrývka	**blanketa** form [fo:m]
confection [kən'fekšn] cukrovinky	**konfekcia** ready-made clothes [kləuðz]
control [kən'trəul] riadiť, viesť	**kontrolovať** check
eventually [i'ventjuəli] konečne, napokon, časom	**eventuálne** possibly
host [həust] hostiteľ	**hosť** guest [gest]
genial [dži:niəl] bodrý	**geniálny** (spisovateľ) (a writer) of genius [dži:njəs]
gymnasium [džim'neizjəm] telocvičňa	**gymnázium** grammar school
mode [məud] spôsob	**móda** fashion
novel [novl] román	**novela** story
petrol [petrəl] benzín	**petrolej** kerosene [kerəsi:n]
stadium [steidiəm] štadión	**štádium** stage [steidž]
sympathy [simpəθi] súcit	**sympatia** liking

Tak isto aj spojenie dvoch známych slov môže mať význam celkom odlišný od doslovného prekladu:

Public School – drahá exkluzívna súkromná stredná škola (verejná škola = *State School*).

high school – stredná škola (vysoká škola = *university,* v USA tiež: *college*)

industrial school – polepšovňa (priemyslová škola = *technical school*)

Foreign Office – britské ministerstvo zahraničia

Home Office – britské ministerstvo vnútra.

Podobných nezhodných slov a väzieb je veľmi mnoho. Preto nikdy nesmiete iba odhadovať ich význam, ale ak tieto slová presne nepoznáte, overte si ich v slovníku.

VI. BRITSKÁ A AMERICKÁ MENA, MIERY A VÁHY

Britská mena:

1 pound =£ 1 (skr. £ pred číslovkou) = 100 pence = 100 p*

Americká mena:

1 dollar [dolə]	=$ 1 (skr. $ pred číslovkou) = 100 cents
1 cent [sent]	= 1 c. (skr. c. za číslovkou)

Dĺžkové miery:

1 inch	(skr. in.)		= 2,54 cm
1 foot	(skr. ft.)	= 12 ins.	= 30,48 cm
1 yard	(skr. yd.)	= 3 ft.	= 0,91 cm
1 mile	(skr. m.)	= 1,760 yds.	=1,609 m

Plošné miery:

1 square inch	(skr. sq. in.)		= 6,45 cm^2
1 square foot	(skr. sq. ft.)	= 144 sq. ins.	= 9,29 dm^2
1 acre	(skr. ac.)	= 4,840 sq. yds.	= 0,40 ha
1 square mile	(skr. sq. m.)	= 640 acs.	= 259,90 ha

Priestorové miery:

1 cubic inch	(skr. cub. in.)		= 16,39 cm^3
1 cubic foot	(skr. cub. ft.)	= 1,728 cub. ins.	= 0,03 m^3
1 cubic yard	(skr. cub. yd.)	= 27 cub. ft.	= 0,76 m^3

Duté miery:

1 pint	(skr. pt.)		= 0,57 l
1 quart	(skr. qt.)	= 2 pts.	= 1,14 l
1 gallon	(skr. gal.)	= 4 qts.	= 4,55 l
1 bushel	(skr. bush.)	= 8 gals.	= 36,37 l
1 quarter	(skr. qu.)	= 8 bushs.	= 2,90 hl

Váhy:

1 ounce	(skr. oz.)		= 28,35 gr
1 pound	(skr. lb.)	= 16 oz.	= 0,45 kg

---

* *100 pence = 100 new pence (100 nových pencí). V Británii totiž prešli vo februári 1971 na desatinnú meňovú sústavu. Podľa starej sústavy mala libra 20 šilingov (1 pound = 20 shillings [šiliŋz]) a šiling 12 pencí. Stará penca sa označovala skratkou d, kým nová penca má skratku p. Guinea [gini] bola stiahnutá z obehu už dávno; guinea (skr. gn.) mala 21 šilingov, čo – prepočítané na novú menu sa rovná 1 libre a 5 novým penciam.*

1 stone	(skr. st.)	= 14 lbs.	= 6,35 kg
1 quarter	(skr. qu.)	= 28 lbs.	= 12,70 kg
1 cwt.	(= hundredweight)	= 112 lbs.	= 50,80 kg
1 ton	(skr. t.)	= 20 cwt.	= 1.016,00 kg*

Neznáme výrazy:

inch [inč] palec, cól
foot [fut] stopa
yard [ja:d] jard
mile [mail] míľa
square [skweə] štvorcový
acre [eikə] jutro (pôdy)
cubic [kju:bik] kubický
pint [paint] pinta
gallon [gæln] galón
quart [kwo:t] štvrťka (galóna)
bushel [bušl] bušel
ounce [auns] uncia
pound [paund] libra, funt
stone [stəun] kameň (dosl.)
quarter [kwo:tə] kvart, štvrť
ton [ton] tona
hundredweight [handrədweit] cent *(píšeme vždy len skratku cwt.)*

VII. NÁPISY

Entrance [entrəns] Vstup
Entrance Free Vstup voľný
No Entry [entri] Vstup zakázaný
No Admittance [əd'mitəns] Vstup zakázaný
No Exit [eksit] Východ zakázaný
Emergency Exit [i'mə:džənsi] Núdzový východ
Way In Vstup, Vchod
Way Out Východ
Arrival [ə'raivl] Príchod
Departure [di'pa:čə] Obchod
W. C. ['dablju:'si:] W. C.
Gentlemen Páni
Ladies. Ladies' Room Dámy
Smoking Room Fajčiareň
Smokers Fajčiari
No smoking Nefajčiari. Fajčiť zakázané
Refreshment Room [ri'frešmənt] Bufet
Cloakroom [kləukrum] Šatňa
Litter [litə] Odpadky
Bed and Breakfast Izby s raňajkami
No Vacancies Plne obsadené (v hoteli)

---

* *Angličania oddeľujú desatinné miesta bodkou, nie čiarkou, ako to býva zvykom u nás. Čiarkou oddeľujú tisíce a milióny, napr. 1,750 (one thousand, seven hundred and fifty); 1,345,678 (one million, three hundred and forty-five thousand, six hundred and seventy-eight).*

Request Stop [ri kwest] Zastávka na znamenie
Queue This Side [kju: ðis said] Tu sa postavte do radu
Cross here Prechod
No Crossing Neprechádzať
Pedestrians Only [pəˈdestriənz əunli] Len pre peších chodcov
No Thoroughfare [θarəfeə] Priechod zakázaný
Car Park Parkovisko
No Parking [pa:kiŋ] Parkovať zakázané
Drive Slowly Choďte pomaly
Drive With Caution [ko:šn] Choďte opatrne
Dead Slow [ded] Choďte krokom
Caution: Keep To The Right (Left) Opatrne! Choďte vpravo (vľavo)!
No Overtaking [ˌəuvəˈteikiŋ] Zákaz predbiehať
One-Way Street [ˈwanˈwei] Jednosmerná ulica
No Through Way [θru: wei] Priechod zakázaný
Round About Karuselová doprava
Layby 1 Mile Ahead [leibai wan mail əˈhed] Odpočívadlo pri diaľnici vo vzdialenosti 1 míle
Road Closed [rəud kləuzd] Cesta uzavretá. Zakázaná cesta
Private Road [praivit] Súkromná cesta
Road Under Repair Cesta sa opravuje
Men At Work Na ceste sa pracuje
L (= Learner) [lə:nə] Vodič-začiatočník *(značka na aute)*

Attention! [əˈtenšn] Pozor!
Beware! Danger! [biˈweə ˈdeindžə] Pozor! Životu nebezpečné!
Beware of Pickpockets! [ˈpikˌpokits] Pozor na vreckových zlodejov!
Look out! Pozor!
Mind the step! [step] Pozor, schod!
Silence! [sailəns] (Zachovajte) ticho!
On – Off [on – of] Zapnuté – Vypnuté
Press the Button [pres ðə batn] Stisnite gombík
First Aid [eid] Prvá pomoc
Private [praivit] Súkromné
Trespassers Will Be Prosecuted [trespəsəz wil bi: prosikju:tid] Porušenie zákazu vstúpiť sa prísne trestá
No Not Touch! [tač] Nedotýkať sa!
Do Not Lean Out of the Window [li:n] Nevykláňajte sa z okna!
No Bathing [beiðiŋ] Kúpať sa zakázané

Open [əupn] Otvorené
Closed [kləuzd] Zatvorené
Notice [nəutis] Vyhláška
To Let prenajme sa
Fixed Prices [fikst praisiz] Pevné ceny
Reduced Prices [riˈdju:st] Znížené ceny

Stock Taking Inventúra
Sale [seil] Výpredaj
Shop Soiled [soild] Druhá akosť
Sold Out Vypredané

VIII. ABECEDNÝ SLOVNÍČEK ANGLICKO-SLOVENSKÝ

Tento slovník obsahuje slovný materiál učebnice s výnimkou základných čísloviek, ktoré sa uvádzajú v lekciách 9 a 12, radových čísloviek, uvedených v lekcii 16, zložením so *some, any, no* (L 13) a vlastných a zemepisných mien, ktoré nájdete v slovníčku výslovnosti v osobitnom dodatku IX. na str. 81.

Vysvetlivky: V hesle sa neopakuje základné slovo, ale iba jeho začiatočné písmeno.

Pri nepravidelných slovesách sú uvedené vždy tri tvary (neurčitok, minulý čas, minulé príčastie). U nepravidelných množných čísel sú taktiež uvedené príslušné tvary. Slovesá a prídavné mená, ktoré zdvojujú v odvodených tvaroch koncovú spoluhlásku, majú toto zdvojenie vyznačené v zátvorke.

Označenie dĺžky: Dĺžka samohlásky sa vo fonetickom prepise označuje dvojbodkou [:], napr. *see* [si:].

Označenie prízvuku: Hlavný prízvuk je označený kolmicou hore pred prízvučnou slabikou, napr. *ago* (əˈgəu]. Vedľajší prízvuk je označený kolmicou dole pred príslušnou slabikou, napr. *accomodation* [əˌkoməˈdeišn]. Prízvuk na prvej slabike sa neoznačuje.

Skratky: *sth.* = *something*, *s. o.* = *somebody*, *am.* = amerikanizmus.

A

a, an [ə, ən] *tvary neurčitého člena*
able [eibl] schopný
  be able to môcť
about [əˈbaut] okolo; o; asi
above [əˈbav] nad
abroad [əˈbro:d] v cudzine, do cudziny
accent [æksənt] prízvuk
accommodation [əˌkoməˈdeišn] ubytovanie
acquaintance [əˈkweintəns] známy, známosť
across [əˈkros] cez, naprieč, krížom
actually [æktjuəli] vlastne
add [æd] pridať, sčítať
address [əˈdres] adresa; adresovať *(obálku)*, osloviť
admire [ədˈmaiə] obdivovať
advance [ədˈva:ns]
  in a. vopred
advanced [ədˈva:nst] pokročilý
advantage [adˈva:ntidž] výhoda
advice [ədˈvais] rada *(len jedn. č.)*
  a piece of advice jedna rada
advise [ədˈvaiz] radiť *(so 4. p.)*
afraid [əˈfreid]
  I am afraid obávam sa, bohužiaľ
after [a:ftə] po
  after all predsa však
afternoon [ˈa:ftəˈnu:n] popoludnie

again [əˈgen] zasa, opäť
against [əˈgenst] proti
age [eidž] vek
ago [əˈgəu] pred *(čas.)*
air [eə] vzduch
airline [eəlain] aerolínie
airport [eəpo:t] letisko
airsick [ˈeəˌsik]
  to be airsick trpieť nevoľnosťou (v lietadle)
airsickness [ˈeəˌsiknis] nevoľnosť (v lietadle)
all [o:l] všetok, všetci, celý
  in all celkom
all right [o:lˈrait] dobre
  I am all right som v poriadku
allow [əˈlau] dovoliť
  be allowed to smieť
alone [əˈləun] sám *(osamote)*
along [əˈloŋ] po, pozdĺž
already [o:lˈredi] už
also [o:lsəu] tiež
although, though [o:lˈðəu, ðəu] hoci
always [o:lwəz] vždy
American [əˈmerikn] americký
among [əˈmaŋ] medzi *(viacerými)*
amusing [əˈmju:ziŋ] zábavný
and [ænd, ənd] a
  and so on atď.
angry with s. o., at sth. [æŋgri] nahnevaný na koho, čo
  be angry hnevať sa, zlostiť sa
animal [æniml] zviera
another [əˈnaðə] iný, ešte jeden, ten druhý
answer [a:nsə] odpoveď; odpovedať
anxious [æŋkšəs] dychtivý, túžiaci
  I am anxious to veľmi rád by som
any [eni] nejaký, hocaký
  not any žiadny, nijaký
appear [əˈpiə] objaviť sa, javiť sa, zdať sa; vyjsť *(o knihe)*
apple [æpl] jablko
apply for [əˈplai] uchádzať sa o
appointment [əˈpointmənt] schôdzka
apprentice [əˈprentis] učeň
April [eipril] apríl
Archbishop's palace [a:čbišops pælis] Primaciálny palác
area [eəriə] oblasť
arm [a:m] rameno, ruka
armchair [a:mčeə] kreslo
around [əˈraund] okolo, vôkol
arrange [əˈreindž] zariadiť
arrival [əˈraivl] príchod
arrive [əˈraiv] prísť
art [a:t] umenie; umelecký
article [a:tikl] článok
as [æz] pretože; ako
as far as pokiaľ; až do *(miestne)*
  as soon as akonáhle, len čo
  as well taktiež, tak isto
ask [a:sk] spytovať sa, požiadať
assembly hall [əˈsembli ho:l] montážna hala
assistant [əˈsistənt] asistent, pomocník
at [æt, ət] pri, u, v
at all vôbec
at home doma
at last konečne
attend [əˈtend] navštevovať *(školu)*, chodiť do *(kurzu)*
attendant [əˈtendənt] obsluhujúci
August [o:gəst] august
aunt [a:nt] teta
auntie [a:nti] tetuška
author [o:θə] autor
automated [ˌo:təˈmeitid] automatizovaný
autumn [o:təm] jeseň
avenue [ævinju:] ulica, široká trieda *(so stromoradím)*
away [əˈwei] preč

B

baby [beibi] dieťa
back [bæk] späť; vzadu
  be back vrátiť sa
bacon [beikn] anglická slanina
bad [bæd] zlý
  that's bad to je zlé
badminton [bædmintən] bedminton

bag [bæg] taška
baker [beikə] pekár
balcony [bælkəni] balkón
ball [bo:l] lopta
bank [bæŋk] banka
barber [ba:bə] holič
barber's [ba:bəz] holičstvo
baroque [bə'rok] barok; barokový
basketball [ba:skitbo:l] basketbal
bath [ba:θ] vaňa, kúpeľ *(vaňový)*
  have a bath okúpať sa
  take a bath okúpať sa
bathroom [ba:θrum] kúpeľňa
be – was/were – been [bi: – woz/wə: – bi:n] byť
  I am to mám *(povinnosť)*
  be down with ochorieť, ležať s čím
  be worth [wə:θ] stáť za niečo, byť hodný
bean [bi:n] fazuľa
beautiful [bju:təfl] krásny
beauty [bju:ti] krása
  beauty spots [spots] prírodné krásy
because [bi'koz] pretože, lebo
become – became – become [bi'kam – bi'keim – bi'kam] stať sa
bed [bed] posteľ
bedroom [bedrum] spálňa
beef [bi:f] hovädzie
beer [biə] pivo
before [bi'fo:] pred, predtým
begin – began – begun [bi'gin –bi'gæn – bi'gan] *(nn)* začať (sa)
beginner [bi'ginə] začiatočník
behalf [bi'ha:f]
  on my behalf v mojom záujme, kvôli mne
behind [bi'haind] za *(miestne)*
believe [bi'li:v] veriť
bell [bel] zvon(ček)
below [bi'ləu] pod
belt [belt] pás, opasok
besides [bi'saidz] okrem toho
best [best] najlepší
bestseller kniha, ktorá ide najväčšmi na odbyt
better [betə] lepšie; lepší
  you'd better radšej by ste mali
between [bi'twi:n] medzi *(dvoma)*
bicycle [baisikl] bicykel
big [big] veľký
bill [bil] účet
bird [bə:d] vták
birth [bə:θ] narodenie
  place of birth rodisko
birthday [bə:θdei] narodeniny
biscuit [biskit] keks
bit [bit] kúsok
  a bit trocha
  not a bit ani trocha
black [blæk] čierny
blue [blu:] modrý, belasý
board [bo:d] stravovanie, strava
  full board plná penzia
boardinghouse [bo:diŋhaus] penzión
boast of [bəust] pýšiť sa čím
body [bodi] telo
boil [boil] variť
boiled [boild] (u)varený
book [buk] kniha
book [buk] rezervovať, zabezpečiť si
  book up zadať, rezervovať, vypredať
bookcase [bukkeis] knižnica *(nábytok)*
booking-office ['bukiŋ,ofis] pokladnica *(na stanici)*
booklet [buklit] brožúrka *(propagačná)*
bookshop [bukšop] kníhkupectvo
born [bo:n] narodený
boring [bo:riŋ] nudný
both [bəuθ] obaja, obe
bottle [botl] fľaša
bottom [botəm] dolná časť
  at the bottom dole
bowl [bəul] misa, čaša, váza *(guľatá)*
box [boks] škatuľa
boy [boi] chlapec
branch [bra:nč] vetva, filiálka
brandy [brændi] koňak, pálenka
bread [bred] chlieb
  bread and butter chlieb s maslom

break – broke – broken [breik – brəuk – brəukn] zlomiť, rozbiť
breakfast [brekfəst] raňajky
have breakfast raňajkovať
bridge [bridž] most
bring – brought – brought [briŋ – bro:t – bro:t] priniesť, priviezť
British [britiš] britský
broadcast – broadcast(ed) – broadcast [bro:dka:st – bro:dka:st(id) – bro:dka:st] vysielať rozhlasom
bronchitis [broŋˈkaitis] bronchitída, zápal priedušiek
brother [braðə] brat
brown [braun] hnedý
build – built – built [bild – bilt – bilt] stavať
build up budovať
building [bildiŋ] budova
bun [ban] sladká žemľa *(s hrozienkami)*
burn – burnt – burnt [bə:n – bə:nt – bə:nt] spáliť, zhorieť
bus [bas] autobus
bus stop autobusová zastávka
by bus autobusom
business [biznis] obchod
on business obchodne, služobne
busy [bizi] zaneprázdnený, majúci veľa práce
but [bat, bət] ale
butcher [bučə] mäsiar
butter [batə] maslo; natierať maslom
buttered natretý maslom
buy – bought – bought [bai – bo:t – bo:t] kúpiť
by [bai] predložka 7. pádu; pri, do *(časove)*
by the way mimochodom

C

cabbage [kæbidž] kapusta
cake [keik] koláč, torta
calendar [kælində] kalendár
call [ko:l] volať, nazývať (sa)
call for zastaviť sa po
call box telefónna búdka
camera [kæmərə] fotoaparát
camp [kæmp] tábor; táboriť
camp(ing)site [sait] táborisko, kemping
campfire [kæmpfaiə] táborák
can [kæn]
I can môžem, viem
cancel [kænsl] *(ll)* zrušiť
canteen [kænˈti:n] závodná jedáleň
capital [kæpitl] kapitál; hlavné mesto; veľké písmeno
capitalist [kæpitəlist] kapitalistický
car [ka:] auto
card [ka:d] lístok, pohľadnica
care [keə] starostlivosť; starať sa o, dbať
care for starať sa o, dbať o, stáť o
take care of starať sa o
careful [keəfl] opatrný
careless [keəlis] nedbanlivý, bezstarostný, ľahkomyseľný
carpet [ka:pit] koberec
carrot [kærət] mrkva
carry [kæri] niesť
case [keis] prípad
cash [kæš] peniaze *(v hotovosti)*
(cash) desk [kæš desk] pokladnica *(v obchode)*
castle [ka:sl] hrad, zámok
catch – caught – caught [kæč – ko:t – ko:t] chytiť
cathedral [kəˈθi:drəl] katedrála
cattle [kætl] dobytok
cauliflower [ko:liflauə] karfiol
centre [sentə] stred, stredisko; sústrediť sa
certain [sə:tn] istý, určitý
certainly [sə:tnli] iste(že), určite, pravdaže
chair [čeə] stolička
chambermaid [čeimbəmeid] chyžná
championship [čæmpiənšip] majstrovstvo
change [čeindž] zmena; meniť (sa), striedať (sa), prestúpiť *(na iný vlak)*

small change drobné *(peniaze)*
change (into) preobliecť sa (do)
channel [čænl] prieplav; kanál
the English Channel Lamanšský prieplav
charge [ča:dž] poplatok, (požadovaná) cena
cheap [či:p] lacný
check (up on) [ček] kontrola (niečoho); kontrolovať (niečo)
check-in [ček in] odbavenie *(na letisku)*
cheese [či:z] syr
chemical [kemikl] chemický
chemist [kemist] lekárnik, chemik, drogista
cheque [ček] šek
traveller's cheques medzinárodné cestovné šeky
chicken [čikin] kurča
chief [či:f] hlavný
child, *mn. č.* **children** [čaild, čildrən] dieťa
chips [čips] opekané zemiakové hranolky
choice [čois] voľba, výber
choose – chose – chosen [ču:z – čəuz – čəuzn] vybrať si
chop [čop] kotleta
Christmas [krisməs] Vianoce
church [čə:č] kostol
cigarette [ˌsigəˈret] cigareta
cinefilm [ˈsinifilm] kinofilm
cinema [sinəmə] kino
city [siti] (veľké) mesto
City stred Londýna
civil [sivl] občiansky
class [kla:s] trieda
classicist [klæsisist] klasicistický
clean [kli:n] čistý; čistiť
cleaner's [kli:nəz] čistiareň
clear [kliə] jasný
clerk [kla:k] úradník, úradníčka
clever [klevə] múdry, bystrý
clock [klok] hodiny (nástenné)
five o'clock päť hodín
close [kləuz] (u)zavrieť
cloud [klaud] mrak, oblak
cloudy [klaudi] oblačno, zamračené
club [klab] klub
camera club fotografický krúžok
coach [kəuč] autokar, diaľkový autobus
coach tour autokarový zájazd
coal [kəul] uhlie
coat [kəut] kabát, plášť
coffee [kofi] káva
cold [kəuld] studený
I'm cold je mi zima
colleague [koli:g] spolupracovník
collect [kəˈlekt] (po)zbierať
collection [kəˈlekšn] zbierka
college [kolidž] kolégium (univerzitné), vysoká škola
colour [kalə] farba
what colour is it? akú to má farbu?
come – came – come [kam – keim – kam] prísť
come along [əˈloŋ] ísť spolu
come in vstúpiť
come on! tak poď; do toho!
comfortable [kamftəbl] pohodlný
commercial [kəˈmə:šl] obchodný
common [komən] spoločný, bežný, obecný
compartment [kəmˈpa:tmənt] kupé *(vo vlaku)*
complete [kəmˈpli:t] úplný; doplniť, dokončiť
complicated [komplikeitid] komplikovaný, zložitý
concentrate [konsntreit] sústrediť (sa)
conference [konfrəns] konferencia
confusing [kənˈfju:ziŋ] zmätočný
congratulation [kənˌgrætjuˈleišn] blahoželanie
congratulate on [kənˈgrætjuleit] blahoželať k
congress [koŋgres] kongres
connection [kəˈnekšn] spojenie
consider [kənˈsidə] uvážiť, vziať do úvahy

consist (of) [kən'sist] skladať sa (z)
constable [kanstəbl] *oslovenie strážnika vo Veľkej Británii*
contact [kontækt] styk
contact [kən'tækt] nadviazať spojenie
continent [kontinənt] pevnina
Continent Európa *(pre Britov)*
contrast [kontra:st] rozdiel, kontrast
in contrast to na rozdiel od
control [kən'trəul] *(ll)* riadenie, kontrola; riadiť
conversation [ˌkonvə'seišn] konverzácia
cook [kuk] variť
copper [kopə] meď
corn [ko:n] obilie (*am.* kukurica)
corner [ko:nə] roh
at the corner, on the corner na rohu
round the corner za rohom
cornflakes [ko:nfleiks] obilné vločky
coronation [ˌkorəneišn] korunovácia
coronation town korunovačné mesto
correct [kə'rekt] správny; opraviť
cost – cost – cost [kost – kost – kost] stáť *(o cene)*
cottage [kotidž] chalupa, vidiecky domček, chata
cotton [kotn] bavlna
cough [kof] kašeľ; kašlať
could [kud] *minulý čas od* **I can**
count [kaunt] počítať
counter [kauntə] priehradka, pult, okienko
country [kantri] vidiek, krajina
in the country na vidieku
countryside ['kantri'said] krajina
course [ko:s] kurz
cream [kri:m] smotana
cricket [krikit] kriket
crop [krop] plodina
cross [kros] prejsť *(ulicu)*
crossing [krosiŋ] križovatka
at the crossing na križovatke
crowded [kraudid] plný, preplnený
crystal [kristl] kryštál
cup [kap] šálka
currency [karənsi] mena, valuta
curtain [kə:tn] záclona
custard [kastəd] vanilkový krém, puding
customs *(len mn. č.)* clo
go through the customs prejsť colnou prehliadkou
customs official [ə'fišl] colný úradník, colník
cut – cut – cut [kat – kat – kat] *(tt)* brúsený; krájať, rezať, strihať
cutlet [katlit] porcia mäsa
Czech [ček] Čech, čeština; český; česky

D

daily [deili] denný; denník
dance [da:ns] tanec; tancovať
dark [da:k] tma; tmavý
dark blue tmavomodrý
get dark stmavnúť, potemnieť, stmievať sa
date [deit] dátum
daughter [do:tə] dcéra
day [dei] deň
the day after tomorrow pozajtra
the day before yesterday predvčerom
day nursery [nə:səri] denné jasle
deal [di:l]
a great deal (of) veľa
dear [diə] milý, drahý
December [di'sembə] december
decide [di'said] rozhodnúť sa
declaration [ˌdeklə'reišn] vyhlásenie
decorate [dekəreit] ozdobiť
deep [di:p] hlboký
degree [di'gri:] stupeň
delay [di'lei] oneskorenie, odklad, zadržanie
delighted [di'laitid] potešený, naradovaný

dentist [dentist] zubný lekár
depart [di'pa:t] odchádzať
department [di'pa:tmənt] oddelenie
department store [di'pa:tmənt sto:] obchodný dom
desert [dezət] púšť
design [di'zain] návrh, vzor, plán
desk [desk] písací stôl, pokladnica
detail [di:teil] podrobnosť
in detail podrobne
detailed [di:teild] podrobný
detective [di'tektiv] detektívny
develop [di'veləp] vyvolať (film), vyvinúť (sa)
developing countries [di'veləpiŋ kantriz] rozvojové krajiny
dial [daiəl] *(ll)* vytočiť *(číslo)*
dictionary [dikšənri] slovník
die – dying [dai – daiiŋ] zomrieť
die out zaniknúť, vymrieť
difference [difrəns] rozdiel
different [difrənt] rozdielny, odlišný, rôzny
difficult [difiklt] ťažký, obťažný
difficulty [difikəlti] ťažkosť
dining room [dainiŋ rum] jedáleň
dinner [dinə] večera, hlavné jedlo dňa
discover [dis'kavə] objaviť
discuss sth. [di'skas] diskutovať o
dish [diš] misa, jedlo, chod
dishes [dišiz] riad
do/does – did – done [du:/daz – did – dan] (u)robiť, stačiť
doctor [doktə] lekár, doktor
dog [dog] pes
hot dog horúci párok vložený do rožka
dollar [dolə] dolár
door [do:] dvere
double [dabl] dvojitý
double room dvojposteľová izba
double six dve šestky *(v telefónnom čísle)*
down [daun] dole, nadol
downstairs [ˌdaun'steəz] dole *(na prízemí)*, nadol *(na prízemie)*
draw – drew – drawn [dro: – dru: – dro:n] kresliť, ťahať
dress [dres] šaty *(dámske)*; obliekať sa
drink – drank – drunk [driŋk – dræŋk – draŋk] piť
drink nápoj
drive – drove – driven [draiv – drəuv – drivn] viesť auto, jazdiť; jazda *(autom)*, vychádzka
driver [draivə] vodič
drugstore [dragsto:] lekáreň *(am.)*
dry [drai] suchý
due [dju:]
it is due má prísť *(o dopravnom prostriedku)*
during [djuəriŋ] v priebehu, počas
duty [dju:ti] povinnosť, clo
duty-free bez cla

E

each [i:č] každý *(z istého počtu, každý jednotlivo)*
each other [i:č aðə] navzájom
ear [iə] ucho
earache [iəreik] bolesť ucha
early [ə:li] zavčasu, včas
east [i:st] východ
eastern [i:stən] východný
easy [i:zi] ľahký
eat – ate – eaten [i:t – et – i:tn] jesť
edition [i'dišn] vydanie (knižné)
egg [eg] vajce
eight [eit] osem
electrical [i'lektrikl] elektrický
electrical appliances [ə'plaiənsiz] elektrospotrebiče
eleven [i'levn] jedenásť
else [els] *(po neurčitom zámene)* iný; ešte
employ [im'ploi] zamestnávať
employee [ˌemploi'i:] zamestnanec
employer [im'ploiə] zamestnávateľ
employment [im'ploimənt] zamestnanie
empty [empti] prázdny
end [end] koniec; končiť

engineer [ˌendžiˈniə] strojník, technik, inžinier
engineering [ˌendžiˈniəriŋ] strojárenstvo; strojárenský
electrical engineering elektrotechnika
English [iŋgliš] Angličan, angličtina; anglický; anglicky
enjoy sth. [inˈdžoi] tešiť sa čomu
you will enjoy it bude sa vám to páčiť
enjoy oneself zabávať sa (dobre), baviť sa
enlargement [inˈla:džmənt] zväčšenina
enough [iˈnaf] dosť *(za prídavným menom)*
enter [entə] vstúpiť do, na
enterprise [entəpraiz] podnik
entrance [entrəns] vchod
entrance ticket vstupenka
entry [entri] záznam, zápis, prihláška
especially [iˈspešəli] (ob)zvlášť
etc. [itˈsetrə] = **and so on** atď.
even [i:vn] ešte aj, ba aj, i
evening [i:vniŋ] večer
in the evening večer *(kedy?)*
ever [evə] niekedy, (vôbec) kedy
every [evri] každý
everybody [evribodi] každý *(o osobe)*
everyday life [evridei laif] všedný život
everyone [evriwan] každý *(o osobe)*
everything [evriθiŋ] všetko
everywhere [evriweə] všade
exactly [igˈzæktli] presne, vlastne
examination [igˌzæmiˈneišn] skúška, prehliadka
examine [igˈzæmin] prehliadnuť *(u lekára)*, skúšať *(študentov)*
example [igˈza:mpl] príklad
for example napríklad
exciting [ikˈsaitiŋ] vzrušujúci
excuse [iksˈkju:z] prepáčiť
exhibit [igˈzibit] vystavený predmet; vystavovať
exhibition [ˌeksiˈbišn] výstava
exist [igˈzist] existovať
exit [eksit] východ
expect [iksˈpekt] očakávať
expensive [iksˈpensiv] drahý *(o cene)*
experience [iksˈpiəriəns] skúsenosť
expert [ekspə:t] odborník
explain [iksˈplein] vysvetliť
express [iksˈpres] narýchlo, expres
express train rýchlik
extend [iksˈtend] rozšíriť

F

face [feis] tvár; stáť pred niečím
fact [fækt] skutočnosť, fakt
factory [fæktəri] továreň
fair [feə] veľtrh
fall – fell – fallen [fo:l – fel – fo:ln] padať, spadnúť
familiar [fəˈmiliə] známy, povedomý
family [fæmili] rodina
famous [feiməs] slávny
famous for preslávený niečím
world-famous svetoznámy
fan [fæn] fanúšik
far [fa:] *(v zápore a v otázke)* ďaleko
fare [feə] cestovné
farewell [feəwel] rozlúčka
farewell party rozlúčkový večierok
farm [fa:m] statok, farma
farming poľnohospodárstvo
fashion [fæšn] móda
Fashion House Dom módy
fast [fa:st] rýchly; rýchlo
fasten [fa:sn] pripevniť
father [fa:ðə] otec
favourite [feivərit] obľúbený
February [februəri] február
feel – felt – felt [fi:l – felt – felt] cítiť
I feel like a snack niečo by som si zajedol
festival [festivl] festival

few [fju:] *(len s mn. č.)* málo
a few niekoľko
fiction [fikšn] beletria
field [fi:ld] pole, odbor
fight – fought – fought [fait – fo:t – fo:t] bojovať
fight [fait] boj
figure skating [figə skeitiŋ] krasokorčuliarstvo
fill [fil]
fill in vyplniť
fill up (on petrol) doplniť (benzín), natankovať
film [film] film
final [fainl] konečný
find – found – found [faind – faund – faund] nájsť
fine [fain] dobre, výborne
I'm fine mám sa dobre
finish [finiš] dokončiť, skončiť
fire [faiə] oheň, požiar; horí!
sit by the fire sedieť pri peci
fireplace [faiəpleis] kozub
firm [fə:m] firma
first [fə:st] prvý; najprv
first name krstné meno
fish [fiš] ryba, ryby
five [faiv] päť
flan [flæn] ovocná torta
flat [flæt] byt
block of flats [blok] činžiak
flight [flait] let
floor [flo:] dlážka, poschodie
flower [flauə] kvetina
flowerstand [flauəstænd] stánok s kvetmi
flu [flu:] chrípka
fly – flew – flown [flai – flu: – fləun] letieť
fog [fog] hmla
foggy [fogi] zahmlene, hmlisto
folder [fəuldə] prospekt
follow [foləu] sledovať, nasledovať
fond [fond]
I'm fond of [əv] mám rád
food [fu:d] jedlo, potrava,
foot, *mn. č.* **feet** [fut – fi:t] noha, stopa
at the foot of na úpätí čoho; dole *(na stránke)*
football [futbo:l] futbal
for [fo:, fə] pre; aby, lebo
foreign [forin] cudzí; zahraničný
Foreign Office ministerstvo zahraničia
foreigner [forinə] cudzinec
forget – forgot – forgotten [fəˈget – fəˈgot – fəˈgotn] *(tt)* zabudnúť
fork [fo:k] vidlička
form [fo:m] formulár, tlačivo
former [fo:mə] predošlý
the former prvý *(z dvoch menovaných)*
foul [faul] faul, nedovolený zákrok *(v športe)*
four [fo:] štyri
free [fri:] slobodný, voľný, nezávislý
French [frenč] Francúz, francúzština; francúzsky
Friday [fraidi] piatok
friend [frend] priateľ, priateľka
friendly [frendli] priateľský
from [from, frəm] z, od
front [frant] predná strana, priečelie
in front of pred *(miestne)*
fruit [fru:t] ovocie
fry [frai] smažiť, pražiť
full [ful] plný
fully [fuli] celkom, úplne
fun [fan] zábava
furniture [fə:ničə] nábytok
further [fə:ðə] ďalší
future [fju:čə] budúci čas, budúcnosť

G

gain [gein] získať, ponáhľať sa *(o hodinkách)*
gallon [gælən] galón *(asi 4 1/2 litra)*
game [geim] *(športová)* hra
gallery [gæləri] galéria
garage [gæra:ž] garáž

garden [ga:dn] záhrada
gas [gæs] plyn, *(am.)* benzín
gentleman, *mn. č.* **gentlemen** [džentlmən] pán
German [džə:mən] Nemec, nemčina; nemecký; nemecky
get – got – got [get – got – got] *(tt)* dostať, kúpiť, dostať sa niekam
get off vystúpiť
get on nastúpiť; dariť sa, vychádzať s niekým
get up vstávať *(ráno)*
gift [gift] dar(ček)
girl [gə:l] dievča
girl friend priateľka
give – gave – given [giv – geiv – givn] dať
glad [glæd] rád
gladly [glædli] rád, s radosťou
glass [gla:s] sklo, pohár
glasses [gla:siz] okuliare
glove [glav] rukavica *(jedna)*
a pair of gloves rukavice *(pár)*
go – went – gone [gəu – went – gon] ísť, chodiť
go and see, go to see sb. navštíviť
go by bus (tram, tube) ísť autobusom (električkou, podzemnou železnicou)
go for a walk ísť na prechádzku
go shopping ísť nakupovať
goal [gəul] gól
gold [gəuld] zlato
golf [golf] golf
good [gud] dobrý
goods [gudz] tovar
goodbye [ˈgudˈbai] zbohom
got [got]
I have got *(hovor.)* mám
gothic [goθik] gotický
grammar [græmə] gramatika
grandchild [grænčaild] vnúča
grandfather [ˈgrænˌfa:ðə] starý otec
grandmother [ˈgrænˌmaðə] stará mama
Granny [græni] babička
grapefruit [greipfru:t] grapefruit
great [greit] veľký *(významom)*
green [gri:n] zelený
greet [gri:t] pozdraviť, blahoželať
greeting [gri:tiŋ] pozdrav, blahoželanie
birthday greeting blahoželanie k narodeninám
grey [grei] šedivý, sivý
grill [gril] grilovať
grilled [grild] grilovaný
grocer [grəusə] obchodník
ground floor [ˈgraundˈflo:] prízemie
grow – grew – grown [grəu – gru: – grəun] rásť, pestovať
guide [gaid] sprievodca; sprevádzať
guided tour [tuə] okružná cesta so sprievodcom
guidebook [gaidbuk] sprievodca *(kniha)*

H

hair [heə] *(len jedn. č.)* vlasy
haircut [heəkat] (o)strihanie vlasov
hairdresser's [heədresəz] kaderníctvo
half [ha:f] pol(ovica)
half an hour polhodina
hall [ho:l] hala, sieň
hallo [həˈləu] *(v telefóne)*, ahoj
ham [hæm] šunka
ham and eggs šunka s vajcom
hand [hænd] ruka
on the other hand na druhej strane, oproti tomu
hand in odovzdať, podať
handbook [hændbuk] príručka
handle sth. [hændl] zaobchádzať s niečím
hang – hung – hung [hæŋ – haŋ – haŋ] zavesiť, visieť
happen [hæpn] stať sa, prihodiť sa
I happen to know it náhodou to viem
happy [hæpi] šťastný
hard [ha:d] ťažký; ťažko
hardly [ha:dli] sotva, ťažko

hardworking [ˈha:dˌwə:kiŋ] usilovný
hat [hæt] klobúk
have – had – had [hæv – hæd – hæd] mať, dať si *(jedlo)*
I have to musím
he [hi:] on
head [hed] hlava
headache [hedeik] bolesť hlavy
health [helθ] zdravie
hear – heard – heard [hiə – hə:d – hə:d] počuť
heavy [hevi] ťažký
help [help] pomoc; pomôcť
help oneself vziať si, obslúžiť sa
helpful [helpfl] ochotný, nápomocný
her [hə:, hə] *predmetový pád od* **she**
here [hiə] tu, sem
here you are (tu) prosím, nech sa páči *(pri podávaní niečoho)*
high [hai] vysoký; vysoko
highly [haili] vysoko, veľmi
highway [haiwei] *(am.)* diaľnica
hike [haik] trampovať, ísť pešky na výlet
hiking [haikiŋ] pešia turistika
hill [hil] kopec, vŕšok
hilly [hili] kopcovitý, vrchovitý
him [him] *predmetový pád od* **he**
his [hiz] jeho
historical [hisˈtorikl] historický
history [histəri] dejiny, dejepis, história
hitchhike [hičhaik] ísť autostopom
hobby [hobi] koníček, záľuba
hockey [hoki] hokej
hold – held – held [həuld – held – held] držať, konať
holiday [holidei] dovolenka, prázdniny
home [həum] domov *(podst. meno i príslovka)*
at home doma
hope [həup] nádej; dúfať
hors-d'oeuvre [o:ˈdə:vr] predjedlo
hospital [hospitl] nemocnica
hot [hot] *(tt)* horúci
hotel [həuˈtel] hotel
hour [auə] hodina
house [haus] dom
household [haushəuld] domácnosť
housing estate [iˈsteit] sídlisko
how [hau] ako
how are you? ako sa máš (máte)?
how many? [hau meni] *(s mn. č.)* koľko?
how much? [hau mač] *(s jedn. č.)* koľko?
how much is it? koľko to stojí?
however [hauˈevə] ale, avšak
humanistic [ˌhju:məˈnistik] humanistický
hundred [handrid] sto
hungry [haŋgri] hladný
I am hungry som hladný
hurry [hari]
be in a hurry ponáhľať sa
hurry up ponáhľať sa
husband [hazbənd] manžel

I

I [ai] ja
ice [ais] ľad, zmrzlina
iced [aist] s ľadom, chladený
ice-cream [ˈaisˈkri:m] zmrzlina
ice-hockey [aishoki] *(ľadový)* hokej
idea [aiˈdiə] myšlienka, nápad
if [if] ak, keby
ill [il] chorý
illness [ilnis] choroba
Immigration Officer [ˌimiˈgreišn ofisə] úradník pasovej kontroly
important [imˈpo:tənt] dôležitý
impress [imˈpres] urobiť dojem
I was impressed by B. B. urobil na mňa dojem
impression [imˈprešn] dojem
improve [imˈpru:v] zlepšiť, zdokonaliť
in [in] v
include [inˈklu:d] zahrnúť
including vrátane
indeed [inˈdi:d] naozaj, skutočne
industrial [inˈdastriəl] priemyselný

industry [indəstri] priemysel
industries [indəstriz] priemyselné odvetvia
inform [inˈfo:m] informovať
information [ˌinfəˈmeišn] informácia
inhabitant [inˈhæbitənt] obyvateľ
inn [in] hostinec, krčma
inquiry [inˈkwaiəri] otázka, dopyt
Inquiry Office informačná kancelária
inside [ˈinˈsaid] donútra, vnútri
instead of [inˈsted əv] namiesto (niečoho)
insure [inˈšuə] poistiť
have sth. insured dať niečo poistiť
interest [intrist] záujem
interesting [intristiŋ] zaujímavý
interested [intristid]
be interested in something zaujímať sa o niečo
international [ˌintəˈnæšnl] medzinárodný
into [intu, intə] do, donútra
introduce [ˌintrəˈdju:s] predstaviť
introduce oneself predstaviť sa
invitation [ˌinviˈteišn] pozvanie
invite [inˈvait] pozvať
Irish [aiəriš] Ír, írčina; írsky
iron [aiən] železo
island [ailənd] ostrov
isle [ail] ostrov *(s menom)*
issued [isju:d] vydaný
it [it] to, ono
Italian [iˈtæljən] Talian, taliančina; taliansky

J

jacket [džækit] sako
jam [džæm] džem, zaváranina
January [džænjuəri] január
jelly [dželi] želé
job [džob] zamestnanie
join [džoin] pripojiť
journey [džə:ni] cesta, výlet
juice [džu:s] šťava
July [džuˈlai] júl
June [džu:n] jún
just [džast] práve; iba
just as práve tak ako

K

keep – kept – kept [ki:p – kept – kept] nechať, ponechať si
key [ki:] kľúč
kidney [kidni] oblička
kind [kaind] druh; láskavý, milý
kingdom [kindəm] kráľovstvo
kitchen [kičin] kuchyňa
knife, *mn. č.* **knives** [naif – naivz] nôž
knit [nit] *(tt)* pliesť
know – knew – known [nəu – nju: – nəun] vedieť, poznať
knowledge [nolidž] *(len jedn. č.)* znalosť, znalosti

L

laboratory [ləˈborətri] laboratórium
lack [læk] nedostatok
lady [leidi] pani
lake [leik] jazero
lamb [læm] jahňa, jahňacina, baranina
lamp [læmp] lampa
land [lænd] zem, pôda; pristáť
language [læŋgwidž] jazyk, reč
large [la:dž] veľký *(plochou)*
last [la:st] vydržať, trvať; minulý;
the last posledný
late [leit] neskoro; neskorý
I'm late prichádzam neskoro, oneskoril som sa
lately [leitli] v poslednom čase
(the) latter [lætə] druhý *(z dvoch menovaných)*
laugh [la:f] smiať sa
lay – laid – laid [lei – leid – leid] položiť
lazy [leizi] lenivý
learn – learned – learned [lə:n – lə:nt – lə:nt] učiť sa
least [li:st] najmenej

leave – left – left [li:v – left – left] nechať, odísť, opustiť; **leave behind** zabudnúť
leave [li:v] dovolenka
be on leave byť na dovolenke
maternity leave [məˈtə:niti] materská dovolenka
sick leave zdravotná dovolenka
left [left] ľavý
lend – lent – lent [lend – lent – lent] požičať
less [les] menej
lesson [lesn] lekcia, hodina *(vyučovacia)*
let – let – let [let – let – let] *(tt)* nechať
letter [letə] list
lie – lying – lay – lain [lai – laiiŋ – lei – leiŋ] ležať
life, *mn. č.* **lives** [laif – laivz] život
lift [lift] lift, odvezenie *(autom)*; zdvihnúť
light [lait] svetlo; svetlý, ľahký
like [laik] mať rád, páčiť sa
I like to do it rád to robím
like [laik] ako
likely [laikli]
I'm likely to come pravdepodobne prídem
list [list] zoznam
listen to [lisn] počúvať niečo
literature [litričə] literatúra
little [litl] malý
little *(s jedn. č.)* málo
a little trochu
live [liv] žiť, bývať
liver [livə] pečeň
living-room [liviŋrum] obývačka
loaf, *mn. č.* **loaves** [ləuf – ləuvz] bochník, peceň
locker [lokə] schránka na batožinu *(na stanici)*
long [loŋ] dlhý; dlho
it's a long way je to ďaleko
look [luk] vyzerať
look at dívať sa na niečo
have a look (at) pozrieť sa (na)
look for [fo:] hľadať
look forward to sth. [fo:wəd] tešiť sa na niečo
look out (of) pozrieť sa von (z niečoho)
look round prezrieť si, rozhliadnuť sa
look up vyhľadať
lose – lost – lost [lu:z – lost – lost] stratiť
lot [lot]
a lot of veľa, mnoho, hŕba
love [lav] láska, pozdrav; milovať
lovely [lavli] nádherný, milý
low [ləu] nízky; nízko
luck [lak] šťastie
good luck šťastie
bad luck smola
lucky [laki] šťastný
luckily [lakili] našťastie
luggage [lagidž] *(len jedn. č.)* batožina
lunch [lanč] obed

M

machine [məˈši:n] stroj
machine tool obrábací stroj
madam [mædəm] pani, slečna *(oslovenie neznámej ženy)*
made [meid] vyrobený, urobený *(min. č.* **make***)*
magazine [ˌmægəˈzi:n] časopis
main [mein] hlavný
maize [meiz] kukurica
make – made – made [meik – meid – meid] robiť, vyrábať
make sb. do sth. prinútiť niekoho niečo urobiť
make [meik] značka *(auta)*
man, *mn. č.* **men** [mæn – mən] muž
manage [mænidž] zvládnuť, riadiť, viesť
manufacture [ˌmænjuˈfækčə] vyrábať
many [meni] *(s mn. č.)* mnoho
map [mæp] mapa
March [ma:č] marec

marmalade [ma:məleid] pomarančový džem
marry [mæri] oženiť sa, vydať sa
match [mæč] zápas *(športový)*, zápalka
material [məˈtiəriəl] látka, materiál
matter [mætə] záležitosť
what's the matter? čo sa deje?
what's the matter with him? čo mu je?
May [mei] máj
may [mei]
I may smiem
me [mi:] *predmetový pád od* **I**
meadow [medəu] lúka
meal [mi:l] jedlo *(denné)*
mean – meant – meant [mi:n – ment – ment] mať v úmysle, značiť
meaning [mi:niŋ] význam
meantime [ˈmi:nˈtaim]
in the meantime zatiaľ
meat [mi:t] mäso
mechanic [miˈkænik] mechanik
medicine [medsin] medicína, liek
meet – met – met [mi:t – ˈmet – met] stretnúť (sa)
meeting [mi:tiŋ] schôdz(k)a
memorial [miˈmo:riəl] pomník
menu [menju:] jedálny lístok
merry [meri] veselý
metre [mi:tə] meter
Mexican [meksikən] Mexičan; mexický
midday [middei] poludnie
at midday napoludnie
middle [midl] stred
in the middle uprostred
might [mait]
I might mohol by som, azda by som
mild [maild] mierny
mile [mail] míľa (= 1.609 m)
milk [milk] mlieko
million [miljən] milión
mind [maind] dbať, všímať si, dať pozor, prekážať, cítiť sa dotknutý
mine [main] *privlastňovacie zámeno samostatné* môj
a friend of mine jeden z mojich priateľov
mine [main] baňa; dolovať
mining [mainiŋ] baníctvo
minute [minit] minúta, chvíľka, okamih
in a minute o chvíľku
Miss [mis] slečna *(s menom)*
miss [mis] zmeškať, chýbať niekomu, prejsť okolo
mistake [misˈteik] chyba
mix [miks] miešať
mixed [mikst] miešaný
model [modl] model
modern [modən] moderný
moment [məumənt] moment, okamih
Monday [mandi] pondelok
money [mani] *(len jedn. č.)* peniaze
monopoly [mənopəli] monopol
month [manθ] mesiac *(obdobie)*
more [mo:] viac
morning [mo:niŋ] ráno
most [məust] najviac; väčšina
mostly [məustli] zväčša
mother [maðə] matka
motor [məutə] motor
motor show výstava motorových vozidiel
motorway [məutəwei] diaľnica, autostráda
mountain [mauntin] hora
move in [mu:v] nasťahovať sa (do nového bytu)
Mr [mistə] pán *(vždy s menom)*
much [mač] mnoho *(len s jednotným číslom)* **how much?** koľko?
how much? koľko?
Mum [mam] mamička
municipal [mju:nisipl] mestský
museum [mjuˈziəm] múzeum
music [mju:zik] hudba
must [mast]
I must musím
I must not nesmiem
my [mai] môj
myself [maiself] ja sám, osobne

N

name [neim] meno
narrow [nærəu] úzky
nation [neišn] národ
national [næšənl] národný
nationality [ˌnæšəˈnæliti] národnosť, štátna príslušnosť
natural [næčərl] prírodný
near [niə] blízko
nearly [niəli] takmer, skoro
necessary [nesisri] nevyhnutný, potrebný
necklace [neklis] náhrdelník, korálky
need [ni:d] potrebovať
I need not nemusím
Negro [ni:grəu] černoch; černošský
never [nevə] nikdy
new [nju:] nový
news [nju:z] *(len jedn. č.)* správa, správy
what's the news? čo je nového?
newsagent [ˈnju:zˌeidžnt] stánok (obchod) s novinami
newspaper [ˈnju:sˌpeipə] noviny
next [nekst] nasledujúci, budúci, ďalší
next door vedľa
next time nabudúce
nice [nais] pekný, milý, sympatický
night [nait] noc, večer
nil [nil] nula *(v športových výsledkoch)*
nine [nain] deväť
no [nəu] nijaký, žiadny
no one nikto
nobody [nəubodi] nikto
noisy [noizi] hlučný
none [nan] *(bez podst. m.)* žiadny, nijaký
north [no:θ] sever
northern [no:ðən] severný
not [not] *zápor so slovesom*
notebook [nəutbuk] zošit, zápisník
nothing [naθiŋ] nič
notice [nəutis] vyhláška; všimnúť si
novel [novl] román
November [nəuˈvembə] november
now [nau] teraz
nowhere [nəuweə] nikde, nikam
number [nambə] číslo, počet
nut [nat] orech

O

obtain [əbˈtein] získať, dostať, obdržať
occupation [ˌokjuˈpeišn] zamestnanie
occupied [okjupaid] obsadené
October [okˈtəubə] október
of [of, əv] *predložka 2. pádu;* o
of course pravdaže
off [of] preč
offer [ofə] ponúknuť
office [ofis] úrad, kancelária
office block administratívna budova
official [əˈfišl] úradník
often [ofn] často
oh [əu] citoslovce údivu; ale!
oh dear [əu diə] ach!, ó jé!
oil [oil] olej, nafta
old [əuld] starý
omelet [omlit] omeleta
on [on] na, v *(časove)*
once [wans] raz
at once ihneď
for once poprvé
one [wan] jeden, jedna; zastupujúce zámeno
one another [wan‿əˈnaðə] navzájom
only [əunli] len, iba
open [əupn] otvoriť; otvorený
opera [oprə] opera
operate [opəreit] riadiť, obsluhovať stroj, operovať
operator [opəreitə] operátor, predvádzateľ
opinion [əˈpinjən] názor, mienka
in my opinion podľa môjho názoru
opposite [opəzit] naproti (niečomu)

or [o:] alebo
orange [orindž] pomaranč
order [o:də] poriadok, poradie, rozkaz; rozkázať
in order to aby
organize [o:gənaiz] (z)organizovať
origin [oridžin] pôvod
original [əridžənl] originál; pôvodný, originálny
other [aðə] druhý, iný
our [auə] náš
out [aut] von, preč
out of von z
outside [ˈautˈsaid] vonku
over [əuvə] ponad, cez
over there tam
be over skončiť sa
overlooking [ˌəuvəˈlukiŋ] *(so 4. p.)* s výhľadom (do, na)
owing to [əuiŋ tə] vzhľadom na, pre, kvôli čomu
own [əun] vlastný

P

pack [pæk] (za)baliť
page [peidž] stránka
pain [pein] bolesť
pair [peə] pár
palace [pælis] palác
parcel [pa:sl] balík, balíček
parents [peərənts] rodičia
park [pa:k] park; parkovať
parliament [pa:ləmənt] parlament
part [pa:t] časť, úloha, rola
play a part hrať úlohu
part-time job práca na znížený úväzok
party [pa:ti] večierok
pass [pa:s] podať
pass by ísť okolo, prechádzať
passage [pæsidž] priechod
passport [pa:spo:t] (cestovný) pas
past [pa:st] minulý; po *(pri časovom určení)*
in the past v minulosti
patient [peišnt] pacient
pavilion [pəˈviljən] pavilón
pay – paid – paid [pei – peid – peid] platiť
pay [pei] plat
pay-day deň výplaty
peas [pi:z] hrach, hrášok
garden peas zelený hrášok
pen [pen] pero
pence [pens] penca (£1 = 100 pencí)
pencil [pensl] ceruzka
penny [peni]: **a tenpenny stamp** známka v hodnote desať penny
people [pi:pl] ľudia
English people Angličania
peoples [pi:plz] národy
perfect [pə:fikt] dokonalý, úplný
personal [pə:snl] osobný
petrol [petrəl] benzín
petrol station benzínová pumpa
phone [fəun] telefón; telefonovať
photograph [fəutəgra:f] fotografia; fotografovať
pick [pik] zbierať, oberať *(ovocie)*, trhať *(ovocie)*
picnic [piknik] piknik
picture [pikčə] obraz, obrázok
pie [pai] mäso upečené v ceste; koláč *(ovocný)*
apple pie jablkový koláč
piece [pi:s] kus, kúsok
pill [pil] pilulka, prášok
pillar-box [piləboks] schránka na listy *(v Británii)*
pint [paint] pinta *(asi 1/2 litra)*
pity [piti] súcit, škoda; ľutovať
place [pleis] miesto
plain [plein] rovina
plan [plæn] *(nn)* plán; plánovať
plane [plein] lietadlo
plant [pla:nt] rastlina; sadiť
plate [pleit] tanier
platform [plætfo:m] nástupište
play [plei] hra; hrať sa
player [pleiə] hráč
pleasant [pleznt] príjemný, sympatický
please [pli:z] prosím
pleased [pli:zd] potešený, rád

pleasure [pležə] potešenie, radosť
plenty (of) [plenti] veľa (niečoho)
plum [plam] slivka
plum brandy slivovica
pocket [pokit] vrecko; vreckový
policeman, *mn. č.* **policemen**
[pə'li:smən] strážnik
poor [puə] chudobný, biedny
pop [pop]
 pop music druh modernej hudby
popular [popjulə] populárny,
 obľúbený
population [popju'leišn] obyvateľ-
stvo
pork [po:k] bravčové
porridge [poridž] ovsená kaša
port [po:t] prístav
porter [po:tə] nosič, vrátnik
possible [posəbl] možný
 as much as possible podľa mož-
 nosti čo najviac
post [pəust] miesto *(zamestnanie)*
post [pəust] poslať *(poštou)*, podať
 na poštu alebo do schránky
postage [pəustidž] poštovné
poste-restante ['pəust resta:nt]
 poste restante
post-office ['pəust ofis] pošta
potato [pə'teitəu] zemiak
pound [paund] libra
practice [præktis] prax
prefer [pri'fə:] *(rr)* dávať prednosť
preparation [prepə'reišn] príprava
prepare [pri'peə] pripraviť
prescribe [pri'skraib] predpísať
present [preznt] dar; prítomný;
 prítomnosť
 at present teraz
 presently o chvíľu, ihneď
president [prezidnt] prezident
press [pres] žehliť
pretty [priti] pekný
price [prais] cena
print [print] tlač
 out of print rozobrané
private [praivit] súkromný, vlastný
probably [probəbli] pravdepo-
 dobne

problem [probləm] problém
process [prəuses] postup
produce [prə'dju:s] vyrábať
profession [prə'fešn] povolanie,
 odbor
professional [prə'fešnl] odborný
programme [prəugræm] program
projector [prə'džektə] premietačka
 show on the projector premietať
promise [promis] sľub; sľúbiť
pronounce [prə'nauns] vyslovovať
pronunciation [prə,nansi'eišn] vý-
 slovnosť
proud (of) [praud] pyšný, hrdý (na)
prove [pru:v] ukázať sa, dokázať
public [pablik] verejný
pudding [pudiŋ] múčnik, puding
 (varený v pare)
 Yorkshire pudding druh mäso-
 vého pokrmu
pullover [puləuvə] pulóver
pupil [pju:pl] žiak, žiačka
purpose [pə:pəs] účel
put – put – put [put – put – put] *(tt)*
 položiť, dávať, klásť
 put down napísať, zapísať
 put on obliecť, obuť
put up (at a hotel) bývať, ubytovať
 sa (v hoteli)
pyjamas [pə'dža:məz] pyžama

Q

quality [kwoiiti] akosť, kvalita
quarrel [kworl] *(ll)* hádka, spor;
 hašteriť sa
quarter [kwo:tə] štvrť
question [kwesčn] otázka, problém
quick [kwik] rýchly
quiet [kwaiət] pokojný, tichý
quite [kwait] celkom

R

racial discrimination [reišl dis kri-
 mi'neišn] rasová diskriminácia

radio [reidiəu] rádio
radiology [ˌreidiˈolədži]
radiology department röntgenové oddelenie
railway [reilwei], **railroad** *(am.)* železnica
railway station [steišn] stanica (železničná)
rain [rein] dážď ; pršať
ranch [ra:nč] ranč
rather [ra:ðə] trocha, skoro, dosť
I'd rather radšej by som
raw material [ro:] surovina
read – read – read [ri:d – red – red] čítať
ready [redi] hotový, pripravený
really [riəli] skutočne, naozaj
receipt [riˈsi:t] potvrdenka
receive [riˈsi:v] prijať, dostať, obdržať
receiver [riˈsi:və] slúchadlo, prijímač
recent [ri:snt] nedávny, najnovší
reception [riˈsepšn] prijatie, recepcia
receptionist [riˈsepšənist] recepčný *(úradník)*
recommend [ˌrekəˈmend] odporúčať
record [reko:d] platňa *(gramofónová)*
record player gramofón
red [red] *(dd)* červený
Red Indian [indjən] Indián
regards [riˈga:dz] pozdravy
register [redžistə]
hotel register hotelová kniha
registered [redžistəd] doporučený *(list)*
registration [ˌredžiˈstreišn] záznam, súpis
regret *(tt)* [riˈgret] ľutovať
regular [regjulə] pravidelný
remember [riˈmembə] pamätať si, spomínať
remote [riˈməut] odľahlý, vzdialený
repair [riˈpeə] opraviť
repeat [riˈpi:t] opakovať
reply [riˈplai] odpoveď ; odpovedať
represent [ˌrepriˈzent] predstavovať
republic [riˈpablik] republika
research [riˈsə:č] výskum
reservation [ˌrezəˈveišn] rezervovanie, objednávka *(napr. izby)*; rezervácia
reserve [riˈzə:v] rezervovať
residence [rezidns] sídlo, rezidencia
resort [riˈzo:t]
holiday resort výletné miesto, letovisko
respect [riˈspekt] rešpektovať
rest [rest] odpočinok, zbytok
have a rest odpočinúť si
restaurant [restəroŋ] reštaurácia
result [riˈzalt] výsledok
return [riˈtə:n] vrátiť (sa)
return ticket spiatočný lístok
rice [rais] ryža
rich (in) [rič] bohatý (na)
right [rait] správny, pravý ; právo
on (to) my right napravo odo mňa
all right dobre
ring – rang – rung [riŋ – ræŋ – raŋ] zvoniť
ring up zatelefonovať
give s. o. a ring zatelefonovať *(hovor.)*
rinse [rins] preliv
rise – rose – risen [raiz – rəuz – rizn] vstať, stúpať, zdvíhať sa
river [rivə] rieka
road [rəud] cesta, ulica
road map automapa
roast [rəust] pečienka ; piecť
roast pork bravčové pečené
room [rum] izba, miesto
round [raund] okrúhly, guľatý ; okolo, vôkol
round the corner za rohom
rucksack [raksæk] ruksak, plecniak
rugby [ragbi] rugby
run – ran – run [ran – ræn – ran] *(nn)* bežať, utekať, riadiť *(podnik)*, organizovať

we ran out of petrol minul sa nám benzín
rush [raš] zhon, ruch
Russian [rašn] Rus, ruština; ruský; rusky

S

safe [seif] bezpečný
salad [sæləd] šalát
sale [seil] predaj, výpredaj
salmon [sæmən] losos
salt [so:lt] soľ; soliť
same [seim]
the same ten istý
at the same time zároveň, súčasne
sandwich [sænwič] sendvič
satisfied [sætisfaid] spokojný
Saturday [sætədi] sobota
sauce [so:s] omáčka
sausage [sosidž] párok, saláma
sausages [sosidžiz] klobásky
save [seiv] (u)šetriť
say/says – said – said [sei/sez – sed – sed] povedať
school [sku:l] škola
at school v škole
science [saiəns] veda
score [sko:] stav *(zápasu)*, výsledok, skóre; dať gól, skórovať
Scottish [skotiš] škótsky
Scotsman, *mn. č.* **Scotsmen** [skotsmən] Škót
sea [si:] more
seaside [si:said]
at the seaside pri mori
season [si:zn] ročné obdobie
seat [si:t] sedadlo, miesto *(vo vlaku)*, sídlo
second [seknd] druhý
secondary [sekndəri]
secondary school stredná škola
secretary [sekrətəri] sekretár(ka), tajomník
section [sekšn] úsek, diel, časť
see – saw – seen [si: – so: – si:n] vidieť
I see rozumiem
see to sth. postarať sa (o niečo)
seem [si:m] zdať sa
seldom [seldəm] zriedka
selfservice [ˈselfˈsə:vis] samoobsluha
sell – sold – sold [sel – səuld – səuld] predávať
send – sent – sent [send – sent – sent] poslať
sentence [sentəns] veta
September [sepˈtembə] september
serial [siəriəl] seriál, príbeh na pokračovanie
serious [siəriəs] vážny
serve [sə:v] obslúžiť, podávať *(jedlo)*
service [sə:vis] služba, obsluha
service station autoservis
set [set] vodová *(účes)*
settle [setl] urovnať, vybaviť
seven [sevn] sedem
several [sevrəl] niekoľko
shall [šæl, šəl] *pomocné sloveso bud. času (1. os.)*
shampoo [šæmˈpu:] šampón; umytie vlasov *(šampónom)*
shave [šeiv] holiť sa
have a shave oholiť sa
she [ši:] ona
sheep, *mn. č.* **sheep** [ši:p] ovca
shelf, *mn. č.* **shelves** [šelf – šelvz] polica
shift [šift] smena
shine – shone – shone [šain – šon – šon] svietiť, žiariť
ship [šip] loď
shirt [šə:t] košeľa
shoe [šu:] topánka
shoot – shot – shot [šu:t – šot – šot] strieľať
shop [šop] obchod
shop-assistant [ˈšop əˈsistənt] predavač(ka), obchodný pomocník
shopping [šopiŋ] nákupy
shop-window [ˈšopˈwindəu] výklad
short [šo:t] krátky, malý *(postavou)*
short story poviedka

should [šud] *tvar podmieňovacieho spôsobu (1. os.)*
show – showed – shown [šəu – šəud – šəun] ukázať
show round previesť, poukazovať
show [šəu] prehliadka, výstava, šou
be on show byť vystavený
shower [šauə] sprcha
have a shower osprchovať sa
shrink – shrank – shrunk [šriŋk – šræŋk – šraŋk] zbehnúť sa *(o látke)*
shut – shut – shut – [šat – šat – šat] *(tt)*
sick [sik] chorý
sight [sait] pohľad, pamiatka, pamätihodnosť
sightseeing [ˈsaitˌsi:iŋ] prehliadka pamätihodností
similar [similə] podobný
simple [simpl] jednoduchý
since [sins] od (toho času), keďže, pretože
sincere [sinˈsiə] úprimný
sing – sang – sung [siŋ – sæŋ – saŋ] spievať
single [siŋgl] jednoduchý, jednotlivý, slobodný
single room jednoposteľová izba
sir [sə:] pane *(oslovenie neznámeho muža)*
sister [sistə] sestra
sit – sat – sat [sit – sæt – sæt] *(tt)* sedieť
sit down sadnúť si
sit for an examination skladať skúšku
site [sait] parcela
situated [sitjueitid] položený
situation [ˌsitjuˈeišn] situácia
six [siks] šesť
the sixties [sikstiz] šesťdesiate roky
size [saiz] veľkosť, rozmer, číslo
skate [skeit] korčuľovať
skiing [skiiŋ] lyžovanie
skilled [skild] kvalifikovaný, zručný
skirt [skə:t] sukňa
sky [skai] obloha
skyscraper [ˈskaiˌskreipə] mrakodrap
sleep – slept – slept [sli:p – slept – slept] spať
slide [slaid] diapozitív
slight [slait] slabý, nepatrný
slim [slim] *(mm)* štíhly
slipper [slipə] papuča, domáca obuv
slot machine [ˌslotməˈši:n] automat
Slovak [sləuvæk] Slovák, slovenčina; slovenský, slovensky
Slovakia [sləˈvækiə] Slovensko
slow [sləu] pomalý
small [smo:l] malý
smoke [sməuk] fajčiť
smoker [sməukə] fajčiar
nonsmoker nefajčiar
smoked [sməukt] údený
snack [snæk] rýchle jedlo, zahryznutie, desiata
snackbar [snækba:] automat, bufet
snow [snəu] sneh; snežiť
so [səu] tak
so as to aby
so far [səu fa:] doteraz
soap [səup] mydlo
soccer [sokə] futbal *(hovor.)*
social [səušl] spoločenský, sociálny
socialist [səušəlist] socialistický
sock [sok] ponožka
some [sam] nejaký, niektorý, niekoľko
somebody [sambədi] niekto
someone [samwan] niekto
something [samθiŋ] niečo
sometimes [samtaimz] niekedy
somewhere [samweə] niekde
son [san] syn
song [soŋ] pieseň
soon [su:n] zavčasu, onedlho
sorry [sori]
I'm sorry ľutujem, je mi ľúto, bohužiaľ; prepáč(te)
sound [saund] zvuk
soup [su:p] polievka
south [sauθ] juh
southern [saðən] južný
souvenir [ˌsu:vəˈniə] suvenír

spa [spa:] kúpele
speak – spoke – spoken [spi:k – spəuk – spəukn] hovoriť, rozprávať
speaker [spi:kə] rečník, hovoriaci
special [spešl] špeciálny, osobitný
spell [spel] hláskovať
spelling [speliŋ] pravopis, hláskovanie
spend – spent – spent [spend – spent – spent] stráviť
spirits [spirits] liehoviny
splendid [splendid] skvelý, výborný, znamenitý
sport [spo:t] šport
sports [spo:ts] šport *(ako celok)*
sportsman, *mn. č.* **sportsmen** [spo:tsmən] športovec
sportswoman, *mn. č.* **sportswomen** [spo:tswumən – spo:tswimin] športovkyňa
spring [spriŋ] jar, žriedlo, prameň
spring – sprang – sprang [spriŋ – spræŋ – spraŋ] skákať
square [skweə] štvorec, námestie; štvorcový
St [snt] *skr.* **saint** [seint] svätý
staff [sta:f] personál, štáb
stall [sto:l] stánok
stamp [stæmp] známka
stand – stood – stood [stænd – stud – stud] stáť
standard (of living) [stændəd] (životná) úroveň
start [sta:t] začiatok; začať
station [steišn] stanica
state [steit] štát
stay (at) [stei] pobyt; zostať, bývať (niekde)
steak [steik] (hovädzí) rezeň, biftek
steak and kidney pie hovädzí guláš so zapečenými ľadvinkami
steel [sti:l] oceľ
step (in) [step] vstúpiť, vojsť
stew [stju:] dusiť
stewed fruit kompót
stewardess [stjuədis] letuška, stewardka
stick – stuck – stuck [stik – stak – stak] lepiť sa
stick together držať pospolu
still [stil] ešte, stále
stocking [stokiŋ] pančucha
stop [stop] *(pp)* zastaviť sa
stop at zastaviť sa (niekde, u niekoho)
store [sto:] sklad, zásoba, obchod
story [sto:ri] príbeh
short story poviedka
straight [streit] priamy
straight ahead [əhed] priamo, rovno vpred
street [stri:t] ulica
strong [stroŋ] silný
student [stju:dənt] študent(ka)
study [stadi] pracovňa, študovňa; študovať, učiť sa
style [stail] sloh, štýl
suburb [sabə:b] predmestie
in the suburbs na predmestí
subway [sabwei] podchod pre chodcov, *(am.)* podzemná železnica
success [səkses] úspech
such [sač] taký
suddenly [sadnli] odrazu, zrazu, naraz
sugar [šugə] cukor
suggest [sədžest] navrhnúť
suit [sju:t] oblek, šaty *(pánske)*; kostým *(dámsky)*; vyhovovať
suitcase [sju:tkeis] kufor
summer [samə] leto; letný
sun [san] slnko
Sunday [sandi] nedeľa
supper [sapə] večera
suppose [səpəuz] predpokladať, domnievať sa, myslieť
sure [šuə] istý; iste, určite
I'm sure som si istý; **be sure to come** určite príď
surname [sə:neim] priezvisko
surprise [səpraiz] prekvapenie; prekvapiť
sweet [swi:t] múčnik, zákusok; sladký
sweets [swi:ts] cukríky

swim – swam – swum [swim – swæm – swam] *(mm)* plávať
swimming [swimiŋ] plávanie
swimming-pool [pu:l] bazén
swimming bath [ba:ð] kúpele, kúpalisko
switch [swič]
switch off vypnúť
switch on zapnúť

T

table [teibl] stôl
tablet [tæblit] tabletka
table tennis [ˈteibl tenis] stolný tenis
take – took – taken [teik – tuk – teikn] brať, vziať, viezť
take along vziať so sebou, viezť so sebou
take off vyzliecť; odlietať
take out vybrať
take part in zúčastniť sa na niečom
take time trvať
talk [to:k] rozhovor; hovoriť (s niekým)
tall [to:l] vysoký *(u osôb)*
tape [teip] páska *(magnetofónová)*
tape-recorder [ˈteipri ko:də] magnetofón
taxi [tæksi] taxi
taxi driver taxikár
tea [ti:] čaj, olovrant
tearoom [ti:rum] čajovňa
teach – taught – taught [ti:č – to:t – to:t] učiť niekoho, vyučovať
teacher [ti:čə] učiteľ(ka)
team [ti:m] družstvo, mužstvo
technical [teknikl] technický
teenager [ti:neidžə] mládež vo veku 13–19 rokov
telegram [teligræm] telegram
telephone [telifəun] telefón; telefonovať
telephone call telefonický rozhovor
telephone directory telefónny zoznam
television [teliˌvižn] televízia
tell – told – told [tel – təuld – təuld] povedať (niekomu niečo)
temperature [tempričə] teplota, horúčka
ten [ten] desať
tennis [tenis] tenis
terrible [terəbl] strašný
test [test] test
textbook [tekstbuk] učebnica
textile [tekstail] textil; textilný
than [ðæn] než
thank you [θæŋk] ďakujem
thanks [θæŋks] vďaka, ďakujem
that [ðæt] ktorý
that – those [ðæt – ðəuz] tamten, tamtí
that [ðæt, ðət] že
the [ðə, ði] určitý člen
theatre [θiətə] divadlo
their [ðeə] ich
them [ðem] *predmetový pád od* **they**
then [ðen] potom, teda
there [ðeə] tam
they [ðei] oni
thick [θik] tučný, silný
thin [θin] *(nn)* tenký, chudý
thing [θiŋ] vec
think – thought – thought [θiŋk – θo:t – θo:t] myslieť
thirsty [θə:sti] smädný
I'm thirsty som smädný
this – these [ðis – ði:z] tento, títo
though [ðəu] hoci; *(na konci vety)* ale
thousand [θauznd] tisíc
three [θri:] tri
thrilling [θriliŋ] napínavý
through [θru:] priamy; cez
get through dostať spojenie *(telefonické)*
Thursday [θə:zdi] štvrtok
ticket [tikit] lístok, vstupenka
ticket collector [kəˈlektə] vyberač lístkov
till [til] až, až po *(istý čas)*, kým
time [taim] čas

timetable [ˈtaimˌteibl] cestovný poriadok
tin [tin] plechovka, konzerva
tint [tint] odtieň; farbiť *(vlasy)*
tip [tip] *(pp)* tipovať, odhadovať *(víťaza v športe)*
tired [taiəd] unavený
to [tə] do, smerom k niečomu
toast [təust] *(len jedn. č.)* hrianka, hrianky
tobacco [təˈbækəu] tabak
together [təˈgeðə] dovedna, spolu
tomato [təˈma:təu] rajčina
tomorrow [təˈmorəu] zajtra
tonight [təˈnait] dnes večer
too [tu:] *(na konci vety)* aj, tiež; *(pred príd. m.)* príliš
tool [tu:l] nástroj
tooth, *mn. č.* **teeth** [tu:θ – ti:θ] zub
toothache [tu:θeik] bolesť zubov
toothbrush [tu:θbraš] zubná kefka
toothpaste [tu:θpeist] zubná pasta
tour [tuə] okružná cesta
tourist [tuərist] turista; turistický
towel [tauəl] uterák
tower [tauə] veža
the Tower of London londýnsky hrad
town [taun] mesto
trade [treid] obchod
foreign trade zahraničný obchod
traditional [trəˈdišənl] tradičný
traditional costume kroj
train [trein] vlak
training [treiniŋ] tréning, výcvik
tram [træm] električka
translate [trænsˈleit] prekladať
translation [trænsˈleišn] preklad
transport [trænspo:t] doprava
travel [trævl] cesta
Travel Agency [eidžənsi] cestovná kancelária
travel agent [eidžnt] majiteľ alebo zástupca firmy v cestovnej kancelárii
travel [trævl] *(ll)* cestovať
traveller [trævlə] cestovateľ
tree [tri:] strom
trip [trip] výlet
trouble [trabl] nepríjemnosť, starosť; obťažovať
troublesome [trablsam] obťažný, únavný
trousers [trauzəs] nohavice *(dlhé)*
true [tru:] pravdivý
that's true to je pravda
truth [tru:θ] pravda
tell the truth hovoriť pravdu
try [trai] skúsiť, pokúsiť sa, usilovať sa
tube [tju:b] *(hovor.)* podzemná železnica, metro
go by tube ísť metrom
Tuesday [tju:zdi] utorok
turn [tə:n] obrátiť (sa), otočiť (sa), zabočiť, zmeniť sa
TV [ˈti:ˈvi:] *skr.* **television** televízia
on TV v televízii
two [tu:] dva, dve
type [taip] typ
typical [tipikl] typický

U

uncle [aŋkl] strýko
under [andə] pod
underground [andəgraund] podzemná železnica
underground station stanica podzemnej železnice
understand – understood – understood [ˌandəˈstænd – ˌandəˈstud – ˌandəˈstud] rozumieť
make oneself understood dorozumieť sa
unfamiliar [ˌanfəˈmiljə] neznámy
unfortunately [anˈfo:čnitli] bohužiaľ, nanešťastie
united [ju:ˈnaitid] spojený
university [ˌju:niˈvə:siti] univerzita
unlikely [anˈlaikli] nepravdepodobný
unpack [anˈpæk] vybaliť
unpleasant [anˈpleznt] nepríjemný, neradostný
until [ənˈtil] až, dokiaľ, kým

up [ap] hore, nahor
upstairs [ˈapsteəz] nahor *(na poschodie)*, hore *(na poschodí)*
us [as] nás
use [ju:s] použitie
use [ju:z] používať
used (to) [ju:st] zvyknutý (na niečo)
useful [ju:sfl] užitočný
usually [ju:žuəli] obvykle, zvyčajne

V

vacancy [veikənsi] voľné miesto
vacant [veiknt] prázdny, voľný
valley [væli] údolie
various [veəriəs] rozličný, rôzny
vase [va:z] váza
vast [va:st] obrovský, ohromný, rozsiahly
veal [vi:l] teľacie
vegetables [vedžitəblz] zelenina
very [veri] veľmi
view [vju:] pohľad
visit [vizit] návšteva; navštíviť
viticulture [vitikalčə] vinohradníctvo
vocabulary [vəˈkæbjuləri] slovná zásoba
voice [vois] hlas
volleyball [volibo:l] volejbal

W

wait [weit] čakať
waiter [weitə] čašník
waiter! pán hlavný!
waitress [weitris] servírka, čašníčka
walk [wo:k] prechádzka, chôdza; prechádzať sa, ísť peši
wall [wo:l] stena, múr
want [wont] chcieť
war [wo:] vojna
warm [wo:m] teplý
warn [wo:n] varovať
wash [woš] umyť (sa), prať *(bielizeň)*
wash the dishes umyť riad
watch [woč] dívať sa, pozorovať; hodinky
watchmaker's [wočmeikəz] hodinárstvo
water [wo:tə] voda; polievať
way [wei] cesta, spôsob
by the way mimochodom
we [wi:, wi] my
weather [weðə] počasie
Wednesday [wenzdi] streda
week [wi:k] týždeň
weekend [ˈwi:kˈend] koniec týždňa, víkend
weekend cottage víkendová chata
weigh [wei] (od)vážiť
weight [weit] hmotnosť
welcome [welkəm] (pri)vítať; vitajte; privítanie; vítaný
you are welcome [welkəm] vezmite si, poslúžte si; veľmi vďačne, rado sa stalo
well [wel] zdravý; dobre; nuž (ale), (no) tak
well-known – better-known – best-known [ˈwelˈnəun – ˈbetənəun – ˈbestˈnəun] známy, známejší, najznámejší
Welsh [welš] Welšan, walesčina; waleský; walesky
west [west] západ
western [westən] západný
what [wot] ktorý, aký, čo; to, čo
what about you? a čo ty?
wheat [wi:t] pšenica
when [wen] kedy
where [weə] kde, kam
whether [weðə] či
which [wič] čo, aký, ktorý
while [wail] chvíľa; kým, zatiaľ čo
while I wait na počkanie
whisky [wiski] whisky
white [wait] biely
who [hu:] kto, ktorý *(o osobách)*
whole [həul] celý
whose [hu:z] čí, ktorého
why [wai] prečo *(v otázke)*, ale

wife, *mn. č.* **wives** [waif – waivz] manželka
wild [waild] divý
will [wil] *pomocné sloveso bud. času*
win – won – won [win – wan – wan] *(nn)* zvíťaziť
wind [wind] vietor
windy [windi] vetristo
window [windəu] okno
wine [wain] víno
winter [wintə] zima ; zimný
wire [waiə] drôt, telegram
wish [wiš] prianie ; priať si, želať si
with [wið] s, so
without [wi'ðaut] bez
woman, *mn. č.* **women** [wumən – wimin] žena
wonder [wandə] div ; diviť sa, čudovať sa, byť zvedavý
I wonder if… neviem, či… či…
wood [wud] *(len jedn. č.)* drevo, *(jedn. i mn. č.)* les
wool [wul] vlna
woollen [wuln] vlnený
word [wə:d] slovo, slovíčko
work [wə:k] práca ; pracovať
works [wə:ks] továreň
working hours pracovný čas
workshop [wə:kšop] dielňa
training workshop učňovská dielňa
world [wə:ld] svet
worry [wari] starosť ; robiť si starosti
worse [wə:s] horší ; horšie
worst [wə:st] najhorší ; najhoršie
would [wud] *tvar podmieňovacieho spôsobu*
write – wrote – written [rait – rəut – ritn] písať
writer [raitə] spisovateľ
wrong [roŋ] zlý, nesprávny

Y

yard [ja:d] jard
year [jə:] rok
this time of year táto ročná doba
yes [jes] áno
yesterday [jestədi] včera
yet [jet] predsa, však *(v otázke)* už
not yet ešte nie
you [ju:, ju] ty, vy
young [jaŋ] mladý
your [jo:] tvoj, váš

Z

zero [ziərəu] nula *(na stupnici)*

IX. VÝSLOVNOSTNÝ SLOVNÍČEK VLASTNÝCH MIEN

Aberdeen [ˌæbə'di:n]
Alaska [ə'læskə] Aljaška
America [ə'merikə] Amerika
Anne [æn]
Arizona [ˌæri'zəunə] Arizona
Atlantic Ocean [ət'læntik əušn] Atlantický oceán
Australia [os'treiljə] Austrália
Baker [beikə]
Ben Nevis [ben'nevis]
Birmingham [bə:miŋəm]
Black [blæk]
Bob [bob]
Brighton [braitn]
British Isles [britiš ailz] Britské súostrovie
Brown [braun]
California [ˌkæli'fo:njə] Kalifornia
Cambridge [keimbridž]
Canada [kænədə]
English Channel [čænl] Lamanšský prieliv
Cardiff [ka:dif]
Charles [ča:lz]
Carrie [kæri]
Carter [ka:tə]

Clark [kla:k]
Colorado Springs [kolə'ra:dəu spriŋz]
Croxted Road [krokstid rəud]
Czechoslovakia ['čekəusləvækiə]
D. C. – District of Columbia [distrikt əv kə'lambiə]
Edinburgh [edinbərə]
Eliza [i'laizə]
England [iŋglænd] Anglicko
Europe [juərəp] Európa
Frank [fræŋk]
Fred [fred] *skr.* **Frederic(k)**
Gaelic [geilik] gaelčina
George [džo:dž]
Grand Canyon [grænd kænjən]
Glasgow [gla:sgəu]
Great Britain [greit britn] Veľká Británia
Hampshire [hæmpšə]
Harry [hæri]
Hawaii [ha:waii:]
Hebrides [hebridi:z]
Hill Street [hil stri:t]
Hudson [hadsn]
Hyde Park [haid pa:k]
Ireland [aiələnd] Írsko
Isle of Man [ail əv mæn]
Isle of Wight [ail əv wait]
Italy [itəli] Taliansko
Jack [džæk]
Jackie [džæki]
Jane [džein]
Jim [džim]
Joan [džəun]
John [džon]
Joseph [džəuzif]
Kate [keit]
Lake District [leik distrikt]
Langston [læŋstən]
Leigh [li:]
Leeds [li:dz]
Lewis [lu:is]
Liverpool [livəpu:l]
Lloyd [loid]
London [landən]
Lucy [lu:si]
Manchester [mænčistə]
Manhattan [mæn'hætn]
Market Street [ma:kit stri:t]
Mary [meəri]
Mexico [meksikəu]
Mike [maik]
Mississippi [misi'sipi]
Missouri [mi'zuəri]
Moscow [moskəu] Moskva
Mount Whitney [maunt witni]
Nelly [neli]
Nevada [ne'va:də]
New Mexico [nju:meksikəu]
New York ['nju: jo:k]
New York City [nju: 'jo:k 'siti]
New Zealand [nju: 'zi:lənd]
Newcastle [nju: ka:sl]
Odeon [əudjən]
Oxford [oksfəd]
Pacific Ocean [pə'sifik əušn]
Palace Hotel [pælis həu'tel]
Park Hotel [pa:k həu'tel]
Park Lane [pa:k lein]
Parker [pa:kə]
Pat [pæt] *skr.* **Patricia** [pə'trišə]
Patrick [pætrik]
Paul [po:l]
Peter [pi:tə]
Peters [pi:təz]
Prague [pra:g]
Robinson [robinsn]
Red Indian [red indjən] Indián
Rocky Mountains [roki mauntinz]
Scotland [skotlənd] Škótsko
Scottish Highlands [skotiš hailənds]
Severn [sevən]
Shakespeare [šeikspiə]
Sharp [ša:p]
Sheffield [šefi:ld]
Shetlands [šetləndz]
Slovakia [slə'vækiə] Slovensko
Smith [smiθ]
St Louis [snt luis]
Stephen [sti:vn]
Steve [sti:v]
Stevens [sti:vnz]
Stratford [strætfəd]
Sue [sju:, su:]
Susan [su:zn]

Texas [teksəs]
Thames [temz]
Thompson [tomsn]
Toby [təubi]
Tom [tom]
Tony [təuni]
Tweed [twi:d]
Victoria Station [vik to:riə steišn]
Wales [weilz]
Washington [wošiŋtən]
Wendy [wendi]
West Ham [west hæm]
Windermere [windəmiə]
Worcester [wustə]
Wright [rait]
Yellowstone National Park [jeləu-stəun]

STRUČNÝ NÁVOD, AKO PRACOVAŤ S MAGNETOFÓNOVOU NAHRÁVKOU:

a) Najprv si vypočujte celý text článku pri zatvorenej učebnici.
b) Znovu prehrajte text a zároveň sledujte príslušný text v učebnici.
c) Prehrávajte text znovu po vetách a opakujte každú vetu niekoľkokrát nahlas.
d) Pri výslovnostných a gramatických cvičeniach preštudujte najprv príslušnú časť v učebnici.

KĽÚČ

Dodatok